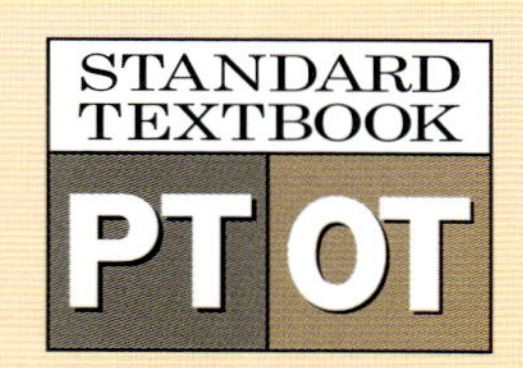

標準理学療法学・作業療法学

専門基礎分野

■シリーズ監修
奈良　勲　広島大学・名誉教授
鎌倉矩子　広島大学・名誉教授

小児科学

第6版

■編集
前垣義弘　鳥取大学医学部脳神経小児科学分野・教授
小倉加恵子　鳥取県子ども家庭部・参事監/鳥取県倉吉保健所長/鳥取県立鳥取療育園・医長

■執筆
前垣義弘　鳥取大学医学部脳神経小児科学分野・教授
難波範行　鳥取大学医学部周産期・小児医学分野・教授
村上　潤　山陰労災病院・小児科・部長
宮原史子　鳥取大学医学部周産期・小児医学分野・助教
岡崎哲也　岡山大学学術研究院医歯薬学域臨床遺伝子医療学分野・特任講師
小倉加恵子　鳥取県子ども家庭部・参事監/鳥取県倉吉保健所長/鳥取県立鳥取療育園・医長
藤本正伸　鳥取大学医学部周産期・小児医学分野・助教
美野陽一　鳥取大学医学部周産期・小児医学分野・講師
三浦真澄　川崎医科大学小児科学・教授
坂田晋史　鳥取県立総合療育センター・医務部医長
倉信奈緒美　鳥取大学医学部周産期・小児医学分野・助教
奥野啓介　鳥取大学医学部周産期・小児医学分野・講師
横山浩己　明石医療センター・小児科
唐下千寿　鳥取大学医学部視覚病態学分野・助教
矢間敬章　鳥取大学医学部耳鼻咽喉・頭頸部外科学分野・講師
倉澤茂樹　福島県立医科大学保健科学部作業療法学科・教授
楠本泰士　福島県立医科大学保健科学部理学療法学科・准教授

医学書院

標準理学療法学・作業療法学　専門基礎分野
小児科学
発　　行　2000年 2 月 1 日　第1版第1刷
　　　　　2002年 5 月15日　第1版第6刷
　　　　　2003年 1 月15日　第2版第1刷
　　　　　2008年 9 月15日　第2版第8刷
　　　　　2009年 1 月15日　第3版第1刷
　　　　　2012年 5 月 1 日　第3版第6刷
　　　　　2013年 1 月 1 日　第4版第1刷
　　　　　2016年 8 月15日　第4版第5刷
　　　　　2018年 1 月 1 日　第5版第1刷
　　　　　2022年 2 月 1 日　第5版第5刷
　　　　　2023年 1 月 1 日　第6版第1刷©
　　　　　2024年11月15日　第6版第3刷
シリーズ監修　奈良(なら)　勲(いさお)・鎌倉矩子(かまくらのりこ)
編　　集　前垣義弘(まえがきよしひろ)・小倉加恵子(おぐらかえこ)
発 行 者　株式会社　医学書院
　　　　　代表取締役　金原　俊
　　　　　〒113-8719　東京都文京区本郷1-28-23
　　　　　電話　03-3817-5600(社内案内)
印刷・製本　三美印刷

ISBN978-4-260-05013-5

刊行のことば

わが国に最初の理学療法士・作業療法士養成校がつくられたときから，はや30余年が過ぎた．いま全国の理学療法士・作業療法士養成校の数は，それぞれ100を超えるに至っている．はじめパラメディカル（医学に付属している専門職）を標榜していた2つの職種は，いつしかコメディカル（医学と協業する専門職）を自称するようになり，専門学校のみで行われていた養成教育は，短期大学，大学でも行われるようになった．そこで教授されているのは，いまや理学療法，作業療法ではなく，理学療法学，作業療法学である．教育大綱化の波はこの世界にも及び，教育の細部を法令によって細かく規制される時代は去った．

だがこうした変革のなかでも，ほとんど変わらずに引き継がれてきたものはある．それは，専門基礎教育と呼ばれるものである．「人」「疾患と障害」「保健医療福祉の理念」についての教育科目群を関係者はこのように呼ぶ．特に前2者はいわゆる基礎医学系科目，臨床医学系科目と見かけが同じであるが，実際は理学療法学・作業療法学教育にふさわしいものとなるように，力点を変えて教えてきたものである．内容再編の方法は個々の教師にゆだねられていた．理学療法学生，作業療法学生専用のテキストはなかった．

しかしいま，固有の教科書を生み出すべき時がやってきた．全国にかつてないほど沢山の理学療法学生，作業療法学生，そして新任の教師たちが生まれている．ベテランの教師たちに，テキストの公開を要請すべき時がやってきたのである．

かくして，本教科書シリーズ「標準理学療法学・作業療法学専門基礎分野」は企画された．もちろんこのほかに，それぞれの「専門分野」を扱うシリーズがなくてはならないが，これは別の企画にゆだねることになった．

コメディカルを自称してきた人々のなかに，医学モデルからの離脱を宣言する人々が現れるようになって久しい．この傾向は今後加速されるであろうが，しかしどのような時代が来ようとも，理学療法学・作業療法学教育のなかで，人の身体と心，その発達，そして疾患と障害の特性を学ぶことの意義が失われることはないであろう．理学療法が理学療法であり，作業療法が作業療法であるために，これらの知識は常に必須の基盤を提供してきたのだから．

1999年12月

シリーズ監修者

第6版　序

2000年2月に初版が発刊された本書には，PT，OTを目指す学生が現場で活躍できるよう育ってほしいという冨田豊先生の熱意が込められている．その序に「国家試験だけを考えるとかなり内容が片寄るので，学生諸氏が将来PT，OTとして現場で小児に携わるようになったとき，少なくとも最初の数年間の間にぶつかるであろう小児の諸問題を取り上げるようにした」とある．私は，第4版より主に神経疾患の章の執筆を担当するようになり，第6版より編集を任された．冨田先生のマインドを引き継ぐことを肝に銘じて，小倉加恵子先生とともに編集を行った．

医療は日進月歩であり，急性期医療の進歩や新しい治療法の開発などにより，疾患の臨床経過が大きく変わってきた．症状が緩和され，長期生存できるようになった．それに伴って医療や福祉，教育，行政の制度も整えられてきている．一方で，従来であれば短命であった難病の子どもが障害がありながら生存できるようになった．その結果，医療的ケア児が全国で増加し，その多くが在宅で生活している．重症心身障害児や医療的ケア児の支援を行う訪問診療医や看護師および訪問リハビリテーションへのニーズが増してきている．このような背景から，2021年9月に「医療的ケア児及びその家族に対する支援に関する法律（医療的ケア児支援法）」が施行された．それに伴って，第6版では重症心身障害児・医療的ケア児について詳しく記述した．

さらに，近年ニーズの高い発達障害（神経発達症）についても，1つの章として独立させ内容を充実させた．発達障害の子どもは成長とともにニーズが変化するため，リハビリテーションの視点も状態に合わせて柔軟に変更することや家族支援の重要性を強調した．

その他の章も今回の改訂にあたり，医療の最新の知見と齟齬がないように，各疾患の専門の先生方に執筆を依頼した．

子どもは家族や地域社会の中で育てられ，いずれは自立していく．障害のある子どもも同じであり，必要なサポートを受けながら自立し，自分らしい人生を歩んでほしいと願っている．PT，OTは，子どもと家族に密にかかわる重要なキーパーソンであり，広い視野をもった専門職となることを期待している．本書がそのために役立てたら幸いである．

2022年12月

前垣義弘

初版 序

4年あまり前から，コメディカル5学科の学生に小児科学を講義する機会を得るようになって準備をしてみると，各科ごとに伝えたい内容の重点に相違があることに気がついた．また過去の国家試験だけをみると，小児関連の問題は現在のところPT，OTともそれほど多くはない．しかし具体的な出題の内容をみると，小児というものを大づかみにでも理解してもらうには，かなり片寄りがあることが気になっていた．また従来の医学生の教科書と異なり，コメディカル学生の教科書の場合は，ある程度，治療的，リハビリテーション的，介護的，あるいは療育的な内容も要求される．

以上をふまえ，本書を執筆するにあたり気をつけた点は，第1に，国家試験だけを考えるとかなり内容が片寄るので，学生諸氏が将来PT，OTとして現場で小児に携わるようになったとき，少なくとも最初の数年間の間にぶつかるであろう小児の諸問題を取り上げるようにしたことである．特に，療育という場面で小児に接することが多いと予想されるので，小児神経の領域の疾患について詳述した．また，学問的だけでなく多少実践的にも役に立つように心がけた．この視点は臨床実習時にも役立つであろうと期待している．

第2に，PT，OTは新生児ICU（NICU）で，あるいは退院後の経過観察の途中に，未熟児に接する機会が今後増加すると考えられる．超早期療育として何をすべきなのか，現在は科学としての蓄積は乏しい．そこで今後の手がかりとなるように，やや詳しく未熟児・新生児の評価のしかたを述べた．

第3に，重症心身障害児を対象とした療育は，PT, OTも携わる機会が増えてきたが，それにとどまらず，高齢者の問題にもつながる共通点が多く，興味深い領域である．そこで独立した章をとって説明した．

第4に，ややもすると医療系の参考書は病名などの羅列に終わりがちであるが，将来より深く小児と接するうえでいろいろな病状や病態を理解していくことが大切である．そこで，できるだけ「なぜ」とか「どのように」などについて説明するように心がけた．

第5に，医療機関での小児科のカルテが，臨床実習中も実践の場でも，ある程度読みこなせるように補助できることを念頭においた．

日ごろ広島県立保健福祉短期大学附属診療所にて，障害児の療育に共同して携わり，また専門的な知恵を提供していただいている各科の教官諸氏，作業療法学科・森下孝夫氏，理学療法学科・清水・ミシェル・アイズマン氏，言語聴覚療法学科・進藤美津子氏，看護学科・田中清美氏，その他の教官諸氏に多くを負うことを記して謝意に代えたい．また出版に際して，細やかな助言をいただいた医学書院の青戸竜也氏，栩兼拓磨氏，その他の方々にお礼申し上げる．

1999 年 12 月

冨田　豊

目次

4　先天異常と遺伝病　岡崎哲也　59

5　神経・筋疾患　78

序説

PT・OT と小児科学のかかわり

A 小児科医が求める PT・OT のかかわり

日本小児科学会のホームページで,「小児科専門医は“子どもの総合医”として,子どもたちの生活の質と安全・安心のために活動していきます」と述べている.これは,小児医療は単に病気を診断し治療することにとどまらず,家族を含めて安全・安心を保障しながら,心身の成長・発達を支援することを意味している.小児にかかわる PT・OT も同様で,以下の 4 つの視点が大切だと考える.

(1) 疾患の病態を理解する

疾患による機能障害に対して,機能や生活能力の改善を期待して,PT・OT にリハビリテーション(リハビリ)を依頼する.疾患ごとに機能障害の病態と経過ならびに併存障害が異なるため,患者の状態に合わせたリハビリを実施することが大切である.

(2) 成長・発達を意識する

子どもの最大の特徴は,成長と発達である.小児期に生じた機能障害は,成長とともに軽減する場合や逆に悪化する場合がある.質的に変化する場合や新たな機能障害が加わることもある.子どもの成長と発達を意識し,長期的な展望に立ったかかわりが大切である.

(3) 社会的な存在として考える

子どもは家族の中で育てられるが,保育所・幼稚園・認定こども園・学校などの社会環境の中でも育てられる.このような子どもを取り巻く家庭や社会環境にも配慮した対応が重要である.訓練室の中は,子どもの生活のほんの一部でしかなく,特殊な場面である.生活の大部分である家庭や社会環境で活かせるようなリハビリや指導を心掛けるべきである.

(4) 子どもと養育者の心情や思いに配慮する

気持ちや思いを言葉にしにくい乳幼児や障害児の代弁者は親であることの認識をもちながらも,本当に子どもにとって必要なことは何なのかを客観的に考える視点は大切である.“医療やリハビリが親のニーズを満たすことに偏っていないだろうか”ということは,常に考えておく必要がある.リハビリに熱心になるあまり,子どもの心の育ちに目が向かない場合がある.支援者は,子どもの言葉や態度に注意を向けることが大切である.

B PT・OT が子どもにかかわるうえで大切なこと

NICU(新生児集中治療室)の普及に代表されるような医療体制の拡充によって,極低出生体重児や重度の先天性疾患のある子どもの命を救うことが可能となってきた.また,注意欠如・多動症(ADHD)などの発達障害についても社会的な関心が高まり,医療的支援を受ける子どもたちが多くなっている.今,小児リハビリの臨床現場は,多様な疾患への知識が必要とされている.同時に,PT・OT は診断名や神経・心理学的な症状が,必ずしも「その子ども自身」を的確に示すとは限らないことも心がけておかなければならない．

ある日，Down 症候群である A 君の母親との会話で，「A 君が 1 人で近所のスーパーに行き，好きなお菓子を買ってくる」という話を聞き驚愕した．なぜなら A 君は言葉を発することができないため，コミュニケーション能力が必要な買い物という作業遂行は，当時の筆者には想像できなかったからである．母親によると，A 君は 100 円玉と好きなお菓子を握りしめ，店員に提示し，予算オーバーだったらお菓子を変更し，買ってくるとのことだった．知能検査の結果からは不可能だと思われていた作業を，A 君は持ち前の行動力と愛らしさによって見事にやり遂げていた．その事実に驚くとともに，筆者自身が A 君の可能性を見出せなかったことを恥じた．

障害者自身だけでなく，家族や支援にあたる専門家が「できない」と思い込んでしまうことを「内なる偏見」（野中猛著『図説精神障害リハビリテーション』より）という．子どもや保護者と接する時間が保障されている PT・OT には，日ごろから内なる偏見にとらわれることなく，子どもたちの可能性や希望を導き出すまなざしをもってほしい．

第1章

小児科学概論

学習目標

- 小児の体，脳をはじめとした各臓器の発育について理解し，発達の法則性，反射の発達的変化および正常発達の評価ポイントをおさえる．
- 発育に必要な栄養，および栄養障害を理解し，離乳についてはリハビリテーションとの関連から食物形態だけでなく口腔機能の面にも注目する．
- 人口動態の変化の意味，予防接種や学校保健での健康管理の実際を理解する．

A 小児科の特徴

小児科学は，もともと内科学の一分野から分かれてきた．内科学は臨床医学として細分化が進んでおり，小児科学自体も細分化がかなり進んできた．しかし小児科は，日常臨床のなかでも，親子関係を含めた小児の全体像を把握しないと，診断・治療・療育・育児などにかかわれないという特徴がある．

理学療法や作業療法それ自体も分化傾向にあるが，治療学としての理学・作業療法学は，常に患者・対象者の全体像を踏まえるという姿勢が強く求められる．小児に対する場合には，このことが特に大切な心構えといえる．

▶表1　小児期の成長・発達の区分①

(1) 胚子（胎芽）	embryo	～受精後第8週
(2) 胎児	fetus	満8週～出生
(3) 新生児	neonate, newborn	出生～4週未満
(4) 乳児	infant	～1歳未満
(5) 幼児	early childhood	～6歳
(6) 学童	(early) school years	～12歳
(7) 青年期	adolescence	二次性徴開始から

B 小児の成長・発育と発達

小児科では，成長・発育（growth）と発達（development）はほぼ同義語で使用されることが多いが，区別されることもある．区別する場合，“成長”は形態的変化，すなわち身長や体重の増加あるいは二次性徴の出現などを指し，“発達”は機能的変化，すなわち運動や知能の進歩を指す．まずここで，よく使用される小児期の区分を**表1**と**図1**に示す．

1 成長・発育

a 胎児の器官の形成

卵子と精子の受精に始まり，受精卵は急速に分

↓受精		↓出生			
胚子	胎児	新生児	乳児	幼児	学童
(0週)	(8週)	0日(在胎40週ごろ)	4週	1歳	6歳　　12歳

▶図1　小児期の成長・発達の区分②

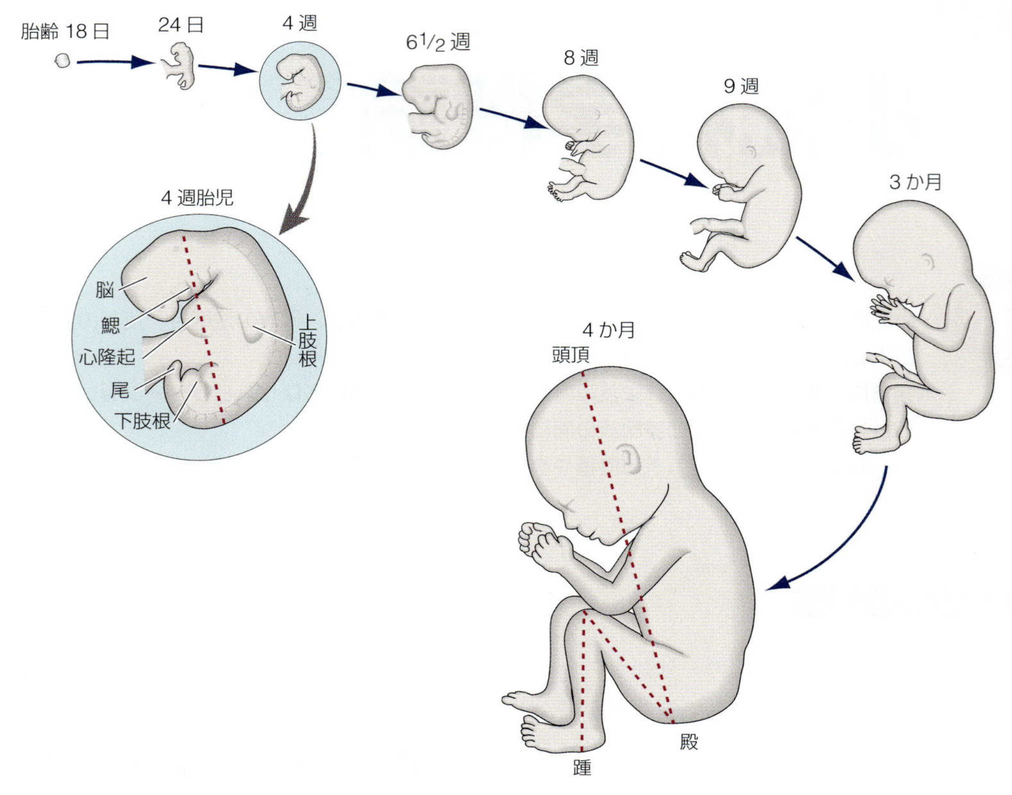

▶図 2　ヒト胎児の成長
胎齢は受精時より起算
〔原 寿郎：小児の成長．内山 聖（監修）：標準小児科学　第 8 版．p. 6，医学書院，2013 より〕

裂増殖する（▶図 2）．受精後第 3 週に外胚葉，内胚葉，中胚葉の三胚葉が形成される．また，受精後第 8 週までを胚子（胎芽）といい，主な器官の形成が行われる．一部の器官は第 12 週ころまで継続して形成される．

満 8 週以降の胎児期には，胎児の身長・体重が本格的に増大してくる．

b 胎児の成長

胎児の出生時体格標準曲線を**図 3** に示す．WHO の推奨により，1995 年から出生時の体格の正常範囲の下限は 10 パーセンタイル，上限は 90 パーセンタイルとなった．出生体重が 10 パーセンタイル未満の新生児を light for gestational age 児，90 パーセンタイル以上の児を heavy for gestational age 児と呼ぶ．

c 生後の体重と身長の増加

満期出生時の体重はほぼ 3 kg であり，男子が女子よりもやや重い．生後 3 か月で 2 倍の約 6 kg になり，その後，増加率が減少して 1 歳時で 3 倍の約 9 kg になり，小学校入学時には約 20 kg になる．身長は，出生時 50 cm，1 歳時 75 cm，小学校入学時 114 cm となり，小学校入学時には出生時の 2 倍強となる．さらに思春期には急速な成長スパート（発育急伸期）がみられる．**図 4** には身長と体重の成長曲線を示す．

d 中枢神経の形成と出生後の発育

脳の発育をみると，**図 5** に示すように，胎齢 19 週ころまでは大脳表面は平滑であるが，浅い中心溝が 20～21 週に出現して，さらに上側頭溝，

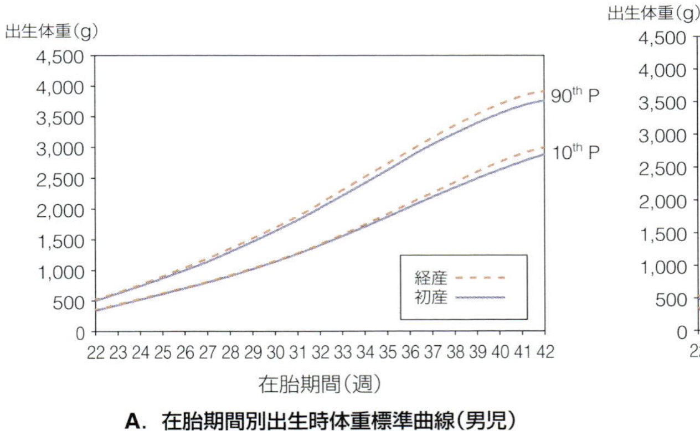

A. 在胎期間別出生時体重標準曲線(男児)
初産 28,980 名，経産 24,999 名

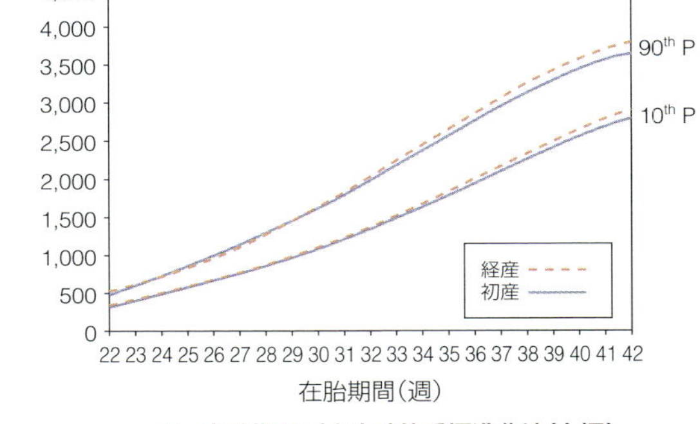

B. 在胎期間別出生時体重標準曲線(女児)
初産 27,024 名，経産 23,745 名

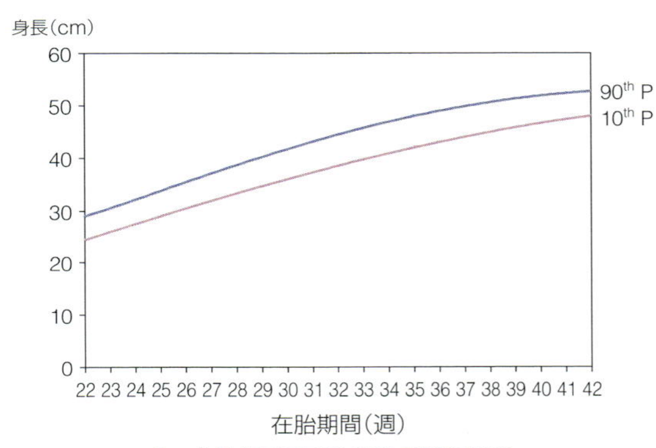

C. 在胎期間別出生時身長標準曲線
89,775 名(男女・初産経産合計)

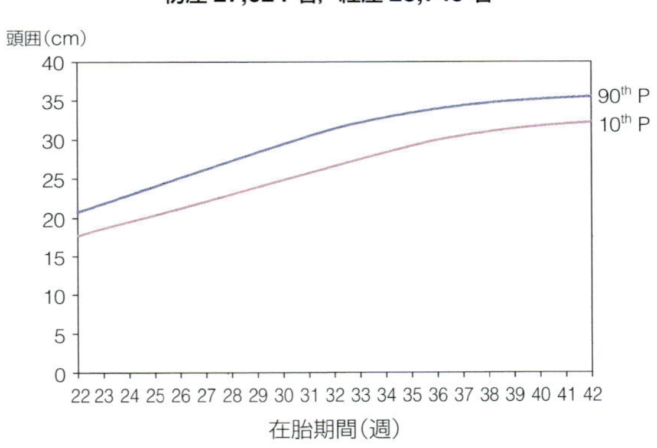

D. 在胎期間別出生時頭囲標準曲線
38,603 名(男女・初産経産合計)

▶図 3　出生時体格標準曲線

在胎週数は最終月経初日より起算.〔日本小児科学会新生児委員会：新しい在胎期間別出生時体格標準値の導入について．日本小児科学会誌 114（8）：1273-1274, 2010 より改変〕

前中心溝あるいは後中心溝などの一次大脳溝が 28 週に出現する．この時点で，体性感覚（中心後回），視覚（第 17 野），聴覚（第 41 野）の知覚系の一次投射皮質の大脳回が確認される．

その後，一次大脳溝がさらに深くなり，一方で二次大脳溝が形成されてくる．島は外側溝周辺の皮質弁蓋部の発達に伴い，皮質で覆われていく．40 週に二次大脳溝が完成し，出生後は三次大脳溝が形成されはじめる．

大脳の重量は満期産で 400 g（▶**図 6**），1 歳で 1,000 g となるが，2 歳以降は増加率が減少し，ゆるやかに成人値の 1,300 g に近づく．

頭囲は，出生時に 33 cm，1 歳時に 45〜46 cm，3 歳時に 48〜49 cm，それ以降は増加率が減少して成人では 54〜55 cm となる（▶**図 7**）．

小児はその時期により，大脳の増加構成成分が異なる．大脳構成成分の増加率の変化を**図 8** に示す．

DNA の増加率の最初のピークは神経細胞の増加と，2 番目のピークは神経膠細胞の増加と関連している．コレステロールの増加率は髄鞘化と関連が深いといわれる．

e 臓器の発育の概要

臓器別の発育の状況を大まかにみると，神経系は比較的早い乳幼児の時期に発育するのに対し，生殖器系は思春期から急速な発育がみられる．またリンパ系組織は小児期に著明な組織の増大があ

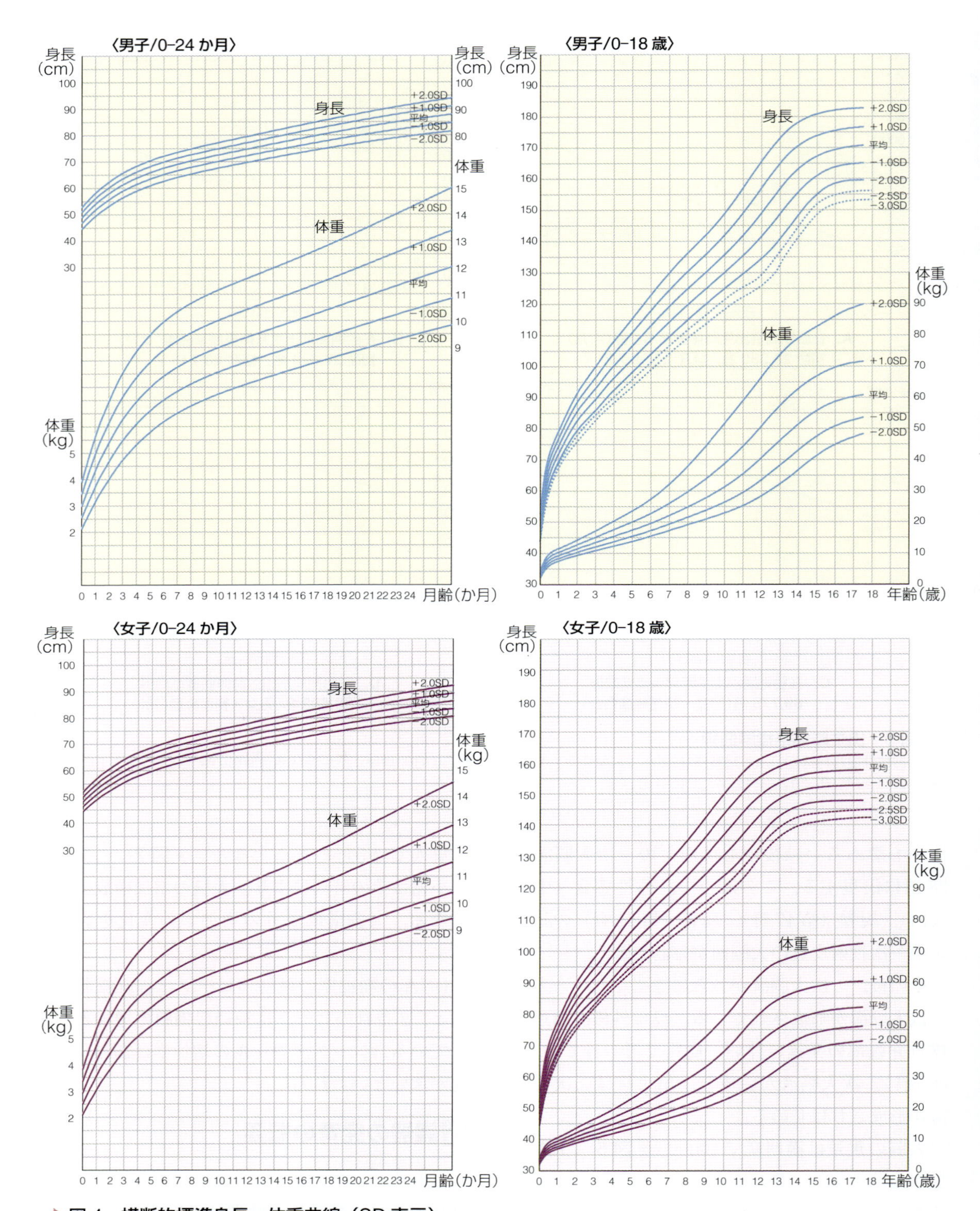

▶図 4　横断的標準身長・体重曲線（SD 表示）

本成長曲線は，LMS 法を用いて各年齢の分布を正規分布に変換して作成した．そのため SD 値は Z 値を示す．−2.5 SD，−3.0 SD は，小児慢性特定疾病の成長ホルモン治療開始基準を示す（2000 年度乳幼児身体発育調査・学校保健統計調査）．
〔加藤則子，磯島豪，村田光範ほか：Clin Pediatr Endocrinol 25：71-76, 2016　著作権：日本小児内分泌学会より〕

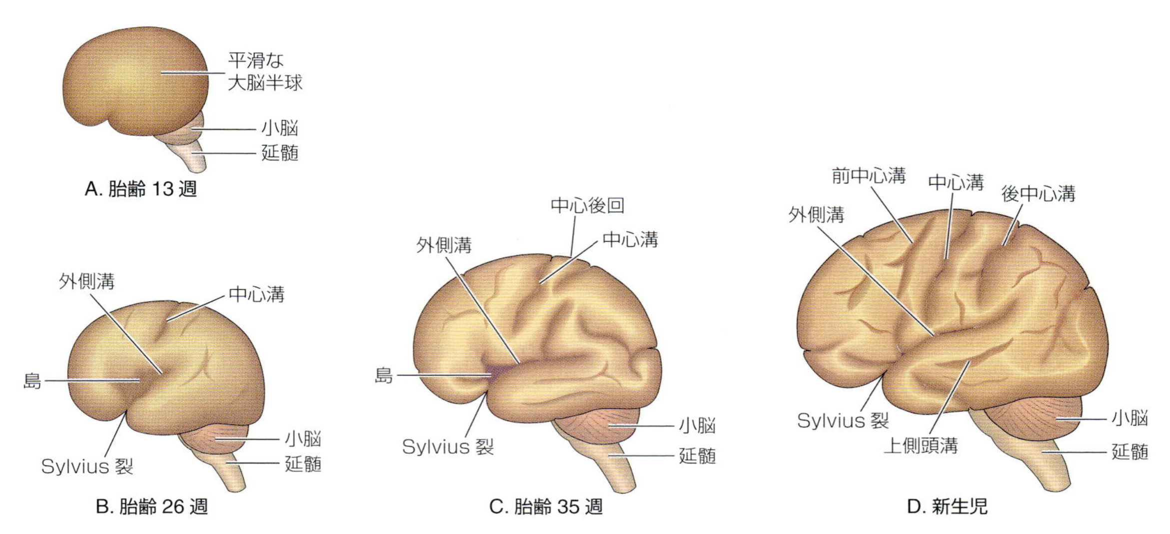

▶図 5　大脳半球と脳溝の発達
〔Moore, K.L., Persaud, T.V.N.：Developing Human. 5th ed., W.B. Saunders, Philadelphia, 1993 より〕

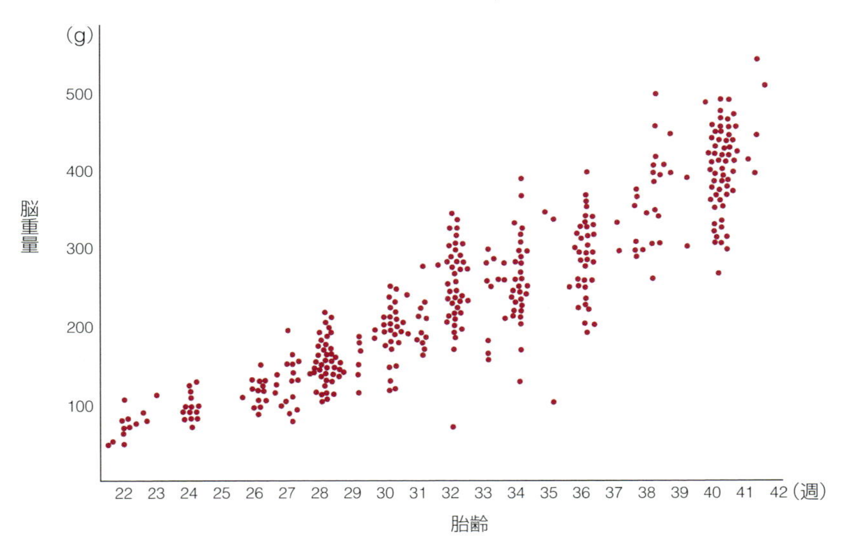

▶図 6　胎児期の脳重量
〔Larroche JC：Development of the nervous system in early life. Falkner, F.（ed.）：Human Development, pp. 257-276, W.B. Saunders, Philadelphia, 1966 より改変〕

る．他の多くの臓器は身長と同様の発育を示す．

f 生歯

乳歯は，**図 9** に示した順番で，生後 6〜8 か月から生えはじめ，2〜3 歳で生えそろう．通常，6〜11 歳ころに永久歯と入れ替わる．乳歯は上下の切歯，犬歯，臼歯を合わせて計 20 本，永久歯は計 28 本（智歯が加われば 32 本）となる．

g 二次性徴

二次性徴の成熟度をはかるときは，Tanner（タナー）の分類（▶**図 10**）がよく使用される．わが国での二次性徴発現平均年齢は，男子の場合には精巣発育開始（≧3 mL，Tanner stage 2,

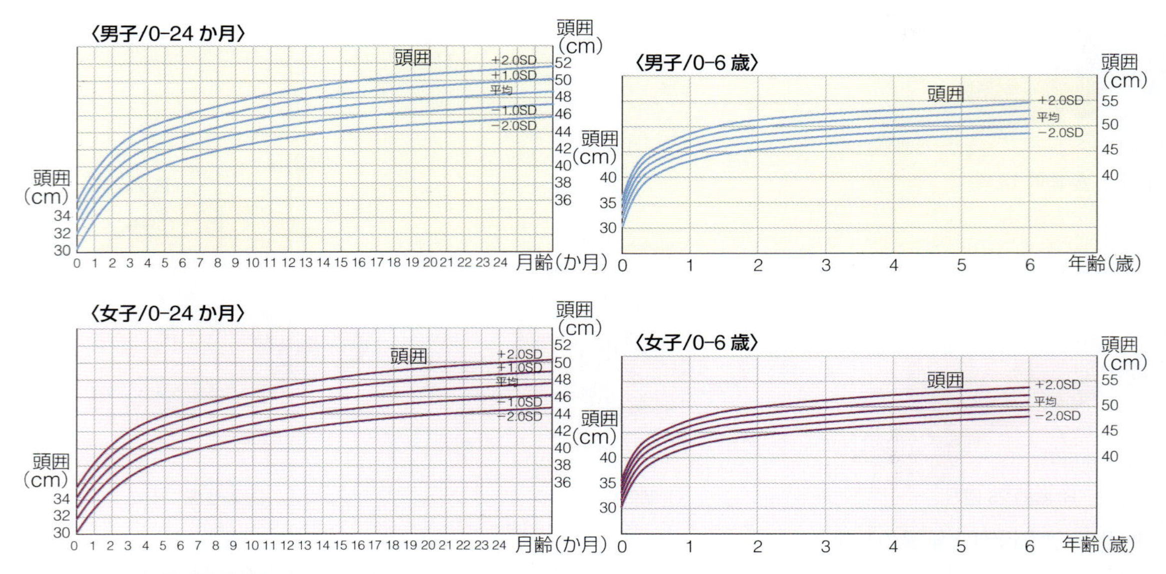

▶図 7　横断的頭囲曲線（SD 表示）

本成長曲線は，LMS 法を用いて各年齢の分布を正規分布に変換して作成した．そのため SD 値は Z 値を示す．（2010 年度乳幼児身体発育調査・学校保健統計調査）．

〔加藤則子，横山徹爾，瀧本秀美：平成 23 年度総括・分担研究報告書（H23 一次世代-指定-005）. pp. 11-52, 2012　著作権：日本小児内分泌学会より〕

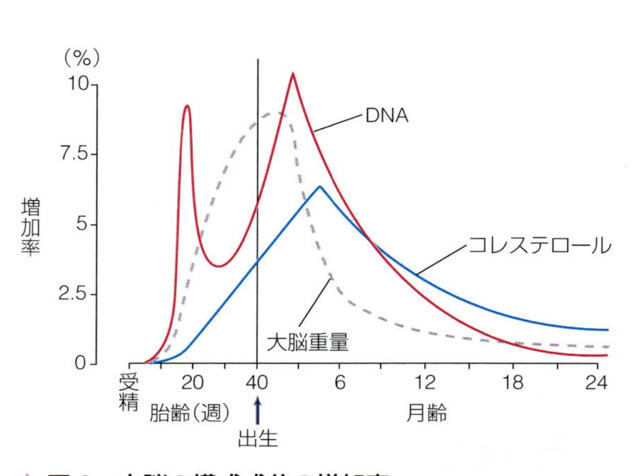

▶図 8　大脳の構成成分の増加率

2 峰性の赤い実線は DNA，1 峰性の青い実線はコレステロール，破線は大脳重量を示す．

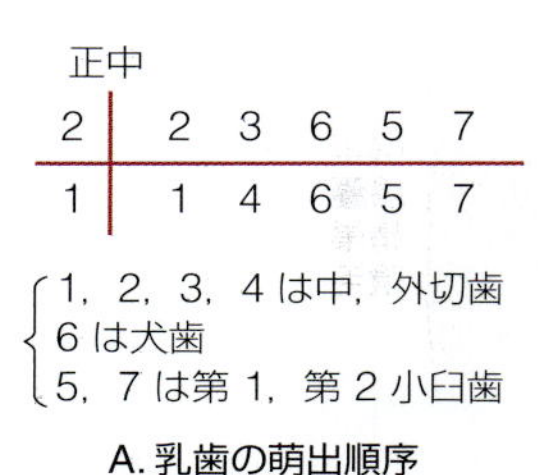

A. 乳歯の萌出順序

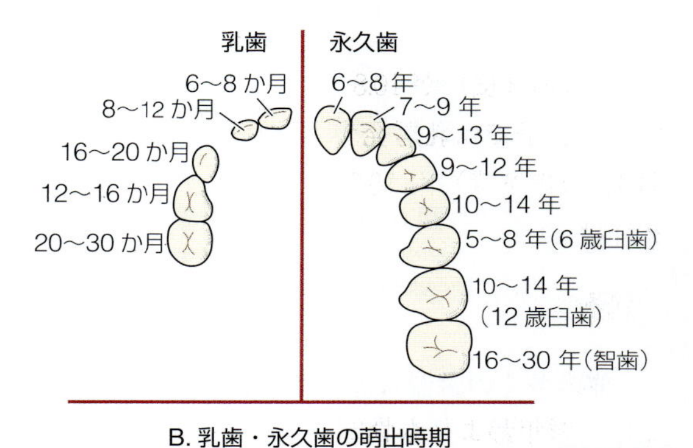

B. 乳歯・永久歯の萌出時期

▶図 9　乳歯の萌出順序と，乳歯・永久歯の萌出時期

〔原 寿郎：小児の成長．内山 聖（監修）：標準小児科学　第 8 版．p. 11，医学書院，2013 より改変〕

	男性	女性 陰毛	女性 乳房
第1度(思春期前)	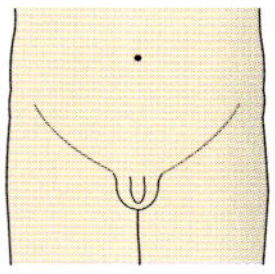 陰茎・陰嚢・精巣：未発達 陰毛：なし	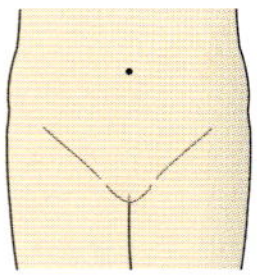 なし	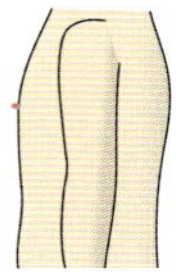 未発達で乳頭のみ突出
第2度	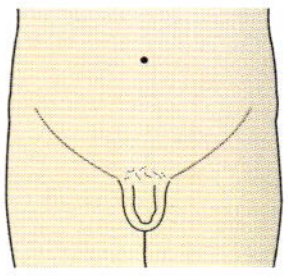 陰茎：ほとんど変化ない 陰嚢：肥大しはじめ，赤味を帯びる 精巣：肥大しはじめる 陰毛：まばら，長く柔らかい，ややカールする	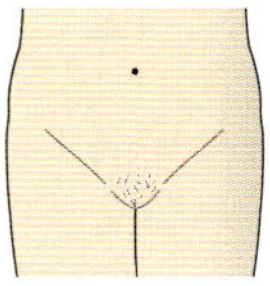 長く柔らかい，ややカールしてまばらに存在	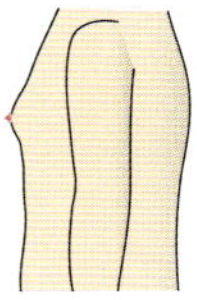 乳房がふくらむ．乳輪が大きくなる
第3度	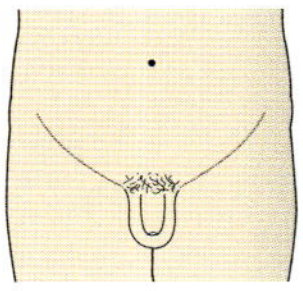 陰茎：肥大がみられる 陰嚢・精巣：さらに大きくなる 陰毛：色は濃く，硬くなり，カールする(写真にとれる程度)	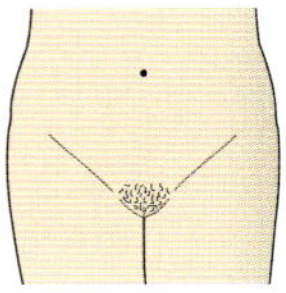 色は濃くなり，硬くカールし，量も増加(写真にとれる程度)	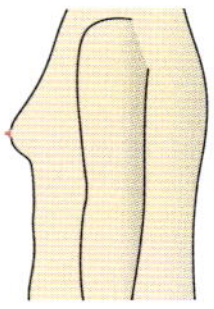 乳房はさらに大きく突出する
第4度	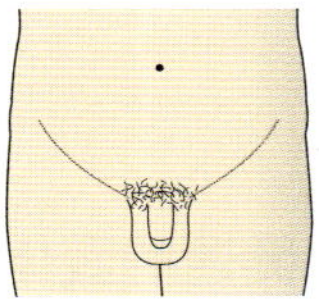 陰茎：長く，太くなる．亀頭も肥大する 陰嚢：さらに大きくなり，色素沈着をみる 精巣：さらに大きくなる 陰毛：成人に近くなるが，まばらで大腿部までは及ばない	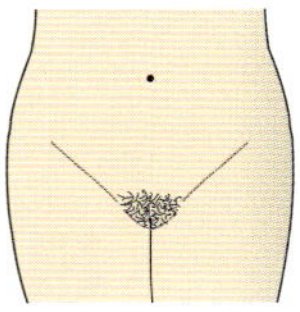 成人に近くなるが，まばらで大腿部までは及ばない	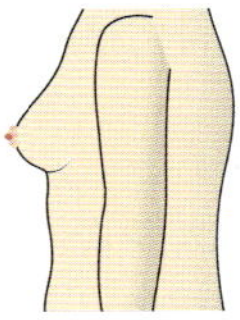 乳房肥大，乳輪と乳頭は乳房からさらに盛り上がって見える
第5度	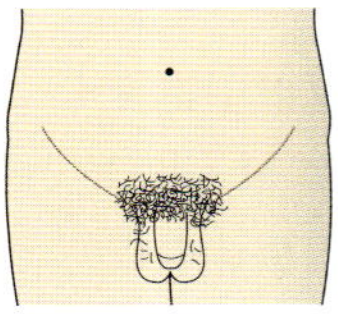 陰茎・陰嚢・精巣：成人様にまで成熟 陰毛：濃く密生する．大腿部まで及ぶ	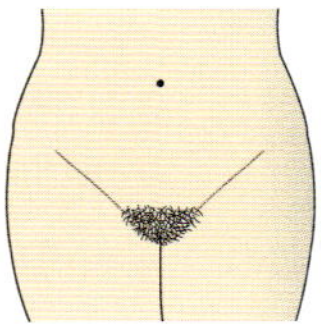 濃く密生し，大腿部まで及ぶ	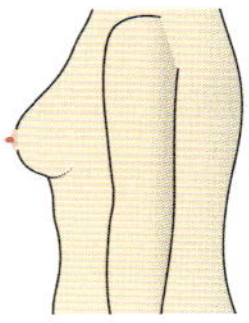 成人型となる．乳輪は後退するため乳頭のみ乳房から突出して見える

▶図 10　Tanner による二次性徴の成熟度

図 10 の第 2 度）が 10.8 歳，陰毛発生は 12.5 歳であり，女子では乳房発育開始（Tanner stage 2, 図 10 の第 2 度）が 10.0 歳，陰毛発生は 11.7 歳，初経は 12.3 歳とされている．

h 骨の成熟

二次性徴の発現や思春期の身長の急速な増加などは，暦年齢よりも骨成熟とより相関が高いとされる．この骨成熟は，X 線写真をとって長管骨の骨端軟骨や手根骨の骨化で推定する．6 歳までは手根骨（▶図 11）で骨の成熟をみる．手根骨の骨化核数は年齢数に 1 を加えるか，年齢数に等しい．6 歳を超えると肘の骨化核が有用である．

2 発達

a 発達の法則性

小児の発達の法則性には，いくつかの特徴がある．

(1) 方向性

- 頭部から尾側へ
  例：頸定（首）→立位（足）
- 体幹から末梢へ
  例：腕→指
- 粗大から微細へ

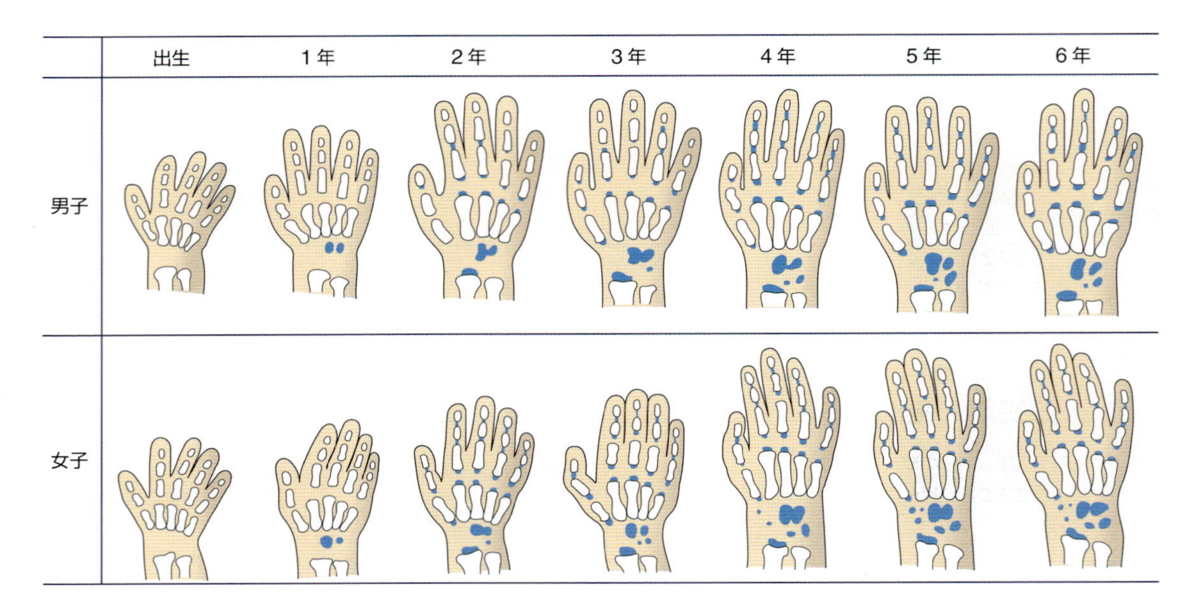

▶図 11　手根骨の骨化核数の増加

例：掌で握る（大づかみ）→指尖把握

(2) 連続性と不連続性

引き続く変化（例：単語の増加）と，突然の変化（二足歩行の開始）など

(3) 臨界期の存在

言語獲得については 2〜12 歳の間とされ，これを過ぎると困難になる〔Lenneberg, E. H.（著），佐藤方哉ほか（訳）：言語の生物学的基礎．大修館，1974 より〕．

(4) 順序性

歩行に至るまでの経過は，頸定→座位→這う→立位→歩行という順序をたどる．

ただし，個人差，環境の影響（時代，地域，季節，文化），発達のわき道（例：シャフリングベビーは，四つ這いにならず座位のままで移動を開始し，やがて歩行に至る）もあり，この順序に従わない正常児もある．

(5) 感受性

急速な発達の時期は，正にも負にも環境から受ける影響が著明に増大する．

b 原始反射・姿勢反射の発達的変化

（▶図 12，13）

原始反射は，脊髄・脳幹に反射中枢をもつ．胎児期より認められ，新生児期に最も顕著である．中脳や大脳皮質などの上位の脳機能の成熟とともに多くは 2 か月ごろには消失（抑制）するが，足の把握反射は 1 歳近くまで存続する．原始反射の消失は随意運動の発達と密接に関連する．

例えば，手の把握反射（▶図 12，図 13C）を抑制することで随意的にものをつかんだり離したりすることが可能となる．中脳・視床レベルの姿勢反射は生後 6 か月ごろからみられるようになり，終生にわたり存続するものが多く，寝返りや座位保持，四つ這い移動の神経機構の基礎となる．視性立ち直り反応と側方パラシュート反応（▶図 13K）が完成して座位保持可能となる．なお，転んだときに手が出るのはパラシュート反応（▶図 13K，L）である．大脳皮質レベルの姿勢反射は，立位保持や歩行の神経機構の基礎となる．

(1) 原始反射・姿勢反射の臨床的な意義

①存在すべき時期に原始反射がみられない

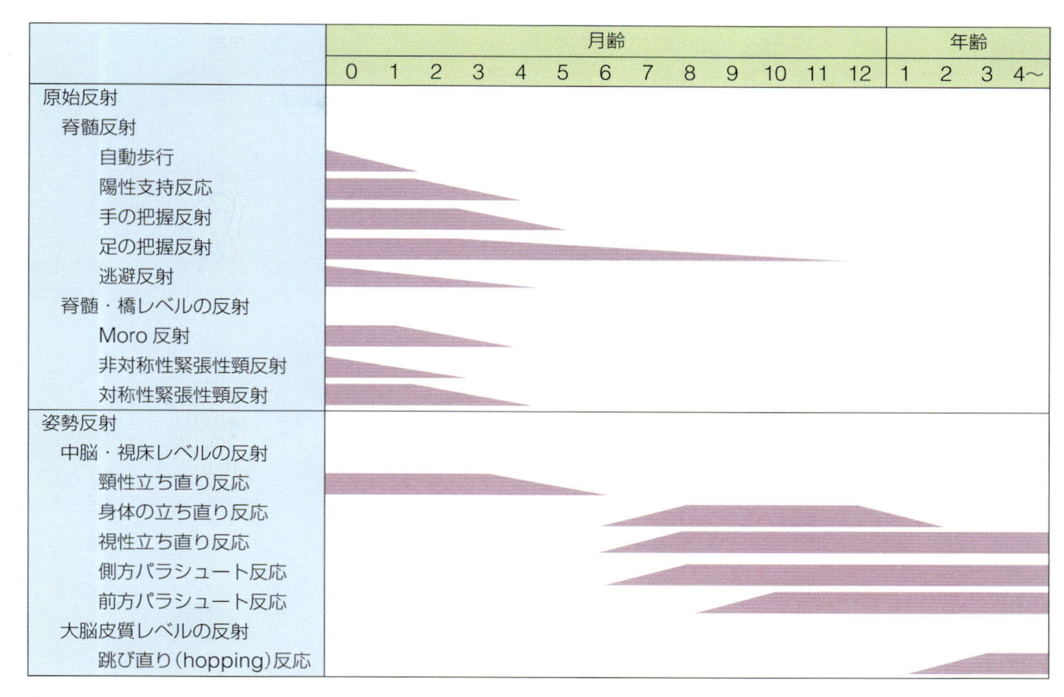

▶図 12　原始反射と姿勢反射の出現時期

- 先天的あるいは生後早期に，脳や末梢神経，筋などに重大な機能障害が存在することを意味している．

②消失すべき時期以降も原始反射が存続する

- 脊髄・脳幹よりも上位の脳機能障害を示唆する．脳性麻痺では，原始反射が存続し病的な姿勢異常をきたす〔例：非対称性緊張性頸反射（asymmetric tonic neck reflex；ATNR，図 13G）〕．
- 後天性脳障害で抑制されていた原始反射が出現することがある．病的反射として有名な Babinski（バビンスキー）反射は，乳児には生理的な反射として認められる（➡NOTE-1）．

NOTE

1 Babinski 反射（徴候）

新生児から 1 歳近い乳児の足底外縁を擦過すると，母指が背屈する．これは生理的な現象である．2 歳以降で出現すると病的反射であり錐体路徴候と判断する．

③姿勢反射の消失や出現時期の遅れ

- 脊髄・脳幹よりも上位の脳機能障害では，原始反射が存続し，姿勢反射の消失・減弱・出現時期の遅れがみられる．脊髄や末梢神経，筋疾患の障害の場合は，原始反射と姿勢反射のいずれも消失・減弱する．

C 正常（定型）発達

子どもの発達を評価する場合には，成人の神経学の様に所見を細かく分析することはできないため，運動発達，言語発達，社会性発達に分類して見てゆくことが一般的である．それぞれは相互に関連している．また，正常発達にはバリエーションがあるため，1 つの項目のみの遅れは異常ではないことも多い．子どもの発達は，総合的に見る視点，年齢幅をもって見る視点（例：頸定の完成は 3〜4 か月），経過の中で見てゆく視点が大切である．

(1) 運動発達

1 歳過ぎまでの間に頸定，寝返り，座位，四つ

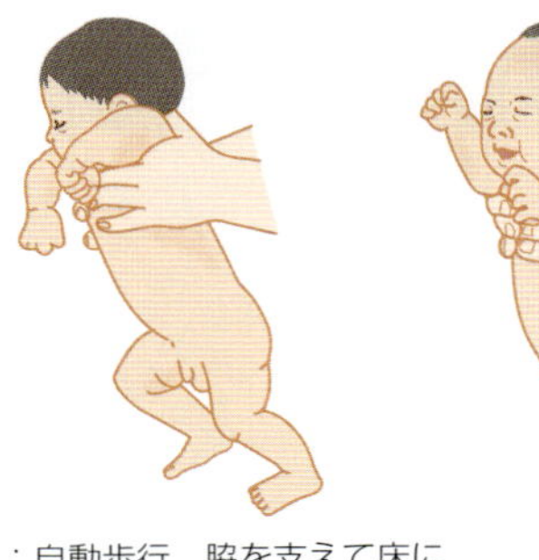

A：自動歩行．脇を支えて床に足を着けると足を交互に出す．

B：陽性支持反応．脇を支えて床に足を着けると下肢を突っ張る．

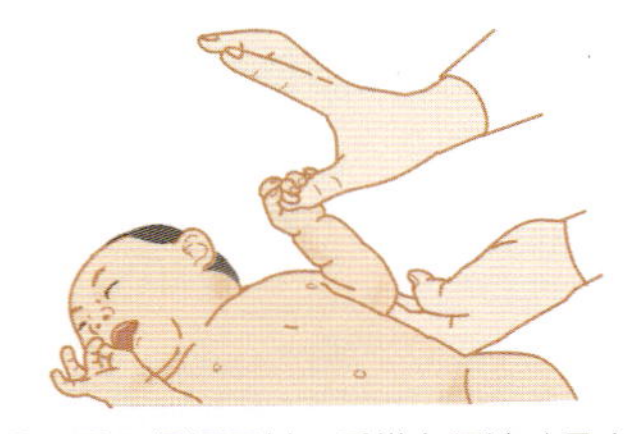

C：手の把握反射．手掌を圧迫すると全指で握る．

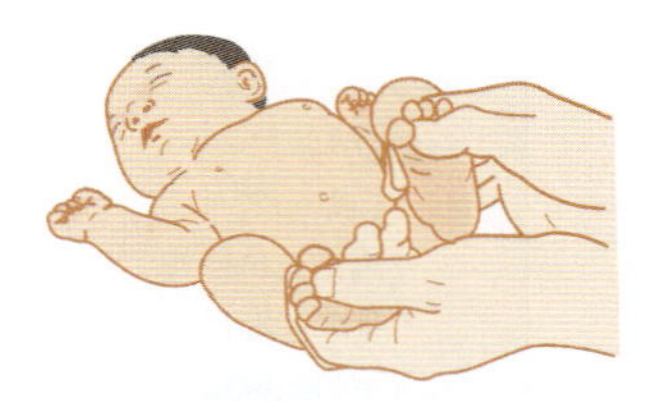

D：足の把握反射．足底（足指の付け根）を圧迫すると全足指を屈曲する．

G：非対称性緊張性頸反射（ATNR）．仰臥位で頭部を一側に向けると顔が向いているほうの上下肢が伸展し，反対側は屈曲する．

E：逃避反応．足底を刺激すると足を引っ込める．

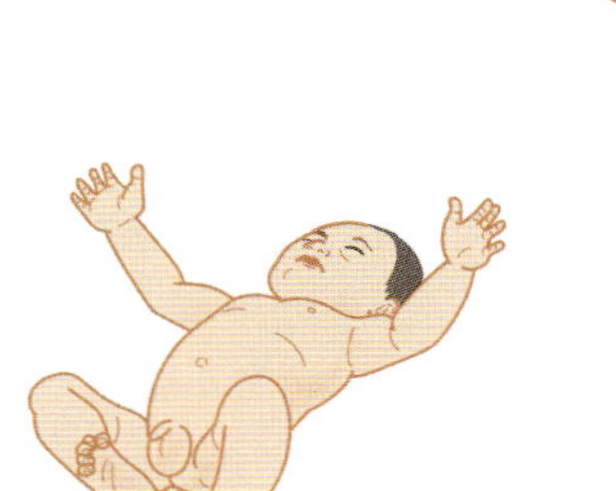

F：Moro（モロー）反射．仰臥位で頭部を手で支え抱き上げる．支えている手を急に下げて頭部を背屈させると両上肢を挙上する．

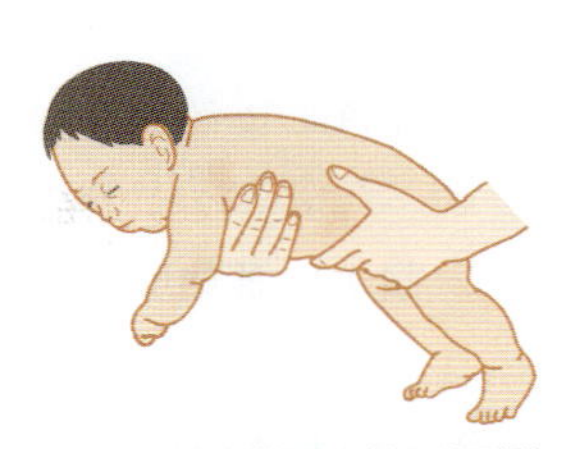

H：対称性緊張性頸反射．腹臥位にして抱き上げ，頭部を前屈させると上肢が屈曲する．背屈させると上肢が伸展する．

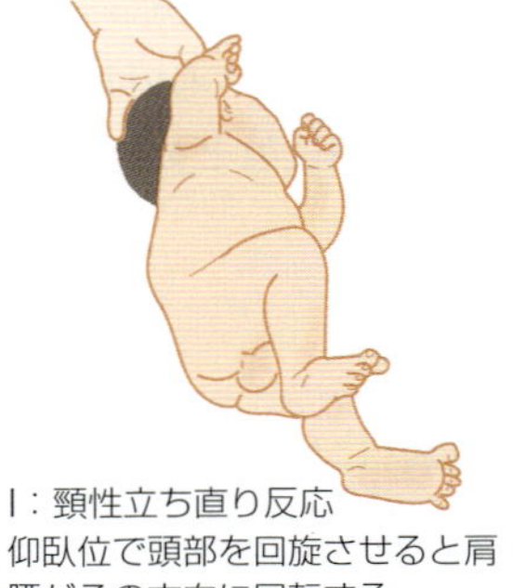

I：頸性立ち直り反応
仰臥位で頭部を回旋させると肩・体幹・腰がその方向に回転する

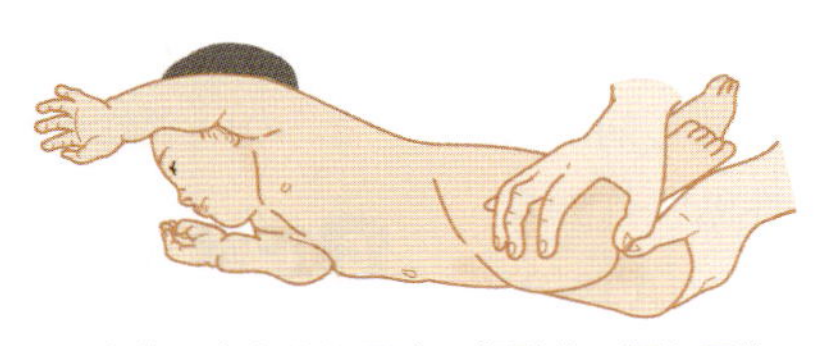

J：身体の立ち直り反応．仰臥位で腰を回旋させると体幹・肩がその方向に回転する．

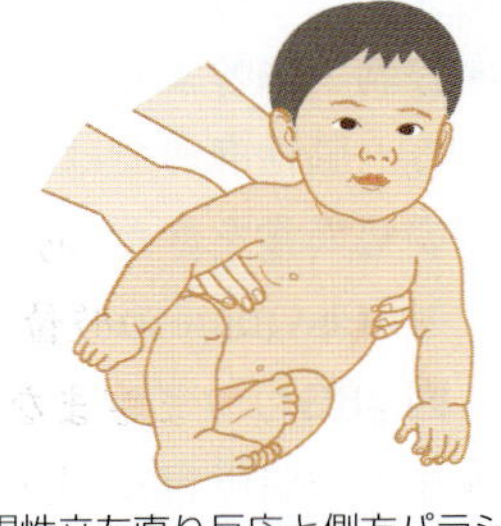

K：視性立ち直り反応と側方パラシュート反応．脇を支えて座位をとらせ，身体を側方に傾けると頭部を垂直に保つ．傾けたほうの上肢・手が出て体を支えようとする．

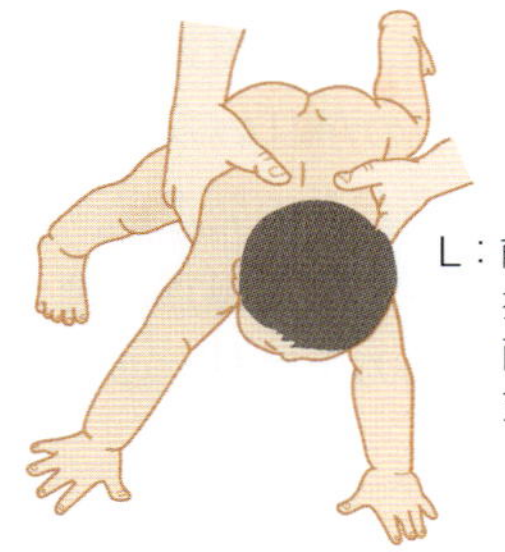

L：前方パラシュート反応．脇を持って前方に身体を傾けると両上肢・手が前に出て，体を支えようとする．

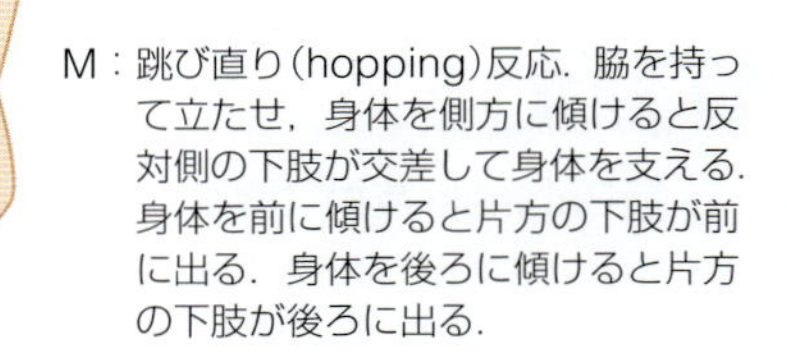

M：跳び直り（hopping）反応．脇を持って立たせ，身体を側方に傾けると反対側の下肢が交差して身体を支える．身体を前に傾けると片方の下肢が前に出る．身体を後ろに傾けると片方の下肢が後ろに出る．

▶図 13　原始反射と姿勢反射

A．1 か月

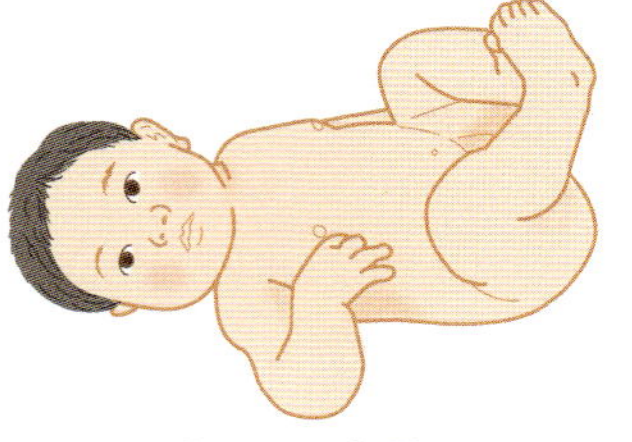
B．3〜4 か月

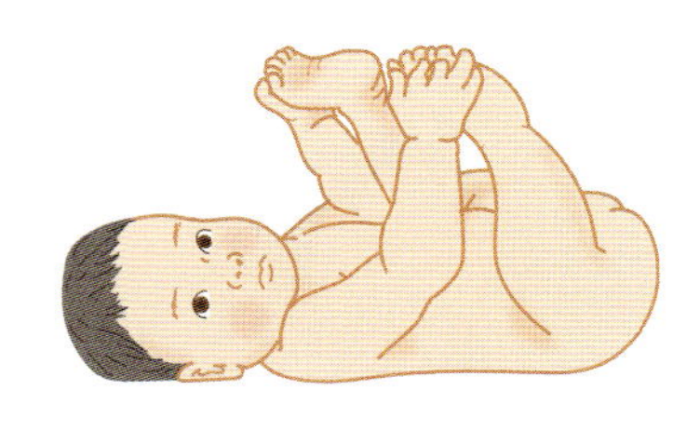
C．6〜7 か月

▶図 14　仰臥位（背臥位）姿勢の発達

A．1 か月

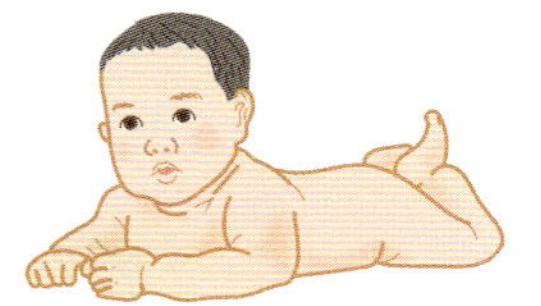
B．3〜4 か月

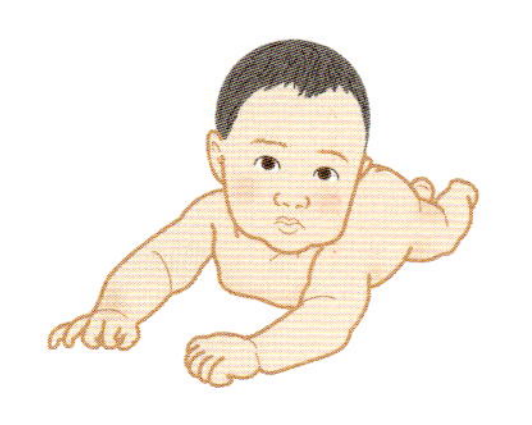
C．6〜7 か月

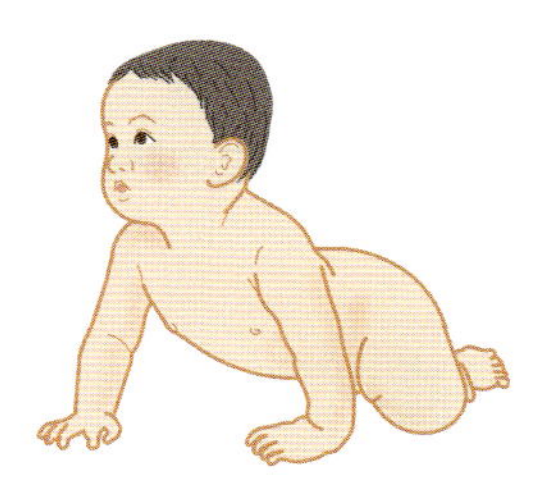
D．9〜10 か月

▶図 15　腹臥位姿勢の発達

這い移動，そして歩行を獲得する．運動発達を評価するうえで姿勢とそれに関連した粗大運動の年齢変化を理解する．姿勢の異常や運動発達の遅れ，四肢の動きやバリエーションの少なさなどに注意する．

①仰臥位（背臥位）姿勢の発達（▶図 14）

- 生後 1 か月くらいは，単純な四肢の屈曲や伸展が主体である（▶図 14A）．ATNR（▶図 13G）の肢位をとることもあるが，それ以外のさまざまな姿勢をとる．
- 3〜4 か月になると四肢の動きが活発となり，左右独立した動きが増える．四肢は屈曲位の対称性の姿勢をとることが多く，下肢の空中保持が可能となる（▶図 14B）．手や指を舐めるようになる．
- 6〜7 か月になると四肢を自由に独立して動かせるようになり，足を持って舐めたりする（▶図 14C）．

②腹臥位姿勢の発達（▶図 15）

- 生後 1 か月までは，四肢を屈曲して顔は一方向のみを向いている（▶図 15A）．2 か月になると，一瞬頭を挙げて顔の向きを変えられるようになる．
- 3〜4 か月になると，肘で上体を支えて頭部を 45〜90 度挙上する（▶図 15B）．
- 6〜7 か月になると，肘で上体を起こし頭部を 90 度保持できる（▶図 15C）．
- 9〜10 か月になると，手と膝で体を支え四つ這い姿勢をとるようになる（▶図 15D）．

6〜8 か月に腹臥位移動を獲得することは多いが，個人差が大きい．腹臥位移動は，ずり這い・肘這い（hauling：両肘の上下の動きのみで這う）→腹這い（crawling：腹をつけたまま，上下肢をクロールの様に交互に動かす）→四つ這い（creeping：腹を床から離し，両手と両膝を交互に動かす）の順に発達する．高這い（動物の様に手掌と足底をついて移動する）や片膝をつく場合などのバリエーションがある（➡NOTE-2）．

③座位姿勢の発達（▶図 16）

- 6 か月になると，両手をついて前傾姿勢で短時間の座位保持が可能となる（▶図 16A）．
- 7 か月になると，軽度前傾姿勢だが手の支え

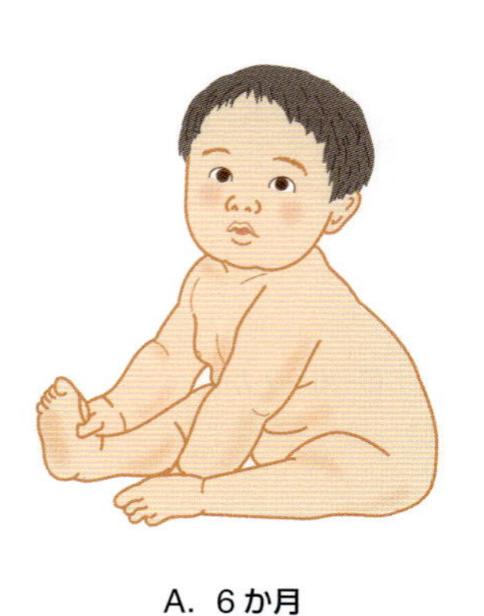

A. 6か月

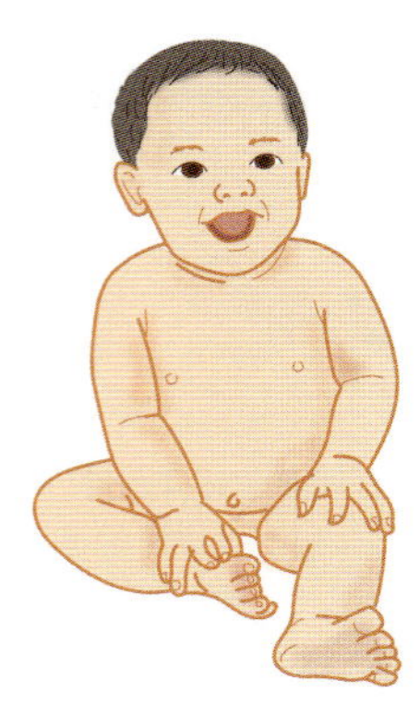

B. 7か月

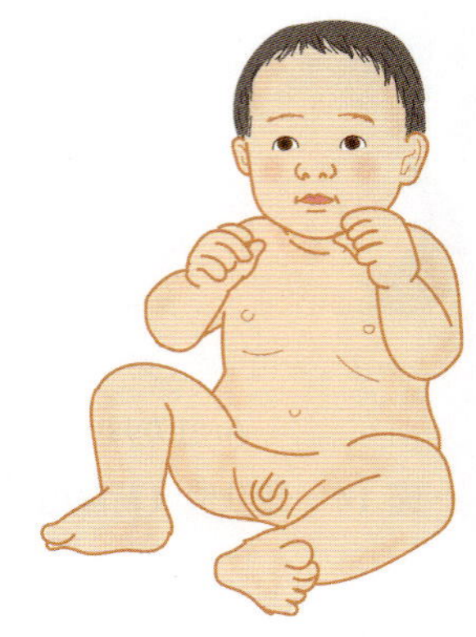

C. 8か月

▶図16　座位姿勢の発達

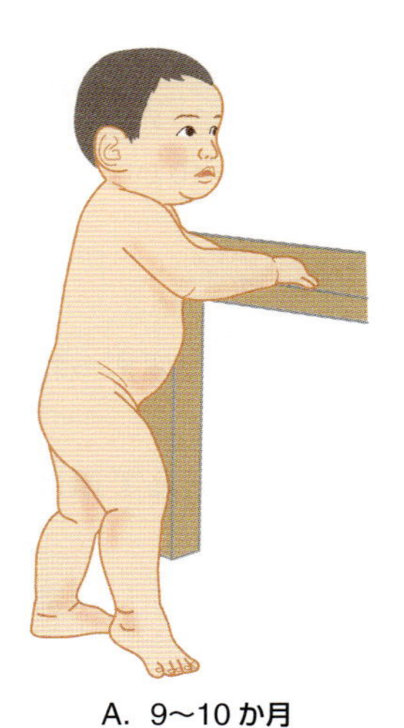

A. 9〜10か月

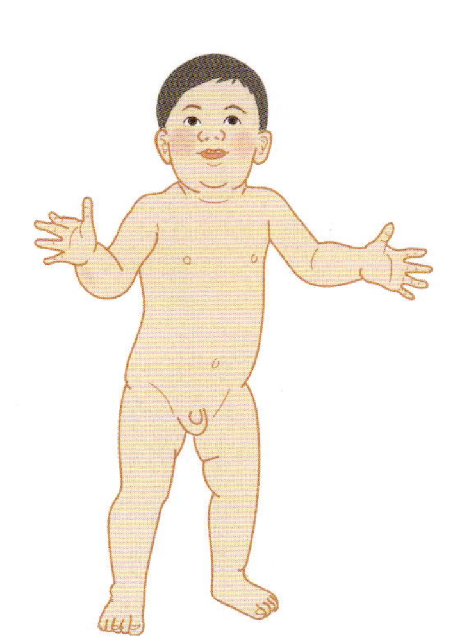

B. 12か月ごろ

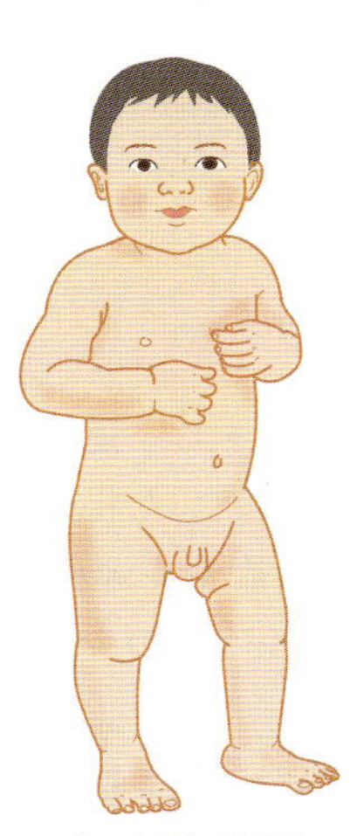

C. 14か月ごろ

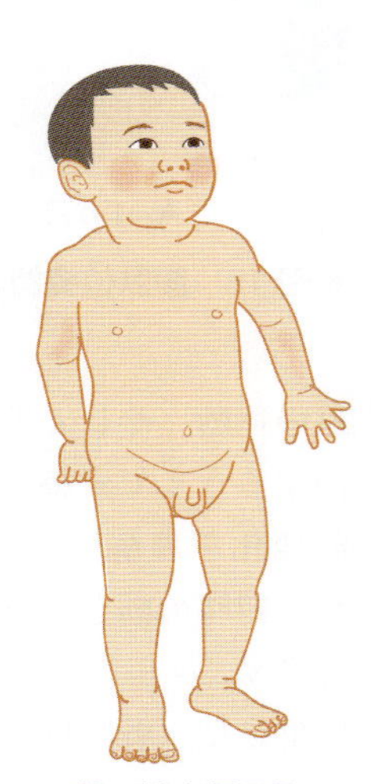

D. 18か月ごろ

▶図17　立位姿勢の発達

なく座位保持できるようになる（▶図16B）.

- 8か月になると，背を伸ばして安定した座位保持が可能となる（▶図16C）.

NOTE

2 シャフリングインファント
(shuffling infant)

寝返りや伏臥位移動（這い這い）をせずに，座位で移動をする乳幼児を指す．軽度の筋緊張低下を認め，うつ伏せを嫌う．1歳半前後に歩行を獲得することが多く，その後の運動発達は正常化する．正常発達のバリエーションであるが，一部には発達障害を伴うことがある（2歳以降に診断される）.

④立位姿勢の発達（▶図17）

- 6〜7か月以降に，大人が脇を支えると立位を保持できるようになる．9〜10か月には，つかまり立ちするようになる（▶図17A）.
- 11か月ごろには伝い歩きし，12か月ごろには支えなく立ち上がれるようになる．12〜15か月には，一人歩きするようになる．歩き始めは両上肢を挙げてバランスをとるが，18か月ごろには下げたまま歩行できるようになる（▶図17B〜D）.
- 2歳ごろには小走りでき，一段ずつ階段を登るようになる．3歳には連続して左右交互に

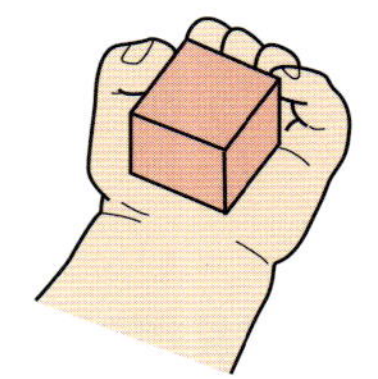

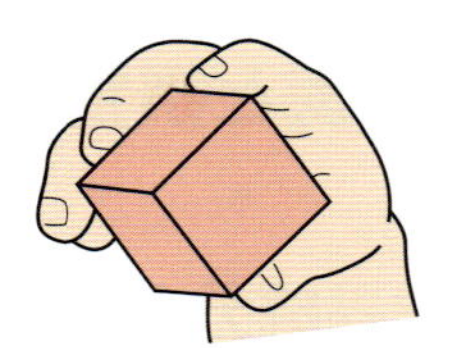

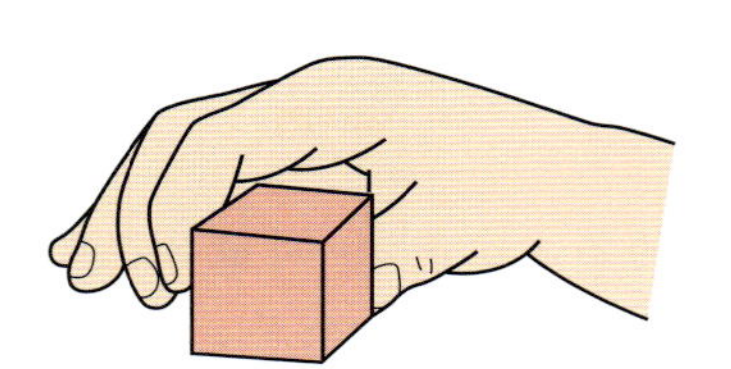

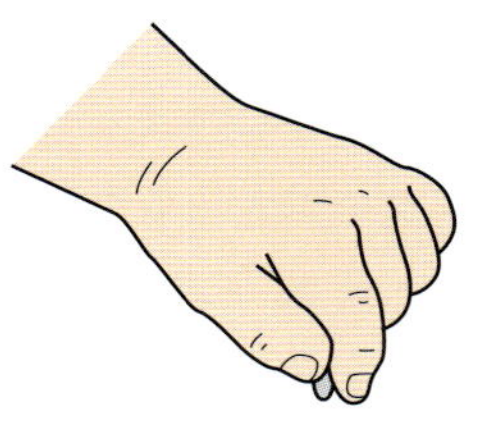

▶図 18　つかみ方の発達

足を出して階段を登れるようになる．4 歳になると片足立ちを数秒できるようになる．

⑤つかみ方の発達（微細運動）（▶図 18）

- 2 か月ごろまでは手の把握反射が主であるため，手掌に触れたものをつかんでいる．2〜3 か月ごろは，物を持たせてもしばらくすると離してしまう．4〜5 か月になると，物を持たせると手全体で握っている（全体持ち whole hand grasp，▶図 18A）．ガラガラなどを振って遊ぶ．
- 6 か月ごろから目の前のものを随意的につかむようになる．つかみ方は全体持ちから，第 1，2，3 指でつかむ橈側持ち（radial grasp，▶図 18B）あるいは，第 1 指と他の指を対立させる挟み持ち（scissors grasp，▶図 18C）に変わってくる．
- 1 歳を過ぎてくると，小さいものを第 1 指と第 2 指を対立させる指先持ち（pincer grasp，▶図 18D）ができるようになる．

(2) 言語発達

生後 6 か月ごろより，「バ，ダ，マ」などの発声が出始め，7 か月ごろから言葉にはならないが「アーアー，バーバー」などの喃語を人に向かってしゃべるようになる．「マンマ」などの意味のある言葉（有意語）は 12 か月ごろにしゃべり始める．

18 か月ごろには有意語は 3 つ以上に増え，その後急速に増える．「マンマ，たべる」などの 2 語文は 2 歳ごろからみられる．3〜4 歳になると 3〜4 語文でしゃべることができ，助詞の使用ができるようになる．自分の名前や年齢を答えられるようになり，色や大小，数の概念も理解できるようになる．

5〜6 歳になると，5〜6 語文で会話が可能となる．音韻が理解できるようになるため，しりとりができるようになる．小学校入学までには，ほとんどの子どもがひらがなを読めるようになる．

(3) 社会性の発達

新生児でも人の目を見る「固視」や追う「追視」は既にみられるが，はっきりと追固視が観察できるのは 2 か月ごろからである．自然に笑う（生理的微笑）から，あやし笑い（社会的微笑）に変わるのは 2 か月以降である．

5〜6 か月には養育者と他人を区別できるようになるといわれている．8〜9 か月から，拍手やバンザイなど大人の模倣をするようなる．9〜12 か月には，自分が見ているものを他者も見ていることに気づくようになり（共同注視），指差しが始まる．

1 歳を過ぎると，大人の動作や音声の模倣をしきりにするようになる．1 歳ごろから人見知りが激しくなり 3 歳くらいまで続くが，その後は近くに養育者がいることで安心してそばを離れられるようになる．3 歳を過ぎると同年齢の子どもと遊ぶようになり，ごっこ遊びや見立て遊びをするようになる．

d 発達・知能の評価

乳幼児期は運動や言語，社会性を含めて全般的に発達を評価することが大切である．5 歳以降は，標準的な知能検査が実施できるようになる．

(1) 発達検査

①簡便な発達スクリーニング検査（問診やチェックでできるもの）
- 遠城寺式乳幼児分析的発達検査：0～4歳8か月．最も広く使われている（➡80ページ）．
- 津守・稲毛式乳幼児精神発達検査：0～7歳
- KIDS乳幼児発達スケール：1か月～6歳11か月

②簡単な発達検査・知能検査
- グッドイナフ人物画知能検査：3～8歳
- PVT-R絵画語い発達検査：3～12歳3か月

③詳細な発達検査
- 新版K式発達検査：0歳～成人
- 改訂日本版デンバー式発達スクリーニング検査：0～6歳
- 日本版ミラー幼児発達スクリーニング検査：2歳9か月～6歳2か月

④詳細な知能検査
- ウェクスラー式知能検査．認知能力の分析ができるため，5歳以降の知能検査として広く使われている．
  - WIPPSI-Ⅲ：2歳6か月～7歳3か月
  - WISC-Ⅳ：5歳～16歳11か月
  - WAIS-Ⅳ：16歳～成人
- ビネー式知能検査：低年齢や重度知的障害でも実施できる．
  - 田中ビネー式検査Ⅴ：2歳～成人
  - 改訂版鈴木ビネー知能検査：2～18歳11か月
- K-ABC-Ⅱ：2歳6か月～18歳11か月．認知能力と習得度が測定できる．

⑤その他の検査
- ITPA言語学習能力診断検査：3歳～9歳11か月．言語能力を評価できる．
- フロスティッグ視知覚発達検査：4歳～7歳11か月．視知覚の評価ができる．

C 栄養と摂食

1 栄養成分と小児の正常摂取量

成長過程にある小児の場合，栄養の欠乏状態を避けなければならないのはもちろん，毎日の活動と十分な成長が得られるだけの栄養の摂取が必要である．

a 水

乳児の体の水分含有量は体重の約70～75%を占めており，成人の60～65%よりも多い．水は主に液体の飲料からとるが，一部は摂食物の酸化からも得られる．ヒトの水分必要量は，エネルギーの消費量，不感蒸泄（発汗，呼吸からの水分喪失），尿の量や濃度などに影響される．

乳児の1日の水分の消費量は体重の10～15%に相当する．それに対して成人では4～5%である．

b 消費エネルギー

小学生の場合，生命を維持する基礎代謝に総エネルギーの50%，成長に12%，活動に25%が必要である．毎日のエネルギー必要量はおおよそ以下のとおりである．
- 1歳：100 kcal/kg
- 成人：40 kcal/kg

（1 gの蛋白質または炭水化物のエネルギー量＝4 kcal，1 gの脂肪のエネルギー量＝9 kcal）

c 蛋白質

蛋白質（protein）は，成人では体重の20%を占める．構成要素のアミノ酸は20種類あり，種類，数，配列により，無数に異なった蛋白分子ができる．

(1) 必須アミノ酸

体内で合成することのできないアミノ酸を必須

アミノ酸という．新しく体組織をつくるにはすべてのアミノ酸が必要なので，1種類でも欠けると窒素バランスは負に傾く（体蛋白が減少する）．

成人では，以下の9種類が必須アミノ酸である．

① トレオニン（threonine）
② バリン（valine）
③ ロイシン（leucine）
④ イソロイシン（isoleucine）
⑤ リジン（lysine）
⑥ トリプトファン（tryptophan）
⑦ フェニルアラニン（phenylalanine）
⑧ メチオニン（methionine）
⑨ ヒスチジン（histidine）

乳幼児の場合，上記に加えて，アルギニン（arginine）が含まれる．

- さらに早産児ではシステイン（cysteine），タウリン（taurine）が加わる．

(2) 非必須アミノ酸

体内で合成されるアミノ酸を，非必須アミノ酸という．外部からの取り込みは必ずしも必要ない．

(3) 消化・吸収

蛋白質→ペプチド→アミノ酸へと分解し，吸収される．

胃内では，たとえばミルク中の主な蛋白質であるカゼインは，キモシン，ペプシン，塩酸などの働きにより消化される．小腸では，蛋白質はよりアルカリ側の環境下で，トリプシン，キモトリプシン，カルボキシペプチダーゼなどにより消化され，大部分は小腸粘膜からアミノ酸とペプチドの形態で吸収される．ただし，生後数か月までは消化不十分なまま，比較的大分子のペプチドがそのまま吸収される．

体内の過剰なアミノ酸は，アミノ基をはずして，代謝の解糖経路を通じて炭水化物や脂肪と同じように蓄積される．

d 炭水化物

炭水化物（carbohydrate）は，エネルギー需要を満たす重要な要素である．これが欠乏すると，体蛋白や脂肪からエネルギー源を供給せざるをえなくなる．通常，炭水化物は，肝臓，筋肉にグリコーゲンとして蓄積されており，必要時に主にブドウ糖（glucose）にまで分解されてから，解糖系やクエン酸回路を通じて化学的エネルギー源のアデノシン三リン酸（ATP）を産生する．

(1) 消化・吸収

唾液，膵液のアミラーゼにより，でんぷんをオリゴ糖類（デキストリンや二糖類）に分解する．二糖類は小腸粘膜に直接吸収され，そこで，さらに二糖類分解酵素で単糖類にまで分解されて吸収される（例：乳糖→ブドウ糖＋ガラクトース）．

(2) エネルギー源

脳・心臓は，血中からブドウ糖を直接受け取ってエネルギー源にする．

(3) 蓄積グリコーゲンの代謝

- 肝臓のグリコーゲンはブドウ糖に分解される．そして，主として酸素が必要な好気的解糖でATPを産生して，二酸化炭素を生じる（エネルギー効率は非常に高い）．
- 筋肉のグリコーゲンの一部は嫌気的解糖（酸素不要）でATPを産生して乳酸を生じる．

e 脂肪

脂肪（fat）は，細胞膜の構成要素として，またエネルギー源として重要である．自然界では大部分はトリグリセリド（中性脂肪＝3つの脂肪酸＋グリセロール）として存在し，脂溶性ビタミンA・D・Eの吸収を補助する．

(1) 消化・吸収

一部は唾液中のリパーゼで，また十二指腸内では胆汁によってエマルション（emulsion）となり，膵液中のリパーゼで，トリグリセリド（triglyceride）はモノアシルグリセロール（monoacylglycerol）と脂肪酸に分解される．早産児では，胆汁量が少ないため脂肪の吸収が少ない．

モノアシルグリセロールと脂肪酸は，腸管から吸収されるときに再エステル化してトリグリセリドとなる．さらにリポ蛋白と結合して，一部はカイロミクロン（chylomicron）としてリンパ管と胸管を通り静脈へ到達し，その他は超低比重リポ蛋白（very-low-density-lipoprotein；VLDL），低比重リポ蛋白（low-density-lipoprotein；LDL），高比重リポ蛋白（high-density-lipoprotein；HDL）などとして血液循環に入る．

(2) 必須脂肪酸

必須脂肪酸のリノール酸，リノレン酸，アラキドン酸は，どれも食事からとらなければならない．必須脂肪酸は細胞の構成脂質（ミトコンドリア膜など），プロスタグランジン（prostaglandin）などの生成に関与している．

f ミネラル，微量元素

(1) カルシウム（Ca）

Caは，骨・歯の構造，筋収縮，神経興奮，血液凝固に関与し，不足すると，くる病，骨軟化症，テタニーを引き起こす．

(2) マグネシウム（Mg）

Mgは，骨・歯の構造，筋・神経興奮に関与する．

(3) カリウム（K）

Kは，筋収縮，神経伝導，細胞内浸透圧に関与し，下痢，糖尿病性酸血症，副腎皮質刺激ホルモン（ACTH）過剰時には減少する．経静脈過剰投与で心ブロック（心停止）を引き起こす．

(4) ナトリウム（Na）

Naは，浸透圧，酸塩基・水分バランスあるいは血圧，脱水（高張性，等張性，低張性）に関与する．

(5) 鉄（Fe）

Feは，ヘモグロビン，酸化酵素，チトクローム，カタラーゼに含まれ，不足すると貧血，過剰だとヘモジデローシスを引き起こす．

(6) 亜鉛（Zn）

Znは，必要量は少ないが，重要な働きをする微量元素の1つである．いくつかの酵素の構成要素であり，不足すると，成長障害，鉄欠乏性貧血，皮膚炎を生じる．

(7) 銅（Cu）

Cuも微量元素の1つである．赤血球産生に必須であり，多くの酵素の働きを補助する．不足すると，難治性貧血，骨粗鬆症，好中球減少を生じる．Menkes（メンケス）病，Wilson（ウィルソン）病では血清中の異常低値を示す（➡74ページ）．

2 栄養障害

a 消耗症

乳児期の不十分なエネルギー摂取，あるいは親子関係の異常が原因のネグレクトによって，消耗症（marasmus）が引き起こされる．

まず体重増加不良が出現し，続いてるいそう（皮膚の弾力低下，しわしわ，皮下脂肪の消失），腹部は膨満ないし平坦化する．重症になると腹壁上に消化管のアウトラインが見えるようになり，筋緊張低下，浮腫，体温低下，徐脈が出現する．

b 蛋白カロリー栄養失調症（PCM），クワシオルコル

蛋白カロリー栄養失調症（protein-calorie malnutrition；PCM）とは，乳児期の蛋白質の著しい摂取不良に加え，エネルギー摂取不足を伴うものをいう．クワシオルコル（kwashiorkor）ともいい，開発途上国の一部にみられる最も典型的な栄養不良の病状であり，全身の浮腫が特徴である．

症状

- 成長障害，体力不全，筋萎縮，易感染性，浮腫
- さらに進んで重篤な免疫低下，体重減少分を超える浮腫（かえって体重が増加），皮膚炎，脆弱な毛髪，興奮・無表情，意識障害がみられる．

• 検査上は，血清アルブミン低下，ケトン尿（病初期），低血糖，低コレステロールを認める．

c 肥満

肥満（obesity）とは，体脂肪が過剰に蓄積した状態である．肥満の判定には以下の指標が用いられる．

①Kaup（カウプ）指数，BMI（body mass index）

$$\text{Kaup 指数} = \left(\frac{\text{体重（g）}}{\text{身長（cm）}^2}\right) \times 10$$

$$\text{BMI} = \frac{\text{体重（kg）}}{\text{身長（m）}^2}$$

両者の内容は同一であるが，乳幼児期はKaup指数として，成人期はBMIとして示されることが多い．

• 乳幼児期は14.0～18.0が基準範囲である．
• 成人期は平均値22で，30を超えると肥満と考えられる．

②肥満度

$$= \frac{\text{（実測体重} - \text{標準体重）}}{\text{標準体重}} \times 100\ (\%)$$

値が20%を超えると肥満，40%を超えると高度肥満とみなす．

成人で肥満がよくないといわれる根拠の1つは，死亡率が高くなることである．乳児期は別として，幼児期以降の肥満は成人期の肥満につながる可能性がある．

特に過食による単純性肥満の場合は，エネルギー摂取の調節と運動により適切な体重減少を目指す．Prader-Willi（プラダー・ウィリー）症候群（➡63ページ）などの基礎疾患に起因するものは，乳幼児期からの対応が必要である．

また歩行障害などの運動障害に対して，肥満は能力低下を引き起こす可能性がある．直接には本人の問題ではないが，介護負担の増加という側面からも考慮を要することがある．

d ビタミン欠乏症

ビタミンは生体の化学反応に補助的に寄与するが，体内での合成ができないので，食事から摂取しなければならない栄養源である．ビタミンの1日必要量を**表2**に示す．

▶**表2 ビタミンの1日推定平均必要目安量（男性）**

ビタミン	A (μgRAE)	B_1 (mg)	B_2 (mg)	C (mg)	D (μg)
3～5歳	350	0.6	0.7	40	3.5
成人	650	1.2	1.3	85	8.5

〔厚生労働省，2020年より〕

欠乏症のほかに，過剰摂取で問題になるのは，主に脂溶性ビタミンのAとDである（➡Advanced Studies-1）．

■ビタミンA欠乏症

ビタミンAは，細胞膜の安定性に必要である．

症状

• 眼症状：初期は夜盲，のちに眼球結膜と角膜の乾燥，失明
• 皮膚症状：皮膚と粘膜の角化

■ビタミンD欠乏症

ビタミンD_3は，皮膚で日光照射により生成されたのち肝臓と腎臓にて活性化される．そして，腸管からのカルシウム（Ca）とリン（P）の吸収を促進する．骨のCa代謝には，その他，副甲状腺ホルモン（骨からCaを動員，腎臓にてCaを再吸収して血清Ca値を上昇させる），カルシトニンなどが関与する．

症状

• 骨の異常：乳児期の頭蓋癆（ろう）（頭蓋骨が薄くて親指で押すとペコペコとへこむ．早産児に出現し

Advanced Studies

❶ビタミンの過剰摂取

• **ビタミンA過剰症**
悪心・嘔吐，嗜眠，大泉門膨隆（乳児期）などの症状
• **ビタミンD過剰症**
低緊張，食思不振，興奮，便秘，多飲，多尿，血清中Ca上昇などの症状

やすい），肋骨念珠（じゅず様の列），手首・足首などの関節腫脹

診断

- X線写真：手首に特徴的な杯状陥凹（cupping），毛ばだち（fraying）などがみられる．
- 血液検査：Ca低値，P低値，アルカリホスファターゼ高値

■ビタミンK欠乏症

小腸からの吸収が欠乏すると，低プロトロンビン血症をきたして血液凝固能が低下する．そこで予防のために，1か月健診までにK_2シロップを3回内服するのが推奨されている．

血液凝固異常のなかでも，新生児メレナについては第13章（➡194ページ），および早産児の頭蓋内出血は第5章（➡95ページ）を参照のこと．

■ビタミンB群欠乏症

いずれも酵素の働きを助けるので，欠乏症状は多彩である．またB群のうちの1種類だけの欠乏は稀で，複数の種類の欠乏を伴っていることが多い．

(1) B_1欠乏症または チアミン（thiamine）欠乏症

- いわゆる脚気の症状である．知覚異常，腱反射低下，心不全，不機嫌，眼瞼下垂，視神経萎縮，嗄声などがみられる．
- 心拡大，心電図異常（QT間隔延長，低電位）がみられる．

(2) B_2欠乏症または リボフラビン（riboflavin）欠乏症

- B_2はミトコンドリア内電子伝達系の酵素の働きを助ける．
- 口角炎，角膜炎，舌炎（乳頭構造が消失して舌がツルツル），皮膚の乾燥・亀裂などが認められる．

(3) ニコチン酸欠乏症または ナイアシン（niacin）欠乏症

- ペラグラ（pellagra）：日光に当たる皮膚の部分に強い炎症（手・上肢・顔面・頸などに紅斑・水疱形成，灼熱感）がみられる．

(4) B_6欠乏症または ピリドキシン（pyridoxine）欠乏症

- 稀である．
- 乳児痙攣，末梢神経炎，皮膚炎，貧血が報告されている．
- B_6依存性痙攣は乳児に認められ，生理的必要量を超えた大量のB_6投与で痙攣が消失する．

(5) B_{12}欠乏症

- 貧血をおこす．

■ビタミンC欠乏症

ビタミンCは膠原線維の形成に必要であり，不足すると血管などが損傷されて出血しやすい．

症状

- 壊血病：生後6〜24か月ころに発症しやすい．乳児の下肢を持ち上げたりおむつを交換したりするときに，下肢に痛みがあると動かそうとしない．つまり仮性麻痺の症状を呈しており，股・膝関節を軽度屈曲して外旋している〔いわゆる蛙肢位（frog leg posture）〕．下肢はやや浮腫を認める．
- 歯肉の腫れ・出血，肋骨念珠，皮下出血が認められる．

診断

- X線写真：長管骨末端（特に膝関節）の骨萎縮像，骨皮質の狭小，さらに骨破壊像がみられる．

3 摂食

a 摂食と嚥下

摂食は食物の認識から始まる．そして食物を口腔へと取り込み，咀嚼を通じて食塊を形成してから嚥下へと移行する．

嚥下は以下の3相からなる（▶図19）．

- 口腔相：口腔内の食物を奥舌，咽頭へと送り出

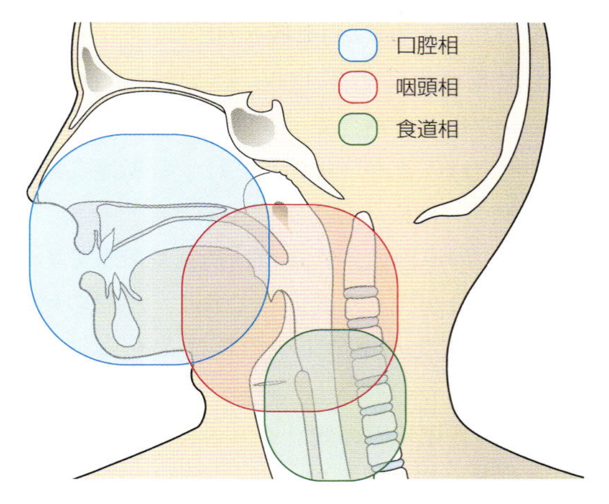

▶図 19　嚥下の 3 相
〔Schultz, A., et al.：Dysphagia associated with crico-pharyngeal dysfunction. *Arch. Phys. Med. Rehabil.* 60：381-386, 1979 より〕

す．
- 咽頭相：咽頭を通じて食物を食道へと送り込む（ここから先は反射性に経過する）．
- 食道相：食物が食道を通過していく．

b 母乳と調製粉乳（粉ミルク）

母乳は，分娩後 4〜5 日ころまでに分泌される初乳中に分泌型 IgA や抗菌成分が含まれており，新生児を消化器・呼吸器感染症にかかりにくくする働きがある．また母乳栄養は，母子関係を安定化しやすいなどの特徴がある．

一方，調製粉乳（粉ミルク）では，通常，牛乳が原料に使われているため蛋白質にカゼインが多く，吸収が悪いとされていた．しかし近年ではほぼ母乳に近いまでに改良されており，さらに乳糖増強，ミネラル減量など，母乳化が進められている．

c 離乳

乳児期は，母乳ないしはミルクから固形食へ移行させる過程である．一般に食物形態にのみ注目することが多いが，リハビリテーションとのかかわりからは口腔機能の発達との関連も注目すべきである．

(1) 新生児期

- 口腔機能：追いかけ反射（rooting reflex），吸啜反射（sucking reflex），乳児嚥下（➡NOTE-3）
- 食物形態：栄養は母乳かミルクなど液体のみから摂取する．

(2) 離乳初期（5〜6 か月）

- 口腔機能：舌は前後の動き，丸呑み
- 食物形態：どろどろ，粘りけのある食物がよい．1 日 1 回．つぶつぶがないようにする（裏ごし）．

(3) 離乳中期（7〜8 か月）

- 口腔機能：舌の上下の動きが出てくる．
- 食物形態：粘性が必要である．舌で押しつぶせるものがよく，刻んだだけの食物はまだ適さない．1 日 2 回．

(4) 離乳後期（9〜11 か月）

- 口腔機能：舌・口唇の左右への動きが出てくる．歯茎での咀嚼の動きが始まる．
- 食物形態：歯茎で押しつぶせるものがよい．まだ粘性が必要である．1 日 3 回．

(5) 離乳完了（12〜18 か月）

- 口腔機能：食物をかみつぶす．奥歯は 3 歳ころに生えそろう．
- 食物形態：かみつぶせるもの．間食が加わる．

NOTE

3 乳児嚥下の特徴

乳児では喉頭の位置が成人と比較して相対的に高位であり，そのために嚥下時の呼吸抑制が非常に短時間で行えるので，あたかも呼吸を中断せずに乳汁を飲み込んでいるように見える．

D 小児の保健

1 人口動態

a 出生数の推移（▶図 20）

1947〜1949 年の第 1 次ベビーブームの出生数は，年間最高 269 万人，1973 年の第 2 次ベビーブームの出生数は，年間 209 万人であった．その後，減少を続け，2015 年には年間出生数は 100 万人となっている．図中の“合計特殊出生率”とは，1 人の女性が一生の間，その年次の年齢別出生率で子どもを産むと仮定したときの，子どもの数である．

b 死亡統計

わが国における乳幼児の死亡率は以下のとおりである〔厚生労働省「人口動態統計」〕．

- 新生児死亡率：出生 1,000 人に対する生後 28 日未満の死亡の割合で，2020 年は 0.8.
- 乳児死亡率：出生 1,000 人に対する 1 歳未満の死亡率で，2020 年は 1.8.

乳児死亡の原因は，直接には病気や障害であるが，育児環境が大きく関係しており，小児の死亡率が各国の文化水準の 1 つの指標ともいわれる（▶表 3）．

わが国の乳児死因の統計をみると，第 1 位は先天奇形など，第 2 位は周産期の呼吸障害である．1 歳以降の小児の死因は悪性新生物，不慮の事故あるいは自殺が多い（▶表 4）．近年の死因の変化としては，感染症の減少があげられている．

2 新生児マススクリーニング

現在わが国では，哺乳を開始した生後 4〜6 日目の濾紙採血で，以下の代表的先天性代謝異常症

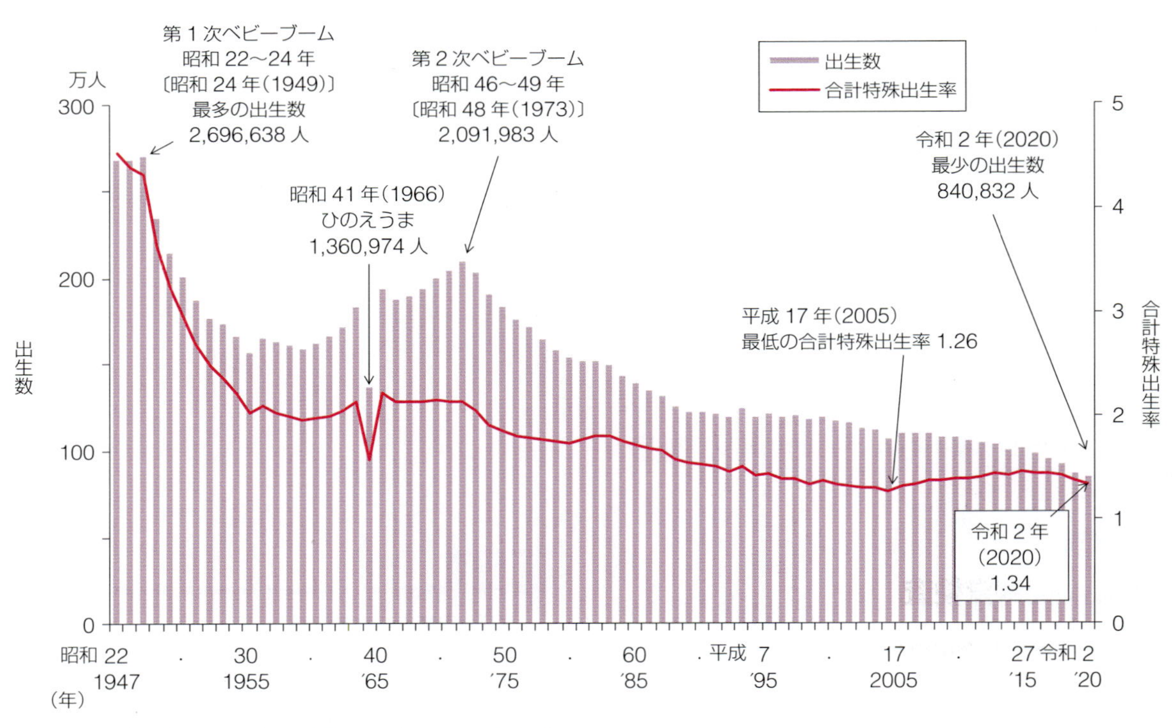

▶図 20　出生数および合計特殊出生率の年次推移（1947〜2020 年）
〔厚生労働省「人口動態統計」，2020 年より〕

▶表3 主な国の小児死亡率の比較（2018年）

国名	乳児死亡率	5歳未満児死亡率
チャド	71	119
ニジェール	48	84
アンゴラ	52	77
カンボジア	24	28
フィリピン	22	28
インドネシア	21	25
中国	7	9
ロシア	6	7
米国	6	7
英国	4	4
フランス	3	4
スイス	4	4
オーストラリア	3	4
オーストリア	3	4
ドイツ	3	4
韓国	3	3
イタリア	3	3
スウェーデン	2	3
シンガポール	2	3
フィンランド	1	2
日本	2	2

5歳未満児の死亡率（1,000人対）の高い順にあげている．
〔ユニセフ世界子供白書，2019年より〕

や先天性内分泌異常症の早期発見を行い，罹患児に対して早期から治療を開始している．2014年度より，タンデムマス法による拡大スクリーニングが開始され，20種類以上の先天代謝異常症が診断・治療されるようになった．

a 先天代謝異常症・内分泌異常症

先天代謝異常症には，アミノ酸代謝異常症と有機酸代謝異常症，脂肪酸代謝異常症が含まれる（➡70ページ）．いずれも発生頻度は，数万人から数十万人に1人の希少疾患である．内分泌異常症のうち，クレチン症（先天性甲状腺機能低下症）の発生頻度は1/3,000人，先天性副腎過形成（congenital adrenal hyperplasia；CAH）は1/2万人である．

b 新生児聴覚検査

任意検査だが全国の半数以上の自治体が費用の公費負担を行い，実施率は90%を超えている．産科入院中に実施される．検査は自動聴性脳幹反応〔automated auditory brainstem response (AABR)〕あるいは自動耳音響放射〔automated otoacoustic emissions (auto OAE)〕が行われ，難聴が疑われる場合には精査目的に耳鼻咽喉科に紹介される．先天性難聴は1～2/1,000人といわれている．早期に治療をすることが言語能力を獲得することにつながる．

▶表4 小児の死因別死亡率（人口10万人対）

年齢（歳）	死因 1位		死因 2位	
0	先天奇形など	64.8	呼吸障害など	27.4
1～4	先天奇形など	2.3	悪性新生物	1.6
5～9	悪性新生物	1.6	不慮の事故	1.0
10～14	自殺	2.3	悪性新生物	1.6
15～19	自殺	11.4	不慮の事故	4.1

〔厚生労働省「人口動態統計」，2020年より〕

3 乳幼児健診

わが国では1998年度から，1歳半健診と3歳健診は，すべて市町村が行うことになった．その他に1か月，3～4か月，6～7か月，10か月，1歳などの時点で，医療機関への受診の奨励や，市町村独自での健診が行われているところもある．それぞれの健診の主なチェック内容については，11～16ページを参照のこと．

2008年より，低出生体重児（2,500g以下）は児の住民票がある市町村に保護者が届け出を行う．その後，市町村の保健師などが必要に応じて訪問指導を行う．

また未熟児養育医療給付制度により，出生体重2,000g以下で，入院治療・療育を要すると医師が判断した場合には，所管の保健所に届け出て，指定の養育医療機関による医療給付が受けられる．

あらかじめ妊婦に対しては母子健康手帳が交付されており，妊婦の健診，出産時の記録，新生児期の健診などの貴重な記録が残されるので，特に子どもが幼少の間は医療機関受診時に携帯してほしい．

4 予防接種（▶表5，図21）

2005年と2006年に結核予防法および予防接種法が改正され，①ツベルクリン反応検査なしに結核予防のBCG接種を行うことと，②麻疹と風疹は混合ワクチンで2回接種となった．2012年からは，小児期髄膜炎に対する予防に，ヘモフィルスインフルエンザ菌b型（ヒブ）と肺炎球菌に対するワクチンが広く行われだし，ポリオワクチンが不活化された．さらに，2013年からヒトパピローマウイルスワクチン，ヒブワクチン，肺炎球菌ワクチン，2014年から水痘ワクチン，2016年からB型肝炎ワクチン，2020年からロタウイルスワクチンが定期接種化された〔小児科学会ホームページ予防接種スケジュール（http://www.jpeds.or.jp）を参照〕．なお，いずれも診療所や医療機関で個別接種を行う．

(1) 定期接種

国が接種を強く勧める．標準年齢であれば無料．

(2) 任意接種

有料であるが，地方自治体により補助がされることもある．

(3) 予防接種の禁忌

以下の者に対しては，予防接種を行ってはならないとされている．

- 発熱（37.5℃以上）を伴う急性疾患に罹患している者
- 重篤な急性疾患に罹患している者
- 接種しようとする接種液の成分により，アナフィラキシーショックを呈したことが明らかな者
- 生ワクチン（BCG，麻疹，風疹など）の予防接種では，妊娠していることが明らかな者
- 免疫不全状態，白血病治療中，プレドニゾロンないしは免疫抑制薬投与中の者

(4) 基礎疾患がある場合

- 過去に熱性痙攣の既往のある者も可能である．ただし最終発作から2〜3か月の観察期間をおき，発熱が予想される場合には痙攣予防策（ジアゼパムや解熱坐薬の使用など）を指導する〔厚生労働省「ハイリスク児・者への予防接種基準作成に関する研究班」〕．
- てんかん既往のある者も，主治医（接種医）の判断により上記に準じる．
- 重症心身障害児に対しても，全身状態が落ち着いていれば，接種年齢が過ぎていても主治医（接種医）の判断により可能である．ただし，保護者への十分な説明と同意が必要である．体調については，通常と異なる筋緊張や低体温時には注意をすべきである．
- 早産児・低出生体重児への適応は一般乳児と同じで，接種時期は出生からの暦月齢で考える．
- 心臓血管系疾患では，重篤な心不全がある者は予防接種をしてはならない，痛みにより低酸素発作を誘発させないように注意するなどの学会基準がある．

5 学校保健

a 健康診断など

学校では，健康診断のほかに，集団検尿（潜血，蛋白，糖）も毎年行われている．また心臓検診のうち，心電図検査はほぼ全国的に小学1年，中学1年および高校1年時に行われる．これらの検査の結果により，必要に応じて精密検査へと紹介される仕組みになっている．

小児になんらかの心臓疾患，腎臓疾患があり，運動制限が必要な場合には，学校医・専門医の指導による管理指導表（▶表6，7，日本学校保健会作成）が利用され，学校での日常活動の指導上の目安とされている．

さらに近年，アレルギー疾患の増加に伴い，学校生活上の留意点をまとめた生活管理指導表が作成されている．また，糖尿病児の治療・緊急連絡の方法をまとめた連絡表などが学校生活管理に利

▶表5　予防接種の種類（2022年4月）

	対象疾病（ワクチン）		種類[1]	対象年齢	標準的な接種年齢[2]	回数	間隔	接種法
定期接種	インフルエンザ菌b型（ヒブ）[3]		不	①2〜4か月時初回接種 ＋追加		3 1	4〜8週 7〜13か月	皮下
				②7〜11か月時初回接種 ＋追加		2 1	4〜8週 7か月以上	
				③1〜4歳時初回接種		1		
	肺炎球菌（PCV13）[4]		不	①2〜4か月時初回接種 ＋追加		3 1	4週以上 ＋1歳〜1歳3か月時	皮下
				②7〜11か月時初回接種 ＋追加		2 1	4週以上 ＋60日以上あけて1歳以降	
				③1歳〜　初回接種		2	60日以上	
				④2〜4歳　初回接種		1		
	B型肝炎	母子感染予防[5]	不	生直後，1か月，6か月		3		筋注か皮下
		水平感染予防ユニバーサル	不	2か月，3か月および7〜8か月		3	4週以上と20週以上	
	DPT（ジフテリア・百日咳・破傷風）[6]＋ポリオ（三種・四種混合）		不	1期　3〜90か月	3〜12か月	3	3〜8週	皮下
				1期追加	12〜18か月	1	1期後6か月以上（12〜18か月）	
	BCG		生	〜1歳（ツ反なし）	5〜7か月	1		経皮
	麻疹・風疹（MR）		生		12〜24か月 就学前1年	2		皮下
	水痘[7]		生	1〜2歳	1歳〜1歳3か月 1歳6か月〜2歳	2	6〜12か月	皮下
	日本脳炎		不	6か月〜	1期　3歳 1期追加　4歳 2期　9〜12歳	2 1 1	1期　6日以上 初回から6か月以上	皮下
	DTトキソイド（ジフテリア・破傷風）		不	11〜13歳未満	11〜12歳	1		皮下
	ヒトパピローマウイルス（HPV）	2価[8]	不	10歳〜	12〜16歳（小6〜高1）	3	1か月と6か月	筋注
		4価[8]	不	9歳〜		3	2か月と6か月	
	ロタウイルス	1価[8]	生	8〜24週		2	4週以上	経口
		5価[8]	生	8〜32週		3		
任意接種	インフルエンザ		不	6か月〜12歳		毎年2	2〜4週	皮下
				13歳〜		毎年1		
	ムンプス（おたふく）		生	1歳〜	1歳と就学前	2	2回目は5〜6歳	皮下

1）生：生ワクチン，不：不活化ワクチン
2）「予防接種推奨スケジュール」による．
3）①〜③のどれかを選択．
4）①〜④のどれかを選択．
5）詳細は，第10章（➡156ページ）を参照のこと．費用は健康保険でカバーされる．
6）DPT三種混合ワクチンは，実際には1期はDPTワクチンで，2期はDTトキソイドの接種である．
7）水痘患者接触後3日以内であれば，本ワクチンの緊急接種により感染予防が可能である．
8）メーカーにより価が異なる．
〔日本小児科学会の推奨予防接種スケジュール（2022年4月）より改変〕

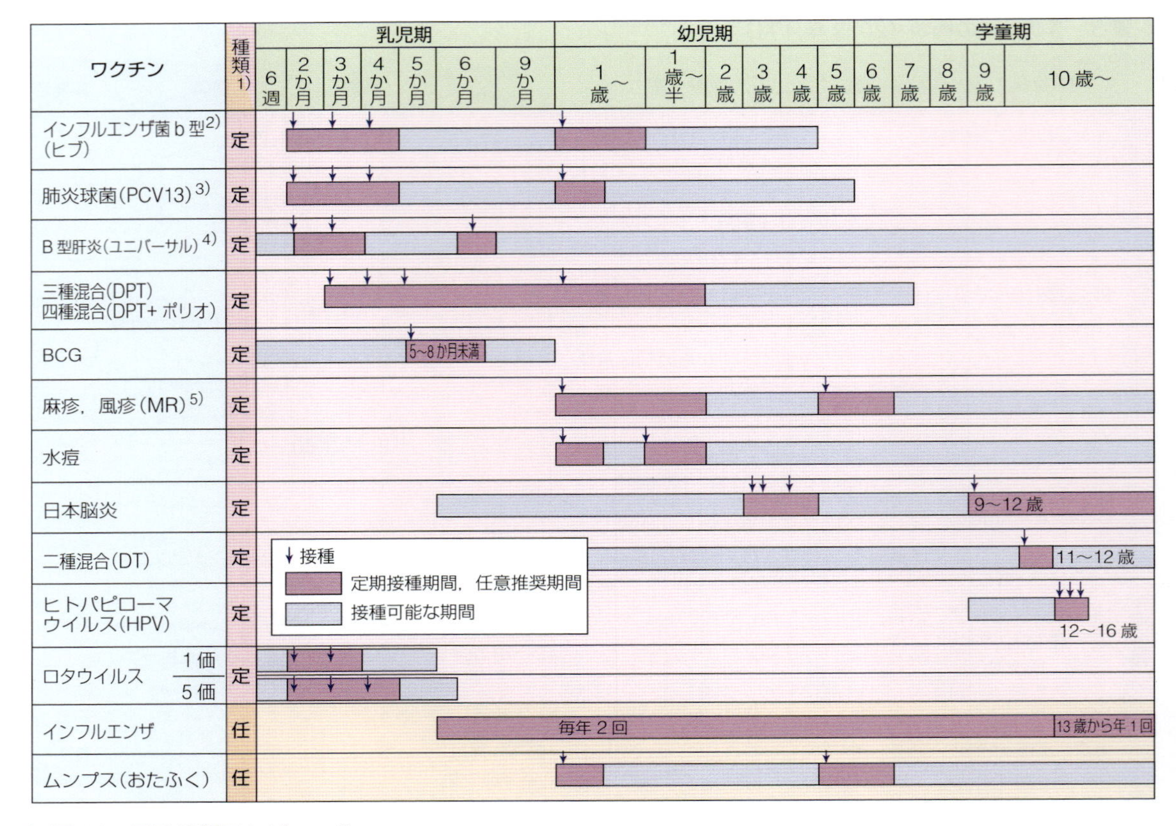

▶図 21　予防接種スケジュール

1）定：定期接種（地方自治体負担で原則無料），任：任意接種（一部地方自治体負担で原則個人負担）
2）開始年齢が 7 か月，1 歳以降の場合は**表 5** 参照.
3）開始年齢が 7 か月，1 歳，2〜4 歳の場合は**表 5** 参照.
4）2016 年 10 月 1 日から定期接種導入，母子感染予防の場合は，第 10 章（➡156 ページ）参照.
5）麻疹曝露直後に麻疹ワクチンを発症予防で使用する場合，生後 6 か月以降で可能．その場合には，本ワクチンを規定通りに接種する.
予防接種は図示以外の時期でも有料でできることがあるので，希望者は医療機関に問い合わせること.
〔日本小児科学会の推奨予防接種スケジュール（2022 年 4 月）より改変〕

用されている.

b 伝染病，感染症

学校保健安全法での伝染病は，まず第一種が感染症予防法における 1 類および 2 類感染症（エボラ出血熱など）で，これは保健所の指示に従う.

第二種は実生活上よく問題になるもので，出席停止期間は以下のとおりである（2012 年 4 月改正）.

- インフルエンザ：発症後 5 日，かつ解熱後 2 日（幼児は 3 日）
- 百日咳：特有の咳が消失するまで，または 5 日間の抗菌薬治療終了
- 麻疹：解熱後 3 日
- 流行性耳下腺炎：耳下腺などの腫脹が発現後 5 日，かつ全身状態良好
- 風疹：発疹が消失するまで
- 水痘：発疹が痂皮化するまで
- 咽頭結膜熱：症状消退後 2 日
- 結核・髄膜炎菌性髄膜炎：伝染のおそれがなくなるまで

ただし結核を除き，医師が感染のおそれがないと認めたときは，この限りでない.

（第三種は省略）

▶表6 学校生活管理指導表（小学生用）

年　月　日

氏名＿＿＿＿＿＿＿＿　男・女　＿＿年　月　日生（　）才＿＿　＿＿＿＿小学校　＿＿年＿＿組

①診断名(所見名)	②指導区分 要管理：A・B・C・D・E 管理不要	③運動クラブ部活動 (　　　)クラブ 可(ただし，　　　)・禁	④次回受診 (　)年(　)カ月後 または異常があるとき

医療機関＿＿＿＿＿＿＿＿

医　師＿＿＿＿＿＿＿＿印

【指導区分：A…在宅医療・入院が必要　B…登校はできるが運動は不可　C…軽い運動は可　D…中等度の運動まで可　E…強い運動も可】

体育活動			運動強度	軽い運動(C・D・Eは“可”)	中等度の運動(D・Eは“可”)	強い運動(Eのみ“可”)
運動領域等	＊体つくり運動	体ほぐしの運動 多様な動きをつくる運動遊び	1・2年生	体のバランスをとる運動遊び(寝転ぶ，起きる，座る，立つなどの動きで構成される遊びなど)	用具を操作する運動遊び(用具を持つ，降ろす，回す，転がす，くぐるなどの動きで構成される遊びなど)	体を移動する運動遊び(這う，走る，跳ぶ，はねるなどの動きで構成される遊び)，力試しの運動遊び(人を押す，引く，運ぶ，支える，力比べで構成される遊び)
		体ほぐしの運動 多様な動きをつくる運動	3・4年生	体のバランスをとる運動(寝転ぶ，起きる，座る，立つ，ケンケンなどの動きで構成される運動など)	用具を操作する運動(用具をつかむ，持つ，回す，降ろす，なわなどの動きで構成される遊びなど)	体を移動する運動(這う，走る，跳ぶ，はねるなどの動きで構成される運動) 力試しの運動(人を押す，引く動きや力比べをする動きで構成される運動)，基本的な動きを組み合わせる運動
		体ほぐしの運動 体力を高める運動	5・6年生	体の柔らかさを高める運動(ストレッチングを含む)，軽いウォーキング	巧みな動きを高めるための運動(リズムに合わせての運動，ボール・輪・棒を使った運動)	動きを持続する能力を高める運動(短なわ，長なわ跳び，持久走)，力強い動きを高める運動
	陸上運動系	走・跳の運動遊び	1・2年生	いろいろな歩き方，ゴム跳び遊び	ケンパー跳び遊び	全力でのかけっこ，折り返しリレー遊び 低い障害物を用いてのリレー遊び
		走・跳の運動	3・4年生	ウォーキング，軽い立ち幅跳び	ゆっくりとしたジョギング，軽いジャンプ動作(幅跳び・高跳び)	全力でのかけっこ，周回リレー，小型ハードル走 短い助走での幅跳びおよび高跳び
		陸上運動	5・6年生			全力での短距離走，ハードル走 助走をした走り幅跳び，助走をした走り高跳び
	ボール運動系	ゲーム，ボールゲーム・鬼遊び(低学年) ゴール型・ネット型・ベースボール型ゲーム(中学年)	1・2年生	その場でボールを投げたり，ついたり，捕ったりしながら行う的当て遊び	ボールを蹴ったり止めたりして行う的当て遊びや蹴り合い陣地を取り合うなどの簡単な鬼遊び	ゲーム(試合)形式
			3・4年生	基本的な操作(パス，キャッチ，キック，ドリブル，シュート，バッティングなど)	簡易ゲーム(場の工夫，用具の工夫，ルールの工夫を加え，基本的操作を踏まえたゲーム)	
		ボール運動	5・6年生			
	器械運動系	器械・器具を使っての運動遊び	1・2年生	ジャングルジムを使った運動遊び	雲梯，ろく木を使った運動遊び	マット，鉄棒，跳び箱を使った運動遊び
		器械運動 マット，跳び箱，鉄棒	3・4年生 5・6年生	基本的な動作 マット(前転，後転，壁倒立，ブリッジなどの部分的な動作) 跳び箱(開脚跳びなどの部分的な動作) 鉄棒(前回り下りなどの部分的な動作)	基本的な技 マット(前転，後転，開脚前転・後転，壁倒立，補助倒立など) 跳び箱(短い助走での開脚跳び，抱え込み跳び，台上前転など) 鉄棒(補助逆上がり，転向前下り，前方支持回転，後方支持回転など)	連続技や組み合わせの技
	水泳系	水遊び	1・2年生	水に慣れる遊び(水かけっこ，水につかっての電車ごっこなど)	浮く・もぐる遊び(壁につかまっての伏し浮き，水中でのジャンケン・にらめっこなど)	水につかってのリレー遊び，バブリング・ボビングなど
		水泳運動	3・4年生	浮く運動(伏し浮き，背浮き，くらげ浮きなど) 泳ぐ動作(ばた足，かえる足など)	浮く動作(け伸びなど) 泳ぐ動作(連続したボビングなど)	補助具を使ったクロール，平泳ぎのストロークなど
			5・6年生			クロール，平泳ぎ
	表現運動系	表現リズム遊び	1・2年生	まねっこ遊び(鳥，昆虫，恐竜，動物など)	まねっこ遊び(飛行機，遊園地の乗り物など)	リズム遊び(弾む，回る，ねじる，スキップなど)
		表現運動	3・4年生	その場での即興表現	軽いリズムダンス，フォークダンス，日本の民謡の簡単なステップ	変化のある動きをつなげた表現(ロック，サンバなど)
			5・6年生			強い動きのある日本の民謡
	雪遊び，氷上遊び，スキー，スケート，水辺活動			雪遊び，氷上遊び	スキー・スケートの歩行，水辺活動	スキー・スケートの滑走など
文化的活動				体力の必要な長時間の活動を除く文化活動	右の強い活動を除くほとんどの文化活動	体力を相当使って吹く楽器(トランペット，トロンボーン，オーボエ，バスーン，ホルンなど)，リズムのかなり速い曲の演奏や指揮，行進を伴うマーチングバンドなど
学校行事，その他の活動				▼運動会，体育祭，球技大会，新体力テストなどは上記の運動強度に準ずる． ▼指導区分，“E”以外の児童の遠足，宿泊学習，修学旅行，林間学校，臨海学校などの参加について不明な場合は学校医・主治医と相談する． ▼陸上運動系・水泳系の距離(学習指導要領参照)については，学校医・主治医と相談する．		
その他注意すること						

定義《軽い運動》同年齢の平均的児童にとって，ほとんど息がはずまない程度の運動．《中等度の運動》同年齢の平均的児童にとって，少し息がはずむが息苦しくない程度の運動．パートナーがいれば楽に会話ができる程度の運動．
《強い運動》同年齢の平均的児童にとって，息がはずみ息苦しさを感じるほどの運動．心疾患では等尺運動の場合は，運動時に歯を食いしばったり，大きな掛け声を伴ったり，動作中や動作後に顔面の紅潮，呼吸促拍を伴うほどの運動．
＊新体力テストで行われるシャトルラン・持久走は強い運動に属することがある．

（公益社団法人　日本学校保健会）

▶表7　学校生活管理指導表（中学・高校生用）

年　月　日

氏名＿＿＿＿＿＿　男・女　　年　月　日生（　）才　　＿＿＿＿中学校／高等学校　年　組

①診断名（所見名）	②指導区分 要管理：A・B・C・D・E 管理不要	③運動部活動 （　　）部 可（ただし，　　）・禁	④次回受診 （　）年（　）カ月後 または異常があるとき	医療機関＿＿＿＿ 医師＿＿＿＿印

【指導区分：A…在宅医療・入院が必要　B…登校はできるが運動は不可　C…軽い運動は可　D…中等度の運動まで可　E…強い運動も可】

体育活動			軽い運動（C・D・E は“可”）	中等度の運動（D・E は“可”）	強い運動（E のみ “可”）
運動領域等	＊体つくり運動	体ほぐしの運動 体力を高める運動	仲間と交流するための手軽な運動，律動的な運動 基本の運動（投げる，打つ，捕る，蹴る，跳ぶ）	体の柔らかさおよび巧みな動きを高める運動，力強い動きを高める運動，動きを持続する能力を高める運動	最大限の持久運動，最大限のスピードでの運動，最大筋力での運動
	器械運動	（マット，跳び箱，鉄棒，平均台）	準備運動，簡単なマット運動，バランス運動，簡単な跳躍	簡単な技の練習，助走からの支持，ジャンプ・基本的な技（回転系の技を含む）	演技，競技会，発展的な技
	陸上競技	（競走，跳躍，投てき）	基本動作，立ち幅跳び，負荷の少ない投てき，軽いジャンピング（走ることは不可）	ジョギング，短い助走での跳躍	長距離走，短距離走の競走，競技，タイムレース
	水泳	（クロール，平泳ぎ，背泳ぎ，バタフライ）	水慣れ，浮く，伏し浮き，け伸びなど	ゆっくりな泳ぎ	競泳，遠泳（長く泳ぐ），タイムレース，スタート・ターン
	球技	ゴール型：バスケットボール，ハンドボール，サッカー，ラグビー	ラ（ゆっくりなランニングのない運動） 基本動作 （パス，シュート，ドリブル，フェイント，リフティング，トラッピング，スローイング，キッキング，ハンドリングなど）	フ（身体の強い接触を伴わないもの）ットワークを伴う運動 基本動作を生かした簡易ゲーム （ゲーム時間，コートの広さ，用具の工夫などを取り入れた連携プレー，攻撃・防御）	タイムレース・応用練習・簡易ゲーム・ゲーム・競技 試合・競技
		ネット型：バレーボール，卓球，テニス，バドミントン	基本動作 （パス，サービス，レシーブ，トス，フェイント，ストローク，ショットなど）		
		ベースボール型：ソフトボール，野球	基本動作（投球，捕球，打撃など）		
		ゴルフ	基本動作（軽いスイングなど）	クラブで球を打つ練習	
	武道	柔道，剣道，相撲	礼儀作法，基本動作（受け身，素振り，さばきなど）	基本動作を生かした簡単な技・形の練習	応用練習，試合
	ダンス	創作ダンス，フォークダンス 現代的なリズムのダンス	基本動作（手ぶり，ステップ，表現など）	基本動作を生かした動きの激しさを伴わないダンスなど	各種のダンス発表会など
	野外活動	雪遊び，氷上遊び，スキー，スケート，キャンプ，登山，遠泳，水辺活動	水・雪・氷上遊び	スキー，スケートの歩行やゆっくりな滑走平地歩きのハイキング，水に浸かり遊ぶなど	登山，遠泳，潜水，カヌー，ボート，サーフィン，ウインドサーフィンなど
文化的活動			体力の必要な長時間の活動を除く文化活動	右の強い活動を除くほとんどの文化活動	体力を相当使って吹く楽器（トランペット，トロンボーン，オーボエ，バスーン，ホルンなど），リズムのかなり速い曲の演奏や指揮，行進を伴うマーチングバンドなど
学校行事，その他の活動			▼運動会，体育祭，球技大会，新体力テストなどは上記の運動強度に準ずる. ▼指導区分，“E” 以外の生徒の遠足，宿泊学習，修学旅行，林間学校，臨海学校などの参加について不明な場合は学校医・主治医と相談する.		
その他注意すること					

定義《軽い運動》 同年齢の平均的生徒にとって，ほとんど息がはずまない程度の運動.《中等度の運動》 同年齢の平均的生徒にとって，少し息がはずむが息苦しくない程度の運動．パートナーがいれば楽に会話ができる程度の運動.《強い運動》 同年齢の平均的生徒にとって，息がはずみ息苦しさを感じるほどの運動．心疾患では等尺運動の場合は，動作時に歯を食いしばったり，大きな掛け声を伴ったり，動作中や動作後に顔面の紅潮，呼吸促迫を伴うほどの運動.

＊新体力テストで行われるシャトルラン・持久走は強い運動に属することがある.

（公益社団法人　日本学校保健会）

E 理学・作業療法との関連事項

■みんなで育てる

“生理的早産”という言葉をご存知だろうか？これはスイス人の生物学者であるアドルフ・ポルトマンが提唱した学説である．ヒトの赤ちゃんは他の哺乳類と異なり，立つことも歩くこともできない．ポルトマンはヒトの赤ちゃんが生理学的には1年ほど早い状態で生まれてくることを指摘し，この1年間を子宮外の胎児期と呼んだ．赤ちゃんは未熟な状態から成熟しなければならない多くの発達課題を残して生まれてくる．つまり，長期にわたり大人の手助けを必要とし，生きていかなければならない．他の霊長類と比較してもヒトの育児には多くの時間がかかる．

その育児を可能としている理由の1つに“共同養育”がある．これはヒトが所属している集団を単位とした子育てであり，子どもの面倒を共同でみるシステムである．共同養育は一部の霊長類にもみられるが，ヒトの共同養育は頻度・質ともに他の哺乳類と比することができないほど進化している．言い換えればヒトは共同養育によって命を繋いできたのである．

脳科学者の明和政子はその著書『まねが育むヒトの心』において，ヒトの共同養育を支えているのは他者への共感力と信頼力であるとの考えを示している．ヒトは他者の行動や表情から感情を類推するという優れた能力を備えている．ヒトの行為の意図を予測することを可能とするミラーニューロンシステム，ヒト独自の利他的行動にかかわるとされるメンタライジングシステム，ヒトの共同養育を説明しうる知見が日々，蓄積されている．

貧困，児童虐待，少子化，都市部への人口集中など子育ての障壁となっている社会問題はあとを絶たない．子育てを母親や父親だけに背負わせるのではなく，社会全体で育てていく必要がある．

■ICFでとらえる

ICF（International Classification of Functioning, Disability and Health；国際生活機能分類）は，人の健康状態および健康関連状況を記述するための方法として，2001年5月，世界保健機関（WHO）総会において採択された．以来，障害児（者）にかかわるさまざまな専門家がICFを用いることにより，障害や疾病の状態についての共通理解をもつことが可能となった．ICFはその前身であるICIDH（International Classification of Impairments, Disabilities and Handicaps；国際障害分類）と比べ，以下の特徴をもつ．

①ICIDHで用いられた「機能障害・能力障害・社会的不利」といったマイナス面で評価するだけでなく，プラス面でも記述できるようにした．
②健康状況に影響を与える背景因子として，環境因子と個人因子という考え方を採用した．これにより，物的・人的環境や社会的・文化的背景を含め対象者の健康状態を理解することが可能となった．
③ICFの構成要素は相互に関係しつつも，その影響はほかの構成要素を必ずしも決定づけるものではないとした．すなわち，機能障害があるものの，能力制限がない場合も存在しうることを示したのである．

ICFは，ともすれば子どもの機能状態に偏りがちであった医療従事者の意識を，生活全体でとらえ直す道具ともいえる．医療・保健・福祉・教育領域での活躍が期待される理学・作業療法士にとって，ICFを熟知しておくことは不可欠である．なお，ICFの有用性が浸透していく一方で，ICFの構成要素が子どもや発達段階が初期である人への活用において十分でないとの指摘がなされ，現在，生活機能分類-児童版（ICF-CY：International Classification of Functioning, Disability and Health：Children & Youth Version）が開発されている．ICF-CYでは児童青年期固有の項目が追加されたり，児童や青年期にふさわしい例が示されたりするなど工夫がなされている．

- □ 乳幼児期の身長，体重，頭囲の発育の特徴を説明しなさい．
- □ 乳児期の代表的な原始反射が出現し消失する時期について述べなさい．
- □ 4か月，1歳6か月，3歳，5歳児の発達のチェックポイントと意義について説明しなさい．
- □ 予防接種の意義と注意点について説明しなさい．

第2章

診断と治療の概要

学習目標

- 診断と検査の過程を知ることで，そこから治療・訓練に大切な情報をつかむ方法を理解する．このときに得られる情報は，日常訓練上の必要度が高い．
- 小児で頻度の高い発熱や呼吸の異常の理解および，痙攣や心肺停止時の救急処置についても学習する．

A 診断と検査

療育訓練の重要な対象には，重症心身障害児（重症児）がある．重症児に対する療育訓練の主たる目的は生活の質（QOL）の改善であり，本人がよりよい家庭生活や社会生活を獲得することを目標とするためには，治療者（理学・作業療法士）のみならず，医師，看護師やソーシャルワーカー，保育士など，多職種と連携した支援体制の構築が必要となる．多職種との情報交換を能率的に行うためには，電子化されたカルテ（診療録や一般検査，放射線検査，看護・リハビリテーションなどの記録）を活用していくことも重要である．

カルテに記載された診断と検査に関する情報を理解することは，訓練をしていくうえで欠かせないことである．

1 問診

a 問診票，紹介状

患者が医療機関や訓練施設に初めて受診する際に，診察の前にあらかじめ問診票に必要な情報を記入するようにしていることが多い．問診票には主訴（受診のきっかけ，何の相談にきたか，また何が心配か），家族歴，既往歴，発達歴などの情報が記載されている．療育訓練依頼で他施設から紹介されてきた患者の場合，療育訓練自体は主訴の一部分でしかないこともあり，治療者は問診票やカルテから本来の訴えが何であるかをあらかじめ把握しておくべきである．ほかの医療機関からの紹介状には，全体像を含めて簡潔に問題点が記載されていることが多い．

b 家族歴

長期にわたる療育では家族全体の理解と協力が不可欠であり，兄弟の有無やキーパーソンの把握は重要である．兄弟がいる児では刺激が入りやすい反面，家族が児にかかわる時間が少なくなる傾向がある．キーパーソンを把握することで，自宅でのホームプログラムなどを計画しやすい．

c 病歴と発達歴

疾病に対しては現病歴や既往歴を知ることが大切であるが，小児ではそれに加えて発達歴が必要な情報である．まずは出生時の状況として，在胎週数，体重を確認する．早期産であれば修正月齢も確認し，低出生体重児であれば合併症の有無も確認する．サイトメガロウイルスなどの胎内感染の有無，新生児仮死の有無，重度の黄疸の既往などから，難聴や脳性麻痺のリスクを評価する．

次に児の発達歴として，定頸・寝返り・お座り・四つ這い・伝い歩き・独歩など，各粗大運動の獲得時期を把握することで，児の発達を大まかに把握する．また現在の日常生活動作（ADL）や，食事方法，言葉の遅れの有無の聞き取りも重要である．乳児期の哺乳力，哺乳時のむせ，咀嚼の様子など，食事の様子や子音の発声の状態から，口腔機能の問題を確認する．

訓練を行ううえで，現病歴や既往歴は訓練における身体上の注意事項を考える参考になり，発達歴は療育訓練の目標や手段などを考える参考になる．

d 観察

患児や保護者に対して前述の情報を得るための問診を行うときに，同室内の患児本人の言語能力，行動，運動障害などについて観察ができる．また同時に患児と保護者の接し方を観察することで，その関係の情報を得ることも可能である．

2 診察

a 対象者

診察は患者が診察室に入ってきたときから始まる．小児科で大切なことは，患児本人だけでなく，保護者そして付き添いを含めた全員を観察することであり，特に母子・父子関係などは観察の要点である．

b 診察環境

患児ができるだけ警戒心をもたずに普段に近い行動がとれるような配慮が，部屋の配置や医療者側の態度に必要である．診察には，視診，聴診，触診，打診などがある．

患児に説明しながら診察への協力をしてもらうことで，コミュニケーションの力量や理解度を知ることもできる．年齢に応じた流行の話題もしてみると，初期の意思疎通が非常にはかりやすくなることがある．診察室では児が警戒して普段のような行動がとれないこともあるが，その場合は自宅や保育園などでの各種動作場面のビデオを撮ってきてもらうことも有用である．

c 診察順序

診察の順序は，大まかには全身状態から部分の観察へと進めるのが一般的だが，患児の年齢や状態，あるいは緊急度によって臨機応変な診察順序で行う必要がある．心音・心雑音の聴診や腹部の触診は，児が泣き出すと所見をとりにくくなるため，最初に行うほうがよい．

立位や歩行のバランスを確認し，普段履いている靴の靴底の観察で歩き方の特徴をつかむ．筋力，関節可動域を含めた筋緊張，深部腱反射，麻痺の有無などの神経学的所見の確認は重要である．特に運動発達遅滞があると，外反扁平足の合併が多い．関節可動域制限がある場合には，それが筋緊張亢進によるものか，拘縮なのかを評価する．麻痺がある場合には，四肢麻痺・片麻痺・対麻痺・単麻痺を区別する．感覚過敏・鈍麻などの感覚障害についても可能な範囲で評価する．

d 処方，訓練開始後

通常は問診と診察の経過で得られた情報をもとに療育訓練の処方が出されることが多いが，実際には，1回の診察では診断の確定や正確な指示を出せないこともある．短期の訓練が診断のヒントにつながることもあることから，各部署間の情報共有が重要になってくる．すなわち，治療者側も，処方箋の指示内容で訓練することだけにとどまらず，視野をより広くもって観察と訓練に臨み，必要ならば医師側への情報のフィードバックを行うことが重要である．

3 検査

診断の確定，および病態や障害の理解を深めるために，臨床検査を計画する．検査にはどのようなものがあるか，一般の診療で頻度の高いものをあげておく．

a 一般的な検査

以下に分類した検査の目的は固定されたものではなく，症例ごとにそのねらいどころが変わる．

(1) ルーチン検査

診断する際の補助となる検査は，主として治療計画に結びつくものである．以下に検査項目と検査対象をあげた．

- 尿検査：蛋白，潜血，糖，ウロビリノゲン，ケトン，沈渣（鏡検）
- 糞便検査：潜血，虫卵
- 血液一般検査
- 生化学検査：蛋白，電解質，腎機能，肝機能，クレアチニンキナーゼ（CK），糖，アンモニア，甲状腺機能，ピルビン酸など
- 血清検査：C 反応性蛋白（CRP），赤沈，細菌・ウイルス抗体価
- 血液ガス分析：PO_2, PCO_2, pH, base excess
- 髄液検査：細胞数，蛋白，糖
- 塗抹・培養検査：尿，便，咽頭ぬぐい液，痰，血液，髄液，膿汁
- X 線検査：胸部，腹部，脊椎，頭部，四肢など

(2) 機能測定

身体機能を測定する検査は，治療計画だけでなく，療育指導計画にも結びつくものである．

- 脳波
- 心電図
- スパイログラム（呼吸機能検査）
- 耳鼻科診察，聴力検査（ABR）

(3) 形態の把握

小児内科的治療のほかに，外科的治療へ結びつくものには以下のような検査がある．

- 心エコー
- 頭部・腹部エコー（注：頭部は大泉門が開大している新生児・乳児期のみ）
- CT スキャン，MRI

b 精密検査

一般的な検査に引き続いて，精査を目的として，以下のようなさまざまな検査が計画されることがある．

- 機能検査
- 画像検査
- 組織検査
- 遺伝子検査，染色体検査

特殊な検査であることから，予約あるいは入院などの手続きが必要となることが多い．

4 治療，療育，就業・生活支援

a 療育としてのリハビリテーション訓練

障害のある小児に対するリハビリテーションとは，狭義には，特定の技術により機能障害の程度を軽減させたり，ADL を向上させたり，あるいは言語機能を含むコミュニケーションの改善をはかることを指す．しかし，小児は本来発達途上にあるため，障害の程度を軽減する訓練だけをリハビリテーションの目的とするのではなく，患児の心身の発達そのものに視野をおいたリハビリテーションを考えなければならない．

このように医療的なかかわりと教育および育児的なかかわり，社会環境の整備まで含めた，小児の発達に働きかける広義のリハビリテーションは「療育」としてとらえられている．

b 教育との協力

重症児の教育に関しては，本来教育と医療の両分野が有機的に協力して，障害児の能力の向上と障害の軽減に取り組むべきである．この問題を乗り越えるために 2007 年から特別支援教育制度が実施されるようになった．背景として，療育対象児童の障害の重度化（重複障害の増加），障害対象領域の広範化〔発達障害（LD，ADHD，ASD）を含むようになった〕は，子ども一人ひとりの困

り感「教育的ニーズ」に基づいて行われ，医療・福祉・労働などの関係機関と密接な連携をとりながら行われる．日々の訓練の中で気づかれた子どもの教育的ニーズや保護者の困り感，教育の方向性の確認などの情報共有が重要である．

c 就業と生活支援

学齢期を終了したのちに，一般就業が困難な障害児・者の場合は，彼らの大部分の生活負担が家族にのしかかる可能性がある．現在，障害のある人が仕事をもち地域・社会にかかわるために，共同作業所づくりや，福祉的就業施設，グループホーム設立などが全国の各地域・行政で行われつつある．作業に関連して身体的・精神的側面のサポートをするために，治療者がかかわる機会が増加しつつあるが，治療者のかかわり方しだいで，作業に対する動機づけがうまくでき，障害児・者にとって作業の内容がより広く深くなる，障害者の身体の変形予防になる可能性があるなど，治療者に期待される役割が数多くある．

B 小児の治療法

1 薬物治療

小児への経口的投薬量は成人と異なり，体重によって決まっている．一般的な目安として1歳児で成人の1/4，7歳半で1/2である．体調が悪く経口的服薬が難しい場合には，解熱薬や制吐薬などは坐薬として使用されることがある．また一般に乳幼児では経口的に錠剤やカプセルの服用が困難であり，シロップ剤や粉末剤で投与され，必要に応じて経静脈的に投与する．皮膚に貼るタイプのテープ剤やパップ剤も日常診療で使用されている．

薬には有効成分の名称である「一般名」と「商品名」があり，商品名はたくさんあるため「一般名」を確認しておくと重複投与を防げる．

2 急性の症状と対処

a 子どもの体調の把握

訓練前，訓練中に子どもの体調が変化する場合があるが，特に重症児では個別性が高く，症状悪化も早い．普段の状態と比較することが非常に重要であり，一人で判断せずに必ずスタッフ間で相談・情報共有を行い，判断がつかない場合は主治医に連絡する．

子どもの体調を把握するには，治療および搬送の緊急性をPAT（pediatric assessment triangle）*を用いて，「何となく元気がない（not doing well）」といった状態を客観的かつ速やかに判断する．普段と様子が違う場合には，1次評価（ABCDE）*でどこがいつもと違うのかをポイントを絞って観察する．

いつもと違うところがあれば，眼，耳，鼻，口，リンパ節，陰部，手足の爪，皮膚と全身を観察・評価する．必要な場合は，気道確保や安楽な体位などの対応をすぐに実施する．ポジショニングやリラクゼーションなどを行いながら，このまま経過観察するのか，緊急度が高いと判断するのかを再度評価する．

b 発熱

子どもの体温調節機構は未熟であり，特に重症児は体温調節中枢の機能不全があったり，筋緊張や痙攣発作による過度の熱産生により体温が上昇したりしうる．熱の放散よりも熱産生が上回ったり，熱の放散がうまく働かない場合は熱がこもったりする（うつ熱）．発熱を疑った場合はまず掛け物の調整や体勢を整えるなどして，熱の放散を

＊American Heart Association：小児二次救命処置．PALSプロバイダーマニュアル AHA ガイドライン 2020．シナジー，2021

促す．

発熱の原因としては，気道感染症，尿路感染症・胃腸炎などの急性感染症が最も多いが，成人と同じようにアレルギー，膠原病，悪性腫瘍，内分泌異常，心因性など，さまざまな原因がある．

発熱が高くなければ，水分補給，涼しい場所に移す，冷却（頭部，腋窩，鼠径部など）などで経過をみるが，高体温であれば体力の消耗が激しくなるので解熱薬の使用も考える．ただし解熱薬の効果は一時的であり，本来の病気の経過を大きく変えるわけではないので，乱用は控えるべきである．

c 呼吸

乳幼児は解剖学的に気道が狭く，気道感染症による分泌物の増加や粘膜の浮腫により容易に狭窄が強くなる．また，横隔膜を使った腹式呼吸のため換気量が少なく，気道感染時には容易に呼吸困難をきたし重症化しやすい．

重症児は呼吸が速く不規則で，分泌物の喀出困難のためいつもゼイゼイしていることが多い．呼吸の評価としては，呼吸数，呼吸パターン，胸郭運動を確認し，聴診で正常呼吸音が聴こえるか，副雑音（異常呼吸音）の有無，努力呼吸（鼻翼呼吸，陥没呼吸，シーソー呼吸など）の有無に注意する．

3 水分補給

小児は成人に比して体重あたりの水分量が多く，成熟新生児で75%，1歳で60%である．幼児の腎機能では濃縮した尿をつくりにくいため，水不足の脱水症に陥りやすい．このため水の出入りのバランスは重要で，脱水症に対する処置として，以下の2つの方法がある．

(1) 水分の経口摂取

水分の経口摂取によって脱水症を改善しようとする場合は，少量頻回投与が基本である．脱水の程度が強いと，普段よりも著しく尿量が少なく，濃い尿が出る．また，不機嫌で元気がなくなり，皮膚の弾力が低下し，乳児なら大泉門が陥凹する．末梢循環状態を評価するための毛細血管再充満時間（capillary refilling time；CRT）が延長する．CRTの測定方法は，爪を5秒程度圧迫した後に離し，元の色に戻るまでの時間を測る．2秒以内が正常である．

水分の経口摂取には，スポーツ飲料ではなく経口補水液を用いる．経口補水液は水だけでなくNa等電解質の補給も考慮されており（Na 40～60 mEq/L，K 20 mEq/L，糖2～2.5%），軽度から中等度脱水に対して有効であり，少量ずつ根気良く与える．医薬品だけでなく市販の商品（OS-1®など）もある．

(2) 輸液（点滴）

経口摂取が困難であるときや脱水の程度が強いときは，経静脈的に水分や電解質を補う．このときには，不足水分量＋維持輸液量（不感蒸泄＋尿量）を計算して，ある一定の時間（半日～1日）をかけて注入し，その後，維持輸液を継続する．不感蒸泄とは，汗や呼気中の水分として喪失する水分である．また血液中の電解質（NaやK）の減少があれば，同時に輸液で補う．

4 救急処置

a 痙攣

小児期には，発熱の初期に痙攣（けいれん）（convulsion）を生じたり（熱性痙攣），てんかん発作を生じたりする場合がある．痙攣は突然訪れるが，命にかかわるような事態は極めてまれであり，意識消失をきたし呼吸が浅くなるような強い痙攣でも，必ず呼吸は回復する．したがって，痙攣を目にしたときにも動揺せず冷静な対応をすることが大切である．

痙攣発作時に，危険な場所や周囲に危険物がある場合にはすぐに安全対策をとり，また呼吸回復に負担がないよう姿勢を仰臥位か，嘔吐が予想される場合には体全体を側臥位にし，衣服を少しゆるめる．痙攣により口を硬く閉じている最中に，舌を噛ませない目的で歯の間に物をはさみ込むのは，かえって口腔内を傷つけるので行わない．治療者・介護者は痙攣発作を冷静に観察して医療機関に伝えることで，診断に役立てられる．具体的には以下である．

- 最初に発作が始まったときの様子と部位
- 意識や反応はあるか？
- 発作は左右対称か？
- 時間経過に伴う発作の変化
- 眼球と顔の向き
- 発作開始時刻と持続時間

痙攣発作が5分以上続く「痙攣重積」や，短時間に痙攣発作が反復する「痙攣群発」は医療機関への救急搬送が必要になる．痙攣発作を頻回におこす場合には，発作時の頓服薬（坐薬など）を携帯していることもあり，あらかじめ発作時の対応を保護者と相談しておく．

b 心肺停止

反応のない小児がいた場合には，現場の安全を確認し，肩を叩いたり大声で呼びかけたりして反応を確認する．また大声で近くの人に助けを求め，救急対応システムに出動を要請する．呼吸および脈拍が正常か確認し，心肺停止と確認された場合には，気道および呼吸の確保と，心マッサージ（▶図1）が重要である．症状の開始や重要な処置に関しては，時刻を確認し，記録しておくことが望ましい（詳細は「AHAガイドライン2020：小児二次救命処置」を参照）．

(1) 気道確保と人工呼吸

頭部を後方へ傾けて顎を挙上する姿勢にすると，舌根を持ち上げて咽頭部の閉塞を防ぎ，気道確保が可能となる．大きなタオルなどを丸めて頸部の下に敷いておけば，姿勢を崩さずに維持することができる．ただし外傷があり頸部の損傷が疑われるときには，このような頸部に負担をかける姿勢はとらずに，顎の挙上だけにとどめる．

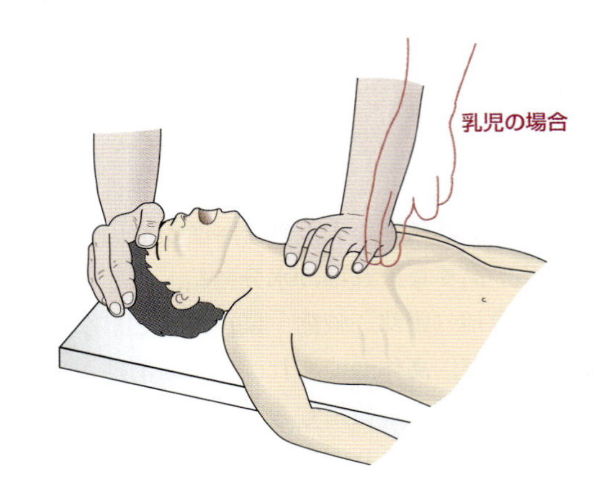

▶図1　心マッサージ

次に呼吸の補助を行うが，患児の大きさに合ったバッグ・マスク換気を行うことが最善であり，道具がなければ心マッサージのみを行う．バッグ・マスク換気では，利き手と反対の手でマスクを鼻と口の全体を覆うように固定し，利き手でバッグを握って空気を送り込む．うまく空気が肺に入れば，胸郭全体が膨らむのが確認できる．頻度は，幼児で2～3秒に1回（1分間に20～30回）．1人で行うにはコツがあり，手の指で鼻を閉じないと空気が漏れてしまう．実際に実行が難しければ，呼吸補助は省略して，次に述べる心マッサージに専念する．

(2) 心マッサージ

乳児では上腕動脈で，小児では頸動脈か大腿動脈で脈拍を確認するが，10秒以内に明確な脈拍を触知できない場合は心マッサージを開始する．

心マッサージを行うときは仰臥位に寝かせて，背部が硬い床であるか，そうでなければ硬くて広い板を背中の下に敷くと胸郭が効果的に圧迫されやすい．**図1**に示すように，胸郭正中で胸骨下部を圧迫する．心臓を胸骨と脊柱ではさむようにして，胸骨が約5cm沈む程度に圧迫する．手首に近い手掌部が圧迫する力を入れやすい．

乳児では数本の指ででも可能であり，胸の厚みの1/3ほど圧迫する．頻度は1分間に100～120回以上の速さで行う．乳児では心マッサージ30

回に2回，小児では15回に2回，の割合で人工呼吸を行う．

後述の自動体外式除細動器（AED）が確保できれば使用する．道具と多くの人手があれば，並行して気道内吸引による分泌物の排出や酸素投与を行う．必要に応じて挿管へと処置をつないだり，同時に医療機関への搬送の準備を行う．

(3) 自動体外式除細動器（AED）

AEDは，パッドを体に貼り付けることで心電図を解析する．そして心臓の電気的活動が無秩序状態（心室細動）となり，正常な心臓の鼓動が消失しているのか否かを自動診断する．電気ショックが必要な場合には音声指示があるので，介助者がスイッチを押せば，除細動（強い電流を皮膚上から心臓に直接流して，心臓の電気活動を整流して，もとに戻す）を行う装置である．

未就学児の場合は小児用パッドの使用が望ましいが，ない場合には成人用パッドを用いる．公共の場所に置かれているため，職場や地域で行われる心肺蘇生法の訓練を定期的に受講しておくとよい．

C 喉頭異物（誤嚥）

異物の誤嚥が疑われ，気道が完全に閉塞されている（気流音や呼吸音を聴取できない）場合で，反応がある場合は，必要に応じて以下を繰り返す．

1歳未満の乳児の場合には，背部叩打法，胸部突き上げ法を行う．1歳以上の場合には，腹部突き上げ法〔Heimlich（ハイムリック）法〕を行う（乳児には後述の腹部突き上げ法は行わない）．

もし患児に意識がなければ，大声で周囲に助けを求め，心肺蘇生法を開始する．実際は以下東京消防庁YouTubeを参照のこと．

- 背部叩打法
https://www.youtube.com/watch?v=yJ2yh55ErPA
- 胸部突き上げ法
https://www.youtube.com/watch?v=4eX7lVjxGkM
- 腹部突き上げ法
https://www.youtube.com/watch?v=lsrO0H4sfm0

C 理学・作業療法との関連事項

■リハビリテーションにおける2つの評価モデル

組織の意思決定の方式としてトップダウンとボトムアップがある．トップダウンは組織の上層部が意思決定をくだし，それに従い下部組織が動くという管理・運営のスタイルである．対してボトムアップは下部組織の意見や提案をすくい上げ，意思決定に反映させるものである．リハビリテーションでのトップダウンとボトムアップという用語は評価モデルを示すものとして使用されている．対象となるクライエント（対象児だけでなく，保護者も含む）の状況を的確にとらえるために，この2つの評価モデルについて概説する．

トップダウン・アプローチは日常生活動作などの活動・参加領域に焦点を当て，課題や問題点を予測しつつ，評価を進めていく方法である．評価領域を絞ることで，効率的に評価することが可能となり，より早期にアプローチが可能となる．しかし，評価すべき内容を選定するためには豊富な経験知が必要であり，臨床経験の浅い理学・作業療法士では“見落とし”が生じやすくなる．

ボトムアップ・アプローチはすべての項目を評価し，問題点を抽出するという過程を踏む．この評価モデルは心身機能の評価が進めやすいため，医療機関で広く活用されている．学生や新人はボトムアップ・アプローチで経験を積んでいくことが勧められている．しかし，時間や労力，クライエントに負担がかかるというデメリットがあるため，指導者や先輩の療法士のサポートの元で研鑽してほしい．

この2つの評価モデルは対照的であるが，併用・同時進行が可能である．クライエントの個別的ニーズに対応するためには，2つの評価モデルを双方向的に活用することが望ましい．

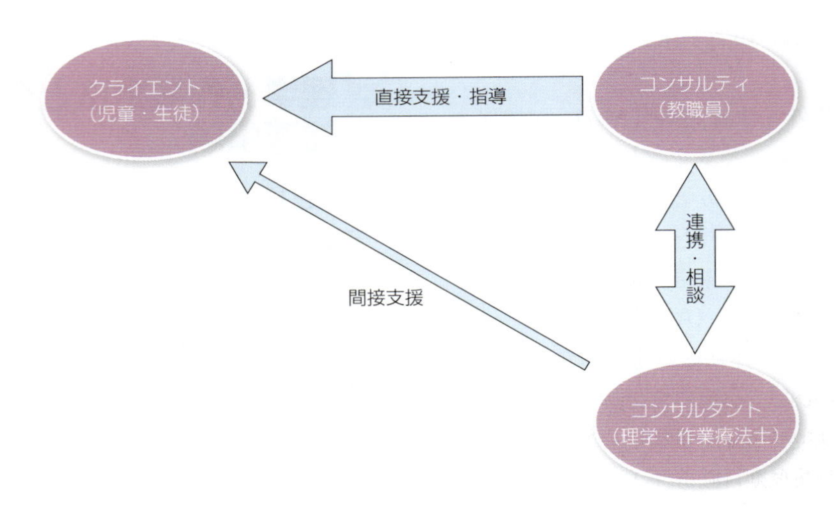

▶図 2　学校コンサルテーションの図式
〔国立特別支援教育総合研究所（編）：学校コンサルテーションを進めるためのガイドブック．p. 18，ジアース教育新社，2007 より改変〕

■学校コンサルテーション

近年，日本の特別支援教育を利用する児童・生徒は増加傾向にある．文部科学省では個別的な教育ニーズに対応するため，「多様な学びの場」を提供する取り組みを展開している．従来の特別支援学校や特別支援学級に加えて，「通級による指導」が強化されている．通級指導は，大部分の授業を通常の学級で受けながら，一部，障害に応じた特別の指導を特別な場（通級指導教室）で受けるものである．幼・小・中学校だけでなく，高等学校でも始動している．児童・生徒の多様な学びを保障するためには，特別支援教育に携わる教育者の専門性の向上が必要となる．

そこで外部専門家として，理学・作業療法士が教育現場で期待されている 1 つの連携モデルに「学校コンサルテーション」がある（▶図 2）．学校コンサルテーションでは，クライエント（児童・生徒）の解決すべき課題についてコンサルタント（外部専門家など）とコンサルティ（教職員）が協議し，解決策を見出していく．外部専門家と教職員との連携・協業は互いの職業への理解を深めるとともに，専門性の向上という副産物をもたらす．厚生労働省による保育所等訪問事業も拡大しており，理学・作業療法士が教育現場で活躍できる環境が広がりつつある．時代のニーズに対応すべく，多くの理学・作業療法士に参画してもらいたい．

□ 身近なカルテが実際にどのように記録されているのかを見て，その構成を理解すること．
□ 発熱の原因とその対応策について説明しなさい．
□ 痙攣発作や心肺停止の緊急時の対応を説明しなさい．

第3章 新生児・未熟児と疾患

学習目標
- 新生児，あるいは未熟児に対して使用される用語に慣れて，成熟度や仮死判定の医学的評価の方法を知る．
- 胎内から胎外生活への適応の新生児期固有の問題を理解する．
- 未熟児の神経学的評価は成熟児とやや異なることを把握する．
- 新生児期，あるいは未熟児の仮死や頭蓋内出血時の症状を知り，低酸素性虚血性脳症や脳室内出血などの代表的中枢神経疾患を理解する．

A 胎児期，周産期，新生児期

1 定義と分類

a 在胎，出生時期に関連した用語（▶図1）

(1) 在胎期間〔妊娠期間（gestational age)〕

最終月経の第1日（0日とする）から起算し，満の週数または日数で表す．通常は，受胎日から起算する胎齢（embryonic age）は，在胎期間より約2週間少ない．

(2) 周産期（perinatal period）

妊娠満22週以後の胎児期と，日齢7日未満の早期新生児期とを合わせた時期である．特に衛生統計上，周産期死亡率は重要な指標である．

ただし，国際比較時には周産期の定義を以前の，更新前の定義（妊娠28週以後，日齢7日未満）で取り上げることもある（▶表1）．

(3) 新生児期（neonatal period）

出生により，子宮内の生活から子宮外の生活への生理的適応の時期であり，出生より生後28日未満（満0〜27日）をいう．

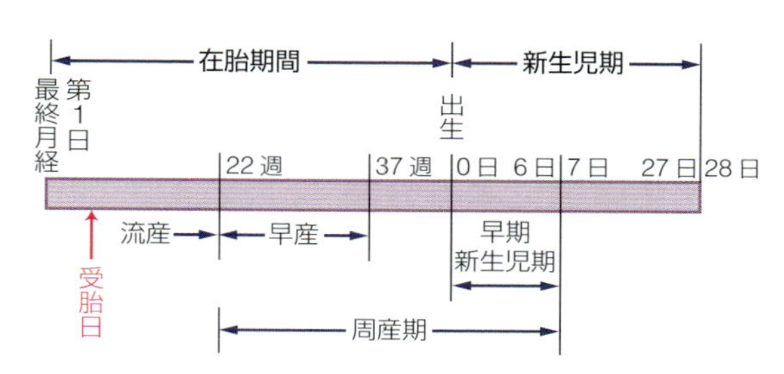

▶図1　在胎期間，新生児期に関する用語

b 在胎週数による分類（▶図2）

(1) 早産児（preterm infant）

在胎37週（259日）未満の出生児．特に在胎28週未満を，超早期産児（extremely premature infant）ともいう．

早産の下限については，WHO，厚生省通知（1991年）では妊娠22週とされ，下限以下では子宮外での生命保続ができない期間とみなされる．下限より早い時期の出産は流産という．

(2) 正期産児（term infant）

在胎37週以上42週未満の出生児

(3) 過期産児（postterm infant）

在胎42週（294日）以上の出生児

▶表1　周産期死亡率（出生1,000人対）の国際比較（ただし，周産期を妊娠満28週以後としていた更新前の定義）

	1970	1980	1990	1995	2000	周産期死亡率 (2012)	早期新生児死亡率 (2015)
日本[1]	21.7	11.7	5.7	4.7	3.8	2.6	0.7（2016）
カナダ	22.0	10.9	7.7	7.0	6.2	6.1	3.52
アメリカ合衆国	27.8	14.2	9.3	('96) 7.6	7.1	6.8	3.2
デンマーク	18.0	9.0	8.3	7.5	('01) 6.8	6.4	3.2
フランス	20.7	13.0	8.3	6.6	('99) 6.6	11.8	1.7
ドイツ[2]	26.7	11.6	6.0	6.9	('99) 6.2	5.5	1.8
ハンガリー	34.5	23.1	14.3	9.0	10.1	6.6	2.7
イタリア	31.7	17.4	10.4	8.9	('97) 6.8	4.5	1.4（2013）
オランダ	18.8	11.1	9.7	8.9	('98) 7.9	5.7	1.7
スペイン	('75) 21.1	14.6	7.6	6.0	('99) 5.2	4.1	1.8
スウェーデン	16.5	8.7	6.5	5.3	('02) 5.3	4.7	1.3
イギリス[3]	23.8	13.4	8.2	7.5	8.2	7.6	2.1
オーストラリア	21.5	13.5	8.5	6.9	6.0	6.7	2.3
ニュージーランド	19.8	11.8	7.2	('97) 5.7	5.8	4.7	3.1

注　1）国際比較のため周産期死亡は変更前の定義（妊娠満28週以後の死産数に早期新生児死亡数を加えたもの，出生千対）を用いている.
2）1990年までは，旧西ドイツの数値である.
3）1980年までは，イングランド・ウェールズの数値である.
〔資料：厚生労働省「人口動態統計」，WHO "World Health Statistics Annual"，UN "Demographic Yearbook 2016" より〕

c 出生体重による分類（▶図2）

出生時の体重によって，新生児を以下の3段階に分類する.

(1) 低出生体重児（low birth weight infant；LBW）

出生時体重2,500 g未満．低出生体重児のうち，特に1,500 g未満の児を極低出生体重児（very low birth weight infant；VLBW，または極小未熟児），1,000 g未満の児を超低出生体重児（extremely low birth weight infant，または超未熟児）という.

(2) 正常出生体重児

出生時体重2,500〜4,000 g未満

(3) 高出生体重児

出生時体重4,000 g以上．巨大児（giant baby）ともいう.

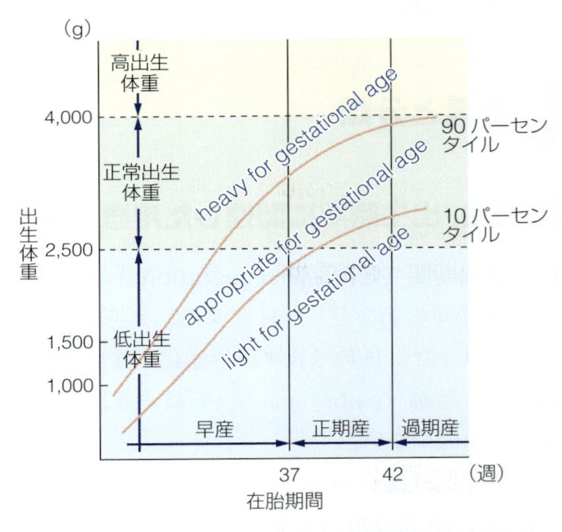

▶図2　新生児の在胎期間および出生体重による分類

〔千田勝一：定義と用語．内山聖（監修）：標準小児科学　第8版．p.77，医学書院，2013より改変〕

d 在胎週数と出生体重の関係による分類（▶図2）

胎児の胎内での発育評価に用いる.

(1) 在胎週数に比較して出生体重が軽い場合

- light for gestational age, light for dates
- 図2に示す出生時体重基準値の10パーセンタイル未満を指す．子宮内胎児発育遅延（intrauterine growth retardation；IUGR）と同義である．なお，体重と身長のいずれも10%未満児をsmall for gestational age（SGA）と呼ぶこともある.

(2) 在胎週数に適した出生体重
- appropriate for gestational age (AGA), appropriate for dates (AFD)
- 出生時体重基準値の 10〜90 パーセンタイル以内

(3) 在胎週数に比較して出生体重が重い場合
- heavy for gestational age, heavy for dates
- 出生時体重基準値の 90 パーセンタイル以上

e 成熟度による分類

(1) 未熟児 (premature infant)

在胎 37 週未満出生の早期産児，あるいは出生時体重が 2,500 g 未満の低出生体重児を呼ぶ．あるいは，なんらかの未熟性を認める場合に用いられることもある．統計学上はなじみにくい用語ではある．

(2) 成熟児 (mature infant)

在胎 37 週以降に出生し，出生体重が 2,500 g 以上で，子宮外生活に適応できるという意味で成熟している新生児のこと．

(3) 過熟児 (postmature infant または dysmature infant)

在胎 42 週を過ぎて出生し，出生体重が 4,000 g 以上の新生児．一部には，やせ，皮膚の乾燥やひび割れなど胎盤機能不全の症状を呈するものが含まれる．

2 衛生統計

(1) 出生率
- 人口 1,000 人あたりの年間出生数
- 2020 年は 6.8

(2) 周産期死亡率
- 在胎 22 週以降の死産＋早期新生児死亡（生後 1 週未満）の場合を周産期死亡という．
- 年間の出生 1,000 人に対する周産期死亡の割合を周産期死亡率という．
- 2020 年は 2.1（注：**表 1** は国際比較のため，在胎 28 週以降の死産である）

(3) 新生児死亡率
- 出生 1,000 人に対する生後 28 日未満の死亡数の割合をいう．
- 2020 年は 0.8

(4) 乳児死亡率
- 出生 1,000 人に対する 1 歳未満の死亡率
- 2020 年は 1.8

B 新生児の評価と問題

母子健康手帳には，「出産時の児の状態」として身体計測値や仮死判定などが記録されているので，新生児期の評価の参考になる．

1 身体計測値と在胎週数

出生時体重については**図 2** を参照のこと．近年の早期産児の調査で，経腟出生児に比較して，帝王切開出生児が有意に低出生体重であることが示された．そこで 2010 年に，小児科学会出生児部会から経腟出生児のみからなる標準値が示されている．

a 身体計測値による評価法

通常は，出生時体重と推定在胎週数により新生児の成熟度の評価を行う．これは，本章で分類したとおりである (➡39 ページ)．

頭囲は胎内環境の影響に比較的左右されにくいので，在胎週数や成熟度を考えるうえで重要な指標の 1 つである．一方，頭囲は，脳の容量だけでなく，頭部の形にも影響される．つまり頭部の変形により前後径が長いほど同一容積でも長く測定される．

未熟児の場合，生後第 1 週は頭囲が減少し，その後徐々に拡大しはじめて，第 3 週以降は毎週 1 cm の拡大を新生児期の間に示す．その後は平均的な胎児頭囲増加曲線に近づいていく．

この時期の頭囲の回復が遅いと，重大な障害を

▶表2　スコアの合計点から在胎週数を推測

スコア	在胎週	スコア	在胎週
−10	20	25	34
−5	22	30	36
0	24	35	38
5	26	40	40
10	28	45	42
15	30	50	44
20	32		

もたらす疾患が背景にあることがある．逆に，急激な頭囲の増大は頭蓋内出血や水頭症の可能性がある．

b 他の在胎週数評価法

最終月経に基づく推定在胎週数は不正確なこともあるので，新生児本人の所見から逆に在胎週数を推定する方法がある．

(1) Ballard（バラード）の評価表

身体的成熟度および神経学的所見（▶図3）のスコアの合計点を求めて在胎週数を推測する（▶表2）．

(2) Volpe（ヴォルペ）の方法

Volpe（2001年）は，耳介軟骨，乳腺，外性器，足底の皮膚を成熟度評価の有用な対象とした．筋緊張と姿勢は，出産の経過に影響を受けるので，特に出生直後の胎齢評価には使用していない．

2 新生児仮死

a 判定方法

出生直後の重要な評価の1つに仮死（asphyxia）の判定がある．仮死は呼吸循環不全がその本態であり，評価方法にはいくつかの方法がある．

(1) Apgar（アプガー）スコア

最も広く使用されている評価方法であり，各項目最良2点で合計10点である（▶表3）．8点以上を正常とし，4〜7点を軽度仮死，3点以下は重度仮死という．

- 出生1分後（Apgar原法）：生命的予後と比較的相関．
- 出生5分後：神経学的予後と比較的相関．ただし成熟児では相関が高いが，未熟児では相関が低いとされる．
- 最近では母子手帳への記載がされていないことがあり，注意．

(2) その他の分類

新生児仮死は次の2つに分けられる．

①第1度仮死（青色仮死）：全身にチアノーゼはあるが心拍数と血圧は高めで，筋緊張良好，肛門は閉じた状態．緊急処置への反応はよい．

②第2度仮死（白色仮死）：仮死状態が長く続くと全身蒼白になり，心拍数と血圧は低下，筋緊張は消失して肛門は弛緩してくる．循環不全を伴う．緊急処置への反応が悪い．

(3) パルスオキシメータ

改良機器の普及とともに，酸素化と心拍数を迅速かつ継続的に測定できるパルスオキシメータが，新生児の蘇生時に使用されてきている．

b 危険因子

新生児仮死の危険因子を妊娠の前後に分けて示す．

(1) 妊娠前からの危険因子（母親の要因）

- 社会要因（未婚の妊娠，妊婦健診を受けていないなど）
- 糖尿病，低栄養，甲状腺機能異常症
- 心不全，喘息，低酸素症，重症筋無力症，痙攣重積
- 特発性血小板減少性紫斑病（ITP），貧血，血液型不適合
- 遺伝性疾患
- 若年産，高年産（≧35歳）
- 既往歴（流産，胎児死亡，早産，低出生体重，多胎など）

身体的成熟度

	−1	0	1	2	3	4	5
皮膚	ねばねば もろい 透過性あり	ゼラチン様 赤い 透過性あり	平坦でピンク 静脈透見	表面剝離 発疹 静脈 2，3 本透見	亀裂 蒼白 静脈透見は稀	羊皮紙様 深い亀裂 血管みえず	革皮様 亀裂 しわ
うぶ毛	なし	まばら	多い	希薄	ない部分あり	ほとんどない	
足底表面	踵〜つま先 40〜50 mm：−1 ＜40 mm：−2	＞50 mm しわがない	かすかな赤い線	先端にのみ横じわ	先端 2/3 にしわ	全体にしわ	
乳房	わからない	かすかにわかる	乳輪扁平 乳房なし	乳輪につぶつぶ 乳房 1〜2 mm	乳輪隆起 乳房 3〜4 mm	完全な乳輪 乳房 5〜10 mm	
眼・耳	眼瞼融合 ゆるい：−1 きつい：−2	開眼 耳介平坦 折り重なったまま	耳介やや彎曲 軟らか ゆっくり元に戻る	耳介よく彎曲 軟らか すぐ元に戻る	耳介硬く 瞬間的に元に戻る	耳介軟骨 厚く硬い	
男性器	陰囊平坦 しわはない	陰囊空虚 かすかなしわ	精巣は鼠径管内 まれにしわ	精巣下降中 しわ少し	精巣下降 しわ多い	精巣ぶら下がる しわ深い	
女性器	陰核突出 陰唇平坦	陰核突出 小陰唇小さい	陰核突出 小陰唇隆起	大/小陰唇 同程度の隆起	大陰唇大きく 小陰唇小さく	大陰唇が陰核と 小陰唇を覆う	

神経学的所見

	−1	0	1	2	3	4	5
姿勢							
方形窓（手首）	>90°	90°	60°	45°	30°	0°	
腕のはね返り		180°	140〜180°	110〜140°	90〜110°	<90°	
膝窩角度	180°	160°	140°	120°	100°	90°	<90°
スカーフ徴候							
踵−耳							

▶図 3 Ballard の身体的成熟度と神経学的所見のスコア表
〔Ballard. J. L., et al.：New Ballard score, expanded to include extremely premature infants. *J. Pediatr.* 119：417-423, 1991 より改変〕

▶表3　Apgar スコアの採点方法

採点項目		0点	1点	2点
A（appearance）	皮膚の色	全身チアノーゼまたは蒼白	体幹は淡紅色，四肢はチアノーゼ	全身淡紅色
P（pulse）	心拍数	なし	<100/分	≧100/分
G（grimace）	反射	なし	顔をしかめる	泣く，咳嗽・嘔吐反射
A（activity）	筋緊張	ぐんなり	四肢をいくらか曲げている	自発運動，四肢を十分曲げている
R（respiration）	呼吸努力	なし	泣き声が弱い 呼吸が不規則で不十分	良 強い泣き声

注：採点項目の並べ方は，重要度の高い順に従うと，①心拍数，②呼吸努力，③筋緊張，④反射，⑤皮膚の色である．
〔Butterfield, J.：Editors Comment. *Am. J. Dis. Child*. 104：428, 1962 より〕

(2) 妊娠中の危険因子（主として母親の要因）

- 母体感染（先天性風疹症候群，先天性梅毒，先天性トキソプラズマ感染症，先天性サイトメガロウイルス感染症，単純ヘルペスウイルス感染症，HIV 感染症）
- 母体への薬物投与
  喫煙：子宮内胎児発育遅延（IUGR）
  モルヒネ・ヘロイン：離脱症候群（振戦，呼吸困難，チアノーゼ，痙攣）
  アルコール：胎児性アルコール症候群
  抗てんかん薬：バルプロ酸，カルバマゼピン，フェニトイン，フェノバルビタール，トピラマートなど
- 胎盤機能不全，高血圧，多胎など

(3) 分娩中の危険因子

- 墜落分娩，遷延分娩，胎児心拍異常
- 骨盤位，顔位，横位
- 鉗子分娩
- 羊水過多，羊水過少
- 胎盤異常
  前置胎盤，胎盤早期剝離
  胎盤機能不全など
- 臍帯脱出，単一臍動脈，過期産，子癇など

3 新生児の呼吸，全身の所見

a 呼吸状態

出生直後に第1啼泣があり，数回の啼泣で呼吸が確立する．正常呼吸数に落ち着くには約10分を要する．吸引症候群，緊張性気胸，呼吸窮迫症候群（RDS）などは，そのころから次第にはっきりしてくる．

無呼吸，あえぎ呼吸，低心拍数（<100/分）が続くようなら，バッグバルブマスクによる人工呼吸を行う．遅延なき有効な人工呼吸が大切である．それが無効であれば，気管挿管を検討する．

b 身体所見

(1) 皮膚の色調

皮膚の色調と，それから推測できる体の状態を**表4**にまとめた．

(2) 胎脂

出生時に皮膚にみられる白色軟膏様物質である．早産児に多く，過期産児にはない．

(3) 皮下組織

皮下脂肪は早産児や IUGR では薄い．全身浮腫は，早産児に多い．その程度が強い胎児水腫は病的浮腫であり，原因は多様である．

(4) 胸部

鎖骨骨折，呻吟，多呼吸，陥没呼吸の有無，呼

▶表 4　皮膚の色調からみた身体所見

色調	身体所見
淡紅色	正常
チアノーゼ	動脈血の酸素飽和度が低下して，皮膚・粘膜が暗紫青色となる．出生直後は手足など末梢性に多く認められる．より重篤な呼吸障害などを示す中心性チアノーゼは，口唇周囲，眼瞼結膜などにまず現れる
蒼白	循環不全か貧血
過度の紅潮	多血症（例：双胎間輸血症候群）
黄疸	出生直後にみられれば，溶血性の疾患の疑い
色素沈着	外陰部，腋窩部，口腔粘膜に強ければ，先天性副腎過形成の疑い
点状出血	顔位分娩や，先天性ウイルス感染の可能性

吸音の左右差に注意し，心音を確認する．出生直後の軽い心雑音は，正常でも時々みられる．

(5) 腹部

出生時直後は触診で腹腔内臓器が触れやすい．数時間でガスがたまりだす．胎便が生後 24 時間以内に認められる．

- 膨満：腹水，腫瘤，消化管閉鎖など
- 陥凹：横隔膜ヘルニア，食道閉鎖など
- 臍帯ヘルニア（腹壁中央から臍帯を覆って内臓が脱出），臍帯血管異常（単一臍動脈）にも注意

(6) 陰部

男子の停留精巣，尿道下裂，女子では大陰唇の発育状態（未熟児では悪い），鎖肛の有無に注意する．

(7) 四肢

指の数と形態の異常（多指症，合指症，裂指症），四肢形態異常（骨形成不全），多発性関節拘縮症，上肢を動かさない状態（鎖骨骨折や Erb 型上腕神経叢麻痺）に注意する．

4 生理的体重減少

生後数日のうちに，出生時体重の約 6%（時に 10%）の体重減少を認める．これを超える体重減少は，脱水状態や低栄養のおそれがある．未熟児では，成熟児より体重減少の程度が強く，出生時の体重への回復も日数がかかる（▶図 4）．

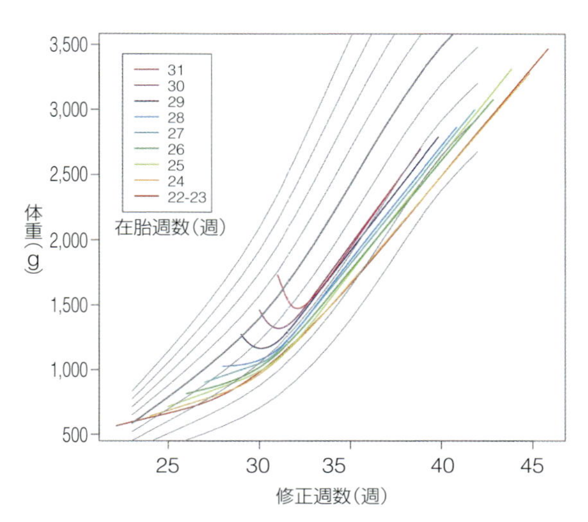

▶図 4　在胎週数別未熟児の体重発育
〔Cole, T. J., et al.：Birth weight and longitudinal growth in infants born below 32 weeks'gestation；a UK population study. *Arch. Dis. Child. Fetal Neonatal Ed*. 99（1）：F34-F40, 2014 より改変〕

5 呼吸障害

a 呼吸窮迫症候群（RDS）

早産児の場合，肺胞形成が未熟で，十分な量の肺サーファクタント（surfactant；表面活性物質）がない．そのため，生直後に開いた肺胞が再びつぶれやすく，呼吸窮迫症候群（respiratory distress syndrome；RDS）になりやすい（➡50 ページ）．

6 黄疸

a 新生児黄疸

生理的な黄疸は生後 2〜3 日ころ，主に生後 1 週間以内に出現する．赤血球色素のヘモグロビンが，黄疸の色素（間接ビリルビン）のもとである．間接ビリルビンは胎児期には胎盤を通じて母

体に排泄していたが，出生と同時に自らの肝臓でグルクロン酸抱合処理後に直接ビリルビンに変換し，消化管に排出することになる．黄疸は生後1週間のうちにピークを迎え，次第に消退する．

b 高ビリルビン血症と核黄疸

間接ビリルビンは脂溶性で神経毒性があり，皮膚は明るく黄染される．直接ビリルビンは水溶性で神経毒性がなく，皮膚はやや緑っぽく暗く黄染される．間接ビリルビンが異常に多く産生されたり，直接ビリルビンへの変換が減少すると，血清ビリルビン（主に間接ビリルビン）が高値になり，中枢神経の基底核などの神経細胞を傷害する．

(1) 高ビリルビン血症

成熟児の高ビリルビン血症は，血清ビリルビン値 20 mg/dL 以上である．未熟児はそれより低値の基準を定める．なぜなら未熟児の場合，ビリルビン値がそれほど上昇しない例でも神経障害の発生がありうるからである．また，未熟児の核黄疸では，下記の核黄疸の初期症状が必ずしも出現しないことがある．

新生児溶血性貧血（Rh 不適合）か ABO 不適合（➡191 ページ），低栄養，Crigler-Najjar（クリグラー・ナジャー）症候群などが高ビリルビン血症の原因とされる．

治療は，光線療法などであり，黄疸が重篤な場合には交換輸血が考慮される．

(2) 核黄疸（ビリルビン脳症）

成熟児で血清ビリルビンが 25 mg/dL を超えると，基底核と脳幹の神経核に沈着して核黄疸発症の危険性がある．

Praagh によると，以下のように症状が進行する〔Van Praagh, R.：Diagnosis of kernicterus in the neonatal period. *Pediatrics* 28：870, 1961 より〕．

①第1期：筋緊張低下，嗜眠，吸啜反射の減弱
②第2期：痙性症状，発熱，後弓反張（全身が弓なりにそり返る姿勢）
③第3期：痙性症状の消退期（第1週の終わりころに始まる）
④第4期：生後何か月も経てから，錐体外路症状が徐々に出現（脳性麻痺），聴力障害

治療は，核黄疸のリスクがあれば交換輸血を行う．

(3) 遷延性高ビリルビン血症

生後2週間を超えて持続する黄疸で，原因はさまざまである．原因に応じた処置が必要である．

- 母乳黄疸：生後3〜4週でも黄疸が軽減してこないことがある．
- 血腫：帽状腱膜下出血，硬膜下出血などがある場合

以下は，主に高直接ビリルビン血症である．

- 新生児肝炎：ウイルス感染性
- 先天性胆道閉鎖症，先天性胆道拡張症：外科的処置へ（➡174, 175 ページ）

7 消化管症状

a 嘔吐

吐物の内容（胆汁様など），腹部所見，排便の有無などに注意する．腹部X線写真，エコー，CT，血液電解質などの検査を必要に応じて行う．

- 初期嘔吐：生後1〜2日のうちは，吐きやすい．
- 羊水過多：上部消化管の閉鎖の疑いがある．

b 腹部膨満

新生児期の腹部膨満には，小児外科的処置を必要とする疾患（消化管閉鎖など）があることに注意する．

c 吐血・下血

新生児が吐いた血液が，母親由来の血液か新生児本人のものかを鑑別（Apt テスト）する．新生児のものとすれば，消化管（上部または下部）からか，呼吸器からかを鑑別しなければならない．

消化管からの出血は，新生児メレナが代表疾患の1つである（➡194 ページ）．

8 痙攣と易刺激性

痙攣（convulsion）と易刺激性（jitteriness）の原因には，低酸素性虚血性脳症，頭蓋内出血，低血糖症，低カルシウム血症，中枢神経の先天奇形，感染症（髄膜炎など）が考えられる．治療は，原因療法と対症療法を組み合わせて効果的に行う．

以下，新生児に特有な痙攣と易刺激性の特徴を述べる．

(1) 新生児期の痙攣

新生児期の痙攣の症状は，その後の年長児の痙攣とかなり異なる．

- 微細発作（最も特徴的である）：眼球の偏位，眼瞼攣縮（れんしゅく）（twitching）・ピクピク，吸啜，舌打ち，多量の流涎，無呼吸，ペダルを踏むような下肢の運動，泳ぐような上肢の運動
- その他：全身性強直性，多焦点性間代性，焦点性間代性，ミオクロニー

(2) 新生児期の易刺激性

新生児の易刺激性は，以下のような様相を呈する．

- 弱い刺激でビクッとする．
- 甲高い声で泣く．
- 1 日中泣く．

9 子宮内胎児発育遅延（IUGR）

子宮内胎児発育遅延（IUGR）とは，子宮内での胎児の発育が障害され，在胎週数相当の発育ができなかった状態である．light for gestational age（➡4 ページ）とほぼ同義である．特に体重が胎児発育曲線上で 10% 以下と少ない場合には，周産期死亡や新生児仮死の合併率が高くなる．

(1) symmetrical IUGR（type Ⅰ）

- 脳と体の発育が同程度に障害されている．頭と体格のバランスは均整がとれている〔すなわち，対称的（symmetrical）〕．
- 妊娠初期の原因：遺伝的因子，染色体異常，母体の感染（風疹，サイトメガロウイルス感染症など），薬物など

(2) asymmetrical IUGR（type Ⅱ）

- 重要な臓器（中枢神経など）に優先的に血流・栄養が補給された状態．頭に比較して体格の成長が悪い〔すなわち，非対称的（asymmetrical）〕．
- 妊娠後期の原因：母体の栄養不良．胎盤機能不全，妊娠高血圧症候群など

(3) intermediate IUGR

- 中間型
- アルコール・喫煙・多胎などが母体に影響を及ぼしたもの

C 早産児（未熟児）の神経学的所見

1 覚醒レベル

在胎 28 週未満児では，覚醒の状態を確認するのが難しく，刺激を続けていると目を開けている．在胎 28 週以降に生まれた早産児では明らかな睡眠状態があって，やさしく刺激すると，あるいは自発的にも覚醒する．在胎 32 週以降では，睡眠と覚醒の区別がはっきりしてくる．

在胎 40 週になると，覚醒状態で視覚的あるいは聴覚的刺激に注意を向けることも観察できる．

2 脳神経と感覚系

視覚（第Ⅱ脳神経）は，在胎 26 週までには光に対して瞬目し，在胎 32 週までに固視がみられ，在胎 34 週ころに赤いボールを少し目で追い，在胎 37 週で光源のほうに目を向け，在胎 40 週で固視と追視がみられるという．ただし適切な覚醒状態で観察する必要がある．

早期産児の眼位（第Ⅲ，Ⅳ，Ⅵ脳神経）は，安静で少し外向きに偏位しており，また人形の目現象による眼位の側方偏位は成熟児より出現しやすい．顔面神経（第Ⅶ脳神経）は，啼泣時だけでなく自然な顔の動きからも麻痺の有無を判定する．

聴覚（第Ⅷ脳神経）は，在胎28週までに大きな音に対して驚いたり瞬目したりする．

吸啜（第Ⅴ，Ⅶ，Ⅻ脳神経）と嚥下（第Ⅸ，Ⅹ脳神経）は在胎28週までに経口摂取が可能なように準備されているが，まだ呼吸との協調が十分でなく，在胎37週ころになると安定した協調が得られるようになる．

また，すでに胎児は在胎28週ころから，触覚と痛覚を区別しているようである．

3 運動系

早産児の姿勢や運動の所見は，出生後の経過時間と覚醒レベルに影響を受ける．まず，胎児の筋緊張と姿勢は，在胎32週までに特に下肢に屈曲の筋緊張が明らかとなり，在胎36週ころまでに上肢は肘関節で屈曲位をとる．在胎40週ころには全身の関節で屈曲位をとるようになる．また出生直後の24時間を除き，頭部を右方向に向ける新生児の割合が多い．

次に，早産児の運動面では，在胎32週までに股・膝関節は一緒に屈曲運動をしやすく，在胎36週までに下肢はより強く左右交互に屈曲運動をするようになる．上肢も屈曲運動が目立つ．腱反射は，正期産児では胸筋，上腕二頭筋，腕橈骨筋，膝・足関節反射が出現しやすく，一般に早産児では出現しにくい．

筋緊張異常には亢進と低下がある．新生児期には筋緊張亢進は稀であるが，子宮内低酸素性虚血性脳症，細菌性髄膜炎，高度脳室内出血などでは，筋緊張亢進に伴い頸部から背部にかけてそり返る．一般に新生児期の異常には筋緊張低下が多い．筋緊張低下は筋力低下と区別すべきものであるが，新生児期には区別しにくいこともある．

大脳半球障害では，正期産児の片麻痺は上肢に強く，早産児では両側性の脳室周囲白質障害による両下肢の強い麻痺が特徴的である．腱反射は脊髄より上位の運動ニューロン（upper motor neuron）の障害では必ずしも亢進しないが，下位運動ニューロン（lower motor neuron）とその末梢の障害では確実に減弱する．

異常運動として問題になるのは，易刺激性と痙攣の鑑別である．易刺激性では，全身性・対称性・粗な振戦で，四肢をそっと屈曲させると消失するが，痙攣では消失しない（➡47ページ）．

D 新生児・周産期異常症状

頻度の高い異常症状と，早産児に特有な異常症状について述べる．

1 低酸素・虚血状態

a 胎児機能不全

胎児機能不全（non-reassuring fetal status）とは，胎児が子宮内にて，呼吸ならびに循環機能が障害された状態である．以下の方法は胎児の仮死状態をチェックする代表的なものである．

(1) 胎児心拍数モニタリング

基本となる胎児の心拍数がある程度変動するのは正常で，胎児機能不全が進行すると，かえって変動が減少もしくは消失する．一方，分娩時陣痛による子宮収縮に伴い，胎児の心拍数が時間的にやや遅れて下降する遅発一過性徐脈は，胎盤の血液還流が減少することで生じる．子宮収縮時に急激に心拍数が減少する変動一過性徐脈は，臍帯の圧迫により生じる．

(2) 超音波断層法

超音波断層法にて呼吸，胎動，姿勢変化などの減少，また，羊水量の減少がみられたら，注意が必要である．

b 新生児仮死

症状 仮死状態（asphyxia）で生まれた新生児には，ぐったり，筋緊張低下（または亢進），蒼白，チアノーゼ，無呼吸，徐脈，刺激に対する無反応がみられ，重症の場合，難治性の痙攣を伴う．

生下時の仮死の評価方法（Apgar スコアなど）については，42 ページを参照．

治療 出生直後に，ただちに以下の処置をとる．

- 気道確保：吸引，バッグバルブマスクによる人工呼吸，気管挿管，酸素投与
- 心拍低下に対してアドレナリン投与
- 血管確保（臍静脈）：投薬，補液のため
- 脳低温療法，抗痙攣療法：53 ページを参照
- 保温：低体温になりやすいので，室外への移動が必要な場合に注意する．至適体温は 36.5～37.5℃である．

後遺症

- 低酸素性虚血性脳症（hypoxic-ischemic encephalopathy；HIE）：早産児では脳室周囲白質軟化症（periventricular leukomalacia；PVL：脳室に隣接した白質部位の障害），成熟児では皮質下白質軟化症（皮質に隣接した白質部位の障害）が多い．PVL の病態の詳細については，52 ページを参照．

2 頭蓋内出血

頭蓋内出血（intracranial hemorrhage）は，8～9 割が出生時から 3 日目までに発症している．病態別の詳細は，55～57 ページを参照．

原因

- 正期産児：分娩時外力による，硬膜下出血，くも膜下出血（注：帽状腱膜下血腫と頭血腫は脳内でなく頭蓋の外の出血）
- 早産児：低酸素・アシドーシスによる上衣下出血，脳室内出血．極低出生体重児では特に多い．

症状

- 筋緊張低下，不活発，嗜眠傾向，無呼吸，原始反射の減弱，さらに，蒼白，チアノーゼ，哺乳困難，異常眼球運動，甲高い泣き声，痙攣，ショック状態，昏睡
- ヘマトクリットの減少，大泉門膨隆
- 病態の詳細（脳室内出血，硬膜下出血，くも膜下出血）については，55～57 ページを参照．

診断 上記症状が認められれば，ただちに超音波検査を行い，CT にて確定する．早産児の場合は，はじめ無症状のことがあるので，生後数日および，その後の定期的な超音波検査が必要である．

3 呼吸・循環障害

a 新生児遷延性肺高血圧症（PPHN）

出生時には，胎盤を中心とした胎児循環から成人循環への転換が劇的に生じる．すなわち，胎盤循環の遮断，動脈管・卵円孔の閉鎖とともに肺血管抵抗の低下に伴う肺血流量の著増がおこる（➡ 130 ページ）．新生児遷延性肺高血圧症（persistent pulmonary hypertension of the newborn；PPHN）は，新生児仮死，次項目の MAS, RDS あるいは多血症などがあると続発しやすく，出生後に肺動脈拡張が十分でなく肺高血圧症が持続して，チアノーゼ，呼吸障害が発症し増強する．

b 胎便吸引症候群（MAS）

胎便吸引症候群（meconium aspiration syndrome；MAS）は正期・過期産児に多く，出生前の胎児低酸素状態があると発症しやすい．すなわち，低酸素時に胎便が羊水中に排泄され，胎内にて，あるいは出生時の第一呼吸時に気道内へ胎便を吸引することから発症する．呼吸困難を呈して，無気肺と肺気腫が混在する．

4 早産児（未熟児）の異常症状

a 呼吸器系

(1) 呼吸窮迫症候群（RDS）

呼吸窮迫症候群（RDS）は，肺のサーファクタント（肺表面活性物質）が不十分なために生じる新生児期（特に早産児）の重篤な呼吸障害である．肺胞が十分開いていない状態で，早いと生後数分，通常でも数時間のうちに症状が顕著となる．すなわち，第一呼吸によって開いた肺胞が進行性に徐々に無気肺に戻っていく．

症状　多呼吸（>60/分），呻吟，肋間陥凹，鼻翼呼吸，進行性のチアノーゼ症状

診断

- 胸部X線写真：網状顆粒状陰影，気管支透亮像，すりガラス状所見など，いずれも肺胞の拡張不全の所見を認める．
- 血液ガス所見：低酸素血症，高二酸化炭素血症，酸血症

治療

- 肺サーファクタント補充療法：肺サーファクタントは在胎24週から肺組織中で合成されはじめ，35週ころには羊水中にも十分な量が排出されて，出生時に肺胞内の表面張力を効果的に減少させることにより肺胞が広がるのを助ける．補充療法では，これを治療的に気管内に投与する．
- 持続気道陽圧（continuous positive airway pressure；CPAP）：経鼻・経気管チューブにて5～7 cm水柱程度の持続的陽圧をかけることで，呼気時に肺胞の虚脱を防ぐ．
- 高頻度振動換気法（high frequency oscillatory ventilation；HFO, HFV）：通常の人工換気と異なり，1回換気量を少なくして回数を高頻度（10～15回/秒）に行う．超低出生体重児に対して，人工換気による肺損傷を少なくするのがねらいである．

(2) 慢性肺疾患（CLD），気管支肺異形成（BPD）

超低出生体重児に多くみられる慢性肺疾患（chronic lung disease；CLD）は，新生児期のRDSから引き続き発症する群〔欧米での気管支肺異形成（bronchopulmonary dysplasia；BPD）に相当する〕と，子宮内感染症の関与が推測される群〔この一部が以前のWilson-Mikity（ウィルソン・ミキティ）症候群〕などに分類される．前者では長期の人工換気と酸素投与により，肺胞と血管の発達が障害されて一部が線維化して発症する．

症状　低酸素や換気障害の呼吸不全，肺高血圧，体重増加不良

診断　胸部X線写真：RDSと同じ，嚢胞状透亮像と無気肺の混在

治療　最小限濃度の酸素長期投与，肺サーファクタント補充療法，ステロイド吸入など

(3) 無呼吸発作

無呼吸発作は在胎34週未満の早産児に多く，徐脈やチアノーゼを伴う．これは中枢神経の未熟性に起因する．治療はCPAPやカフェイン投与である．多くは在胎36週以降消失する．

b 循環器系

出生時には，胎盤を中心とした胎児循環から成人循環への転換が劇的に生じる（➡130ページ）．しかし，早産児ではわずかな体調の変動で，容易に胎児循環に部分的に逆戻りする．

動脈管開存症（patent ductus arteriosus；PDA）や，RDS改善時の動脈管再開通による心不全などである．

c 中枢神経系

脳室周囲の上衣下胚層（germinal layer）は満期までに消退するが，それまでの間に脳室上衣下出血，脳室内出血発生の原因部位となりやすい．

d 消化器系

壊死性腸炎（necrotizing enterocolitis；NEC）

は，早産児や超未熟児の生後 1～2 週間に発症する．腸の未熟性，腸の血流障害，腸内細菌感染などが背景にある．腹部膨満，嘔吐，呼吸障害，ショックなどを呈する．早期は内科的に，進行すると外科的治療が必要となる．

e 未熟児網膜症（ROP）

早産児は十分に網膜血管が発達しておらず，網膜周辺に無血管領域を残しているため，出生後，異常な新生血管が発生して出血・瘢痕化すると，その部位から網膜を牽引して剝離をきたす．これが未熟児網膜症（retinopathy of prematurity；ROP）である．国際分類では病期を stage 1～5 に分けており，stage 4 と 5 は網膜剝離期である．

早産児（特に在胎 28 週・1,500 g 未満）ではROP 発症のリスクが高く，無用に高濃度の酸素を投与しつづけると発生頻度が高くなるので，投与酸素は必要最低限度とする．経過により網膜剝離のリスクが高くなると，光凝固・冷凍凝固などを行う．

E 代表的中枢神経障害と疾患

未熟児の主な脳障害は，脳虚血と低酸素頭蓋内出血である．未熟児の非出血性の白質と灰白質の病巣は，破壊性と未熟性の重なった障害を反映する．中心的病巣は大脳の白質障害と PVL であり，それに神経性/軸索性障害が重複して，大脳皮質・深部灰白質（特に視床）の機能を障害する．

運動障害の痙性両麻痺は過去 20 年ほどの間に 2～3% ほどに減少したが，超未熟児ではまだ 10% 発生する．また，全般的な知的機能に関しては，超未熟児の 30～50% に低下がみられるとされる．なお，発達障害のリスクは週齢が小さいほど高い．

1 低酸素性虚血性脳症（HIE）

新生児期に生じる低酸素性虚血性脳症（HIE）は，胎児期，出生時，さらに生後まもなくに生じる．原因は胎児期の経胎盤呼吸障害，新生児 RDS，無呼吸，循環系の右左シャントなどさまざまである．いずれにせよ最終的に脳の血液循環に異常をきたし，低酸素・虚血状態による脳障害が生じる．

その結果，大脳皮質層状壊死，基底核壊死，脳室周囲白質軟化，皮質下白質軟化，脳幹壊死，脳梗塞などの虚血性病変が，単独あるいは複合して認められる．また同時に，腎臓障害，心臓障害，肺臓障害を伴うこともある．

出生後 3 日までの主な症状は，意識障害（反応がない），呼吸障害・無呼吸発作，筋緊張低下，痙攣，易刺激性，眼球・瞳孔運動障害，早産児では脳室内出血などである．出生後 3 日以降では，意識障害，哺乳困難，筋緊張低下（一部の例で筋緊張亢進，後弓反張）などがあげられる．

■正期産児と早産児の相違

正期産児と早産児（在胎 37 週未満）では大脳障害の様相が異なる．正期産児では皮質下白質軟化症が，早産児では PVL（あるいは white matter injury；WMI ともいう）が典型的である．その相違の原因を以下にまとめた．

- 血流分布の相違
  正期産児：脳溝が深くなり，それに伴い脳溝に近い皮質下白質に血流分布の少ないところが生じる．
  早産児：脳溝は浅く，脳軟膜からの終末動脈は脳室に近い白質で終わり，その部位の血流分布が少ない．
- 髄鞘形成の特徴
  正期産児：皮質下白質で髄鞘形成が活発であり，その部位が障害を受けやすい．
  早産児：髄鞘形成が深部白質（脳室周囲）で

活発である．この活発な部位が逆に障害を受けやすい．

- 障害を受けやすい脳領域

  正期産児：前頭葉障害が好発し，痙性四肢麻痺，重度精神遅滞，てんかんなどを発症する．

  早産児：後頭葉の障害が優位で，痙性両麻痺が典型である．

a 脳室周囲白質軟化症（PVL）

早産児あるいは呼吸循環障害の既往をもつ乳児に多い．局所的な病変（特に側脳室前角と後角）と広範囲な病変とがある．特に近年は，出生直後から発生する脳の局所性虚血との因果関係が注目されている．合併症として病巣部位への出血があり，大量であると脳室内へも出血する．最終的な痙性麻痺などの予後は，白質軟化症の大きさと受傷後の経過による．

生後1〜3週間ころに超音波検査で腔が明らかになることがあるが，グリオーシスの進行に伴い腔は認められなくなることがある．しかし，その後に大脳白質の萎縮と脳室拡大が認められる．大脳白質が広範囲に障害された場合には，脳室の拡大は著明である．

原因

- 脳の各動脈（前・中あるいは後大脳動脈など）の辺縁あるいは終末端にあたる部位は，脳への血流減少があると，大きく影響を受ける．特に妊娠後期の在胎7〜10か月ころになって胎児の側脳室周囲の小血管網が発達するため，早産児ではまだ脳室周囲に血液供給が十分に発達していない．
- 出生直後からの重篤な疾病（RDS，PDAなど）に合併する低血圧の影響を強く受けると，局所的脳虚血に陥りやすい．
- 脳室周囲領域の乏突起膠細胞（oligodendroglia）は，髄鞘形成を活発に行っているのでエネルギー要求度が高く，血流障害の影響をより強く受けやすい状態にある．これらの結果，局所的白質病変を生じる．
- また出生前後の感染から生じるサイトカインにより感作された幼若な乏突起膠細胞が死滅すると，広範囲の白質病変が生じる．

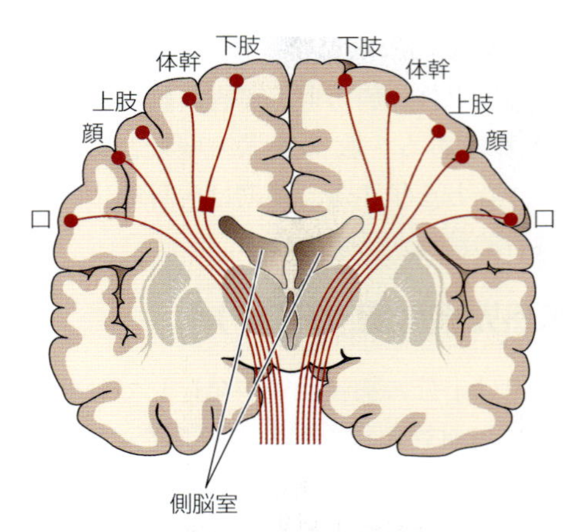

▶**図5　運動皮質由来の皮質脊髄路の模式図**

下行路は脳室周囲領域をかすめて脊髄へ向かうが，側脳室に近い白質軟化部位（■）に最も近いのは下肢への運動路であり，軟化が拡大すると体幹，上肢へと運動障害の影響が広がる．

〔Volpe, J. J.：Neurology of the Newborn. 5th ed., p. 435, W.B. Saunders, Philadelphia, 2008 より〕

症状

- 新生児期：出生直後の急性期は過敏状態にあり，重症になると意識低下，痙攣，あるいは著しい筋緊張低下を認める．
- 長期予後：痙性両麻痺（spastic diplegia；SD）を残しやすい．皮質からの運動線維とPVLの分布の関係として，最も障害されやすいのは下肢への運動線維である（▶**図5**）．さらにPVLが脳室側方に拡大して半卵円中心（centrum semiovale）に広がると上肢の運動障害に，後頭へ広がると視放線（視力）に影響して，知的・認知的な障害も合併してくる．
- 痙性両麻痺の発生率は，世界的に1960年代，1970年代と減少したのち，1980年代に不変ないしは増加に転じた．特に超低出生体重児の生存率の改善に伴い，水頭症や脳室周囲出血性梗塞などの重度の合併症を伴う例が増加した．

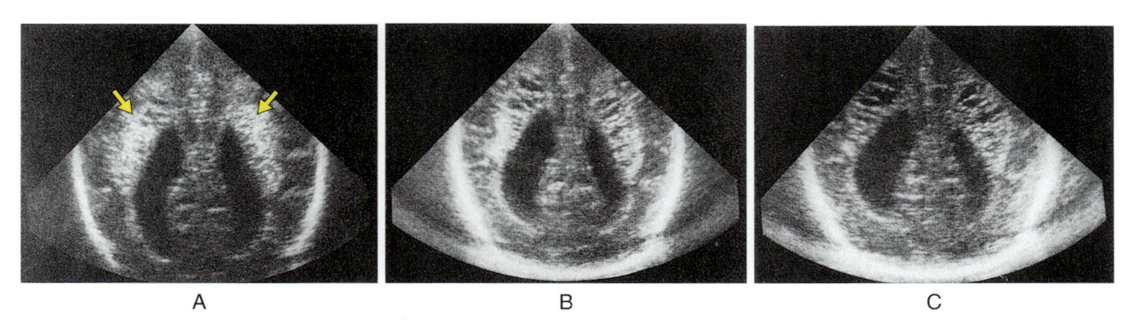

▶**図 6 脳室周囲白質軟化症（PVL）の超音波検査**
未熟児で，A は生後 10 日，B は 17 日，C は 25 日の画像.
両側性脳室周囲の高輝度の所見（矢印）が多嚢胞性の低輝度のものに置き換わっていくのを認める.
〔Volpe, J. J.：Neurology of the Newborn. 5th ed., p. 417, W.B. Saunders, Philadelphia, 2008 より〕

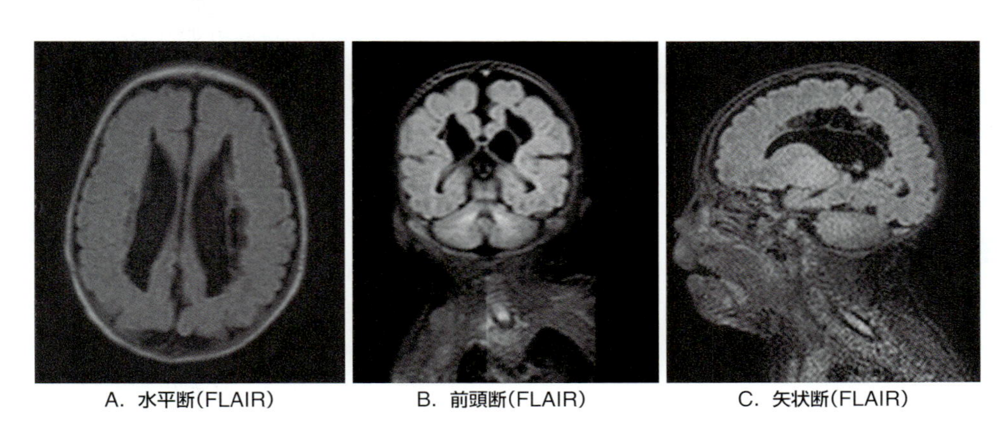

▶**図 7 脳室周囲白質軟化症（PVL）の MRI 像**
両側側脳室体部周囲に嚢胞性結節領域が多数みられる（自験例）

診断

- 超音波検査：強い白質障害のあと，超音波検査では最初の数日中に両側の脳室周囲に一過性に強いエコー信号がみられ，数週後に嚢胞性変化を認めるようになる．しかし白質障害がそれほど強くない場合には，超音波検査では画像上確認できない．超音波検査はベッドサイドでも可能なので，早産児は積極的に調べたほうがよい．PVL 成立の経過を追ったものを**図 6** に示す．
- MRI：早産児でも成熟児でも，HIE による白質障害や出血，あるいは嚢胞化をとらえることができる（▶**図 7**）．特に拡散強調画像（DWI）は HIE による細胞性浮腫を，生後 1 日ころから感度高くとらえることができる．
- CT：頭蓋内出血の診断に適している．早産児では脳組織の水分含量が本来高いので，HIE 直後の浮腫の評価が難しい．成熟児のほうがわかりやすい．しかし，HIE の予後（例：PVL の有無の確認など）評価は可能である．

治療

- 脳低温療法（brain hypothermia therapy；BHT），低体温療法：在胎 35 週以降で出生し，分娩前後に低酸素性虚血性脳症が疑われる症例に対して，出生直後から 72 時間にわたり，頭部ないしは全身を継続的に冷却して深部体温を約 33〜34℃ 台に保つ脳低温療法が試みられている．長期的な神経予後に効果があるという報告が増えている．
- 抗痙攣療法：痙攣に対して，フェノバルビター

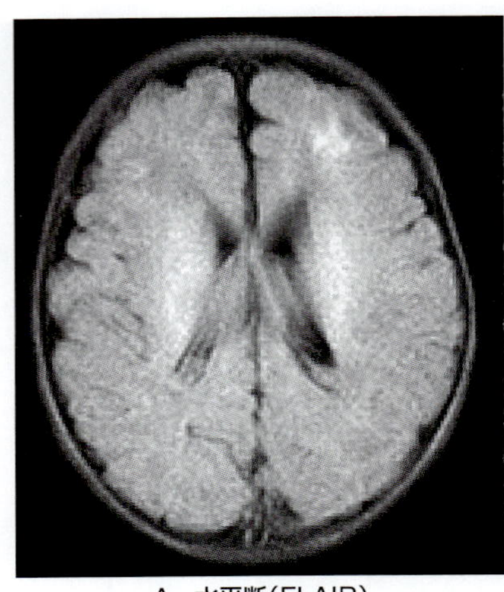

A. 水平断(FLAIR)

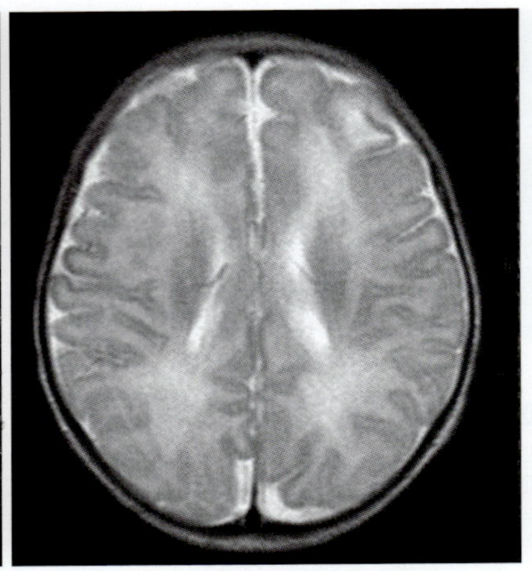

B. 水平断(T2 強調画像)

▶図 8　傍矢状大脳障害（parasagittal injury）の MRI 像
左前頭葉皮質下白質に FLAIR/T2 強調画像で高信号を呈する領域を認める（自験例）

ルなどの抗痙攣薬の大量投与が行われる．

b 皮質下白質軟化症

正期産児で生じやすい．前頭部に好発し，生後 1～4 か月に認められることが多い．

出生時低酸素性障害で，大脳灰白質（神経細胞）の症状が著しい場合を以下に述べる．

c 傍矢状大脳障害 (parasagittal cerebral injury)

周産期に仮死があった正期産児にみられる．正中から少し外側の両側大脳皮質表面に，楔型の壊死層が前後方向に矢状に形成される．新生児期には上肢に麻痺が目立つが，将来四肢麻痺や知的障害の原因となる（▶図 8）．

d 基底核壊死

線条体・視床の一部に壊死が生じる（大理石斑紋）．アテトーゼ麻痺の原因となる．

2 脳室周囲出血性梗塞

脳室周囲出血性梗塞（periventricular hemorrhagic infarction）は早産児に多い．半球片側性の側脳室前角周囲の背外側白質に出血性梗塞があり，多発性血腫を形成し，重症例では頭頂から後頭の脳室周囲白質へと範囲が広がる．しばしば病変は冠状断画像で扇状を呈し，脳室壁が破綻すると脳室内出血を伴う．原因は静脈性梗塞と動脈性虚血による．超音波で診断できる．先天性片麻痺の病因の 1 つである．

3 脳動脈性梗塞（新生児期）

原因　血栓，塞栓，虚血，髄膜炎，播種性血管内凝固（disseminated intravascular coagulation；DIC）（➡194 ページ），多血症，心疾患や双胎間輸血症候群など多様である．

病態　脳動脈の血流分布と障害領域の関係：脳栓塞は中大脳動脈に多い．

症状

- 急性期では，痙攣発作，あるいは無症状のこともある．
- 回復期に，片麻痺，痙性四肢麻痺，てんかんなどが発症する．

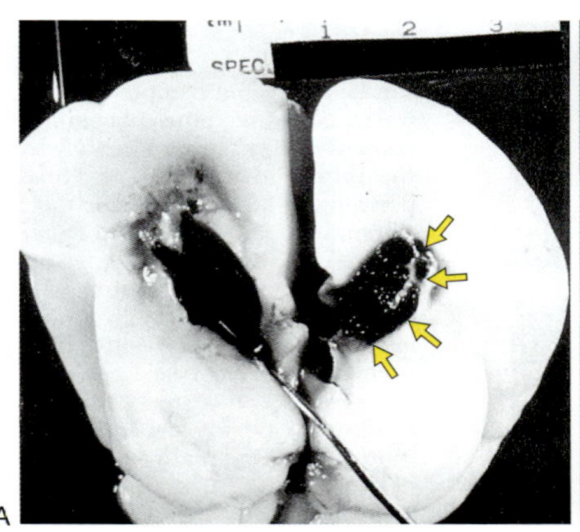

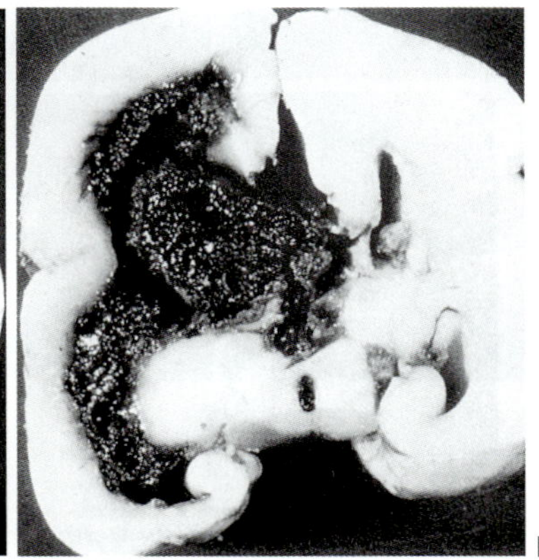

▶図 9　上衣下および脳室内出血
A：矢印は上衣下（胚芽層内）出血を示し，一部脳室内に出血している．プローベは第三脳室と側脳室をつなぐ Monro 孔の部位を示す．
B：左の脳室内への多量の出血を認める．血液が Monro 孔を塞ぎ，脳室は著明に拡大している．
〔Volpe, J. J.：Neurology of the Newborn. 5th ed., p. 519, W.B. Saunders, Philadelphia, 2008 より〕

4 脳室内出血（IVH）

早産児で脳室内出血（intraventricular hemorrhage：IVH）が多く，極低出生体重児（出生体重 1,500 g 未満）では 20～25% の発症率で，頭蓋内出血の 70% を占める．

原因　脳室に接する，細胞成分の多い上衣下胚芽層（subependymal germinal matrix）が IVH の生じる部位である（▶図 9）．この部位では，在胎 10～20 週に神経芽細胞が多くつくられ，妊娠後期には乏突起膠細胞（oligodendroglia）や星膠細胞（astrocyte）の神経膠芽細胞がつくられ，在胎 36 週までに消退してしまう．出血しやすい部位は，Monro（モンロー）孔から少し後方のところであるが，脈絡叢からの出血もみられる．また出血部位周辺の梗塞や，出血後水頭症をきたす．

好発条件　IVH がおこりやすい臨床的条件は，早産児，呼吸窮迫症候群（RDS），機械的補助呼吸である．出血の開始は生後 1 日以内に 50%，3 日以内に 90% である．

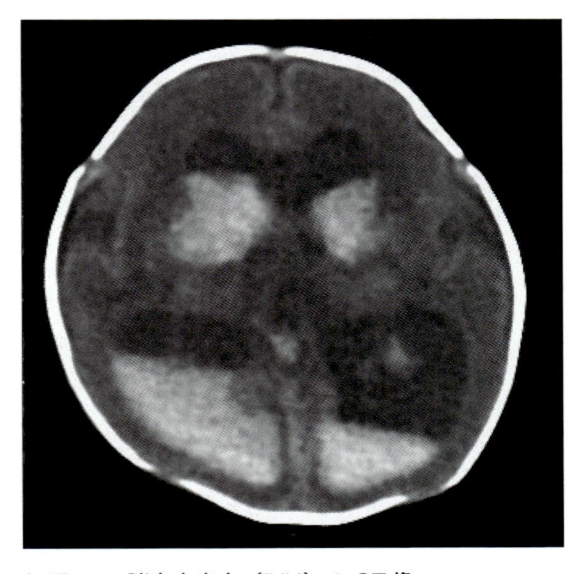

▶図 10　脳室内出血（IVH）の CT 像
両側脳室内出血あり，脳室は側脳室，第三脳室は著明に拡大している（自験例）

症状

- 重症の場合は意識障害，呼吸障害（無呼吸），全身痙攣，除脳硬直姿勢，対光反射消失，弛緩性麻痺など
- 軽症の場合は，意識低下，体動減弱，筋緊張低下，異常眼球運動，呼吸障害など．ただし無症

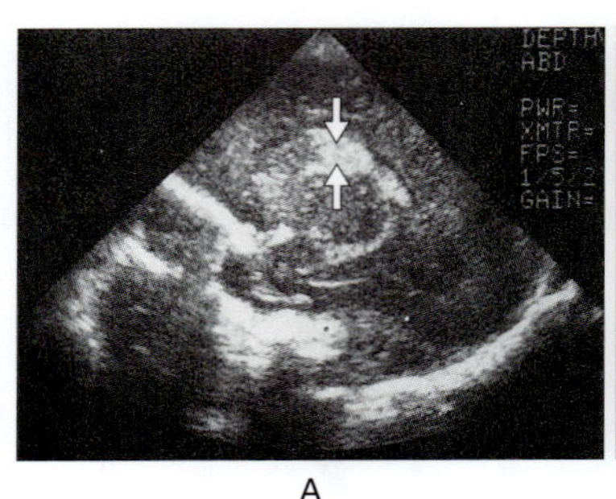

A

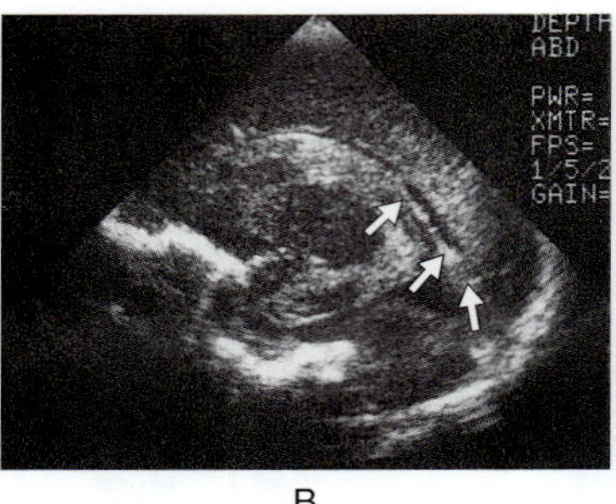

B

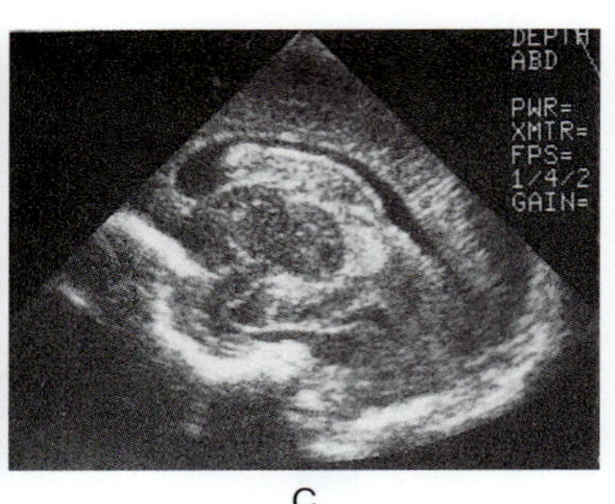

C

▶図 11　超音波検査での IVH 重症度

A：Grade Ⅰ．矢印が胚芽層内の出血を示す．
B：Grade Ⅱ．矢印が側脳室内への出血を示すが，脳室腔の 50% に満たない．
C：Grade Ⅲ．側脳室内の 50% 以上を血液塊が占めて脳室が拡大している．
〔Volpe, J. J.：Neurology of the Newborn. 5th ed., p. 539, W.B. Saunders, Philadelphia, 2008 より〕

▶表 5　IVH 重症度

Grade Ⅰ	胚芽層内の出血
Grade Ⅱ	側脳室内の 10～50% を占める出血
Grade Ⅲ	側脳室内の 50% 以上を占める出血

脳室内出血に脳室周囲出血性梗塞を伴うと，Papile の CT 分類では Grade Ⅳとされている．

状の場合も多い．

診断　臨床症状や髄液検査から推測する場合と，超音波検査などでスクリーニングする場合がある．疑わしければ，CT スキャンで確認する（▶**図 10**）．Volpe（1995 年）は，超音波検査による IVH の重症度を**図 11** と**表 5** のように提案している．

脳障害の機序

- IVH を引き起こした低酸素性・虚血性障害
- IVH 時の脳圧亢進による脳循環の低下
- 胚芽層（germinal matrix）の障害による神経膠芽細胞傷害
- 脳室周囲白質の障害（出血性梗塞など）
- 脳室内血液による脳室周囲白質の二次障害
- 血管攣縮による局所脳虚血
- 出血後水頭症（➡Advanced Studies-1）

これらの要素が重なり合って，PVL と後障害を形成する．

治療・予後　出血の拡大を防ぐため，一定期間鎮静することがある．のちに 10～15% に出血後水頭症が発症する．出血後水頭症に対し，脳室ドレナージ術や脳室腹腔シャント術を行うことがある．

Advanced Studies

①出血後水頭症

IVH に伴う微小血餅，くも膜炎，中脳水道通過障害などにより髄液循環障害を生じる．IVH を生じた症例のうち約 35% に緩徐進行性脳室拡大（水頭症）が発症し，そのうちの約 15% にシャント手術が必要となる．通常は脳室内出血後 1～3 週間のうちに発症する．

水頭症の結果，脳圧亢進により脳血流障害が加わる．視覚・聴覚・体性感覚誘発電位の諸検査でも異常所見が確認されるようになる．組織学的にも神経細胞の傷害を認め，生化学的には組織の低酸素状態を表す髄液のヒポキサンチンが増加する．

5 硬膜下出血

正期産児に多い（▶**図 12**）．新生児期のものは，分娩時外傷で発症するものが多い．

小脳テント下の出血だと，意識障害（易刺激性，嗜眠を含む），眼球の側方偏位，瞳孔不同，項部硬直，後弓反張や徐脈の症状を呈する．テント上の出血であると，易刺激性，片麻痺，眼球偏位，局在性痙攣などの症状がある．後者のほうが

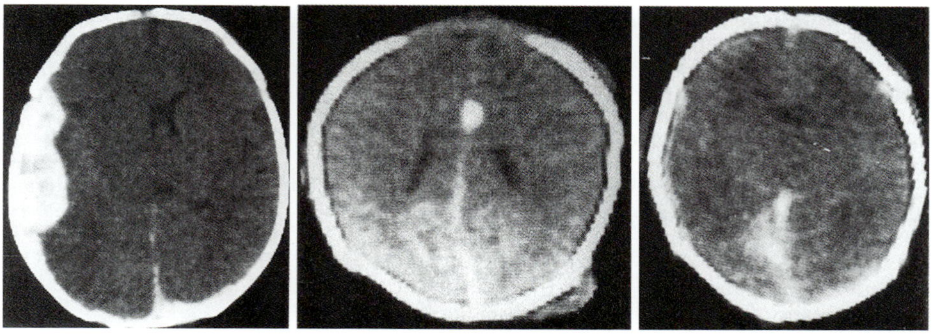

A B C

▶図 12 正期産児の頭蓋内出血
A：血友病の新生児の硬膜下出血．左の大脳半球側に認める．
B, C：巨大児（4,780 g）．B は大脳鎌からの出血が中央にみられ，C では後頭部の小脳テントからの出血を認める．
〔Volpe, J. J.：Neurology of the Newborn. 5th ed., p. 490, W.B. Saunders, Philadelphia, 2008 より〕

予後はよい．出血の程度が強いと，外科的処置にて除圧をはかる．

6 くも膜下出血

少量の出血（髄液中の赤血球数が数百/μL 以下程度）はもともと珍しくはなく，新生児期の臨床症状も乏しい．大量の出血は正期産児の分娩外傷，早期産児の低酸素状態と関連がある．無症状のことも多いが，正期産児では痙攣を伴うことがある．髄液検査で赤血球数が増加したり，蛋白が増加して気づかれることもある．CT 検査が有効である．稀に，のちに出血後水頭症を生じることがある．

F 理学・作業療法との関連事項

■赤ちゃんの不思議—認知機能

生後 4 週間の乳児の視力は 0.02～0.03 であることがわかっている．さらに，見える距離はおよそ 20～30 cm であり，かなりの近視であるが，それが授乳の際の母との距離に等しいから不思議である．乳児の認知機能は多くの実験によって明らかとなっている．4～5 か月の乳児が計算できることをご存じだろうか？ Karen Wynn は人形を用いた実験で，1＋1＝2（あり得るできごと）と 1＋1＝1（あり得ないできごと）を比較し，乳児はあり得ないできごとを長く注視したと報告している（Wynn, K.：Addition and subtraction by human infants. *Nature* 358：749-750, 1992）．乳児が早期から数学的な認知機能を有していることは，他の研究でも支持されている．

では，これらの認知機能が生得的な能力だろうか？ 多くの研究者が否定的で，胎児期・新生児期の感覚運動（物に触れる，つかむ，並べるなど）が認知機能を高めることを強調している．このことは，周産期に何らかの異常によって，適切な感覚運動ができない場合，認知機能の発達に悪影響を及ぼしてしまうことを暗示している．小児のリハビリテーションでは感覚運動が豊富な“遊び”を活用して展開されることが多い．理学・作業療法士は発達段階に応じた魅力的な遊びを提供できる達人であってほしい．

■赤ちゃんの不思議—姿勢運動

原始反射である手の把握反射は，手掌体重支持（on hands）ができるようになると消失（統合）する．触れた物を反射的（不随意）に把握してしまうこの反射は，手掌での体重支持を妨げてしまうことになる．したがって，この反射の消失（統合）後，両手による体重支持が可能となると考えられている．それではなぜ，人はこの反射をもって生まれてくるのだろうか？　答えは「神のみぞ知る」であるが，一説では，母親から離れない（落とされない）ための反射であると考えられている．

非対称性緊張性頸反射（ATNR）は，頸定後しばらくすると消失（統合）し，寝返りを獲得するきっかけとなる．つまり，この反射は乳児が不用意に寝返りし，窒息を防ぐための反射であり，頸定し，窒息のリスクが低くなると出現しなくなると解釈されている．このように，原始反射は胎外に出てきたあと，生きていくための必要な反射であると考えられている．原始反射だけでなく，ほかの姿勢反射/反応も基本動作や手の巧緻性の獲得と密接に関係している．

原始反射の残存やほかの姿勢反射/反応の出現の遅延は，子どもたちの姿勢運動の獲得に悪影響を及ぼすだけでなく，姿勢運動の未熟さが経験学習の場を奪い，認知機能の遅れにもつながる．理学・作業療法士は，姿勢反射/反応の重要性を理解し，正しく評価・介入するための知識と技術を常に研鑽すべきである．

■新生児集中治療室（NICU）

日本において，NICU は 1970 年代より設置されはじめ，その後，地域の新生児医療を支えるために全国的に設立されている．NICU では人工呼吸管理，中心静脈栄養など多くのカテーテル（医療用のチューブ）が使用される．さらに，感覚神経系が成熟する前に出生してしまった未熟児では，聴覚や触覚などの感覚刺激への過敏性を示すことも多い．したがって，音や光，痛みなど，新生児にとって NICU は侵襲性のある刺激で満たされている．

そうしたなかで，呼吸やポジショニング，感覚刺激に対する環境調整などに知識と技術を有する理学・作業療法士への期待も高まっている．専任の療法士が常時在籍している NICU は少ないのが現状であるが，これからの小児医療を支える重要な機関であり，新たな職域として注目したい．

- □ 在胎期間，周産期，新生児期，早期産児，低出生体重児，子宮内胎児発育遅延（IUGR）の定義を述べなさい．
- □ 新生児仮死，呼吸窮迫症候群（RDS），肺サーファクタントについて説明しなさい．
- □ 新生児高ビリルビン血症の定義と治療法について述べなさい．
- □ 早期産児に多い脳室周囲白質軟化症（PVL）と脳室内出血（IVH）の病態と症状について説明しなさい．

第4章

先天異常と遺伝病

学習目標

- 先天異常の発生要因を理解する.
- 遺伝病と遺伝の法則を理解する.
- 遺伝学的検査と遺伝カウンセリングを理解する.
- 染色体疾患，先天異常症候群，先天代謝異常症の代表的な病気を知る.

A 先天異常と遺伝

先天異常は，出生前の原因により発症する病気の総称であり，さまざまな形態異常を伴うことが多い．先天異常の1つひとつの病気は比較的稀であるが，総数としては多く，わが国では1歳未満の死亡率の1位を占めている（第1章の表4➡23ページ）．先天異常は，染色体や遺伝子などの異常による遺伝的要因または催奇性の薬物や先天感染などの環境的要因，あるいはその両方の要因により発症する．異なる要因であっても，障害を受ける臓器や時期が同じであると，同じ症状を呈することもある．

近年，遺伝の研究が盛んになってきており，先天異常の遺伝子異常が次第に明らかにされ，新しい治療法も開発されてきている．先天異常の原因を理解するうえでは，遺伝を理解することは重要になる．この章では，まず遺伝と病気について解説し，染色体疾患，先天異常症，先天代謝異常症などの具体的な病気について述べる．

B 遺伝と病気（▶図1）

近年の研究により，多くの病気で遺伝の要因が関係していることが明らかになってきた．高血圧や糖尿病などの生活習慣病のようにありふれた病気でも，遺伝が重要な意味をもつことが明らかになっている．これらの病気では関連する遺伝子が多く報告されており，さらに環境的な要因も影響し，その発症要因は複雑である．

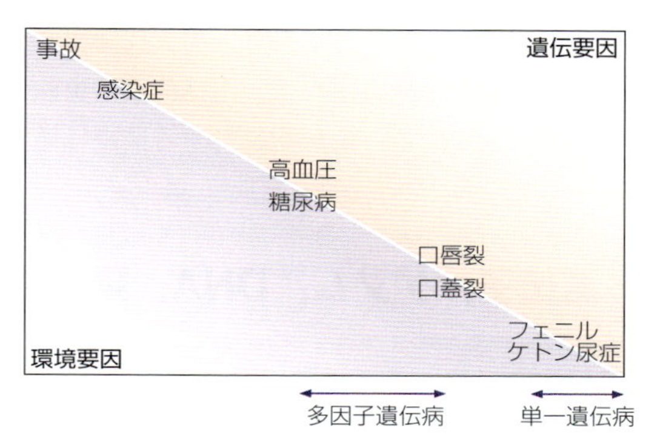

▶図1　病気の原因

このように，複数の遺伝子と環境の影響によって発症するものは，多因子遺伝病と呼ばれている．口唇裂や口蓋裂などをはじめ，先天異常にも多くの多因子遺伝病がある．

一方，フェニルケトン尿症などのように頻度が稀で原因が不明かつ難治な病気を，遺伝病と呼んできた．この遺伝病は，後述するメンデルの法則などのはっきりとした遺伝の法則に従い，1つの遺伝子の異常により発症するため，単一遺伝病とも呼ばれる．遺伝病とは，この単一遺伝子病を指す．

遺伝病は，しばしば誤解されることがある．たとえば，遺伝病は生まれたときから症状がある，家族内に同じ症状のある人が必ずいると考える人もいるが，これらに当てはまらない遺伝病も多い．Huntington（ハンチントン）病などは中高年になってから発症する．また，家族内に 1 人しか患者のいない遺伝病もたくさんある．逆に，家族に同じような症状の人がいても，化学物質による中毒などのように，遺伝病でない場合もある．

近年，画期的な遺伝子解析技術の進歩があり，多くの遺伝病の原因が明らかにされ，遺伝学的診断（遺伝子診断など）が進歩している．さらに，治療法の開発も進められており，先天代謝異常症の一部では酵素補充療法など，画期的な治療法が臨床応用されている．遺伝病に対する医療は確実に進歩している．

1 遺伝子，ゲノム，DNA，染色体

遺伝病は，遺伝子の異常で発症する．遺伝子，ゲノム，DNA という言葉は世間で広く使われるようになってきたが，これらの用語は必ずしも正しく使われていないことがある．遺伝病を正しく理解する基礎として，遺伝子，ゲノム，DNA，染色体を正確に理解する必要がある．

DNA は，アデニン(A)，シトシン(C)，チミン(T)，グアニン(G) という 4 種類の塩基からなる核酸である．DNA は細胞内に存在するばかりでなく，人工的に合成することも可能で，遺伝学的検査などには，この人工 DNA がしばしば使われる．ヒトの細胞内の DNA は 1 つの細胞あたり 60 億塩基（30 億対）からなる．この細胞内 DNA からの，すべての遺伝情報がゲノムである．

ゲノムのうち遺伝子の部位では，DNA から転写・翻訳などの過程を経て，生命活動の維持に重要な役割を果たす蛋白質がつくられる．従来，蛋白質をつくりだす単位を遺伝子と呼び，その数はヒトの場合 2 万 2～4 千程度と考えられていた．しかし，蛋白質のみならず転写の過程でつくりだされる RNA そのものが，直接，生命活動に重要な役割を果たすことも最近明らかになってきた．マイクロ RNA と呼ばれる非常に短い RNA が数百種類あり，癌をはじめ，さまざまな病気に関連することも明らかになってきている．

ゲノムの元となる DNA は細胞の核に存在する．染色体はヒストン蛋白などからなり，ヒトの場合 1 細胞あたり 2 m にもなる長い DNA をうまく巻きつけ格納している．減数分裂によって，半数の DNA が精子や卵子になり，受精を通じて子孫に受け継がれることになる．

2 遺伝の法則

エンドウマメの観察から発見されたメンデルの法則は生物全般に当てはまり，ヒトの遺伝病にも重要な法則である．さらに，ゲノムインプリンティング，トリプレットリピート病などメンデルの法則では説明できない新たな遺伝メカニズムも明らかにされてきた．

メンデルの法則における「優性の法則」（優性，劣性）という用語は，優れた遺伝子，劣った遺伝子というイメージを与える場合があるが，遺伝子に優れたもの，劣ったものはない．生命活動にはすべての遺伝子が必要である．最近，この「優性」・「劣性」の用語を「顕性」・「潜性」へ変更しようとする動きがある．

染色体上の特定の位置にある DNA 分節は，遺伝子座（locus）と呼ばれ，特定の遺伝子をコードしている．常染色体に位置する遺伝子は，すべて父親由来と母親由来の 2 つ存在している．この 2 つの遺伝子は，基本的には同じ働きをするが，遺伝子の塩基配列はほんの少し異なっている．このような関係にある 2 つの遺伝子をアレル（allele）と呼ぶ．従来，“allele” は「対立遺伝子」と訳されていたが，ヒトの遺伝病の場合には対立遺伝子とは呼ばず，単に「アレル」と呼ぶことが推奨されてきている．メンデルの法則を理解するためには，このアレルの概念を理解することが必要である．

▶表1 常染色体優性（顕性）遺伝

		もう片方の親の遺伝子型（正常）		子どもの発病危険率（%）
		a	a	
片方の親の遺伝子型（発病者）	A	Aa 発病	Aa 発病	50
	a	aa 正常	aa 正常	

性別は無関係．A：変異アレル，a：正常アレル（大文字が優性アレルである）

▶表2 常染色体劣性（潜性）遺伝

		もう片方の親の遺伝子型（保因者）		子どもの発病危険率（%）
		A	a	
片方の親の遺伝子型（保因者）	A	AA 正常	Aa 保因者	25
	a	Aa 保因者	aa 発病	

性別は無関係．A：正常アレル，a：変異アレル（大文字が優性アレルである）

a メンデルの法則

メンデルの法則は，優性の法則，分離の法則，独立の法則からなっており，エンドウマメやショウジョウバエの交配実験などで確認されてきた．ヒトの場合は，家系図をもとに遺伝形式を推測する（▶図2参照）．

(1) 常染色体優性（顕性）遺伝（autosomal dominant；AD）の病気（▶表1）

常染色体の1対（2本）のアレルの一方のみが異常になった場合に発症する．各世代に患者がいる場合も多い．疾患にもよるが，突然変異による孤発例もある．性別は関係なく発症する．病気によっては遺伝子異常があっても症状が軽く，世代をスキップして遺伝するようにみえることもある．多くの遺伝子では，一方のアレルの働きが正常であれば病気は発症しない．しかしADの病気の場合は，異常なアレルから異常な蛋白質がつくられ，それが病気の原因となっている場合など，病気発症の機序は下記のARとは異なっている．

(2) 常染色体劣性（潜性）遺伝（autosomal recessive；AR）の病気（▶表2）

常染色体の1対（2本）の両方のアレルが異常になった場合に発症する．両方のアレルが働かないと，遺伝子の働きがなくなってしまう．両親は片方のアレルに異常をもつ保因者の場合が多く，性別に関係なく発症する．近親結婚（いとこ結婚など）の場合には，子どもに病気が出現する頻度が高くなる．病気の頻度は稀であるが，保因者の頻度は高い（➡NOTE-1）．酵素欠損などはこの遺伝形式が多い．

(3) X連鎖劣性（潜性）遺伝（X-linked recessive；XR）の病気

X染色体上の遺伝子異常により主に男性が発病する．女性の保因者あるいは突然変異により患者が生まれる．男性の患者の子どもの場合は，男性は正常，女性はすべて保因者となる．女性保因者では通常，症状はないとされるが，症状を伴う場合がある．

これは，X染色体の不活化の偏りなどが関係すると考えられる（➡NOTE-2）．

(4) X連鎖優性（顕性）遺伝（X-linked dominant；XD）の病気

女性に偏って発症する．男性のほうが重症であ

NOTE

1 常染色体劣性（潜性）遺伝病の保因者頻度

たとえば，4万人に1人の頻度で発症する病気の保因者は，Hardy-Weinberg（ハーディー・ワインベルク）の法則から100人に1人ということになる．100人に1人の保因者がもう1人の保因者に出会って結婚する確率は，1/100×1/100=1/10,000となる．さらに，常染色体劣性（潜性）遺伝病なので，子どもが病気になる確率が1/4である．この2つを掛け合わせると4万分の1，つまり4万人に1人の病気になることが理解できる．すべての人は最低でも6～8程度の遺伝子に異常があり，常染色体劣性（潜性）遺伝病の保因者である．

2 X染色体の不活化の偏り

女性はX染色体を2本もつが，1本を完全に不活化し，残りの1本で生命活動を維持している．この不活化は，細胞ごとにランダムに決まっている．ところが，臓器ごとにこの不活化に偏りがある場合があり，これが女性の保因者でも症状が出現するメカニズムの1つである．

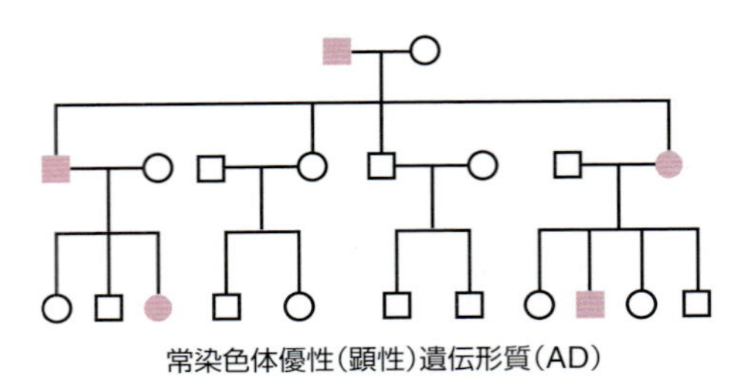

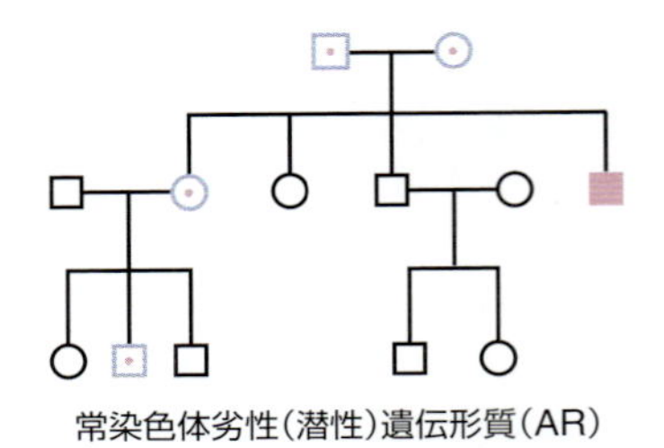

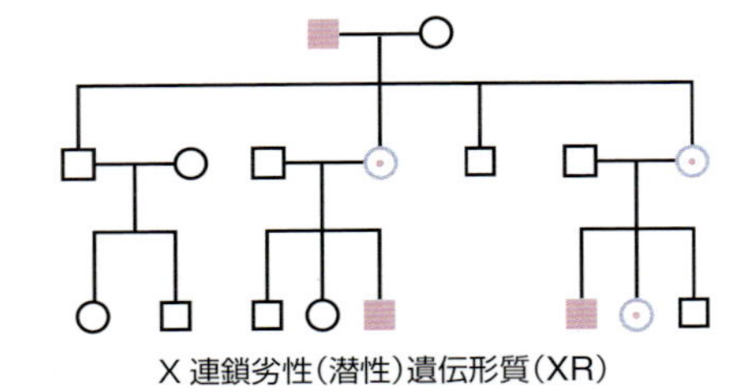

▶図2　遺伝形質の伝達様式の家系図

るため出生できず，女性のみが患者になる場合がある〔Rett（レット）症候群➡117 ページ〕.

主な遺伝形式の例を家系図で示す（▶図2）.

b ミトコンドリア遺伝とその異常

細胞内には，核とは別にミトコンドリア内にも遺伝子が存在する．母親のミトコンドリアのみが子どもに伝わるため，母系遺伝を示す．ミトコンドリアは細胞内に多数のコピーをもっており，正常なミトコンドリアのコピーと異常なミトコンドリアのコピーが混在した状態（ヘテロプラスミー）になることがある．この正常と異常のミトコンドリアの割合によって，遺伝子異常をもつ同胞や親子でも臨床症状が大きく異なることがある.

一方，ミトコンドリアの多くの機能は核由来の遺伝子が担っている．次世代シークエンサーなどの解析により，核由来の遺伝子の異常によるミトコンドリア病が次々と明らかにされてきている．この場合には，メンデルの法則に従う.

(1) MELAS（メラス）症候群

ミトコンドリア遺伝子異常である本症では，筋力低下，脳卒中様症状（痙攣，運動麻痺など）が知られている．脳卒中様発作による後遺症として片麻痺，半盲などをきたすことがある．頭部MRI を示す（▶図3）.

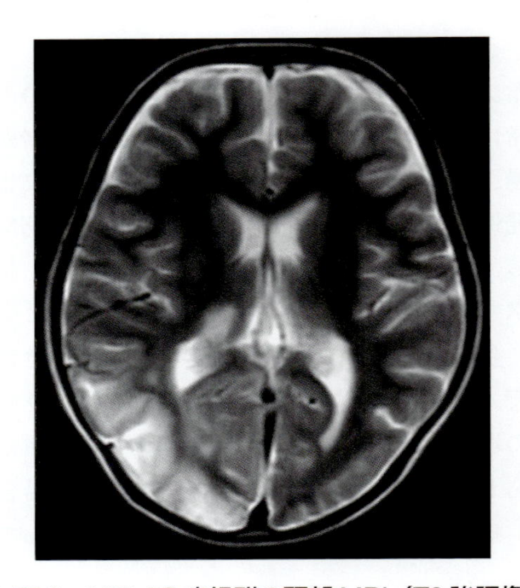

▶図3　MELAS 症候群の頭部 MRI（T2 強調像）
繰り返す発作のたびに，低吸収域が増加，拡大していく.

c エピジェネティクスが関連する病気

通常，受精時に DNA の配列が決まってしまうと，遺伝子の働きがすべて決定されてしまうと考えがちである．しかし，DNAの配列だけで遺伝子の働きが決まるものではなく，受精以降にDNAの配列によらない遺伝子の制御機構（エピジェネティクス）があることが明らかになってきた．DNAのメチル化とヒストンのアセチル化などがエピジェネティクスの制御機構であり，これらの異常により，先天異常を含むさまざまな病気が発症する．

エピジェネティクスの1つとして，父親から引き継いだ遺伝子と母親から引き継いだ遺伝子の働きが異なるゲノムインプリンティングがある．この異常により発症する代表的な病気がPrader-Willi症候群とAngelman症候群である．染色体15q11-13には，父親由来しか働かない遺伝子と母親由来しか働かない遺伝子が混在している．父親由来の染色体が欠失した場合にはPrader-Willi症候群に，母親由来の染色体が欠失した場合にはAngelman症候群になる．

(1) Prader-Willi（プラダー・ウィリー）症候群

乳児期から筋緊張低下，哺乳困難，知的能力障害，性器低形成を呈する．乳児期以降は抑制困難な過食と肥満，アーモンド様眼瞼裂，小さい手足などを示す．

(2) Angelman（アンジェルマン）症候群

Prader-Willi症候群とは症状はまったく異なり，過食や肥満はない．重度の知的能力障害，成長障害，難治性てんかんがあり，ぎこちない動作を示し，ちょっとしたことでよく笑うなどの特徴が知られている．

d トリプレットリピート病

ゲノムDNAのCAGなどの3塩基（4塩基の場合もある）の繰り返し配列が延長することにより発症する神経や筋肉の病気が40種類以上明らかになっている．これらの病気は，繰り返し配列が子孫に受け継がれるごとに延長し，症状が重くなるという遺伝の特徴を示す（表現促進）．

(1) 脆弱X症候群（fragile X syndrome）

X染色体の長腕の末端に近い部分（Xq27.3）に

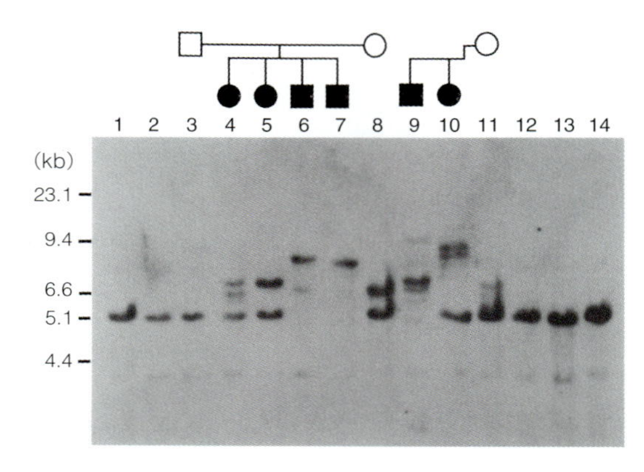

▶図4 脆弱X症候群の遺伝子異常
サザーンブロット法で解析した．脆弱X症候群の家系（4～11）では，CGG繰り返しの延長により長いバンドが観察される．縦軸は，CGG繰り返しを含むDNA断片の長さ．

存在する*FMR1*遺伝子のCGG繰り返し配列が，異常に延長することにより発症する（▶図4）．遺伝子異常があると特殊な染色体検査で脆弱部位を示すことがあり，臨床検査としても用いられてきた．しかし，この検査は陽性率が100%ではなく，確定診断には遺伝学的検査が必要である．遺伝性の知的能力障害のなかでは有名で，諸外国での頻度は約6,000人の男性に1人程度と報告されているが，日本人の頻度はこれほど高くない．

症状 重度～中等度の知的能力障害，自閉的行動，長い顔に大きな耳，大きな精巣を特徴とする（▶図5）．女性でも知的能力障害を示す場合がある．女性の保因者から発症する．

(2) 筋強直性ジストロフィー症
筋緊張性ジストロフィー症
(myotonic dystrophy)

19番染色体に位置する*DMPK*遺伝子のCTG繰り返し配列の異常延長により発症する．詳細は，第5章（➡112ページ）を参照のこと．

(3) 歯状核赤核淡蒼球ルイ体萎縮症
(dentatorubral pallidoluysian atrophy；DRPLA)

12番染色体に位置する*ATN1*遺伝子のCAG繰り返しにより発症する．詳細は，第5章（➡93ページ）を参照のこと．

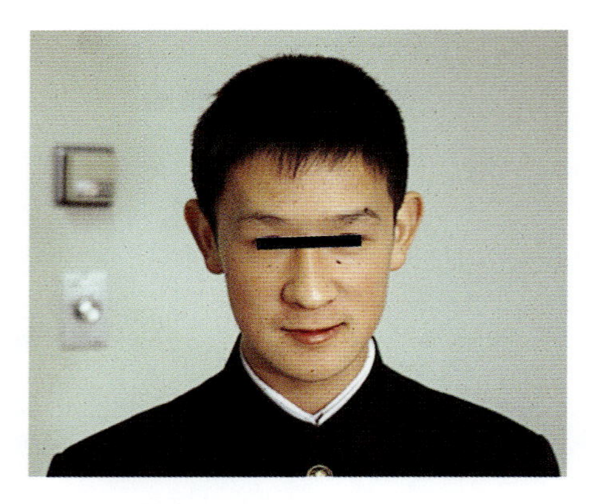

▶図 5　脆弱 X 症候群

3 遺伝病の情報（➡NOTE-3）

遺伝病は 7,000 種類以上もあり，日常診療に対応するために膨大な研究論文を集めたり，1 つひとつの病気の専門家に尋ねたりすることは困難である．そのため，最近ではインターネットを利用することが必要になる．

遺伝病の辞書として利用できるのが，OMIM（Online Mendelian Inheritance in Man）である．また，遺伝学的検査や遺伝カウンセリングの内容に関しては，GeneTests のなかの GeneReviews が大いに役立つ．GeneReviews の一部の内容は日本語への翻訳が行われている（NOTE 3-3 を参照）．

NOTE

3 遺伝病の情報（インターネットサイト）

1. OMIM（Online Mendelian Inheritance in Man）
   https://www.ncbi.nlm.nih.gov/omim/
2. GeneTests™
   https://www.genetests.org/
3. GeneReviews 日本語版〔信州大学 GeneReviews Japan より〕
   http://grj.umin.jp/

4 遺伝学的診断の方法と遺伝カウンセリング

近年，遺伝学的診断は診療にも重要となってきており，一部の疾患では保険診療として認められている．次世代シークエンサーの普及により，すでに多くの遺伝病の診断が可能となっている．現在，この遺伝学的診断の体制の構築について検討が行われている．この遺伝学的診断に重要な技術について解説しておく．

a FISH 法

先天異常では，通常の分染法による染色体検査では見つからない染色体の微小な欠失が原因になる場合も多い．その場合には，目的の染色体部分の蛍光 DNA プローブを用いて検出する FISH（fluorescence *in situ* hybridization）法が検査法として用いられる．

b マイクロアレイ法

通常の染色体検査では検出できない，詳細な染色体の異常を網羅的に解析できる．米国などでは，通常の G バンドによる染色体検査の前に行われることもある．

この方法は，スライド上に数十万以上の DNA プローブを置き，染色体の微細な欠失や重複を網羅的に解析する方法で，保険診療で実施できるようになった．本方法によると，今まで原因不明であった先天異常症候群の 10% 以上に異常が見つかるとの報告もあり，重要な検査法の 1 つとなっている．

c 次世代シークエンス法

2003 年にヒトゲノムプロジェクトが終了したが，ヒト 1 人分のゲノム塩基の解析に 10 年以上の期間と膨大な研究者の努力を要した．その後，遺伝子を網羅的に解析する技術の開発が「1,000 ドルゲノムプロジェクト」として進められ，2008

年にはこの技術による網羅的なヒトの解析データが発表された．この技術は，次世代シークエンス法と呼ばれ，1,000 ドル（10 万円程度/当時）でヒトの解析を行うことも可能な時代となってきた．

この次世代シークエンサーでは，従来のシークエンス法〔Sanger（サンガー）法〕とは桁違いに多くの遺伝子解析情報を得ることができる．遺伝病の診断では，エクソンとその周辺部分が特に重要であり，すべての遺伝子のエクソンとその周辺部分の解析（エクソーム解析）により，新たな遺伝病の原因遺伝子が次々に解明されるとともに，原因不明の先天異常の診断法にもなってきている．本法では，膨大な遺伝情報の解析をどう効率的に行うかといった技術的な課題とともに，究極の個人情報であるゲノム情報をどう管理し，どう生かしていくかも大きな課題となっている．今後の遺伝学的診断の中心となってゆく技術である．

d 遺伝カウンセリング

遺伝病では患者本人のみならず，次子など家族への発症のリスクをもつことが多く，出生前診断や保因者診断に関することなど，家族全体への遺伝カウンセリングが必要になる．さらに，成人期などに発症する病気などは，今までの医療ではなかった発症前診断へも対応する必要が出てきている．

この対応には，専門的な臨床遺伝学や遺伝カウンセリングの知識が必要で，専門学会で臨床遺伝専門医や認定遺伝カウンセラー® などの専門家が認定されてきている．これらの専門家を中心に，医師，看護師，心理職などによるチーム医療が必要になる．

遺伝カウンセリングの対象者は，必ずしも患者本人だけではなく患者の両親や保因者など病気でない者も多く，クライエントと呼ぶ．遺伝カウンセリングでは，わかりやすく情報を伝え，疾患の理解や受け止め，意思決定の支援などを行う．小児に対しては，将来にわたる意思の確認が十分できないために，成人期になって発症する病気や保因者などの診断は原則として行わない．

5 先天異常と遺伝病の治療

口唇・口蓋裂や先天性心疾患などでは手術で治療を行う場合も多い．酵素欠損による先天代謝異常症では，フェニルケトン尿症に対する食事療法やムコ多糖代謝異常症に対する骨髄移植などが行われてきた．さらに近年，酵素補充療法が普及してきた（➡NOTE-4）．

また，低分子物質を使うシャペロン療法が Fabry 病で実用化されている．遺伝子治療の開発も進んでおり，脊髄性筋萎縮症の治療が始まった（➡106 ページ）．今後，遺伝子治療もさらに多くの疾患に対して開発されると期待される．

C 染色体疾患

1 染色体の構造と検査法

ヒトの体細胞の染色体は 46 本である．そのうち 44 本は性別に関係ない 22 対の常染色体で，残りの 2 本は性を決定する X と Y 染色体である．男性は XY，女性は XX である．常染色体は，1

NOTE

4 酵素補充療法

ライソゾーム酵素の異常により発症する Gaucher（ゴーシェ）病（➡73 ページ）で最初に開発された．Gaucher 病で欠損しているグルコセレブロシダーゼの酵素を遺伝子組み換え技術で大量に合成して，経静脈的に患者に投与することにより，肝脾腫や血液症状などが劇的に改善する．Pompe（ポンペ）病，Fabry（ファブリー）病，Hunter（ハンター）症候群や Hurler（ハーラー）症候群などのムコ多糖代謝異常症などの病気でも開発され，臨床応用されている．

1〜2 週間に 1 回ずつ点滴により酵素を補充する．症状の劇的な改善を認めることも多いが，中枢神経症状には効果は少ない．

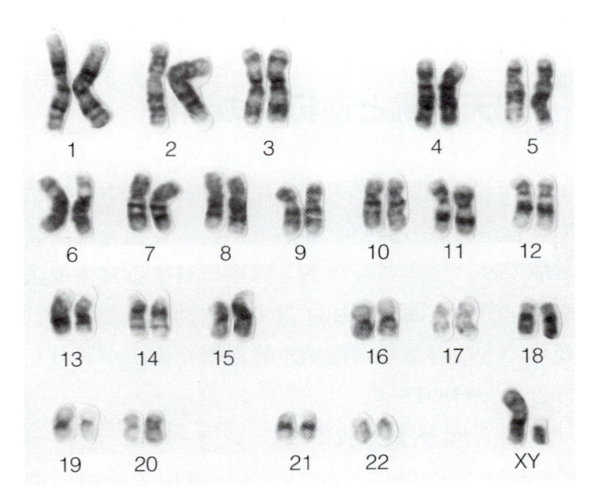

▶図 6　G 分染法によるヒト正常核型（男性）
〔県立広島大学江島洋介教授のご厚意による〕

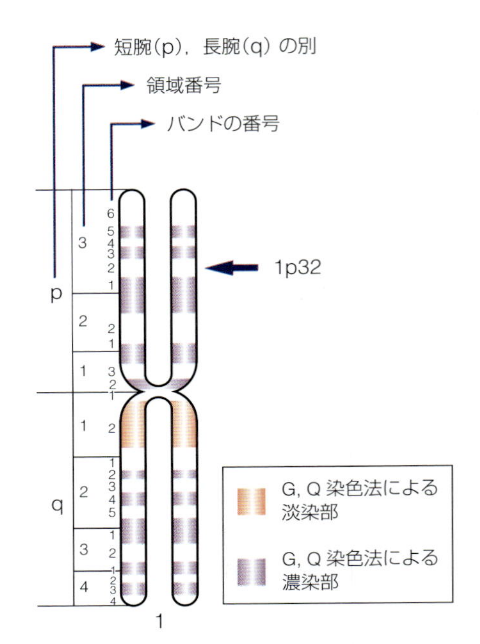

▶図 7　分染法によるバンド模式図と命名法
この 1 番染色体の場合，矢印の位置は 1p32 と表記することができる．

対を母親から，1 対を父親から受け継ぐ．染色体は大きさの順番に番号がつけられており，より詳細に検討できる分染法が開発されてきた（G 分染法，Q 分染法，R 分染法など）（▶図 6）．

染色体の中心のくびれている部分をセントロメア，端の部分をテロメアという．テロメアの DNA 構造は老化とともに短縮することが明らかになっている．各染色体は，短腕を p，長腕を q といい，**図 7** に示すように，領域番号やバンドの番号を組み合わせて表示する．

染色体の数と形を検討できる分染法により，染色体は検査されてきた．また，FISH 法やさらに新しいマイクロアレイ法などの検査法が注目されている．

2 染色体疾患

受精から細胞分裂の初期には発生の異常が多く認められ，妊娠全体の約半数が染色体異常を伴っている．多くの染色体異常では，胎児が育たず自然流産する．染色体異常には，数的異常，構造異常のほか，モザイク，キメラ（1 個体が 2 種類以上の異なる細胞からなる）による異常などがある．以下に，主な染色体疾患をあげる．

a Down（ダウン）症候群（21 トリソミー）

Down 症候群は，21 番染色体が 1 本多く 3 本（トリソミー）あり，少数に転座型（5〜6%）（➡NOTE-5）やモザイク型（1〜3%）がある．発症頻度は新生児 1/1,000 人である．高齢出産で頻度が増加する．

症状　特異顔貌（▶図 8），知的能力障害（中等〜重度），低身長，早期老化，心奇形，環椎（第 1

NOTE

5 転座型 Down 症候群

転座型 Down 症候群の場合には，その親のどちらかが Robertson 型転座を伴っている可能性が高い．Robertson 型転座は 2 種類の染色体の短腕が脱落し，長腕どうしが接合することをいい，染色体の数は 45 本で少ないが，症状はまったくない．しかし，その子どもは高頻度で Down 症候群になる．

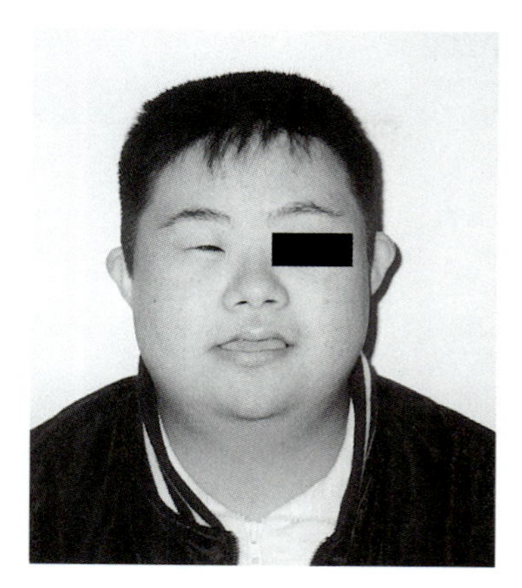

▶図 8　Down 症候群

頸椎）および軸椎（第 2 頸椎）の不安定さによる脱臼，白内障，白血病，滲出性中耳炎など多くの症状を示す．

療育　特に乳幼児期の筋緊張の低下への対応，頸部への大きな負担による環椎（第 1 頸椎）および軸椎（第 2 頸椎）の不安定さによる脱臼への注意が必要である．発達遅滞に対して早期療育が行われている．

遺伝カウンセリング　Down 症候群は母親の年齢が高くなるにつれて，発生率が上昇する．母親の年齢が 35 歳になると約 1/300，40 歳になると約 1/100 になる．Robertson（ロバートソン）型転座や高齢妊娠の場合には，遺伝カウンセリングが必要になる．

出生前診断　希望する場合には，出生前診断を行う場合もある．妊娠 16 週ころに羊水染色体の検査を行うことにより確実に診断が可能である．母親の血清中のホルモン（AFP，hCG，E3）を測定することにより，診断する方法（クアトロテスト）もあるが，この方法はあくまでも病気の確率を予測するにすぎないため，その適応は慎重に行う．

近年，母親の血液を用いて 21 トリソミー，18 トリソミー，13 トリソミーなどの出生前診断を行う新型出生前診断（non-invasive prenatal testing；NIPT）が行われるようになってきた（➡NOTE-6）．

b 18 トリソミー，13 トリソミー

18 トリソミーは 18 番染色体が，13 トリソミーは 13 番染色体が 1 本多い病気である．これらの発症頻度は，それぞれおよそ 1/4,000，1/7,000 である．これらの病気は重度の脳形成障害，心奇形など，さまざまな臓器の形態異常を伴い，生命的予後は不良で，ほとんどが乳幼児期に死亡する．

c Turner（ターナー）症候群

Turner 症候群では，性染色体が X のみの 1 本（核型 45X）で，表現形は女性である．新生児女児の 1/2,000 に発症する．

症状　低身長，二次性徴の不全，翼状頸，不妊，外反肘，軽度の知的能力障害を伴うこともある．

d Klinefelter（クラインフェルター）症候群

Klinefelter 症候群は，性染色体が過剰（核型 47XXY）であり，表現形は男性である．新生児男児の約 1/1,000 に発症する．

症状　精巣の発育不全，男性不妊，軽度の知的能力障害，高身長，行動異常（成長につれて統合失調症様）などを示す．

NOTE

6 新型出生前診断（NIPT）

妊娠した母体の血液中には，胎児由来のセルフリー DNA（血漿中の DNA 断片）が 10% 程度含まれている．母体の血液のセルフリー DNA を，次世代シークエンサーにより網羅的に解析することにより，胎児の染色体の数の異常を診断する技術である．本技術の精度は高いが陽性的中率は 9 割以下で，陽性になってもその 1 割以上は病気でないために，従来の羊水検査などの確定診断が必要となる．

D 先天異常

1 小奇形と大奇形

表 3 に代表的な小奇形をあげる．小奇形とは，日常生活上支障とならない程度のもので，各項目とも一般集団のなかで数 % 認められる．大奇形とは，医学上または美容上問題となる重度のものを指す．

近年，原因として遺伝子や微小な染色体の異常が明らかにされてきている．

2 先天異常症

a Williams（ウィリアムズ）症候群

Williams 症候群は常染色体優性（顕性）遺伝形式を示し，孤発例が少なくない．FISH 法により染色体 7q11.23 の欠失を示し，診断が確定する場合が多い．この領域に存在する *ELN*（elastin）遺伝子や *LIMK1* 遺伝子が症状に関連する．

症状　成長障害，知的能力障害，特異顔貌〔小妖精（elf）様〕，心血管奇形，大動脈弁上狭窄，肺動脈末梢狭窄），乳児期高カルシウム血症，人なつっこい性格などを示す．

b Sotos（ソトス）症候群

Sotos 症候群は孤発性が多く，5q の領域の *NSD1* 遺伝子が原因で，この部分の欠失が認められる場合も多い．

症状　小児期過成長，知的能力障害，特異顔貌（前額突出，両眼開離，眼瞼裂斜下，▶図 9），脳室拡大がみられる．

c 頭蓋骨癒合症

頭蓋骨癒合症（craniosynostosis）と総称される頭蓋骨の癒合が早期におこる病気には，Crouzon

▶表 3　小奇形

頭・顔一般
1. 頭蓋変形
2. 三角頭
3. 顔面非対称
4. 円形顔
5. 三角顔
6. 扁平な顔
7. 老人様顔貌
8. 前額突出
9. 後頭突出
10. 後頭扁平
11. 小下顎症
12. 下顎後退
13. 下顎突出
眼
1. 両眼隔離
2. 両眼接近
3. 蒙古様瞼裂
4. 反蒙古様瞼裂
5. 内眼角贅皮
6. 瞼裂縮小
7. 眼瞼下垂
8. 眼球陥没
9. 眼球突出
10. 小眼球（症）
11. 青色強膜
12. 虹彩欠損（症）
13. 斜視
14. 角膜混濁
15. 白内障
耳
1. 耳介低位
2. 耳介変形
3. 耳介聳立，ぶらぶら耳
4. 小耳（症）
5. 大耳（症）（軽症のみ）
6. 耳介前皮膚垂または肉柱
7. 耳介前皮膚洞または小窩
鼻
1. 扁平な鼻背
2. 高い鼻背
3. 小さい鼻
4. くちばし状の鼻
5. 球根状の鼻
6. 眉間部突出
7. 前向きの鼻孔
8. 鼻翼低形成

口
1. 小口
2. 大口
3. 口角の下がった口
4. 魚様の口
5. 高口蓋
6. 歯列不正
7. 二分口蓋垂
8. 人中の異常
頸
1. 短頸
2. 翼状頸
3. 被髪部低下
胸腹部
1. 胸郭変形
2. 楯状胸郭
3. 漏斗胸
4. 鳩胸
5. 胸骨短縮
6. 乳頭隔離
7. 腹直筋離開
8. 臍ヘルニア（軽症）
9. 鼠径ヘルニア（軽症）
外陰部
1. 尿道下裂
2. 停留精巣
3. 小陰茎
4. 大陰唇低形成
5. 二分陰嚢
四肢
1. 小さな手，足
2. クモ指
3. 短指
4. 第 5 指短小，内彎
5. 母指低形成
6. 幅広い母指
7. 母指第 3 指節症
8. 屈指
9. 指趾の重なり
10. 水かき形成
皮膚
1. 母斑
2. 血管腫

〔黒木良和：小奇形のみかたと意義．小児科 Mook11，金原出版，1980 より〕

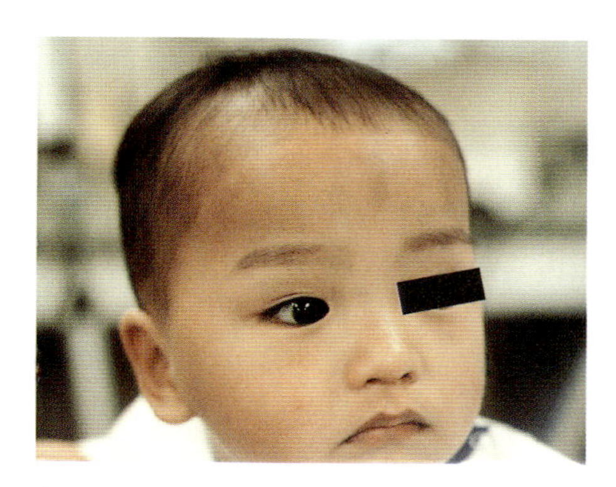

▶図 9　Sotos 症候群

（クルーゾン）症候群，Apert（アペール）症候群，Pfeiffer（パイファー）症候群などの病気があり，常染色体優性（顕性）遺伝で多くの場合が孤発例である．症状に違いがあるが，主に *FGFR2*（皮膚線維芽細胞増殖因子受容体 2 型）遺伝子の異常が原因となっている．

症状　ともに早期頭蓋骨癒合があり，眼球突出がある．Crouzon 症候群では舟状頭，Apert 症候群では尖頭である．

d 22q11.2 欠失症候群

染色体 22q11.2 の欠失により 22q11.2 欠失症候群が発症する．この領域に存在する *TBX* 遺伝子などが症状に関係している．

症状　副甲状腺の低形成による新生児低カルシウム血症，痙攣，免疫不全，心奇形，低身長，顔面の小奇形などを示す．

e 1p36 欠失症候群

1 番染色体短腕末端 1p36 領域の先天的な欠失によっておこる．

症状　成長障害，発達遅滞/知的能力障害，てんかんなどが主な症状である．その他に合併症として先天性心疾患，難聴，斜視，白内障，肥満などを生じることがある．

f Noonan（ヌーナン）症候群

Noonan 症候群は，細胞内の Ras/MAPK シグナル伝達系にかかわる遺伝子の先天的な異常によっておこる．*PTPN11*，*SOS1*，*RAF1*，*RIT1*，*KRAS*，*BRAF*，*NRAS*，*SHOC2*，*CBL* 遺伝子などが原因遺伝子として報告されている．

症状　特徴的な顔貌（眼間開離・眼瞼裂斜下・眼瞼下垂など），先天性心疾患，心筋症，低身長，胸郭異常，停留精巣，知的能力障害などが知られている．

3 環境因子による形態異常

器官形成期は，環境因子の影響を受けやすい（▶図 10）．時期特異的に，バランスよく遺伝子が働くことにより器官が形成される．それぞれの器官が形成される重要な時期に遺伝子の働きに障害をもたらす薬物，アルコールなどによっても形態異常が発症する．

a 薬物，アルコール

(1) サリドマイド

妊娠初期の一定の期間に，母親が睡眠薬のサリドマイドを内服したことにより胎児がサリドマイド胎芽病を発症する．

症状　四肢長管骨の形成不全があり，アザラシ肢症（フォコメリー）を呈する．知能は正常である．

(2) 抗てんかん薬

フェニトイン，バルプロ酸，カルバマゼピン，フェノバルビタールなどを母体が妊娠中に継続服用したことによる．

症状　子宮内発育障害，知的能力障害，顔面形態異常，二分脊椎などを示す．

(3) アルコール

母親の習慣的なアルコール摂取により胎児性アルコール症候群が生じる．母体の飲酒歴（量と期間）で影響に違いがある．

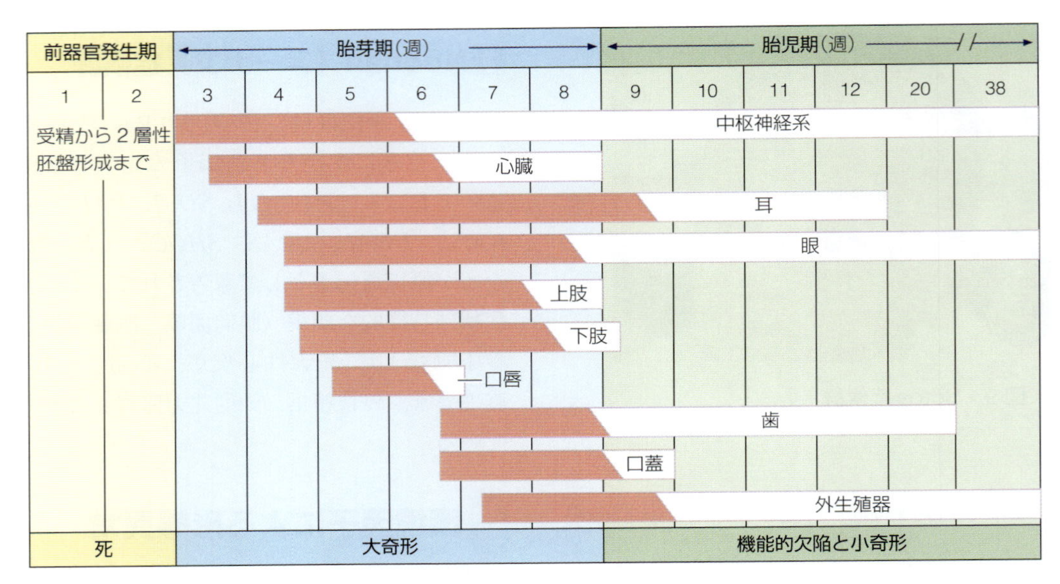

▶図 10　器官系における奇形発生の感受性
■の部分は感受性の高い時期を示す．
〔Sadler, T. W.：Langman's Medical Embryology. 6th ed., p. 130, Williams & Wilkins, Baltimore, 1990 より〕

症状　発育障害，特異顔貌（小頭，眼瞼裂狭小，人中低形成，薄い上口唇），関節異常，知的能力障害などを示す．

b 感染症

詳細は，第 10 章（➡154 ページ）を参照のこと．

(1) 先天性風疹症候群

妊娠初期の風疹の母体感染による．

症状　白内障，難聴，心奇形などを示す．

(2) 先天性トキソプラズマ症

母体が *Toxoplasma gondii* に初感染のときに胎児に発症する．特に妊娠初期の感染であると，胎児への影響は大きい．

症状　脈絡網膜炎，水頭症，脳内石灰化，知的能力障害などを呈する．

(3) 先天性サイトメガロウイルス感染症

母体が妊娠中にサイトメガロウイルスに感染したことで発症する．

症状　妊娠初期感染では流産や死産が多いが，後期感染では小頭，肝脾腫，血小板減少，溶血性貧血などを示す．

E 先天代謝異常症

酵素の異常などによって，ある特定の物質が蓄積または欠乏する代謝の異常により発症する病気である．

診断は，尿，血液，髄液などの蓄積物質を同定することや欠損している酵素活性を測定することにより行われてきた．近年，酵素などをコードする遺伝子を解析する遺伝学的検査も臨床診断として普及してきている．両親が保因者である常染色体劣性（潜性）遺伝または母親が保因者である X 連鎖劣性（潜性）遺伝を示す病気がほとんどである．ムコ多糖代謝異常症やリピドーシスの一部では酵素補充療法が臨床応用されている（NOTE-4 ➡65 ページ）．

1 アミノ酸代謝異常

a フェニルケトン尿症

フェニルケトン尿症（phenylketonuria；PKU）は常染色体劣性（潜性）遺伝であり，染色体12qに位置するフェニルアラニン水酸化酵素の異常によりフェニルアラニンがチロシンに変換されず，血液中のフェニルアラニンが高値となり脳の発育などを阻害する．新生児期のGuthrie（ガスリー）テストで血中のフェニルアラニンの測定が可能となり，発病が予防できるようになった．

この病気の母親が妊娠した場合には，マターナルPKUの危険があるため，妊娠中は注意を要する（➡NOTE-7）．稀に補酵素であるBH4（テトラヒドロバイオプテリン）の欠損がある．

症状　乳児期から点頭てんかん（➡97ページ）を発症して重度の知的能力障害をきたす．チロシンが不足してメラニン色素が少ないので，毛髪が赤く，皮膚が白くなる．

治療　乳児早期から低フェニルアラニン食を始めると，知的能力障害を予防できる．

b その他

ホモシスチン尿症，メープルシロップ尿症などがあり，治療法としては食事療法があるがフェニルケトン尿症ほどの効果は期待できない．

NOTE

7 マターナルPKU

フェニルケトン尿症患者は治療されていても，成人期では血中フェニルアラニンは正常よりやや高値である．そのため，フェニルケトン尿症の母親が妊娠した場合に，児に脳障害を伴うことが報告されている．胎児期の脳はフェニルアラニンに非常に敏感であり，妊娠前から出産までは，通常の治療よりさらに厳密なフェニルアラニンの制限が必要になる．

2 有機酸代謝異常

a メチルマロン酸尿症，プロピオン酸血症，イソ吉草酸血症

血中や尿中の有機酸を分析することにより診断することができる．

症状　嘔吐，哺乳力低下，筋緊張低下，ケトアシドーシス，痙攣，意識障害などを新生児期から示す．

治療　急性期には腹膜透析や血液透析などを行う．メチルマロン酸尿症ではビタミンB_{12}が有効な例がある．

3 糖質代謝異常

a 糖原病

グリコーゲン代謝に関連する酵素の欠損が原因となり，約10種類の病型がある．

(1) 糖原病Ⅰ型：von Gierke（フォン・ギールケ）病

常染色体劣性（潜性）遺伝，グルコース-6-ホスファターゼの欠損で肝・筋・腎にグリコーゲンが蓄積する．

症状　幼児期に著明な肝腫と腹部膨隆をみる．低血糖は必発ではない．低身長，ふっくらとした顔つき，知能正常，高乳酸血症，重症例ではアシドーシスをおこす．

治療　食事療法（低血糖予防を主眼とする）

(2) 糖原病Ⅱ型：Pompe（ポンペ）病

詳細は，➡74ページを参照のこと．

4 ガラクトース血症

ガラクトース代謝に関連する酵素の欠損が原因となる．

(1) ガラクトース血症Ⅰ型

母乳中の乳糖は腸管上皮でブドウ糖とガラクトースに分解される．このガラクトースを代謝するガラクトース-1-リン酸ウリジリルトランスフェラーゼの欠損で，血中ガラクトースとガラクトース-1-リン酸が増加し症状を呈する．新生児マススクリーニングの対象である．

症状　新生児期に嘔吐，下痢，黄疸，肝腫大で発症し，のちに白内障，知的能力障害をきたす．乳糖制限をしなければ乳児期に死亡する．

治療　ミルクから乳糖を除去する．

(2) ガラクトース血症Ⅱ型

ガラクトキナーゼの欠損で血中ガラクトースが増加する．

症状　若年性白内障をみる．

5 ライソゾーム病

細胞内小器官であるライソゾームには，酸性環境で数十種類の酵素，脂質，糖質，ムコ多糖など細胞内で不要になった物質の分解を行う水解酵素が存在する．これらの酵素の異常により，ムコ多糖が蓄積するムコ多糖代謝異常症や糖脂質などが蓄積する脂質蓄積症（リピドーシス）が発症する．

a ムコ多糖代謝異常症（MPS）

結合組織のマトリックス構成成分であるムコ多糖は，ウロン酸とアミノ糖の繰り返しからなる．ムコ多糖代謝異常症（mucopolysaccharidosis；MPS）は，各種酵素欠損でムコ多糖が蓄積して脳の白質・灰白質がともに障害される．尿中にムコ多糖が多く排泄される．ここで取り上げる病気のなかでは，Hunter 症候群（MPS Ⅱ）はX連鎖性劣性（潜性）遺伝であるが，残りは常染色体劣性（潜性）遺伝である．

(1) Hurler（ハーラー）症候群（MPS Ⅰ H）

α-L-イズロニダーゼの欠損により発症する．

症状　特異顔貌，角膜混濁，乳児期よりの知的能力障害，肝脾腫，関節拘縮，脊椎後彎，巨舌，心拡大，難聴などの症状を呈する．治療を行わない場合には，10歳ころまでに死亡する．

治療　酵素補充療法を行う．骨髄移植が適応になることもある．

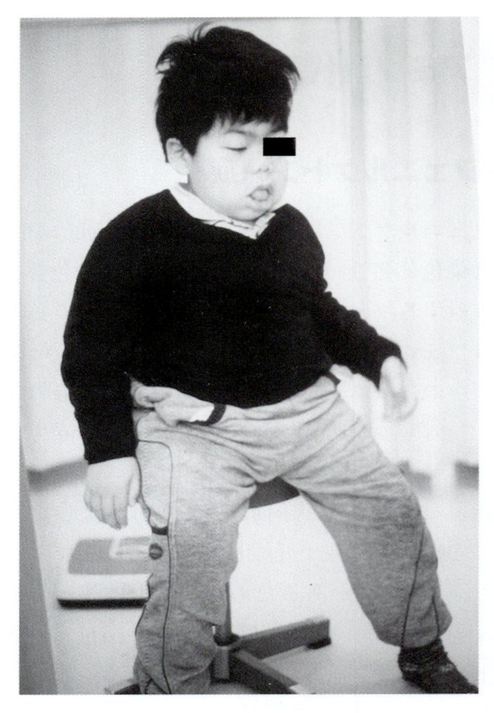

▶図11　Hunter 症候群

(2) Hunter（ハンター）症候群（MPS Ⅱ）（▶図11）

α-L-イズロノサルフェートスルファターゼの欠損により発症する．

症状　男子のみ発症する．Hurler 症候群に似ているが，発症時期は2〜6歳とやや遅く，経過も緩慢である．角膜の混濁はない．

治療　酵素補充療法を行う．骨髄移植が適応になることもある．

(3) Sanfilippo（サンフィリポ）症候群（MPS Ⅲ）

4種類の欠損酵素によるA，B，C，Dの病型がある．

症状　2〜3歳ころから急速に知的能力障害が進行する．行動異常（多動，攻撃性）なども出現する．

b 脂質代謝異常症（リピドーシス）

主に細胞内小器官であるライソゾームの異常により発症する．Fabry病を除いてここに取り上げる病気は常染色体劣性（潜性）遺伝であり，末梢のリンパ球や皮膚線維芽細胞の酵素活性を測定することで確定診断を行う．原因遺伝子が明らかになっており，遺伝学的検査も可能である．

(1) Gaucher（ゴーシェ）病

グルコセレブロシドを分解するβ-グルコシダーゼ酵素の異常により，網内系にグルコセレブロシドが多量に蓄積する．Ⅰ型（慢性非神経型・成人型），Ⅱ型（急性神経型・乳児型），Ⅲ型（亜急性神経型・若年型）がある．骨髄にGaucher細胞がみられ，血清の酸ホスファターゼの上昇などを伴う．

症状　Ⅰ型では肝脾腫，血小板減少，貧血，骨病変を呈する．ユダヤ人に多い．Ⅱ型は発症が早く，生後6か月ころから筋緊張亢進，頭部後屈，嚥下障害などの球麻痺症状も伴い，2歳までに死亡することが多い．

治療　酵素補充療法を行う．骨髄移植が適応になることもある．

(2) Fabry（ファブリー）病

グロボトリアオシルセラミドの分解酵素（α-ガラクトシダーゼ）の欠損により発症する．

症状　血管障害が中心で，典型的な例では皮膚に特徴的な血管腫（アンギオケラトーマ）がみられ，末梢性の痛みを伴い，成人期以降に心臓と腎臓の障害が進行する．しかし，拡張型心筋症や腎不全だけの症状を呈する患者もあるため，注意を要する．本疾患はX連鎖劣性（潜性）遺伝形式とされるが，女性の保因者もしばしば成人期になって心臓や腎臓の障害が出現することがあるため，慎重な対応が必要になる．

治療　痛みに対してはカルバマゼピンが用いられる．酵素補充療法，シャペロン療法が臨床応用されている．

(3) Tay-Sachs（テイ・サックス）病

ヘキソサミニダーゼA（GM_2-ガングリオシド分解酵素）が欠損し，GM_2-ガングリオシドが脳内に蓄積するために発症する．別名，GM_2-ガングリオシドーシス（GM_2-gangliosidosis）とも呼ばれる．ユダヤ人に多い．

症状　生後3～7か月までに発症する．徐々に周囲に関心を示さなくなり，運動が不良となり，音に驚きやすくなる．全身痙攣，視力障害が出現してくる．眼底の黄斑部にチェリーレッドスポット（cherry red spot）を認める．末期では除脳硬直姿勢となる．2～3歳ころ，呼吸器感染などで死亡することが多い．

(4) GM_1-ガングリオシドーシス

GM_1-ガングリオシドを分解するβ-ガラクトシダーゼの欠損により発症する．GM_1-ガングリオシド，ケラタン硫酸，オリゴ糖などが蓄積する．

症状　Ⅰ型は生後すぐに発症し，初期は発達の遅れが著明で，その後，痙性四肢麻痺，痙攣などを伴い，2歳までに死亡することが多い．粗な顔貌，胸郭・脊柱の変形，肝脾腫，眼底のチェリーレッドスポットなどがみられる．Ⅱ型は主に幼児期から発症し，Ⅲ型は構音障害など錐体外路症状が主で，知能は軽度低下～正常であることが多い．

(5) Krabbe（クラッベ）病

ガラクトセレブロシダーゼの欠損により，ミエリン脂質であるガラクトセレブロシドなどが蓄積し，発症する．病理学的には脳白質に特徴的なグロボイド細胞が出現する．

症状　発症は生後3～6か月で，それまで正常発育していた乳児が音・光などの刺激に過敏になって興奮・啼泣するようになる．次いで，精神運動機能が退行し，筋緊張の亢進，後弓反張，全身痙攣，視力障害などが出現する．末期は除脳硬直状態となるが，末梢神経の障害が強くなると筋緊張は低下してくる．1年から数年の経過である．

(6) 異染性白質ジストロフィー (metachromatic leukodystrophy；MLD)

アリルスルファターゼA酵素が欠損し，脳白質にスルファチドが蓄積する．発症時期や症状の程度により，幼児型，若年型，成人型に分類される．

症状　幼児型が多く，1歳代で下肢筋力低下，歩行不安定の症状がみられるようになり，起立不能，精神発達の退行，筋緊張の亢進などが進行し，四肢麻痺，重度知的能力障害，球麻痺，視神経萎縮などで，数年の経過で植物的状態になる．末梢神経のミエリンも障害されるため，運動神経伝達速度（MCV）低下や脳脊髄液の蛋白質増加などがみられる．

(7) Niemann-Pick（ニーマン・ピック）病 A，B型

スフィンゴミエリナーゼの欠損による．骨髄に泡沫細胞がみられる．

症状　A型は主に乳児期に発症し，肝脾腫，貧血，筋緊張低下，視力障害，眼底の変化（チェリーレッドスポット）などを呈し，幼児期に死亡することが多い．B型は軽症型で，中枢神経障害がほとんどなく，進行が緩徐である．

治療　酵素補充療法が開発されつつある．

(8) Niemann-Pick病　C型

上記のA，B型とは原因が異なり，コレステロールの細胞内輸送に重要な*NPC1*遺伝子の異常によって発症する．

症状　カタプレキシー，眼球の上方視障害，ミオクロニー発作，小脳症状，肝脾腫などの症状を呈する．主に乳児期から幼児期に発症する．

治療薬（ミグルスタット）が開発され，臨床で使われている．

c Pompe（ポンペ）病

ライソゾームに存在するグリコーゲンを分解する酵素（α-グルコシダーゼ）の欠損により発症する常染色体劣性（潜性）の病気である．

症状　乳児期に発症するタイプでは，心肥大，骨格筋の筋力低下などがあり重症である．若年型や成人型などで発症するタイプでは，骨格筋だけに症状がある．

治療　酵素補充療法が開発されている．できるだけ早期に治療すると，歩行や通常の生活が可能になり，劇的な改善が望める．

6 金属代謝異常

a Menkes（メンケス）病

Menkes病（kinky hair disease）はX連鎖劣性（潜性）遺伝形式を示し，腸管からの銅の吸収障害により全身が銅欠乏となる．銅の輸送蛋白質である*ATP7A*遺伝子異常が原因である．臨床検査では，血清銅低値，セルロプラスミン低値を示す．

症状　低出生体重児（LBW）であり，出生時より低体温傾向，哺乳力微弱，体重増加不良などの症状がある．生後1〜2か月には傾眠，発育障害があり，3〜4か月からは痙攣，ミオクローヌスなどの症状も現れ，頭蓋内出血をおこすこともある．神経症状は進行し，最終的には筋緊張亢進，意識障害，四肢麻痺などになる．毛髪が脆弱でもろく（kinky hair），色白であり，感染しやすい．

治療　早期からヒスチジン銅などの投与により，ある程度症状を軽減することができる．

b Wilson（ウィルソン）病

Wilson病は常染色体劣性（潜性）遺伝形式であり，銅の輸送蛋白質である*ATP7B*遺伝子異常により発症する．細胞からの銅の排出に障害を呈するために，肝臓，大脳基底核，腎臓の近位尿細管上皮，角膜などに銅が蓄積する．臨床検査所見として，血清中総銅値およびセルロプラスミンの減少，アルブミン結合銅の増加，尿中銅排泄の増加などが認められる．

症状　発症年齢は4〜60歳と幅広い．神経症状としては筋緊張亢進，振戦，構音障害などを呈す

る．やがて肝硬変が現れる．角膜に緑〜灰褐色の色素沈着であるKayser-Fleischer（カイザー・フライシャー）環が神経症状に先行して出現する．

治療　銅含有の多い食物を避ける（レバー，貝類，チョコレート，ココア，キノコ，クルミ）．キレート剤（D-ペニシラミン）などを内服する．肝臓移植が行われることもある．

7 核酸代謝異常

a Lesch-Nyhan（レッシュ・ナイハン）症候群

Lesch-Nyhan症候群はX連鎖劣性（潜性）遺伝形式をとる．核酸代謝にかかわる酵素，ヒポキサンチングアニンホスホリボシル転移酵素（hypoxanthine guanine phosphoribosyl transferase；HGPRT）が欠損して尿酸が蓄積する．

症状　乳児期後半から不随意運動（choreoathetosis）が始まり，運動発達が遅れる．また，このころから血尿，尿結石がみられ，おむつに白粉がついたようになる．知的能力障害は必発である．3歳ころから口唇をかみ切るなどの自傷行為が始まる．血清，尿中尿酸（核酸の代謝産物）の増加がみられる．

治療　アロプリノールなどの尿酸合成抑制剤などにより血清や尿中の尿酸を低下させることはできるが，中枢神経障害を治療することは困難である．

8 その他の代謝異常症

a 副腎白質ジストロフィー症（ALD）

副腎白質ジストロフィー症（adrenoleukodystrophy；ALD）は，X連鎖劣性（潜性）遺伝形式を示す．細胞内小器官であるペルオキシゾームの障害により，脂肪酸のβ酸化が障害される．原因はX染色体上に位置する*ABCD1*遺伝子の異常である．血清や脳の白質のコレステロールエステルに飽和極長鎖脂肪酸（carbon 24〜30，特にC26あるいはC26/C22）成分が多いことが特徴であり，診断に役立つ．

症状　男子のみ発症する．7〜8歳に行動異常（抑うつ，情動不安定，多動），知的能力障害，視力障害などが発症し，やがて錐体路障害による歩行障害，痙性四肢麻痺，構音障害，嚥下障害，痙攣などが続発する．副腎機能不全症状は6割に出現し，神経症状の発現前に現れることが多い．皮膚の色素沈着，易疲労性，低血圧などもみられる．

治療　骨髄移植により症状が改善する．早期に行うとよい．

b 尿素サイクル異常

アンモニアを代謝する肝臓の尿素サイクルと呼ばれる代謝酵素が異常になり，高アンモニア血症をきたす病気である．酵素の種類により，カルバミルリン酸合成酵素欠損症，オルニチントランスカルバミラーゼ欠損症，アルギニノコハク酸合成酵素欠損症（シトルリン血症），アルギニノコハク酸分解酵素欠損症（アルギニノコハク酸尿症）などがある．

症状　嘔吐，過呼吸，筋緊張低下，痙攣などの症状が新生児期から出現することがある．高蛋白食や感染なども発症の契機となる．

治療　急性期にはアンモニアを低下させるため血液透析などを行う．通常では低蛋白食，アルギニンの投与などが行われる．

c 先天性ピルビン酸代謝異常症

先天性ピルビン酸代謝異常症には，ピルビン酸脱水素酵素欠損症（pyruvate dehydrogenase complex；PDHC）やピルビン酸カルボキシラーゼ（pyruvate carboxylase；PC）欠損症などがある．高乳酸ピルビン酸血症，代謝性酸血症，髄液中乳酸高値などを伴う．

症状 乳幼児期からの筋緊張低下，多呼吸，発達遅滞，痙攣を示す．

治療 PDHC の一部にビタミン B_1 投与が有効である．

d 神経セロイドリポフスチン症（NCL）

神経セロイドリポフスチン症（neuronal ceroid-lipofuscinosis；NCL）は，脳の灰白質の神経細胞に，色素であるセロイドやリポフスチンが蓄積することにより発症する．

症状 乳児型は発症が生後4〜19か月で，ミオクロニー発作や視覚障害を呈する．乳児後期型は2歳ころから発症し，痙攣，小脳性失調症，痙性麻痺などが進行する．視覚誘発電位（VEP）で異常な高振幅を示し，直腸生検の電顕で神経細胞内に指紋様形状（fingerprint）などの特徴がある．若年型は発症が5〜7歳で，経過が長い．

治療 2型（*TPP* 遺伝子異常）では，酵素補充療法が行われる．

F 理学・作業療法との関連事項

先天異常は多岐にわたり，Prader-Willi 症候群，Angelman 症候群，Williams 症候群など，症例数が少ない疾患も多いため，理学・作業療法士が生涯を通じて頻回にかかわるわけではない．そのため疾患ごとの基礎知識は重要であり，臨床でかかわる際には，医療者や家族が将来的に参考となるように継続的にかかわり，治療やリハビリ経過を学会発表や論文などで対外的に発表することも大切である．

■Down 症候群の子どもとのかかわり

染色体疾患で最も理学・作業療法士がかかわる頻度が高い疾患は，Down 症候群である．Down 症候群の子どもの粗大運動の発達は，正常発達の流れと同様の経過をたどる場合もあれば，歩行開始が3歳を過ぎるなど，発達経過には幅がある．療育現場では，症状や今後の成長に対する保護者の不安を多く耳にする．知的能力障害の程度によって高校卒業後の社会参加も大きく変わってくるため，理学・作業療法士には早期から中長期的な視点でのかかわりが求められている．

近年では，Down 症候群の子どもの低緊張に伴う外反扁平足に対して，足底装具（インソール）を処方することを多く見かける．外反扁平足の程度は児によってさまざまであるため，一律で同様の足底装具を処方してはいけない．後足部と中足部，前足部（足趾）の外反の程度，足趾の回旋変形の程度，変形の進行速度などに応じて，踵補高や内側縦アーチの高さ，足底装具の使用頻度（屋内も使用するのか）など，総合的に考慮する．また，染色体疾患や遺伝疾患では先天性心疾患を合併することがある（➡136ページ）．

■年齢に応じた包括的な支援の必要性

先天性形態異常や先天代謝異常症では，摂食指導や運動発達遅滞に対する相談などでかかわることが多い．先天代謝異常症の多くは進行性で，骨変形を伴う場合もあるため，関節拘縮の予防に努める．治療では，酵素補充療法（➡65ページ）や骨髄移植（➡189ページ）が行われる．

知的能力障害や病状によって，普通級・支援級・特別支援学校など就学状況が決まる．また，途中から特別支援学校へ転校することが必要になることもあるため，子どもや家族への精神的なフォローのためにも，話のしやすく頼りになる理学・作業療法士がいることが大切であり，そのように信頼関係を構築した継続的なかかわりが欠かせない．学童期は学校生活が中心であることから，学校の教員や友だちの理解や協力が必要になる．これら先天性疾患では，同様の疾患であっても個々人で重症度に幅がある．乳幼児期以降の保護者の不安を減らすためにも，理学・作業療法士は運動指導にとどまらず，保護者や兄弟などの患者・家族支援，保育園・幼稚園・学校との連携，本人・家族の精神・心理状況などを考慮し，年齢に応じた包括的な支援が必要である．

■遺伝カウンセリングの必要性

深く家族とかかわっていく中で，理学・作業療法を行っている際に，自然と第二子の妊娠・出産に関して相談を受けることがある．第一子に障害のあるお子さんがいた場合，「産まれてくる赤ちゃんに同様の疾患があるか」「産まない方がいいのか」など，特に母親の心の葛藤や苦悩は計り知れない．信頼されているからこその相談であるので，安易な回答をしないように注意が必要である．このように，出生前診断や保因者診断などの発展に伴い，遺伝カウンセリングの必要性を感じる機会が多くなっている．

- □ 常染色体優性（顕性）遺伝と常染色体劣性（潜性）遺伝の特徴を家系図を用いて説明しなさい．
- □ 遺伝学的検査と遺伝カウンセリングについて説明しなさい．
- □ ミトコンドリア遺伝，ゲノムインプリンティング，トリプレットリピート病について説明しなさい．
- □ Down 症候群の染色体疾患と症状について説明しなさい．
- □ 先天異常の検査法について説明しなさい．
- □ 先天代謝異常症の治療法について説明しなさい．

第5章

神経・筋疾患

学習目標

- 急性・慢性疾患，中枢（脳と脊髄）・末梢神経疾患，筋疾患の症状の特徴を理解する．解剖学や生理学で学んだことを疾患の症状と病態の理解に生かす．
- 発達期に発症した疾患の成長に伴う変化や長期経過を理解する．
- 臨床の場で接することの多い疾患（脳性麻痺，神経筋疾患，先天奇形，てんかん）の特徴を十分理解する．
- さまざまな疾患の症状や病態，経過を把握して訓練計画を立てる．

A 診断と検査

1 神経・筋疾患の診断の流れ

問診では，周産期歴や発育・発達歴，既往歴などの一般的な情報と，主訴となっている病状の内容や経過を聴取する．

診察においては，子どもの自然な行動や医師・家族とのやり取りから行動特性や運動・言語発達を評価する．問診や診察から，運動の遅れや異常が主な疾患なのか，言語や知的発達の遅れが主な疾患なのかを推定して，検査計画を立てる．初診時に確定診断がつかない場合もあるので，定期診療の中で支援・指導しながら繰り返し診てゆく．

2 主な神経・筋疾患の検査

a 神経生理検査

(1) 脳波

脳活動を記録するもので，てんかんの診断には必須である．急性脳炎や脳症などの意識障害の評価にも使われる．

(2) 誘発電位と筋電図

さまざまな感覚刺激を与え，脳の反応を記録することで脳機能を評価することができる．睡眠時に検査できるので，新生児から乳幼児の神経機能評価に利用できる．

- 聴性脳幹反応（auditory brainstem response；ABR）：クリック音を聞かせて脳波を記録する．新生児聴覚スクリーニングや重度脳障害児の脳幹機能評価にも使われる．
- 視覚誘発電位（visual evoked potential；VEP）：視覚刺激（光や図形）を与えて脳波を記録するもので，網膜や視神経，大脳皮質視覚野の機能異常を検出できる．
- 体性感覚誘発電位（somatosensory evoked potential；SEP）：手や足の神経を電気刺激して脳波を記録するもので，感覚神経から脊髄，大脳皮質感覚野に至る経路の異常を検出できる．

(3) 末梢神経伝導検査

四肢の運動神経や感覚神経を電気刺激して，末梢神経障害の診断に用いる．運動神経伝導速度（motor nerve conduction velocity；MCV）と感覚神経伝導速度（sensory nerve conduction velocity；SCV）がよく使われる．

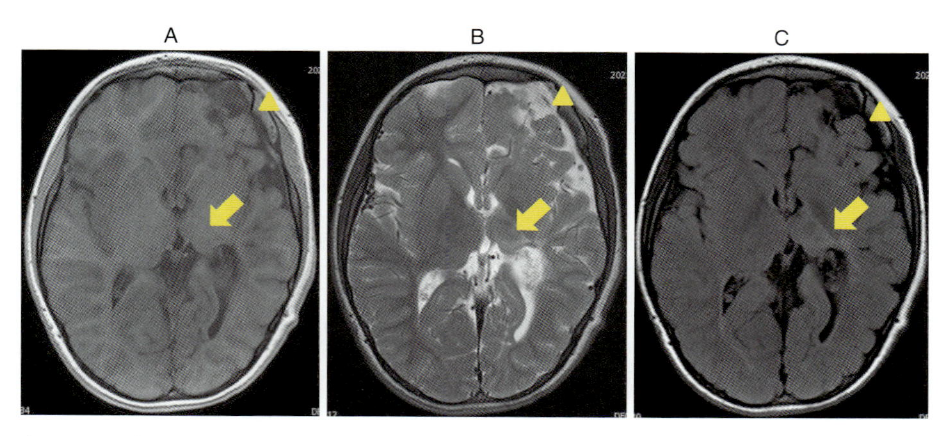

▶図1　頭部MRI（水平断）

A：T1強調像．B：T2強調像．C：FLAIR（fluid attenuated inversion recovery）法．左前頭葉（矢印）と左視床（三角）に萎縮とT2・FLAIR高信号を認める．

T1強調画像（A）では脳の外観がよくわかる．大脳白質は白く，大脳皮質は灰色で脳脊髄液は黒く描出される．T2強調画像（B）は，病変を描出するのに優れている．大脳白質は黒く，大脳皮質は灰色で脳脊髄液は白く描出される．FLAIR法（C）は，T2と同じだが，脳脊髄液が黒く描出されるため，病変をより明瞭に描出できる．

▶表1　CTとMRIの特徴

	CT	MRI
撮影時間	○短時間で撮像できる	△30分程度かかる（乳幼児は鎮静が必要）
放射線被曝	△あり	○なし
脳細部の描出	△劣る	○優れる
脳病変の描出	△劣る	○優れる
骨病変・石灰化の描出	○優れる	△劣る
血管・血流	△造影剤が必要	○造影剤が不要

b 頭部画像検査

(1) 単純X線検査

骨の状態を評価できる．骨折や頭蓋縫合早期癒合症の診断に使われる．

(2) 頭部CT，MRI検査（▶図1）

脳の形態の評価，出血，梗塞，脳炎などの診断に用いる．CTとMRI検査の長所と短所を**表1**に示す．大部分の脳障害の診断にはMRIが優れている．

(3) 脳血管撮影

MRIでは造影剤を使わずに動脈（MRA）や静脈撮影を行うことができる．造影剤を使った脳血管撮影には，カテーテル脳血管撮影とCT血管撮影がある．

(4) 脳血流検査，脳代謝検査

脳血流測定用の放射性薬剤を静注するSPECT（スペクト）と，脳代謝測定用の放射性薬剤を静注するSPECT（ベンゾジアゼピン受容体）・PET（ペット）（ブドウ糖）がある．

c 発達検査・知能検査

発達の遅れや知的障害が疑われる場合に，年齢と発達レベルに応じて検査を選択する．例えば遠城寺式乳幼児分析的発達検査は，発達プロフィールを把握するのに有用な問診ツールである（▶図2）．

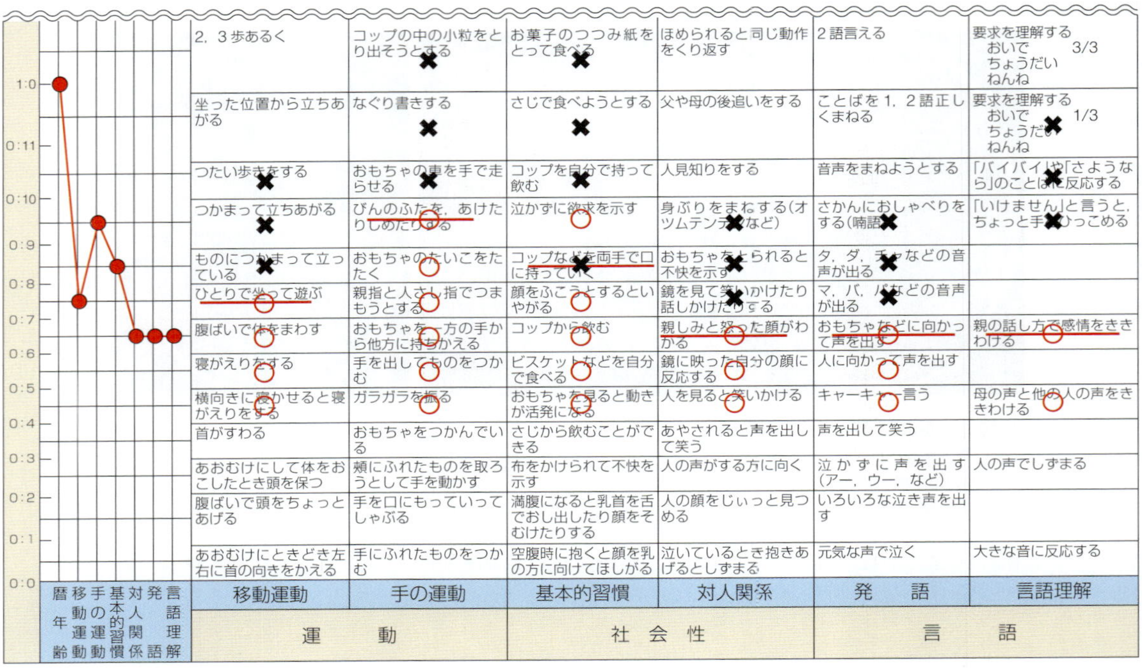

移動運動	手の運動	基本的習慣	対人関係	発語	言語理解
2，3 歩あるく	コップの中の小粒をとり出そうとする ×	お菓子のつつみ紙をとって食べる ×	ほめられると同じ動作をくり返す	2 語言える	要求を理解する おいで ちょうだい ねんね 3/3
坐った位置から立ちあがる	なぐり書きする ×	さじで食べようとする ×	父や母の後追いをする	ことばを 1，2 語正しくまねる	要求を理解する おいで ちょうだい ねんね 1/3 ×
つたい歩きをする ×	おもちゃの車を手で走らせる ×	コップを自分で持って飲む ×	人見知りをする	音声をまねようとする	「バイバイ」や「さようなら」のことばに反応する ×
つかまって立ちあがる ×	びんのふたを，あけたりしめたりする ○	泣かずに欲求を示す ○	身ぶりをまねする（オツムテンテンなど） ×	さかんにおしゃべりをする（喃語） ×	「いけません」と言うと，ちょっと手をひっこめる ×
ものにつかまって立っている ×	おもちゃのたいこをたたく ○	コップなどを両手で口に持っていく ×	おもちゃをとられると不快を示す ×	タ，ダ，チャなどの音声が出る ×	
ひとりで坐って遊ぶ ○	親指と人さし指でつまもうとする ○	顔をふこうとするといやがる ○	鏡を見て笑いかけたり話しかけたりする ×	マ，バ，パなどの音声が出る ×	
腹ばいで体をまわす ○	おもちゃを一方の手から他方に持ちかえる ○	コップから飲む ○	親しみと怒った顔がわかる ○	おもちゃなどに向かって声を出す ○	親の話し方で感情をききわける ○
寝がえりをする ○	手を出してものをつかむ ○	ビスケットなどを自分で食べる ○	鏡に映った自分の顔に反応する ○	人に向かって声を出す ○	
横向きに寝かせると寝がえりをする ○	ガラガラを振る ○	おもちゃを見ると動きが活発になる ○	人を見ると笑いかける ○	キャーキャー言う ○	母の声と他の人の声をききわける ○
首がすわる	おもちゃをつかんでいる	さじから飲むことができる	あやされると声を出して笑う	声を出して笑う	
あおむけにして体をおこしたとき頭を保つ	頬にふれたものを取ろうとして手を動かす	布をかけられて不快を示す	人の声がする方に向く	泣かずに声を出す（アー，ウー，など）	人の声でしずまる
腹ばいで頭をちょっとあげる	手を口にもっていってしゃぶる	満腹になると乳首を舌でおし出したり顔をそむけたりする	人の顔をじぃっと見つめる	いろいろな泣き声を出す	
あおむけにときどき左右に首の向きをかえる	手にふれたものをつかむ	空腹時に抱くと顔を乳の方に向けてほしがる	泣いているとき抱きあげるとしずまる	元気な声で泣く	大きな音に反応する
移動運動	手の運動	基本的習慣	対人関係	発語	言語理解
運動		社会性		言語	

暦年齢 | 移動運動 | 手の運動 | 基本的習慣 | 対人関係 | 発語 | 言語理解

0:0　0:1　0:2　0:3　0:4　0:5　0:6　0:7　0:8　0:9　0:10　0:11　1:0

▶図 2　遠城寺式乳幼児分析的発達検査

子どもの発達を運動（移動運動，手の運動），社会性（基本的習慣，対人関係），言語（発語，言語理解）の 6 つに分けてそれぞれ評価する．不通過（×）が 3 つ連続するまで付ける．×の次が通過（○）でその上に×が 3 つ続く場合は，×のところが発達段階と評価する（図の基本的習慣）．例示では，暦年齢は 1 歳 0 か月であるが，移動運動は 7～8 か月，手の運動は 9～10 か月，基本的習慣は 8～9 か月，対人関係は 6～7 か月，発語と言語理解は 6～7 か月であり，全般的に遅れている．

〔遠城寺宗徳：遠城寺式乳幼児分析的発達検査法（九州大学小児科改訂新装版）．p. 10，慶應義塾大学出版会，2009 より改変〕

d そのほかの検査

疾患ごとに確定診断のために必要な検査がある．染色体検査や遺伝子解析，酵素活性測定，代謝検査（アミノ酸分析や有機酸分析），組織学的検査（筋生検，末梢神経生検）などがある．

B 中枢神経疾患（急性疾患）

中枢神経系の急性疾患は感染・炎症性疾患や脳血管障害，低酸素症，頭部外傷などを含む．小児では，感染症に関連して生じることが多い．病原体が直接侵入して炎症を起こす感染性（一次性）と非感染性（二次性）に分けられる．両者の区別が困難な場合もある．いずれも主な症状は意識障害や痙攣，運動障害，頭痛，悪心・嘔吐である．意識障害の評価は，Japan Coma Scale（JCS）（▶表 2）と Glasgow Coma Scale（GCS）（▶表 3）が使われる．急性期に意識障害が強いと予後は不良である．

1 中枢神経感染症（一次性）

a 急性脳炎

急性脳炎（acute encephalitis）は病原体の侵入による脳実質の炎症であり，主な病原体はウイルスとマイコプラズマである．発熱と意識障害，痙攣が主症状である．病原体によらず症状は類似している．脳波で徐波を認め，早期診断に役立つ．CT や MRI で脳浮腫を認める．脳脊髄液検査で細胞増多（単核球）と蛋白上昇を認める．病原体の診断は遺伝子解析やウイルス抗体価，ウイ

▶表2　Japan Coma Scale（JCS, 3-3-9 度方式）

Ⅰ 刺激しないでも覚醒している状態
1. だいたい意識清明だが今ひとつはっきりしない（あやすと笑うが声を出して笑わない）
2. 見当識障害がある（あやしても笑わないが，視線は合う）
3. 自分の名前，生年月日が言えない（母と視線が合わない）
Ⅱ 刺激すると覚醒する（刺激を止めると眠り込む）
10. 普通の呼びかけで容易に開眼する．簡単な指示には従う（飲みものを見せると飲もうとする）
20. 大きな声または体を揺さぶることにより開眼する．簡単な指示には従う（呼びかけると開眼し目を向ける）
30. 痛み刺激を加えつつ，呼びかけを繰り返すとかろうじて開眼する
Ⅲ 刺激しても開眼しない
100. 痛み刺激に対して，払いのけるような動作をする
200. 痛み刺激で少し手足を動かしたり，顔をしかめる
300. 痛み刺激に反応しない

（　）は乳児の場合

▶表3　Glasgow Coma Scale（GCS）

A．開眼	自発的に	E4
	呼びかけにより	E3
	痛み刺激により	E2
	開眼しない	E1
B．発語	見当識のある会話	V5
	混乱した会話	V4
	不適当な発語	V3
	理解できない発声のみ	V2
	声を出さない	V1
C．運動機能	指示に従う	M6
	痛み刺激部位に手足を動かす	M5
	逃避反応として四肢屈曲	M4
	異常な四肢屈曲反応	M3
	異常な四肢伸展反応	M2
	全く動かさない	M1

記載例：E3＋V4＋M5＝12
≦8：重度，9〜12：中等度，13〜14：軽度

ルス培養で行う．後遺症には，知的障害や運動麻痺，てんかんがある．

(1) 単純ヘルペス脳炎（herpes simplex encephalitis）

ウイルス性脳炎のなかで最多である（5〜20%）．

症状

- 発熱，意識障害，頭痛，性格変化・精神症状，

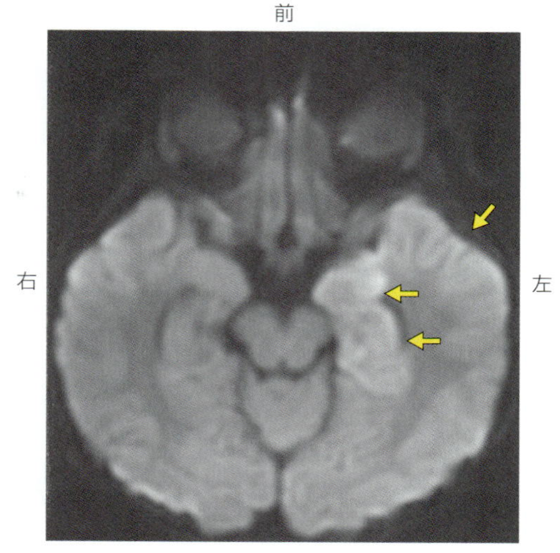

▶図3　単純ヘルペス脳炎の急性期 MRI（拡散強調画像，水平断）

左海馬と扁桃体，左側頭葉皮質は拡散強調画像で高信号を呈している（矢印）．炎症による細胞性浮腫を示唆している．

痙攣，脳局所症状
- 口唇や性器の粘膜症状は伴わないことが多い．

診断

- 脳脊髄液のヘルペスウイルス DNA 解析を行う．
- 補助診断：MRI で炎症性所見を認める（▶図3）．特に側頭葉が障害されやすい．脳波で周期性同期性放電がみられることがある．

治療

- アシクロビル（抗ウイルス薬）をできる限り早期に静注する．
- 後遺症は半数以上に認め，記憶障害や認知障害，失語，てんかんが主なものである．

(2) その他のウイルス性脳炎（viral encephalitis）

種々の中枢親和性のあるウイルスが脳炎をきたす．日本脳炎は稀であるが重篤である．

(3) マイコプラズマ脳炎（mycoplasma encephalitis）

マイコプラズマ感染症（気道感染）の経過中に発症する．意識障害や痙攣などの脳炎症状を呈す

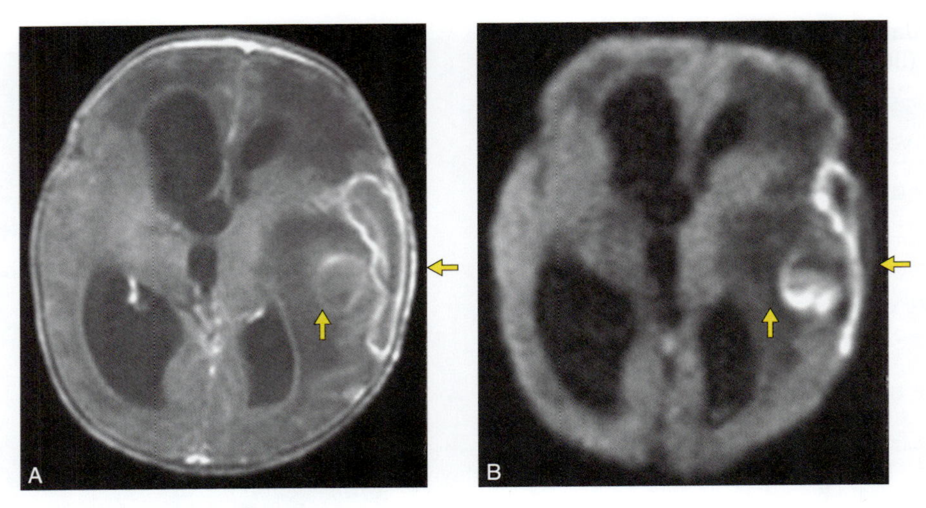

▶図4　脳膿瘍の急性期 MRI
A：T1 強調画像造影（水平断）．脳膿瘍がリング状に造影効果を認める（矢印）．
B：拡散強調画像（水平断）．膿瘍が高信号に描出されている（矢印）．

る．マイコプラズマの直接浸潤（一次性）よりも自己免疫的な機序（二次性）が推定されている．

b 急性髄膜炎

急性髄膜炎（acute meningitis）は，脳の表面を覆う髄膜に病原体が浸潤し炎症を起こした状態で，病原体は主に細菌とウイルスである．発熱，頭痛，嘔気・嘔吐が主な症状である．診察上は，髄膜刺激症状の項部硬直や Kernig（ケルニッヒ）徴候を認める．細菌性髄膜炎は炎症が髄膜にとどまらず脳実質に及ぶため，意識障害と痙攣を高率にきたす．後遺症に知的障害やてんかんをきたすことがある．ウイルス性髄膜炎は，脳実質障害はなく，意識障害や痙攣を認めない．

(1) 細菌性髄膜炎（bacterial meningitis，➡155 ページ）

(2) ウイルス性髄膜炎（viral meningitis）

中枢親和性のあるウイルス（ムンプスウイルスやエコーウイルス，コクサッキーウイルス）感染症が流行すると一定の率で発生する．対症療法によりほとんど後遺症なく完治する．

c 脳膿瘍

脳膿瘍（brain abscess）は，脳実質内に侵入した細菌による限局性脳炎である．周囲は被膜で覆われ，内部は化膿巣である．敗血症や髄膜炎に併発する場合やチアノーゼ型先天性心疾患などの基礎疾患を有する場合，耳鼻科疾患・歯科疾患などから炎症が波及する場合などがある．頭痛や嘔吐，脳局所症状（片麻痺など）を呈する．CT・MRI が診断に有用である（▶図4）．治療として抗菌薬投与と外科的処置（排膿）が行われる．

2 傍感染・免疫性中枢神経疾患（非感染性，二次性）

a 急性脳症

急性脳症（acute encephalopathy）は感染症に併発して，意識障害と痙攣，異常な言動など神経症状をきたす．脳障害の病態が中枢神経系の感染・炎症や脳血管障害などの既知の疾患によらない原因不明の疾患であり，わが国に多い．感染症としてはインフルエンザウイルスと突発性発疹，

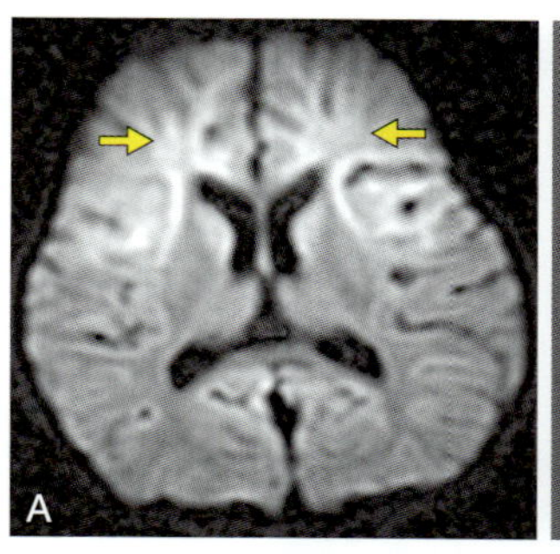

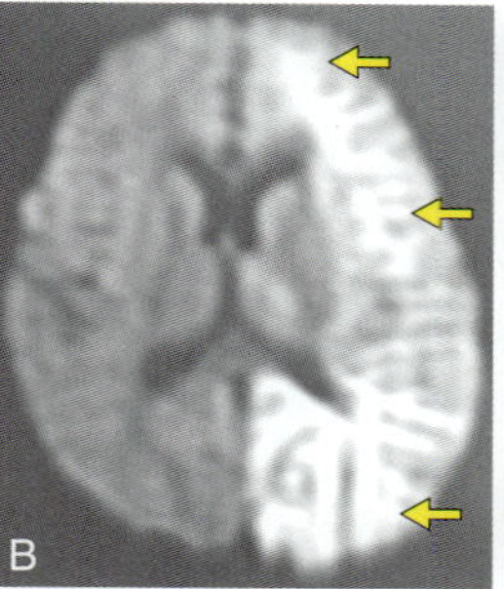

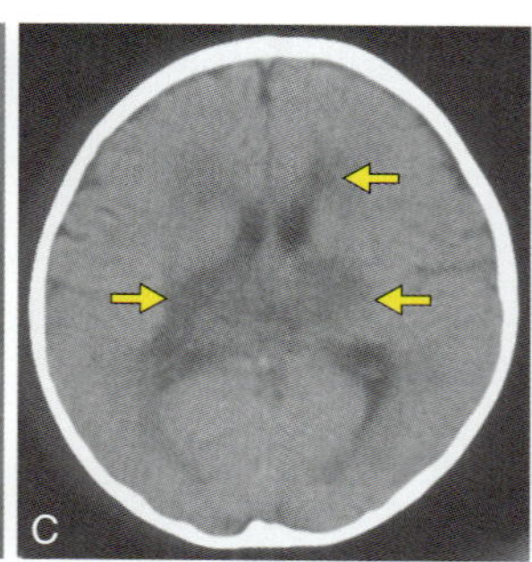

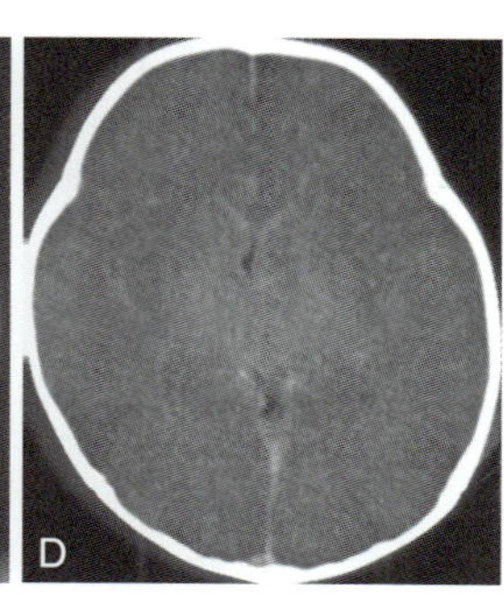

▶図 5　急性脳症の急性期画像

A：痙攣重積型急性脳症の MRI 拡散強調画像（水平断）．両側前頭葉皮質下白質に高信号を認める（矢印）．
B：片側痙攣・片麻痺症候群の MRI 拡散強調画像（水平断）．左大脳半球白質に高信号を認める（矢印）．
C：急性壊死性脳症の頭部 CT（水平断）．両側視床と前頭葉白質に低吸収を認める（矢印）．
D：ライ様症候群の頭部 CT（水平断）．大脳全体は浮腫で低吸収，脳室は圧迫されて狭小化している．

胃腸炎（ロタウイルス）が多い．脳炎や髄膜炎と異なり，脳脊髄液検査では異常を認めない．臨床所見と画像所見から臨床分類される．

(1) 痙攣重積型（二相性）急性脳症
(acute encephalopathy with biphasic seizures and late reduced diffusion；AESD)

痙攣重積に引き続く意識障害で発症する．意識障害は，発症後数日間でいったん軽快傾向を示す．第 3〜6 病日に軽微な発作を群発し，この時期に一致して MRI で皮質下白質優位に左右対称性の浮腫を認める（▶図 5A）．同時に意識障害が悪化する．その後，徐々に神経症状は改善するが，知的障害とてんかんを後遺症に残すことが多い．

(2) 片側痙攣・片麻痺症候群（hemiconvulsion hemiplegia syndrome）

痙攣重積と片麻痺を認める．MRI で痙攣重積型急性脳症に類似した画像所見を呈する（▶図 5B）．後遺症として片麻痺や知的障害，てんかんを高率に残す．

(3) 急性壊死性脳症
(acute necrotizing encephalopathy)

痙攣と意識障害で発症し，特徴的な両側視床の信号異常を初期から認める（▶図 5C）．脳幹や大脳白質にも異常が及ぶことが多い．死亡や重度脳障害（運動麻痺と知的障害）をきたすことが多い．

(4) 出血性ショック・脳症症候群
(hemorrhagic shock and encephalopathy syndrome)

乳児に好発する．脳症（昏睡，痙攣）とショック，播種性血管内凝固症候群（DIC）などを急激に呈する．急性期死亡例が多い．

(5) ライ症候群（Reye syndrome）

わが国では少ない．年長児に生じやすい．発熱が数日続いた後に，意識障害や痙攣で発症する．肝酵素の上昇，アンモニアの上昇，年少児では低血糖を認める．肝細胞に脂肪滴沈着を認める．小児へのアスピリン使用を制限してから減少した．

(6) ライ様症候群（Reye-like syndrome）

乳幼児に多く，発熱後に急激に発症する．肝・腎機能障害，DIC など多臓器不全をきたしやすく脳浮腫が急激に進行する（▶図 5D）．小児へのジクロフェナクとメフェナム酸（いずれも解熱性鎮痛薬の一種）の使用を制限してから減少した．

(7) 可逆性脳梁膨大部病変を有する脳炎・脳症
(clinically mild encephalitis/encephalopathy with reversible splenial lesion)

意識障害や行動異常が主な症状である．インフルエンザ感染時の異常行動の一部はこの脳症である．発症初期から MRI 拡散強調画像で脳梁膨大部に浮腫を認める．通常数日で後遺症なく回復する．

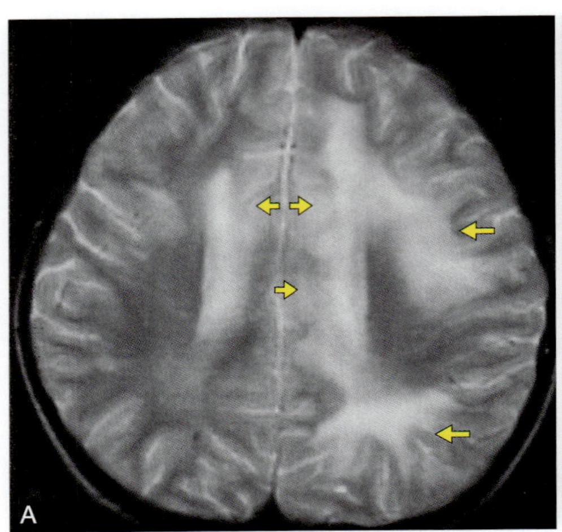

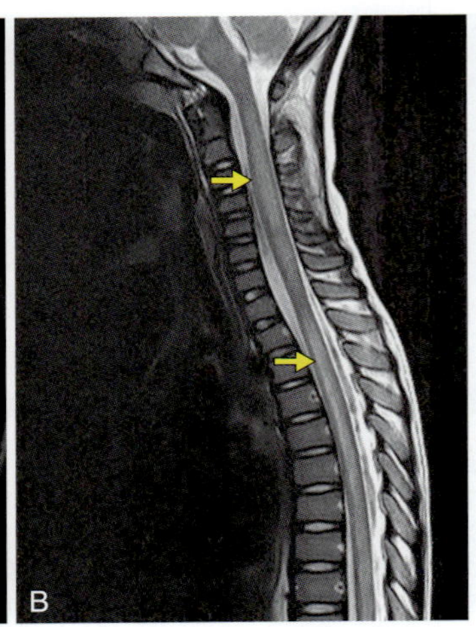

▶図 6　急性散在性脳脊髄炎の急性期 MRI
A：頭部 MRI（T2 強調画像，水平断）．大脳白質に散在性に高信号を認める（矢印）．
B：脊髄 MRI（T2 強調画像，矢状断）．脊髄全長にわたり中心部に高信号を認める（矢印）．

b 脱髄性疾患

(1) 急性散在性脳脊髄炎（acute disseminated encephalomyelitis；ADEM）

発症は小児期が多い．急性から亜急性に発症する免疫性脱髄性疾患である．ウイルス感染症や予防接種後に発症する．臨床症状は意識障害が必須であり，発熱，頭痛，痙攣，運動麻痺など多彩である．MRI で特徴的な散在性の病変を認める（▶図 6）．ステロイド治療が有効で予後は良好な場合が多い．

(2) 急性小脳失調（acute cerebellar ataxia）

発症は小児期に多い．急性発症の小脳機能障害（歩行失調や協調運動障害，眼振）であり，感染後や予防接種後に発症する．多くは無治療で治癒するが，後遺症を残す例もある．

(3) 急性横断性脊髄炎 (acute transverse myelitis)

急性発症の脊髄障害であり，感染後や予防接種後に発症することが多い．症状は発熱，左右対称性の弛緩性運動麻痺，感覚障害，直腸膀胱障害，背部痛などである．MRI で信号異常を認める．ステロイドや免疫グロブリン療法を行う．完治する例が約 30～50%，軽度の後遺症が約 30%，重度の後遺症が約 20% である．

(4) 多発性硬化症（multiple sclerosis）

脳，視神経，脊髄などに多発性に脱髄を生じ，寛解と再発を繰り返す．成人に多いが小児期発症例もある．症状は多彩であり，失調や運動麻痺，感覚障害，視力障害，脳幹障害などである．時間的，空間的に多発する MRI 所見が重要である．急性期にはステロイドの投与を行う．再発予防にインターフェロンや免疫抑制薬が使われる．

(5) 視神経脊髄炎（neuromyelitis optica）

視神経炎と横断性脊髄炎を生ずる脱髄性疾患である．自己抗体の抗アクアポリン 4 抗体が病態の中心と考えられ，多発性硬化症とは別の疾患である．急性期にステロイド大量療法や血漿交換を行う．

c 特殊な非感染性脳炎

(1) 辺縁系脳炎（limbic encephalitis）

感染によらない辺縁系（帯状回，海馬，扁桃体など）の脳炎である．小児では先行感染を認めることが多く（傍感染性），成人では卵巣奇形腫を認めることが多い（傍腫瘍性）．意識障害や異常行動・精神症状などが急性，亜急性に生じる．抗 NMDA（N-methyl-D-aspartate）受容体抗体を

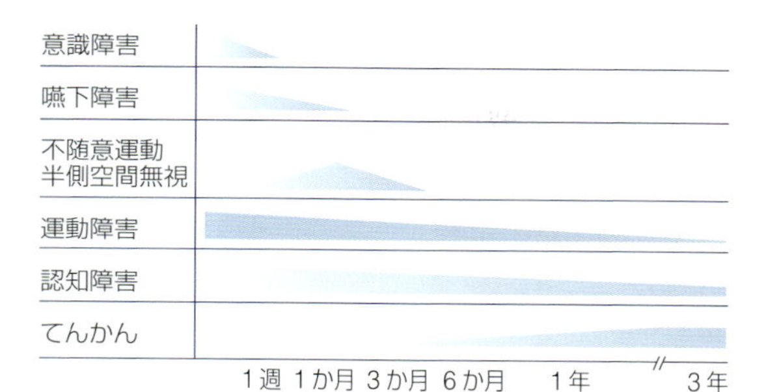

▶図7 急性中枢神経疾患の一般的な臨床経過（急性脳症の例示）

急性期の意識障害が改善してくると，運動障害や嚥下障害，認知障害が顕在化する．これらは時間とともに改善傾向を示すが，認知障害や多動性・自閉性などの行動障害は後遺症として残ることが多い．発症後数日から2～4か月までの亜急性期に舞踏運動などの不随意運動や半側空間無視，口唇傾向を認める場合があるが，多くは一過性で消失する．発症から数か月後にてんかん発作がおこることがある．

認める．MRIで辺縁系（特に海馬）に異常を認める．ステロイド療法や血漿交換などを行う．後遺症として知的障害や記憶障害，てんかんなどを残すことが多い．

(2) 難治頻回部分発作重積型急性脳炎
(acute encephalitis with refractory repetitive partial seizures)

発熱を伴う軽微な感冒症状に引き続き，短い痙攣発作が頻発する．発作はきわめて難治である．急性期を過ぎても発作が頻発し，知的障害ときわめて難治なてんかんを残す．

3 急性中枢神経疾患の臨床経過（▶図7）

急性に発症し，その後は慢性期にかけて日単位～週単位～月単位で改善しながら，残存する脳機能に応じてゆっくり発達を獲得してゆく．不随意運動など回復過程で一過性に認める症例もある．

C 中枢神経疾患（先天性疾患，その他）

1 先天奇形（先天異常症）

a 中枢神経の発生

ヒトの発生は，精子と卵子の受精から始まり受精後約38週で出生する．出生時に脳の外観は概ね完成しているが，機能的には未熟な状態である．受精後8週までを胎芽期（胚子期），それ以降を胎児期という．胎芽期は，すべての臓器の元ができる時期であり，この時期に何らかの遺伝的あるいは外的・内的要因が加わると，胎内死亡や多臓器にわたる重篤な形態的な異常が生じる（➡70ページ，図10参照）．胎児期後期でも中枢神経や眼，外性器は未完成であるために，何らかの要因が加わるとこれらの臓器には機能的・形態的な異常が生じる．

中枢神経の発生には，神経管形成，脳胞形成，細胞増殖，細胞移動などが連続的かつ同時並行でダイナミックに進行しながら完成してゆく．

(1) 神経管形成

胎生第3週ころ，外胚葉の一部が背側で神経板となり，管状の神経管を形成する（▶図8）．この時期の異常で神経管閉鎖不全が生じる．

(2) 脳胞形成

神経管の前後が閉じ閉鎖管となり，3つの拡張部（前脳胞，中脳胞，菱脳胞）ができ（1次脳胞期：3脳胞），胎生5週ころには前脳胞は終脳胞と間脳胞に二分し，菱脳胞は後脳胞と髄脳胞に二分する（2次脳胞期：5脳胞）（▶図9A）．このころに前脳胞が左右に分かれ大脳半球を形成する．続いて終脳から大脳皮質，間脳から視床・視床下部，後脳から橋と小脳，髄脳から延髄が発生する（▶図9B）．そして胎生20週以降に上記の脳の構造が概ね形成される（▶図9C）．

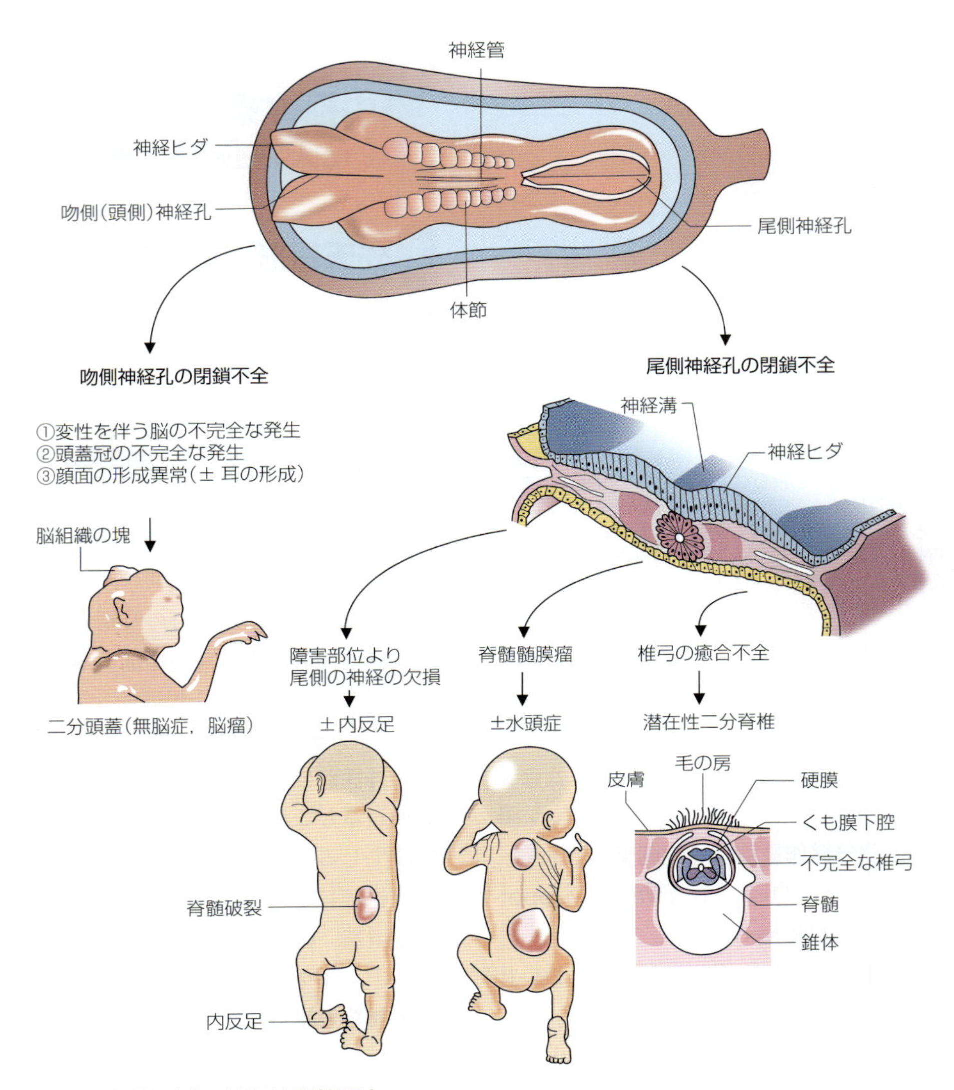

▶図8　神経管形成と神経管閉鎖不全
〔Nervous system. Moore, K. L., Persaud, T. V. N., Torchia, M. G. : The developing human. 10 th ed., p. 393, Elsevier, 2016 より〕

(3) 細胞増殖

胎生4週ころ，神経管を形成する胚芽層で細胞の増殖がおこる．細胞増殖が低下すると小頭症をきたす．片側性の細胞増殖の異常は片側巨脳症をきたす．

(4) 細胞移動

胎生8週ころには，脳室周囲の胚芽層の神経細胞は分裂を繰り返し，脳表に向かって放射状に細胞移動し始め，胎生13週ころに細胞移動はほぼ終わる．脳の外表は，胎生8〜10週に大脳縦裂が，胎生10〜15週にSylvius（シルビウス）裂が出現する．胎生20週ころには中心溝などの1次溝が，胎生32週頃より2次溝が，胎生36週ころから3次溝が出現し始める（▶図9C）．

出生後も脳の成熟は進み，生後12か月で前頭葉を除く脳部位は成人とほぼ同じ形態となる．

b 中枢神経発生に伴う先天奇形

■神経管閉鎖不全

一次神経管形成過程（胎生3〜4週）に生じた

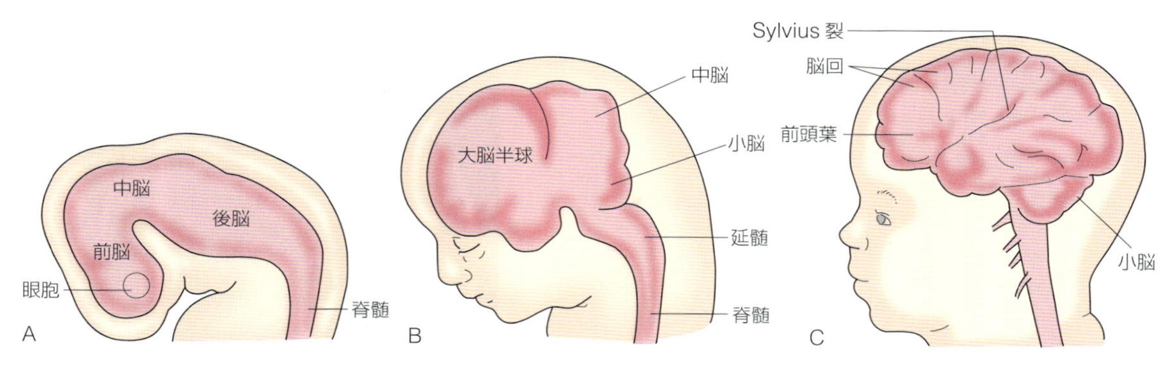

▶**図 9　脳胞・脳の形成**

A：胎生 5 週，1 次脳胞期の 3 脳胞から 2 次脳胞期の 5 脳胞へ.
B：胎生 10 週，大脳半球と脳梁が形成.
C：胎生 38 週，3 次脳溝が形成されはじめる.
〔高嶋幸男：小児の成長と発達 C 神経系の発達．大関武彦，近藤直美（総編集）小児科学．第 3 版，p. 32，医学書院，2008 より改変〕

発生異常の総称である．頭側の閉鎖不全により二分頭蓋が生じ，尾側の閉鎖不全により二分脊椎が生じる（▶**図 8**）.

(1) 二分頭蓋（cranium bifida）

脳実質と頭蓋，皮膚が先天的に欠損しているものが無脳症であり，多くは死産である．脳瘤は，頭蓋冠の正中線上の部分欠失部から頭蓋内組織が脱出した状態をいう．脳の欠損の程度や合併奇形により，重度の脳障害を呈する症例から無症状まで幅がある．水頭症や小頭症を伴うことがある.

(2) 二分脊椎（spina bifida）

正常な皮膚を欠き，神経組織や髄膜が脊柱管外に脱出した顕在性（開放性）二分脊椎と，それらが脊柱管内に留まる潜在性二分脊椎に分けられる．顕在性二分脊椎の代表は脊髄髄膜瘤であり，潜在性二分脊椎の代表は脊髄脂肪腫と先天性皮膚洞である.

①脊髄髄膜瘤（myelomeningocele）

皮膚および椎弓の欠損により脊髄や神経組織が直接外表に露出した状態である（▶**図 8**）．リスク因子として，母体の葉酸摂取不足や妊娠前の母体の糖尿病，母体の抗てんかん薬服用などが知られている．脊髄髄膜瘤の大部分は Chiari（キアリ）奇形Ⅱ型を伴い，小脳扁桃の脊柱管内への下垂と延髄・第 4 脳室の下方偏位を認め（▶**図 10**），水頭症を合併することが多い.

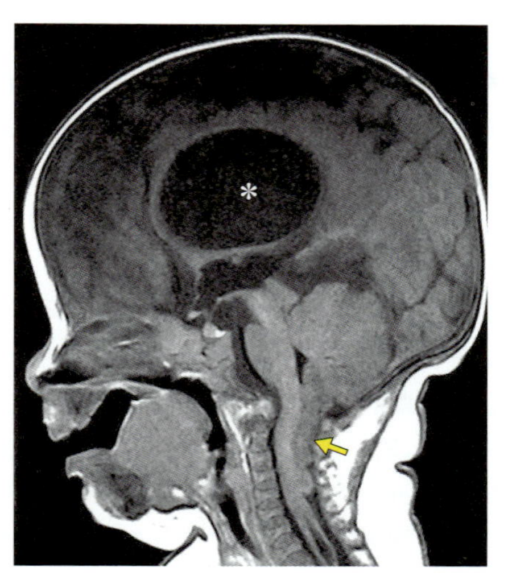

▶**図 10　Chiari 奇形Ⅱ型の MRI（T1 強調画像，矢状断）**

小脳扁桃が大後頭孔を越えて脊柱管内に下垂し，延髄が圧排されている（矢印）．第 3 脳室の拡大（水頭症）を認める（＊）.

脊髄髄膜瘤は，下肢弛緩性対麻痺を認め，脊髄障害レベルが高位であれば体幹機能が障害される（▶**表 4**）．Chiari 奇形Ⅱ型では延髄や下部脳神経の形成不全や圧迫により，喘鳴や嚥下障害，無呼吸などの脳幹症状を呈することがある．脳幹症状は生後数日から数週に出現し，乳児期早期に急激に悪化することがある．脊髄髄膜瘤には膀胱直腸

▶表4　脊髄の病巣部位と神経症状の関係

病巣部位	神経症状
第2腰髄	• 完全対麻痺 • 車椅子移動 • 尿便失禁
第4腰髄	• 対麻痺 • 股屈曲内転・膝伸展は可 • 短下肢装具歩行
第2仙髄	• 対麻痺 • 足底装具で独歩
第3仙髄	• 運動麻痺なし • 失禁状態はさまざま

〔Sharrard, W. J. : Congenital and developmen-tal abnormalities of the neuraxis. In : Pae-diatric Or-thopaedics and Fractures, 2nd ed, pp. 1076-1192, Blackwell Scientific Publica-tions, Oxford, 1979 より改変〕

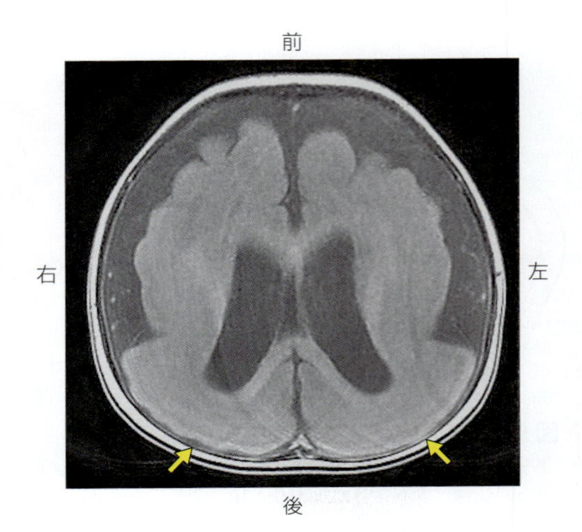

▶図11　滑脳症のMRI（T1強調画像）
脳回・脳溝の形成が不良である（特に後頭葉，矢印）.

障害を伴うことが多く，残尿や尿失禁，便秘，便失禁を呈する．また，成長過程で脊髄や脊髄神経と周辺組織の癒着で脊髄係留が生じることがある．下肢の痛みや運動機能障害の悪化，膀胱直腸障害の悪化などがその症状である．

②**脊髄脂肪腫**（spinal cord lipoma）

一次神経管形成時期に神経外胚葉と皮膚外胚葉の間に中胚葉系組織（脂肪組織）が入り込むことにより生じる．腰仙部の皮下腫瘤や血管腫，人尾，皮膚陥凹，発毛（毛の房）などの皮膚所見を認める（▶図8）．乳児期には神経症状を認めないが成長とともに，脂肪腫による圧迫や脊髄係留により下肢痛や下肢の変形，神経因性膀胱を生じる．

③**先天性皮膚洞**（congenital dermal sinus）

一次神経管形成後，神経外胚葉と皮膚外胚葉の分離が不完全で，皮膚外胚葉の一部が索状に遺残した状態である．腰仙部で殿裂よりも頭側に陥凹を認め，同部の皮膚に血管腫や母斑，発毛，瘢痕などを伴うことが多い．皮膚洞の感染症（皮下膿瘍や髄膜炎）や合併する類皮嚢胞の増大による脊髄圧迫症状，脊髄係留症状などが生じることがある．

■脳胞形成期の異常

(1) 全前脳胞症（holoprosencephaly）

大脳半球の左右分離障害に起因する脳の正中部の形成異常であり，3脳胞から5脳胞に移行する胎生5週ころの障害と考えられている．染色体異常（13トリソミーや18トリソミー）や種々の遺伝子異常が原因で生じる．重症例では顔面正中部の形態異常を伴い知的障害も重度である．

(2) 水無脳症（hydroanencephaly）

頭蓋の形成は正常だが両側大脳半球の高度な欠損と水頭症を認める状態であり，胎生早期の脳血管障害や胎内感染症などが原因とされる．

■神経細胞移動の異常

(1) 古典型滑脳症（type 1 lissencephaly）

大脳皮質は病理学的に6層構造であるが，滑脳症では4層構造であり，肉眼的には肥厚した大脳皮質を呈する．脳回の形成が少なく，無脳回・厚脳回を呈する（▶図11）．LIS1遺伝子変異が原因であるMiller-Dieker（ミラー・ディーカー）症候群が代表的な疾患である．その他にも多くの遺伝子変異が原因となる．知的障害は重く，きわめて難治なてんかんを発症する．

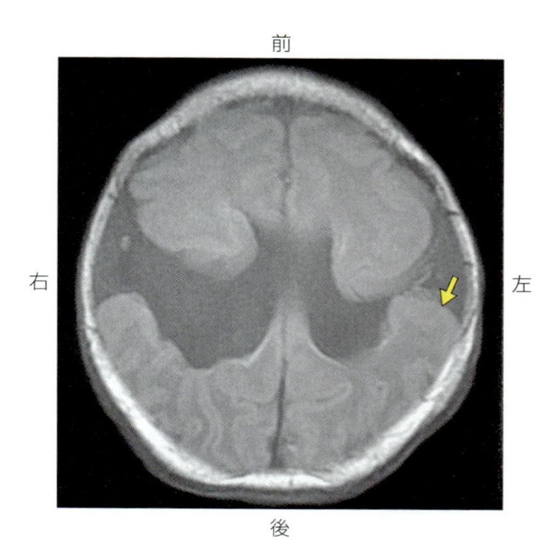

▶図 12 裂脳症の MRI（T1 強調画像）
くも膜下腔から側脳室に連なる裂隙を両側に認める．裂隙は平坦で部分的に分厚い皮質（多小脳回，矢印）で覆われている．

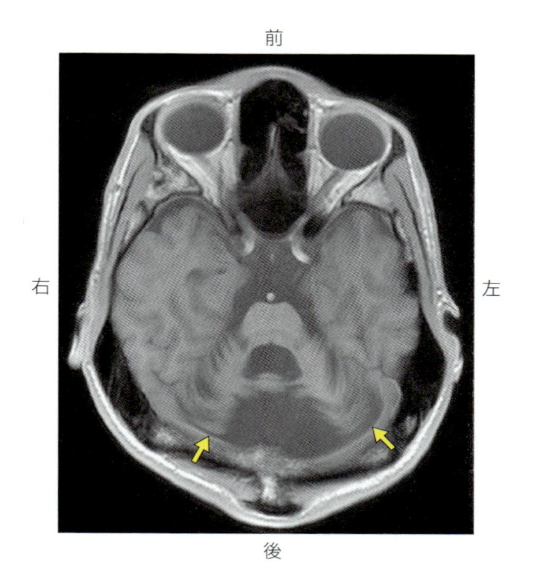

▶図 13 小脳低形成の MRI（T1 強調画像）
小脳半球（矢印）の容量が少ない．

(2) 丸石型滑脳症（type 2 lissencephaly, cobblestone lissencephaly）

肉眼的に敷石に似た脳表所見であり，病理学的には脳回の癒着・多小脳回・厚脳回/無脳回などが混在している．知的障害とてんかんは重度である．*FCMD* 遺伝子変異が原因の福山型先天性筋ジストロフィーが代表である （➡111 ページ）．

(3) 多小脳回（polymicrogyria）

肉眼的に小さな脳回が密集しているようにみえる．原因は遺伝子変異のほかに，胎内感染症（サイトメガロウイルス）などがある．知的障害や運動麻痺をきたすが，多小脳回の脳内の部位と広がりによって重症度に幅がある．両側 Sylvius 裂多小脳回では島・弁蓋部の機能障害により球症状（嚥下障害や構音障害）を呈する．難治性てんかんをきたし，脳外科的手術を要する例もある．

(4) 裂脳症（schizencephaly）

大脳皮質が脳室に到達し，くも膜下腔と脳室が交通している状態をいい，裂隙の皮質には多小脳回を認める（▶図 12）．片側性の場合も両側性の場合もある．原因は遺伝子変異のほか，胎児期の血流障害や感染，中毒，外傷などの要因が推察されている．病変の大きさや部位により症状は異なるが，運動障害，知的障害，てんかんが主である．

小脳発生の異常

(1) 小脳低形成

先天的に小脳の容積が減少している状態を示す（▶図 13）．原因には，遺伝子変異のほか，ウイルス感染症や放射線障害，脳循環障害などがある．筋緊張低下，失調，異常眼球運動などの小脳症状のほか，合併する大脳奇形や脳幹形成異常により多様な症状を呈する．

(2) 小脳虫部低形成

Joubert（ジュベール）症候群や関連疾患が代表である．多くの遺伝子が原因として同定されている．呼吸異常（発作性多呼吸と無呼吸）や筋緊張低下，運動失調，異常眼球運動を認める．

(3) Dandy-Walker（ダンディー・ウォーカー）症候群

第 4 脳室と連続する後頭蓋窩の嚢胞と小脳虫部の低形成を認め，水頭症を伴う．原因は遺伝的因子と環境因子の両者の関与が考えられている．水頭症の症状のほか，小脳や脳幹の機能障害（眼

▶表5　大頭症の主な原因

乳児くも膜下腔拡大	しばしば家族性	
水頭症	中脳水道狭窄，Dandy-Walker 症候群などの脳奇形，水無脳症，髄膜炎	
硬膜下液体貯留	硬膜下血腫，嚢胞	
巨脳症	染色体異常・奇形	Sotos 症候群，神経線維腫症1型，脆弱X症候群，Noonan 症候群，片側巨脳症
	先天代謝異常	ムコ多糖症，大脳白質変性症

振，脳神経麻痺，体幹の運動失調など）を認める．内臓奇形，特に心奇形の合併が多い．

c 頭囲異常・頭蓋変形を主徴とする先天奇形

頭囲や頭蓋の異常は，神経疾患の診断に重要である．母子手帳に記録されている頭囲発育曲線は，頭囲の経過を見るのに役立つ．頭囲が＋2 SD 以上の場合を大頭症，－2 SD 以下の場合を小頭症という．

(1) 大頭症（macrocephaly）（▶表5）

大頭症で最も多いのは，乳児くも膜下腔拡大であり病的ではない．病的な大頭症には，乳幼児では水頭症や硬膜下血腫がある．脳容量が大きい巨脳症は，染色体異常や遺伝子変異，先天代謝異常など多くの原因があり，発達遅滞やてんかん，奇形を伴う．

(2) 小頭症（microcephaly）

脳容量が小さい以外には目立った異常を認めない真性小頭症は，種々の遺伝子変異が原因であり，知的障害を伴う．

ほかの神経疾患に伴う症候性小頭症には，染色体異常〔Down（ダウン）症候群など〕や脳奇形（滑脳症など），先天代謝異常症，神経変性疾患など多くの疾患がある．

その他の原因に先天感染症や頭蓋縫合早期癒合症，後天性脳障害（頭部外傷や周産期脳障害，髄膜炎など）がある．

(3) 頭蓋縫合早期癒合症（➡68 ページ）

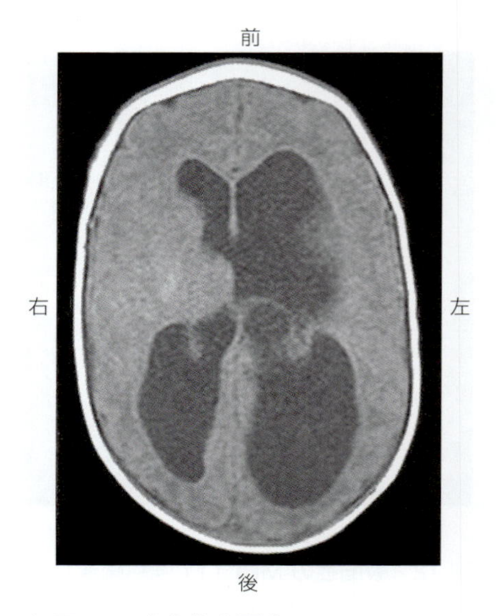

▶図14　出血後水頭症の CT
早産未熟児で左脳室内出血後の水頭症．

d 水頭症（hydrocephalus）

脳脊髄液は，4つの脳室内の脈絡叢で産生され，両側脳室より脳室間孔〔Monro（モンロー）孔〕を経て第3脳室へ，その後中道水道を経て第4脳室へ流出し，さらに第4脳室正中孔・外側孔〔Magendie（マジャンディー）孔・Luschka（ルシュカ）孔〕から脳表および脊髄表面に循環して静脈に吸収される．この脳脊髄液の産生過剰か循環・吸収障害が原因で，脳脊髄液が脳室や脳表面に貯留した状態を水頭症という．

病型分類と原因

- 非交通性水頭症：上記の髄液の循環のいずれかの部位で，流れが遮断されたことにより生じる場合を指す．水頭症の多くはこのタイプであり，Chiari 奇形Ⅱ型（▶図10）や中脳水道閉鎖，Dandy-Walker 症候群，脳腫瘍などが主な原因である．
- 交通性水頭症：脳脊髄液の産生過剰もしくは吸収障害で生じる場合をさす．早産児の脳室内出血後の水頭症が代表である（▶図14）．

症状　新生児・乳児では意識障害，哺乳障害，嘔吐，落陽現象（眼球が下方へ偏倚），頭位拡大，大泉門膨隆，頭蓋縫合離開などを認める．年長児で，水頭症が急激に生じた場合には嘔吐と頭痛（特に早朝）が顕著である．緩徐に生じる場合には，不機嫌，嘔吐，食欲低下，眼球運動障害，視力障害などがみられる．

治療 新生児・乳児は主に脳室-腹腔シャント手術が行われる（▶図15）．1歳以降の非交通性水頭症には，内視鏡による第3脳室底開窓術が行われることがある．

管理 脳室-腹腔シャント手術後の感染症（脳室炎，髄膜炎，腹膜炎）では発熱，頭痛，嘔吐などを認める．シャント機能不全（閉塞）では，嘔吐と頭痛，不機嫌，食欲低下などを認める．いずれも早期に治療しなければ危険な状態となる．

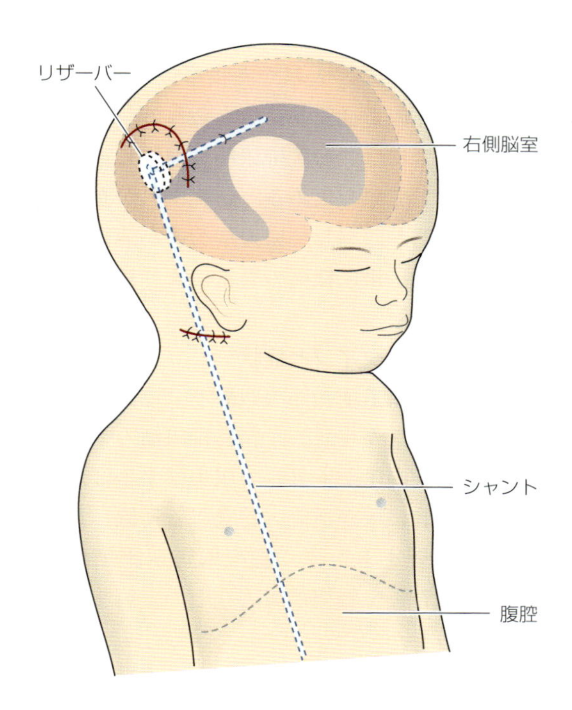

▶**図15 脳室-腹腔シャント（VPシャント）**
シャントは脳室と腹腔をつないでいるが，頭皮下にあるリザーバーにより，髄液の流れる方向（脳室→腹腔）と圧の調整をする．
〔McCarthy, G.T. (ed.)：Physical Disability in Child-hood. p. 215, Churchill Livingstone, 1992 より改変〕

e 神経因性膀胱（neurogenic bladder）

神経因性膀胱とは，排尿に関連する大脳や脳幹，脊髄，末梢神経の障害によって生じる排尿障害である．小児では，二分脊椎などの脊髄疾患が主な原因であるが，重度の脳機能障害にもしばしば合併する．

排尿機構（▶図16） 排尿中枢は，大脳皮質と脳幹，胸腰髄，仙髄にあり，膀胱からの感覚情報

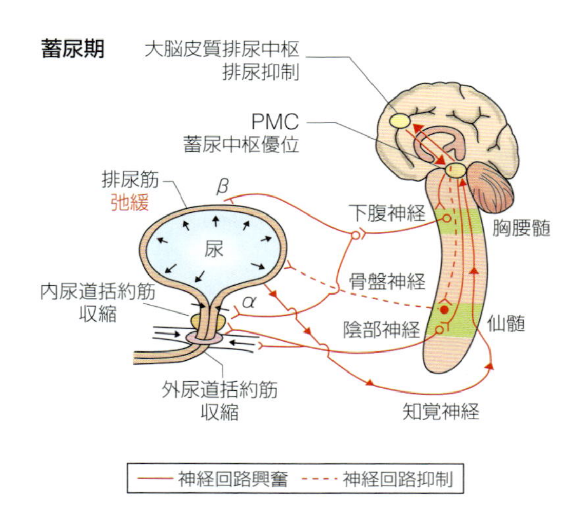

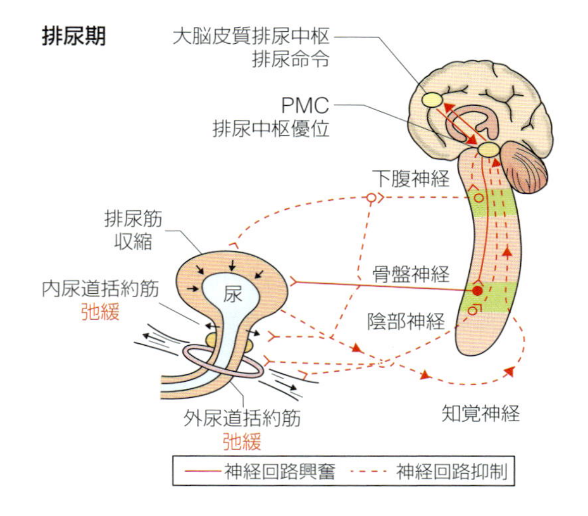

▶**図16 排尿のメカニズム**
PMC：橋排尿中枢
（多田 実．排尿機能とその発達．小児外科 39．p. 872，2007 より）

（尿がどれくらいたまっているか）が脊髄を経て大脳に伝えられる．大脳から指令は脊髄を経て，膀胱排尿筋と尿道括約筋に伝えられる．膀胱に尿が少ない場合には，膀胱排尿筋は弛緩し，尿道括約筋は収縮して尿をためる．膀胱に尿が充満すると膀胱排尿筋が収縮し，尿道括約筋が弛緩して排尿する．蓄尿・排尿機構の異常により神経因性膀胱が生じる．

神経因性膀胱のタイプと症状

- 蓄尿障害：尿道括約筋の収縮不全では，蓄尿できずに尿失禁が生じる．膀胱排尿筋の弛緩不全では，膀胱内圧が上昇して尿失禁するほか，膀胱から尿管に尿が逆流（膀胱尿管逆流）し，水腎・水尿管をきたす．膀胱尿管逆流が高度だと，腎盂腎炎や腎機能障害などの重篤な状態に進行する．
- 排尿障害：膀胱排尿筋収縮不全では，膀胱内の尿を完全に排出できないため，残尿をきたし，尿失禁や尿路感染（主に膀胱炎）を引き起こす．排尿時に尿道括約筋が弛緩しない場合には，膀胱内圧が上昇し，膀胱尿管逆流の原因になる．

管理　目標は，腎機能保持と尿路感染症対策，尿失禁対策である．乳幼児期は，腎機能保持と尿路感染症対策が中心であり，学童期には尿失禁対策が重要になる．二分脊椎の場合には，排尿障害のタイプが障害部位により異なり，両方のタイプが混在することもある．乳幼児期に症状が進行するため，慎重な管理が必要である．残尿が多い場合や膀胱内圧が高い場合には，清潔間欠導尿法（カテーテルを尿道より挿入し，膀胱にたまった尿を排出する）や薬物治療が行われる．学童期には，自分で導尿できるように指導を行う．

2 先天性中枢神経疾患

a 神経皮膚症候群

(1) 結節性硬化症（tuberous sclerosis）

常染色体優性（顕性）遺伝であるが，孤発例（突然変異）が約半数である．*TSC1* あるいは *TSC2* の遺伝子変異が原因である．出生時より体幹に葉状白斑を認める．点頭てんかん（➡97ページ）をはじめとするてんかん発作で病院を受診することが多い．点頭てんかんを発症した症例は知的障害が重い．年齢とともに皮膚や腎臓の良性腫瘍が増大する．

顔面血管線維腫は，学童期からみられるようになり，徐々に増大する（▶図17）．腎腫瘍（血管筋脂肪腫）は思春期以降に出現し増大する．結節性硬化症に生じた脳腫瘍，腎腫瘍，肺腫瘍には抗腫瘍薬（mTOR 阻害薬）が有効である．

(2) 神経線維腫症1型〔Neurofibromatosis type 1，von Recklinghausen（フォン・レックリングハウゼン）病〕

常染色体優性（顕性）遺伝であるが，約半数は孤発例である．*NF1* 遺伝子の変異が原因である．小児期は多発性のカフェオレ斑のみのこともある（▶図18）．神経線維腫（皮下腫瘤）や骨病変，

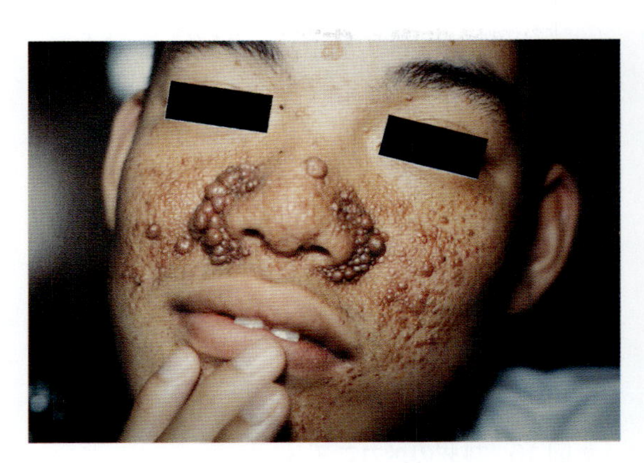

▶**図17　結節性硬化症**
鼻側の血管線維腫，顔面に血管線維腫を多数認める．

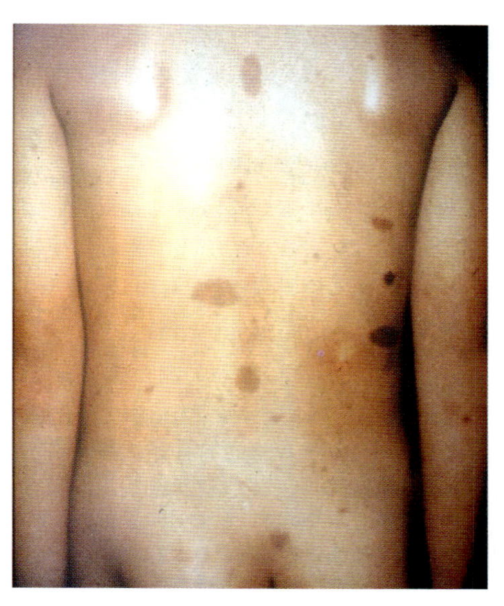

▶図 18　神経線維腫症 I 型のカフェオレ斑
多数散在している．

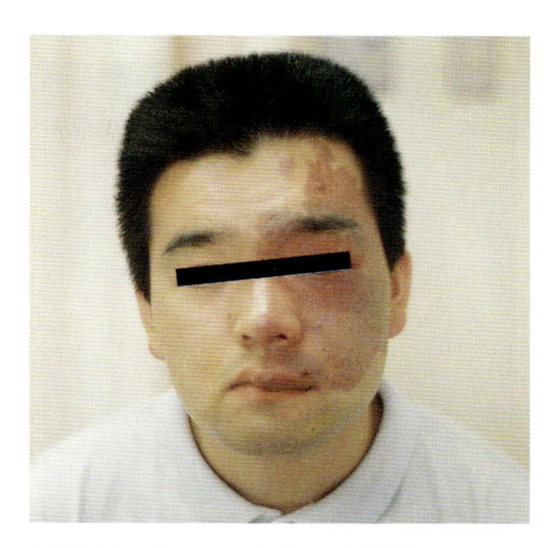

▶図 19　Sturge-Weber 症候群
左側顔面に血管腫を認める．

低身長，巨脳症，脳血管障害など多彩な症状を認める．学習障害や多動を高率に認める．

(3) Sturge-Weber（スタージ・ウェーバー）症候群

三叉神経領域の顔面血管腫（▶図 19）と脳軟膜血管腫，緑内障（眼圧上昇）を認める．原因は不明である．脳軟膜血管腫により，てんかんを生じ難治に経過する．脳軟膜血管腫の部位に対応した神経症状（運動麻痺や半盲，知的障害など）を呈する．

b 神経変性疾患・先天代謝異常症

神経変性疾患・先天代謝異常症は，小児期に発症し症状が徐々に進行する．非常に多くの疾患があるが，それぞれ数万～数十万人に 1 人の発生頻度である．ミトコンドリア病は比較的頻度が高い．

(1) 脊髄小脳変性症

主に脊髄と小脳の変性をきたす疾患群であり，遺伝子異常が原因の疾患が多い．進行性の経過を取る．

①遺伝性痙性対麻痺

家族性あるいは孤発性に発症し，対麻痺が徐々に進行する．痙性歩行がみられる．

②歯状核赤核淡蒼球ルイ体萎縮症
(dentatorubral pallidoluysian atrophy；DRPLA)

常染色体優性（顕性）遺伝で，世代ごとに発症が早く症状が重くなる（トリプレットリピート病 ➡63 ページ）．*ATN1* 遺伝子の CAG リピートの伸長が原因である．精神遅滞・知能退行，てんかん，ミオクローヌス，運動失調を認める．

(2) ミトコンドリア病

エネルギー産生する細胞内小器官であるミトコンドリア機能異常が原因で，脳（知能障害とてんかん），筋（筋力低下），難聴，低身長，糖尿病など多彩な症状を呈する．症状は進行性であり，感染症などで急激に悪化することがある．ミトコンドリア遺伝子（母系遺伝）と核遺伝子〔常染色体優性（顕性），劣性（潜性）〕の異常のいずれの場合もある．

①Leigh（リー）脳症（▶図 20）

乳幼児期に発達遅滞，筋緊張低下，不随意運動，眼振などを呈する．

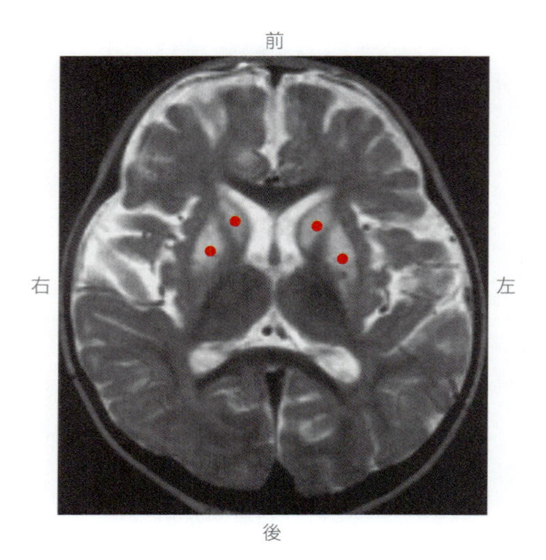

▶図 20　Leigh 脳症の MRI（T2 強調画像）
両側線条体に高信号を認める（●）.

②乳酸血症と脳卒中様発作を伴うミトコンドリア脳筋症（mitochondrial myopathy, encephalopathy, lactic acidosis, and stroke-like episodes；MELAS ➡62 ページ）

(3) ライソゾーム病

細胞内物質の分解を行う小器官（ライソゾーム）内の酵素欠損が原因である（➡72 ページ）.

3 中枢神経に異常をきたすその他の疾患

a 脳腫瘍

脳腫瘍は白血病に次いで多い小児がんである．神経膠腫（その中でも星細胞腫と上衣腫が多い）が最も多く，次いで胚細胞腫瘍，髄芽腫，頭蓋咽頭腫である．また，治療後の晩期障害にも注意が必要である．頭蓋内圧亢進症状（頭痛と嘔吐）や水頭症，脳局所症状（運動麻痺や失調，言語障害，視覚障害，脳神経障害など）を生じる．

(1) 星細胞腫（astrocytoma）

視神経，視床，視床下部，小脳半球，脳幹に発生する．神経線維腫症 1 型の 20% に視神経膠腫を合併する．脳幹グリオーマは，予後不良のことが多い．大脳・小脳半球の星細胞腫は，全摘出ができれば予後はよい．

(2) 上衣腫（ependymoma）

側脳室周囲と第 4 脳室周囲に生じやすい．水頭症をきたすことがある．全摘出できれば予後はよい．腫瘍摘出後に放射線療法が行われる．

(3) 髄芽腫（medulloblastoma）

小脳虫部に発生し，体幹失調と水頭症を生じる．5～6 歳が発症のピークである．摘出術と放射線治療，化学療法を組み合わせて行われる．

(4) 頭蓋咽頭腫（craniopharyngioma）

胎生期下垂体前葉の原基となる Rathke（ラトケ）嚢の遺残が腫瘍化したものと考えられている．下垂体ホルモンの分泌低下（成長障害，尿崩症）や視神経圧迫症状（視野・視力障害）が主症状である．摘出後に残存腫瘍があれば放射線治療を行う．術後にホルモン補充療法が必要である．生命予後は良好である．

(5) 胚細胞性腫瘍（germ cell tumor）

下垂体と松果体，大脳基底核に発生する．ホルモン分泌低下症状や水頭症，運動症状（錐体外路症状）が主症状である．放射線療法を主体とし，組織型により放射線療法と化学療法を組み合わせる．

(6) 晩期合併症

脳腫瘍を含めた小児がんの治療成績は改善し，治癒例が増えている．一方で，治療に関連した晩期合併症が問題になってきている．知能障害や高次脳機能障害，内分泌障害（低身長や下垂体・甲状腺・性腺機能異常），内臓機能障害，免疫異常などがおこりうる．長期生存例には，二次がん（別の腫瘍が生じる）のリスクがある．また，心的外傷後ストレス症状などの心理的な問題も生じる．

b 脳血管障害

(1) 頭蓋内出血

①新生児頭蓋内出血

早産児では，脳室上衣下出血と脳室内出血が多く，正期産児には，くも膜下出血や硬膜下血腫が多い．新生児頭蓋内出血は，未熟性や出血性素因，低酸素血症，血管奇形，分娩外傷などさまざまな要因が関連する．早産児の重度の脳室内出血は，水頭症の原因となる（➡90 ページ）．また，出血による脳実質障害で知能障害や運動障害，てんかんをきたす．

②新生児期以降の頭蓋内出血

頭部外傷のほかでは，脳血管奇形（血管腫，動静脈奇形）と脳腫瘍が原因のことが多い．その他の原因として，先天性凝固因子異常（血友病など）や血小板減少（血小板減少性紫斑病），ビタミンK欠乏症，播種性血管内凝固症候群（DIC），白血病などがある．

(2) 脳梗塞

①新生児脳梗塞

新生児仮死や感染症，多血症，先天性心疾患，血液凝固異常などが関連する．部位と程度により知能障害や運動障害が後遺症としてみられる．周産期には気づかれず，片麻痺症状から画像診断される例がある．

②乳児期以降の脳梗塞

原因としてもやもや病が最も多く，他には血管炎（水痘や自己免疫性），血管異常（動脈解離，血管奇形），凝固障害（先天性，抗リン脂質抗体症候群），先天性心疾患，頭部外傷，先天代謝異常症などがある．

(3) もやもや病〔moyamoya disease, Willis（ウイリス）動脈輪閉塞症〕

両側内頸動脈終末部が慢性進行性に狭窄する疾患である．小児期の好発年齢は5～10歳である．3歳未満の発症例では進行が速く，脳梗塞のリスクがある．小児は一過性脳虚血発作が多く，痙攣発作や意識障害，脱力，不随意運動などの症状を呈する．泣くなどの過呼吸で誘発される．小児でも脳梗塞や脳出血をきたすことがある．診断はMRAで行う（▶図21）．

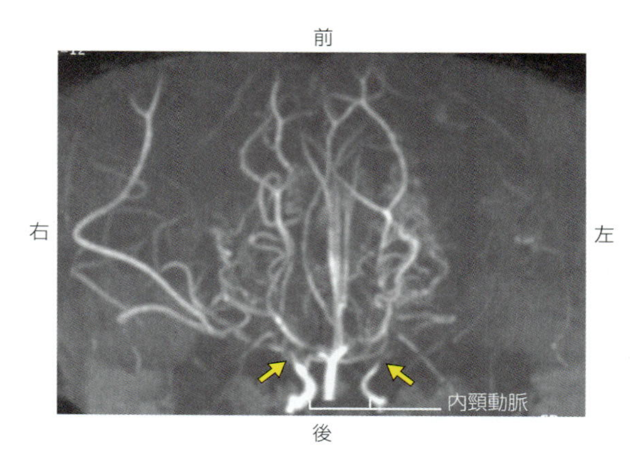

▶図21　もやもや病のMRA（正面像）
両側内頸動脈終末部が狭窄している（矢印）．特に左は狭窄が高度で中大脳動脈が描出されていない．

治療は，脳血管吻合術が行われる．成人になると脳出血のリスクがある．

c 頭部外傷

小児は，成人とは異なる臨床像を呈することがある．乳児の頭蓋内出血の原因は虐待が多い．

(1) びまん性軸索損傷

頭部に回転性の外力が加わることにより，白質の軸索（神経線維）が断裂することで生じる．頭部CTでは異常を認めず，MRIで微小出血を認める．画像所見に比して意識障害が強い．高次脳機能障害を残しやすい．

(2) 脳震盪

頭部外傷による意識障害で，数時間以内に回復する．頭部画像検査で異常を認めず，後遺症を認めない．

(3) 脳実質損傷

打撲した直下の脳組織が挫滅するもので，小児の頭蓋骨は柔らかいため反対側の脳障害は少ない．

(4) 急性硬膜下血腫

くも膜と硬膜の間に生じる血腫で，小児の頭蓋

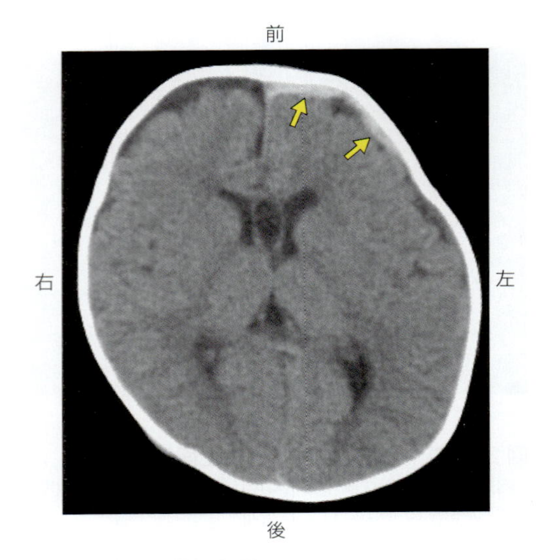

▶図22　硬膜下血腫のCT
左前頭部に硬膜下血腫を認める（矢印）

内血腫で最も多い．乳児の硬膜下血腫の原因は虐待が多いといわれている（▶図22）．血腫による圧迫と脳挫傷で，嘔吐，意識障害，痙攣，運動麻痺などが生じる．血腫が大きい場合には，開頭血腫除去術が行われる．脳実質障害が軽度であれば予後はよい．

(5) 硬膜外血腫

頭蓋骨と硬膜の間に生じた血腫であり，年長児の頭部外傷でみられる．血腫の圧排による頭痛と嘔吐が主な症状である．血腫が増大すると意識障害をきたすことがあり，開頭血腫除去術が行われる．脳実質障害がなければ予後は良好である．

(6) 頭蓋骨骨折

小児の骨は弾力性があるため，成人と異なり陥没骨折が多い．乳幼児の線状骨折では，髄液が皮下や鼻，耳から漏出することがある（髄液漏）．頭部・顔面の骨折の診断には，頭部CT（3D）が有用である．

d 頭痛

小児は頭痛の有病率が高い．頭痛単独の一次性頭痛には，片頭痛と緊張型頭痛，群発頭痛がある．感染症や頭部外傷，脳腫瘍，てんかん発作など，他の原因による二次性頭痛のほうが多い．

(1) 片頭痛

日本人小児の片頭痛有病率は，中学生で4.8%，高校生で15.6%とされ女児に多い．片側性の拍動性頭痛が数時間〜3日持続する．年少児では両側性の場合がある．悪心，嘔吐，光・音過敏を伴う．視覚症状（ギラギラした光や点，線）や感覚症状（チクチクする），失語などの前兆を伴う場合は，前兆のある片頭痛という．

頭痛発作時の治療には，鎮痛薬とトリプタンが有効である．頭痛の頻度が高い場合には，予防内服が検討される．小児期に寛解する例（40%）や成人まで継続する例（40%），緊張型頭痛に移行する例（20%）など予後はさまざまである．片頭痛の小児特殊症候群には，周期性嘔吐症（嘔吐発作の反復）や腹部性片頭痛（反復性の腹痛）がある．

(2) 緊張型頭痛

両側性，非拍動性の締めつけるような頭痛が数時間から7日持続する．頭痛発作時治療には，鎮痛薬が有効である．頭痛の頻度が高い場合には，予防内服が検討される．

D てんかん

てんかんとは，脳の神経細胞の過剰興奮により発作を反復する慢性疾患である．脳炎や脳出血などの急性期に生ずる発作はてんかんではない．てんかん有病率は約1%とされ，乳幼児期〜小児期と老齢期に発症のピークがある．

小児てんかんの約2/3は，神経所見を認めず発達は正常で，頭部画像検査でも異常を認めない．約1/3は既存の脳障害に関連して生じる．先天性の要因としては脳形成異常や染色体異常，神経皮膚症候群が主なものであり，周産期脳障害としては低酸素性虚血性脳症や頭蓋内出血が主なものである．

後天性脳障害は，脳炎や細菌性髄膜炎，急性脳

▶表6 主なてんかん発作

発作分類	症状の例
欠神発作	意識消失するが倒れない
定型欠神発作	急激に生じ，急激に終了する5～10秒の意識消失
非定型欠神発作	緩徐に生じる意識消失，あるいは意識消失が不完全
ミオクロニー発作	全身あるいは体の一部を一瞬ピクつかせる
間代発作	四肢あるいは体の一部をガクガクする（1秒間に1～3回のリズム）
強直発作	全身あるいは体の一部を固くする
強直間代発作	全身を固くしてからガクガクする
脱力発作	急激に全身の力が抜ける
てんかん性スパズム	頭部をゆっくり前屈し，四肢に力が入る（1秒程度）
自動症発作	物を持ったり離したりする

症，頭部外傷が主な原因である．脳性麻痺の40%，中等度～重度知的障害の30%，自閉スペクトラム症の10～30%，注意欠如・多動症（注意欠陥・多動性障害）の2%にてんかんを合併する．

1 てんかん発作分類とてんかん症候群分類

てんかん発作は，全般起始発作と焦点起始発作に二分類される．全般起始発作とは，両側大脳半球が同時に興奮して生ずる発作であり，焦点起始発作は脳の一部が興奮して生ずる発作である．主なてんかん発作を**表6**に示す．大部分のてんかん発作は数秒から2～3分以内に自然に止まる．稀に30分以上持続する発作（てんかん重積状態）が生じる患児がいるので，救急対応が必要となる．

てんかん症候群は，全般起始発作をきたす全般てんかんと，焦点起始発作をきたす焦点てんかんに分類する．両方の発作型をもつてんかん症候群や，いずれにも分類できないてんかん症候群も存在する．

2 代表的な小児てんかん症候群

a 全般てんかん

(1) 小児欠神てんかん (childhood absence epilepsy)

5～7歳が発症のピークである．発作は10秒前後の意識消失であり（欠神発作），1日数十回おこる．発作中には動作停止することが多いが，倒れない．バルプロ酸やエトスクシミド，ラモトリギンで速やかに発作は抑制される．

(2) 若年ミオクロニーてんかん (juvenile myoclonic epilepsy)

12～18歳が発症のピークである．両上肢の一瞬のピクつき（ミオクロニー発作）と全般性強直間代発作が覚醒から1時間以内におこる．バルプロ酸やラモトリギン，レベチラセタムで発作は抑制される．服薬を中止すると再発するので長期内服が必要である．

(3) 点頭てんかん (infantile spasms)/West（ウェスト）症候群

ほとんどが1歳未満に発症し，ピークは3～7か月である．頭部を前屈して両上肢を挙上する一瞬の発作（スパズム）を数秒～10秒間隔で数分間にわたり繰り返す（シリーズ形成）．発症後に不機嫌となり発達が退行する．基礎疾患として多いのは，周産期脳障害（脳性麻痺）や結節性硬化症，Down症候群，先天性代謝異常である．ビガバトリンと副腎皮質刺激ホルモン（ACTH）が有効である．基礎疾患に関連した知的障害や運動障害，自閉性障害をほとんどの症例で認める．

(4) Lennox-Gastaut（レンノックス・ガストー）症候群

既存の脳障害（知的障害や運動麻痺）があり，1〜8歳に強直発作を主体にミオクロニー発作や非定型欠神発作など複数の発作型を同時期に認める．点頭てんかんから移行する場合もある．きわめて治療抵抗性のてんかんである．急激に転倒するdrop attack（転倒発作）には脳梁離断術が有効である．

(5) ミオクロニー脱力発作を伴うてんかん (epilepsy with myoclonic astatic seizure)

好発年齢は1〜6歳である．発症前の発達は正常で器質的脳障害は伴わない．ミオクロニー発作や脱力発作により急激に転倒する（失立発作）．強直発作や非定型欠神発作も伴う．治療抵抗例では発達の遅れや失調が徐々に顕在化する．薬剤抵抗例には，ケトン食療法やACTH療法が試みられ，有効な場合がある．

(6) 大田原症候群/サプレッション・バーストを伴う早期乳児てんかん性脳症 (early infantile epileptic encephalopathy with suppression-burst)

新生児期から生後3か月までに発症する．点頭てんかんに類似したスパズムが頻発する．脳形成異常を認めることが多い．きわめて治療抵抗性で，点頭てんかんに移行することが多い．

b 焦点てんかん

(1) 中心・側頭部に棘波を持つ小児てんかん (childhood epilepsy with centro-temporal spikes)

最も多いてんかんである．発症のピークは5〜8歳である．睡眠中の片側顔面痙攣，流涎が主症状である．発作回数は少なく，ほぼ完治する．

(2) 後頭部に突発波をもつ小児てんかん (childhood epilepsy with occipital paroxysms)/Panayiotopoulos（パナエトポラス）症候群

3〜6歳が発症のピークである．睡眠中の嘔吐，眼球偏倚，チアノーゼ，意識混濁が主症状である．1回の発作は長く持続する傾向がある．発作回数は少なく，ほぼ完治する．

(3) その他の焦点てんかん

原因はさまざまである．大脳の発作焦点の部位により，前頭葉てんかん，側頭葉てんかん，頭頂葉てんかん，後頭葉てんかんに分けられる．それぞれ発作焦点の近傍の脳機能が発作症状として現れる．たとえば，手の一次運動野近傍に発作焦点がある場合には，対側の手の痙攣が発作症状である．治療抵抗例には外科手術が検討される．

c 全般焦点合併てんかん

(1) 乳児重症ミオクロニーてんかん (severe myoclonic epilepsy)/Dravet（ドラベ）症候群

乳児期に発熱や入浴が誘因で全身性あるいは片側の間代発作を頻繁におこす．発作持続が長く，しばしば重積発作となる．ミオクロニー発作を含むさまざまな無熱性発作が1歳以降に漸次加わり，発達遅滞と多動，自閉傾向，歩行失調が顕在化する．発作は難治に経過するが，学童期以降に減少する．多くの症例でNaチャネル（*SCN1A*）の遺伝子変異を認める．

(2) 睡眠時持続性棘徐波を示すてんかん (continuous spikes-and-waves during sleep)

4〜5歳の発症が多い．既存の脳障害があり，てんかんの経過中に生じる．発達の退行や活気の低下，多動などの症状をきたし，睡眠時脳波では大部分を棘徐波が占める．てんかん発作は多くない．ステロイドなどの特殊治療を要し，脳波の改善とともに神経活動が回復する．

(3) 後天性てんかん性失語〔Landau-Kleffner (ランドー・クレフナー) 症候群〕

2〜8歳（ピークは5〜7歳）におこる．てんかんの経過のなかで（てんかん発作を認めない例も稀にある），聴覚失認，発語の低下をきたす．年少児の場合は難聴や自閉症と間違われることがある．意識障害はなく，多動性を認める．睡眠時脳波の大部分を棘徐波が占める．てんかん発作は多くない．ステロイドなどの特殊治療を要し，脳波の改善とともに失語が回復する．

3 特殊症候群とてんかん類似の発作性疾患

a 特殊症候群（状況関連発作）

(1) 熱性痙攣（febrile seizure）

38℃以上の発熱に伴って生じる痙攣で，生後6か月から5歳までにおこる（ピークは1〜2歳）．脳炎などは除外される．5分以内の全身痙攣である．発作は1〜2回のみのことが多く，5歳までにおさまる．時に，発熱のたびに痙攣を繰り返す例もある．繰り返す場合は，ジアゼパム坐薬で予防する．

(2) 孤発発作（isolated seizure）

誘因なく生じた発作は，その後約半数で再発してんかんと診断される．残り半数は1回きりの発作（孤発発作）であり，てんかんとは診断されない．

b てんかん類似の発作性疾患

(1) 憤怒痙攣（breath-holding spell）

生後6か月〜2歳くらいに好発する．啼泣時の最初の呼気で呼吸を停止して，そのまま意識消失，チアノーゼを呈するチアノーゼ型と，痛みなどの刺激でただちに泣くこともなく顔面蒼白となる蒼白型がある．意識消失から痙攣発作に進展する場合がある．いずれも自然に消失する．

(2) 身震い発作（shuddering attack）

5〜6か月以降の乳幼児におこりやすい．冷水を背中に浴びたときのように，体幹・上腕・顔に力を入れ2〜3秒ブルブル振るわせる．意識は保たれ，転倒しない．自然に消失する．

(3) 失神（syncope）

一過性の脳血流低下により意識消失するもので，時に痙攣発作を生じる．原因として起立性低血圧と迷走神経反射が多いが，QT延長症候群などの不整脈が原因のことがある．

(4) 発作性運動誘発性舞踏アテトーゼ

好発年齢は8〜14歳である．運動開始時に突然上肢あるいは下肢に舞踏運動やジストニアを生じ，2〜3分以内に治まる．意識障害はない．少量の抗てんかん薬が著効する．乳児期に痙攣を生じる例もある．

4 主な抗てんかん薬の副作用

（▶表7）

薬の副作用には，投与開始初期に生じる薬剤性過敏症症候群（薬疹）と慢性期に生じる眠気や行動異常がある．後者は薬剤投与量に比例して緩徐に出現するため，抗てんかん薬の血中濃度測定などを定期的に行う．副作用は多剤併用でおこりやすい．

E 脳性麻痺

脳性麻痺は単一の疾患ではなく，運動と姿勢の異常を主とする疾患の総称である．胎児が母体の中にいるときから，出生後4週間までに生じた脳の障害により発症する．脳障害の原因はさまざまであるが，脳の病態は非進行性である．

運動麻痺に加えて，①原始反射が残ること，②異常姿勢反射が出現すること，③正常姿勢反射活動が抑制されることの3点が関連しあって特異な姿勢・運動パターンをとり，定型発達とは異なる

▶表7　主な抗てんかん薬の副作用

一般名（略号）	主な商品名	主な副作用
バルプロ酸（VPA）	デパケンR，セレニカR	食欲亢進，手のふるえ，肥満，認知症様状態
カルバマゼピン（CBZ）	テグレトール	薬疹，眠気
ラモトリギン（LTG）	ラミクタール	薬疹，興奮，眠気
レベチラセタム（LEV）	イーケプラ	眠気
ペランパネル（PER）	フィコンパ	ふらつき，眠気
ラコサミド（LCM）	ビムパット	ふらつき，眠気
ゾニサミド（ZNS）	エクセグラン	尿路結石，発汗障害，高体温，精神病様症状，興奮，眠気，食欲低下
トピラマート（TPM）	トピナ	
ベンゾジアゼピン系薬剤（BZP）	マイスタン，リボトリール，ネルボン，セルシン，ホリゾン	眠気，ふらつき，興奮，気道分泌増加
フェノバルビタール（PB）	フェノバール，ワコビタール	薬疹，眠気，多動
フェニトイン（PHT）	アレビアチン，ヒダントール	ふらつき，眼振，歯肉肥厚，多毛
エトスクシミド（ESM）	エピレオプチマル，ザロンチン	薬疹，頭痛，痙攣発作の誘発
ガバペンチン（GBP）	ガバペン	眠気

▶表8　脳性麻痺の主な原因と麻痺型

	原因	麻痺型
早期産	脳室内出血（IVH）	
	水頭症	痙直型四肢麻痺
	脳室周囲出血性梗塞（PVHI）	片麻痺
	脳室周囲白質軟化症（PVL）	痙直型両麻痺，痙直型四肢麻痺
	核黄疸	アテトーゼ，ジストニア
	小脳病変	失調
正期産	低酸素性虚血性脳症（HIE）	
	基底核視床病変	アテトーゼ
	基底核視床＋中心溝周囲病変	アテトーゼ＋痙性
	多嚢胞性脳軟化症	痙直型四肢麻痺
	傍矢状部脳障害	痙直型両麻痺
	中大脳動脈梗塞	片麻痺
	脳室周囲静脈性梗塞（PVI）	片麻痺
	脳形成異常	片麻痺，四肢麻痺

運動発達の経過をたどる．

運動障害だけではなく，感覚障害，てんかん，認知・行動や社会的コミュニケーションの困難さを伴うことが多い．症状は年齢とともに変化するが，生涯にわたって続く．発生率は1～2人/1,000人出生と推定されている．

1 原因

脳性麻痺の原因は，脳形成異常，脳血管障害，中枢神経感染症，外傷，核黄疸など多彩である．脳形成異常や脳血管異常については，遺伝子異常や染色体異常などの脳障害の発生原因がわかっている疾患もある．脳性麻痺のリスク因子と考えられる病態としては，新生児仮死，脳室周囲白質軟化症，低酸素性虚血性脳症が多い．主な原因と麻痺型について**表8**に示す．

2 評価法

a 粗大運動

(1) GMFCS (gross motor functioning classification system, 粗大運動能力分類システム)

座位（体幹のコントロール），移乗および移動能力から5つのレベルに分類する．成長過程における姿勢や移動運動の発達による変化を踏まえて，2歳まで（早産児は修正月齢），2～4歳まで，4～6歳まで，6～12歳まで，12～18歳までの5つの年齢帯に分けて評価する．評価には，屋内と屋外や近隣と長距離での移動手段の違いを考慮するなど環境因子や個人因子を含める．

(2) GMFM (gross motor function measure, 粗大運動能力尺度)

運動課題を0～3の4段階のLikertスケールで採点する評価尺度で，88項目のGMFM-88，66項目のGMFM-66，さらに項目を絞ったGMFM-66-IS，GMFM-66-B&Cがある．手術療法，薬物療法，理学療法などさまざまな医療的介入の効果判定に用いられている．

b ADL

(1) Wee-FIM (こどものための機能的自立度評価法)

6か月～7歳程度の子どもを対象として，ADLの自立度と介護度を測定する．18項目（運動項目13，認知項目5）について，介護度に応じて7段階で評価し，総得点は18～126点の間に入る．6項目において小児での応用を考慮した修正が加えられている．

(2) PEDI (pediatric evaluation of disability inventory, 小児の能力低下評価表)

6か月～7.5歳の子どもを対象とする．セルフケア，移動，社会的機能の3領域に分けて，日常生活上の課題を行うために必要な能力や介助量，そして環境的調整の様式・程度を評価する．

(3) MACS (manual ability classification system, 手指操作能力分類システム)

ADLにおける手指操作能力についての重症度分類で，GMFCS同様に5つのレベルで評価する．

3 麻痺の分類と症状

a 運動障害の生理学的特徴による分類

(1) 痙直型

錐体路系障害による．筋緊張が高く，腱反射は亢進して自発運動は少なく，関節拘縮が生じやすい．伸張反射亢進状態にあり，他動的な関節運動では折りたたみナイフ現象がみられる．乳児期早期はむしろ筋緊張が低下していることが多い．

(2) 不随意運動型

錐体外路系障害による．姿勢の非対称性と，アテトーゼ，舞踏病様運動，ジストニアなどの不随意運動を特徴とする．筋緊張は低下から亢進した状態までさまざまで，運動や精神的緊張に伴い変動がみられる．

(3) 失調型

小脳に病巣があることが多い．筋緊張は低く，手足を的確な距離に出せない（推尺障害），バランスがうまくとれない（平衡障害），四肢運動の拙劣さ（協調運動障害），構音障害などがみられる．筋緊張は低い．

(4) 低緊張型

染色体異常などによる重度の知的障害を合併している子どもにみられやすい．筋緊張が一貫して低下，弛緩している．

b 運動障害の身体部位別分類（▶図23）

(1) 四肢麻痺

両側上下肢機能が障害され，上肢の麻痺が下肢よりも重度とされるが，臨床的にはどちらが重度であるかの判定は困難である．

痙直型の場合は，屈筋群の過剰緊張により運動

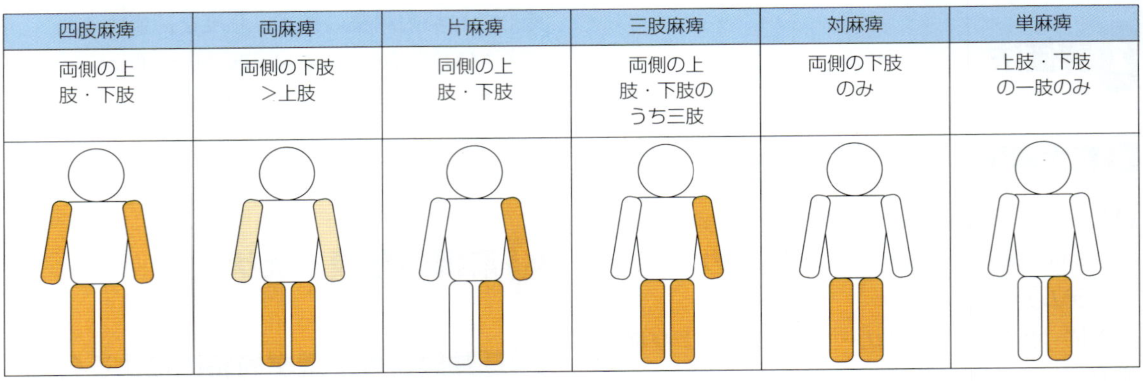

四肢麻痺	両麻痺	片麻痺	三肢麻痺	対麻痺	単麻痺
両側の上肢・下肢	両側の下肢>上肢	同側の上肢・下肢	両側の上肢・下肢のうち三肢	両側の下肢のみ	上肢・下肢の一肢のみ

▶図23　脳性麻痺の障害部位による分類
脳性麻痺にみられる痙直型両麻痺は下肢が優位のことが多い．左右差はあってよい．

性が低下し，後頸部伸展，胸腰椎屈曲，上下肢屈曲・内転・内旋位となりやすい．ときに片側の股関節が内転内旋し，反対側が外転外旋することがあり，風に吹かれた下肢（wind swept/blown legs）と呼ばれる．

アテトーゼ型は，重度では高緊張状態に拘束され，中等度では非対称的な姿勢運動パターンを利用して移動や上肢活動を行う．思春期に症状が悪化することもある．

いずれの型も運動障害が重度で，二次障害として股関節脱臼，脊椎側彎，胸郭変形が生じやすい．頸部の不随意運動があると頸椎症性脊髄症を発症するリスクが高い．構音障害，摂食・嚥下障害も生じやすく，ADLは全介助となることが多い．痙直型や混合型では，中等度～重度の知的障害，てんかんの合併が多い．

アテトーゼ型では知的機能は保たれることが多い一方で，聴覚障害や言語障害を伴いやすく，早期から代替コミュニケーションなどの配慮が必要である．

(2) 両麻痺

両側の上下肢機能が障害されているが，下肢が重度である．麻痺は左右差のあることが多い．頭部および上肢の随意性が比較的高いことに対して，骨盤帯の抗重力運動に必要な，腹部と殿部の同時収縮および下肢の分離運動が困難である．股関節は伸筋群の低活動と屈筋群の過活動により屈曲する．

抗重力姿勢では，両股関節の内転筋群が過剰に活動して両下肢がはさみ足肢位になる．歩行時の尖足やカガミ肢位などの異常肢位は治療の対象となる（▶図24）．独歩を獲得する場合もあるが，歩行機能の獲得は遅くとも7～8歳までである．2歳ごろに獲得された運動能力で，将来獲得される運動予後が予測される（▶図25）．

知的障害，視知覚や視空間認知機能，構成能力，運動企画などの高次脳機能障害，斜視など眼位異常を合併することが多い．自閉スペクトラム症や注意欠如・多動症などの発達障害にみられる発達特性を示す場合もある．家庭生活，学校や就労など社会参加において，運動障害だけでなく，併存する知的能力や認知・行動特性に応じた支援が重要である．

(3) 片麻痺

片側の上下肢機能が障害され，下肢よりも上肢の機能障害が重度である．多くは痙直型で，稀にアテトーゼ型がある．知的障害が重度でなければ，歩行は可能になる．ADLの範囲を広げるために，補助手を含めた両手操作ができるように早期から訓練することが有効である．

患肢に感覚障害がある場合は，運動麻痺が軽度であっても実用的に使用することは少ない．健側

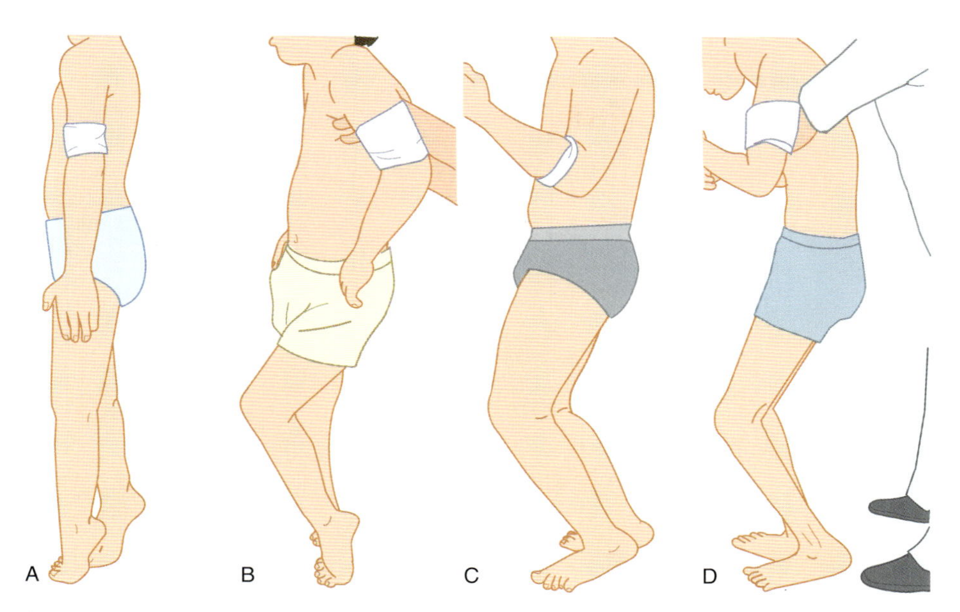

▶**図 24　歩容に影響する下肢肢位**
A：尖足，B：ジャンプニー，C：みかけの尖足，D：カガミ肢位

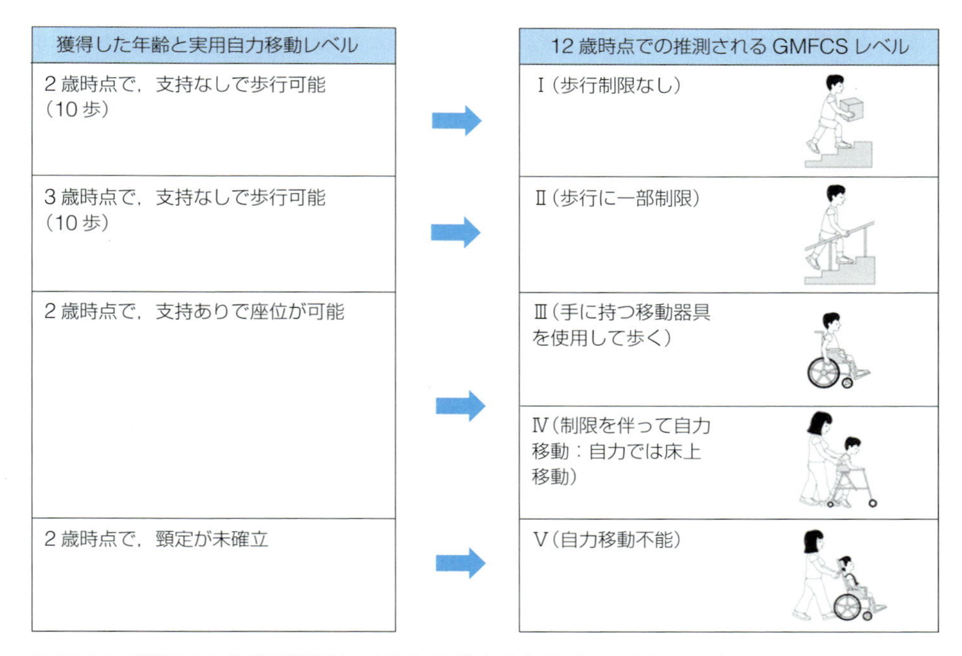

獲得した年齢と実用自力移動レベル		12 歳時点での推測される GMFCS レベル
2 歳時点で，支持なしで歩行可能（10 歩）	→	Ⅰ（歩行制限なし）
3 歳時点で，支持なしで歩行可能（10 歩）	→	Ⅱ（歩行に一部制限）
2 歳時点で，支持ありで座位が可能	→	Ⅲ（手に持つ移動器具を使用して歩く） Ⅳ（制限を伴って自力移動：自力では床上移動）
2 歳時点で，頸定が未確立	→	Ⅴ（自力移動不能）

▶**図 25　獲得できた実用移動レベルから推定される GMFCS レベル**
〔小崎慶介ほか：脳性麻痺．伊藤利之（監修）：こどものリハビリテーション医学　第 3 版．p. 138，医学書院，2017 より改変〕

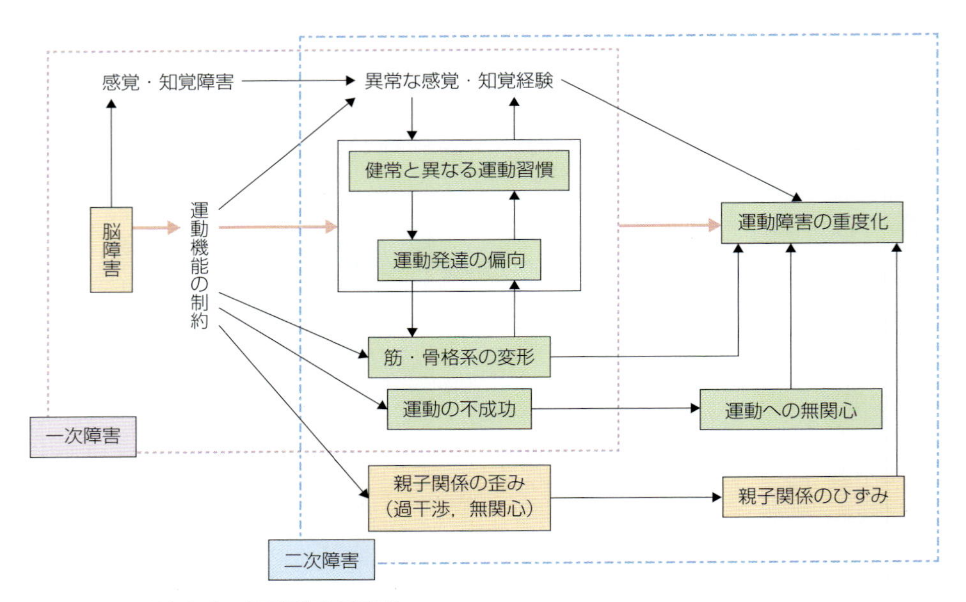

▶図 26　脳性麻痺の運動障害重度化
〔北原　佶：脳性麻痺．大橋正洋ほか（編）：小児のリハビリテーション　リハビリテーション MOOK 8. p. 4，金原出版，2004 より〕

と患側の肢長差は年齢とともに大きくなる．併存症として，てんかんや半盲が多い．

4 治療・支援

a 治療・支援の考え方

運動障害の重度化については，脳障害がもたらす一次障害と発達過程での個体と環境との相互作用による二次障害がある（▶図 26）．治療・支援では一次障害を軽減し，二次障害を予防することが目標となる．現在の医学では脳性麻痺を根治することはできない．乳幼児期から始まる家庭支援，療育，学校教育そして就労支援へと，ライフステージを通じたサポートが生活を安定したものにする．

治療は，リハビリテーションと装具療法が基本となる．痙縮が主体で拘縮が少ない場合は，経口抗痙縮薬，ボツリヌス療法，フェノールブロックなどのブロック治療，選択的後根切除術（selective dorsal rhizotomy；SDR），バクロフェン髄腔内投与療法（intrathecal baclofen therapy；ITB）などの痙縮治療が候補となる．股関節亜脱臼や尖足などの拘縮要素が強い場合は，軟部組織解離術など整形外科的治療が検討される．

本人への支援と同時に親への支援も重要となる．両親への障害告知と精神的援助は早期療育を進める第一歩となる．両親の最初の反応は，ショックと障害の否定，失望感，子どもへの同情と過保護などである．障害を受け入れるには，子どもの将来的な見通しを説明し，過度の不安を取り除く必要がある．家庭療育の指導により具体的なかかわり方を示すことは，親子関係の安定化や親の子育てのストレス軽減にも役立つ．ピアサポートは，親同士で悩みを相談したり体験を共有したりするもので，悩みを打ち明けられる仲間との出会いは精神的な支えとなる．

b ライフステージに応じた治療・支援

(1) 乳幼児期

乳児期～3歳ごろまでは運動発達を促進し，筋緊張異常を調整する運動療法が主となる．異常な姿勢・運動パターンが固定する傾向があるため，運動発達の促進においては姿勢・運動のバリエーションを誘導する．変形・拘縮予防にもつながる．3 歳ごろになると保育活動を通じた集団への参加，暦年齢および知的・運動発達に応じた ADL 訓練を行っていく．

3～4 歳ごろには，歩行が移動の主な手段になりうるかどうかの予測が可能となる．歩行不能と予測される場合は，杖，歩行器，車椅子の導入を積極的に検討する．座位姿勢の獲得は上肢機能や認知機能の獲得に影響する．姿勢保持機能に応じて椅子や座位保持装置などを検討する（➡NOTE-1）．

(2) 学童期～思春期

この時期に理学療法は，運動機能の獲得から機能維持が主目標に変わる．体格の成長に伴う変形や拘縮を予防し，二次障害による機能低下に注意する．装具や福祉用具を活用し，ADL の介助量軽減，活動の参加機会の拡大を目指す．屋内のみならず，屋外移動の手段についても検討する．

学校生活が中心となるため学校との連携は密に行い，身体活動に積極的に参加できるような配慮や，学習場面での姿勢設定，さまざまな道具や代替手段の活用を検討する．社会性や対人コミュニケーション技能を獲得するうえでも学校生活は重要となる．知的障害，認知機能障害による学習の困難さや，発達障害に類似する認知・行動特性による不適応や対人面でのトラブルが生じることがある．運動障害だけでなく，併存症の状態にも注意して支援を行う必要がある．

(3) 成人期

成人期になると運動する機会が格段に減るため，スポーツ，レクリエーション，職業活動などを通じて体力の維持・増強，変形・拘縮の予防を図る必要がある．40 歳以上の脳性麻痺の成人の約 30% に慢性的な痛みが存在する．マッサージやストレッチ，状態によっては薬物療法が適応となる．

頸椎症性脊髄症，側彎症，股関節脱臼など整形外科的治療が必要になる場合や，嚥下機能障害やそれに伴う誤嚥性肺炎による呼吸障害など二次障害にも注意が必要である．学校卒業後の社会参加は職場が主となるが，職場の人間関係や移動能力の低下・痛みなどにより就労継続が困難となる例が少なくない．適切な治療・支援によって社会参加を促すことは成人になってからも重要である．

NOTE

1 主な医療・福祉・補償制度

慢性の病気や重い障害を負った子どもと家族を支援するためにさまざまな医療・福祉の助成制度がある．それぞれ疾病や障害の状態で認可され，さまざまな支援を受けることができる．医療費助成や手当の支給の他，車椅子や補装具，保護帽などの日常生活用具の支給がある．福祉施設利用や公共交通運賃割引なども受けられ，自治体独自の支援もある．また，産科医療補償制度は分娩に関連して発生した重度脳性麻痺児（身体障害者手帳 1，2 級相当）と，その家族の経済的負担を補償するものである．

制度	対象	内容
小児慢性特定疾病	慢性疾患全般	医療費の助成，日常生活用具の給付
指定難病	希少難病	医療費の助成
自立支援医療	てんかん，精神障害，発達障害	医療費の助成
障害者手帳	身体障害＊，知的障害，精神障害，てんかん	医療費の助成，日常生活用具の給付，福祉施設利用
特別児童扶養手当	身体障害＊，知的障害，精神障害，てんかん	手当の支給
障害児福祉手当	重度の障害＊	手当の支給
産科医療補償制度	分娩に関連した重度脳性麻痺	補償金の支給

＊視覚障害，聴覚障害，肢体不自由，内部障害（心臓，呼吸器，腎臓）を含む

F 脊髄性疾患

大脳の運動指令は，脊髄を下行して脊髄前角細胞に伝えられる．脊髄前角細胞の軸索は，末梢神経となって四肢の骨格筋に信号を伝える．脊髄前角細胞および末梢神経が障害されると弛緩性麻痺（筋力低下）をきたし，それよりも上位の脊髄や脳幹・大脳に異常があると痙性麻痺をきたす．

1 脊髄性筋萎縮症（SMA）

脊髄性筋萎縮症（spinal muscular atrophy；SMA）は，脊髄前角細胞の変性，脱落により筋力低下をきたす進行性疾患である．*SMN1* 遺伝子変異のために，SMN 蛋白質の合成が低下する常染色体劣性（潜性）遺伝性疾患である．重症度により3病型に分類され，自然経過は以下のどおりである．知能は正常である．

(1) SMA Ⅰ型（Werdnig-Hoffmann 病）

Werdnig-Hoffmann（ウェルドニヒ・ホフマン）病は乳児期前半に発症し，フロッピーインファント（floppy infant）（➡NOTE-2）となる（▶図27）．座位を獲得することはなく，乳幼児期に症状が進行し寝たきりで呼吸障害，嚥下障害をきたす．2歳までに人工呼吸器を要する（➡Advanced Studies-1）．

(2) SMA Ⅱ型

18か月までに運動発達の遅れで発症する．座位を獲得するが立位保持と歩行は獲得しない．

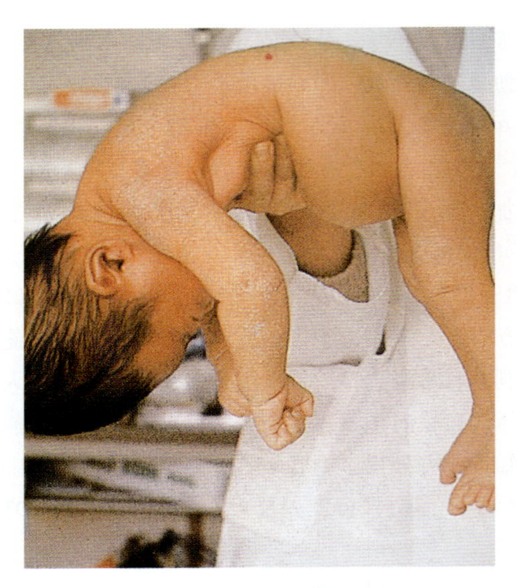

▶図27　Werdnig-Hoffmann 病
フロッピーインファント特有の inverted U（逆U字型）の姿勢になる．
〔埜中征哉，西野一三：臨床のための筋病理　第5版．p. 268，日本医事新報社，2021 より改変〕

(3) SMA Ⅲ型（Kugelberg-Welander 病）

Kugelberg-Welander（クーゲルベルグ・ウェランダー）病は，歩行獲得後の生後18か月以降に運動の遅れや筋力低下で発症する．症状の程度はさまざまである．

2 その他の脊髄疾患

a 急性横断性脊髄炎

詳細は，84ページを参照のこと．

b 視神経脊髄炎

詳細は，84ページを参照のこと．

NOTE

2 フロッピーインファント

新生児から乳児期に体がぐにゃぐにゃする状態を指す．四肢をあまり動かさず，蛙様の肢位をとる．フロッピーインファントを呈する代表的な疾患は，Werdnig-Hoffmann 病と先天性筋ジストロフィー，Prader-Willi 症候群である．

Advanced Studies

❶脊髄性筋萎縮症（SMA）の治療

近年，遺伝子導入治療と SMN 蛋白質を発現させる SMA 治療薬が開発された．Werdnig-Hoffmann 病患者に早期治療を開始すると，座位を獲得し，人工呼吸器を必要としない状態まで筋力が改善するようになった．

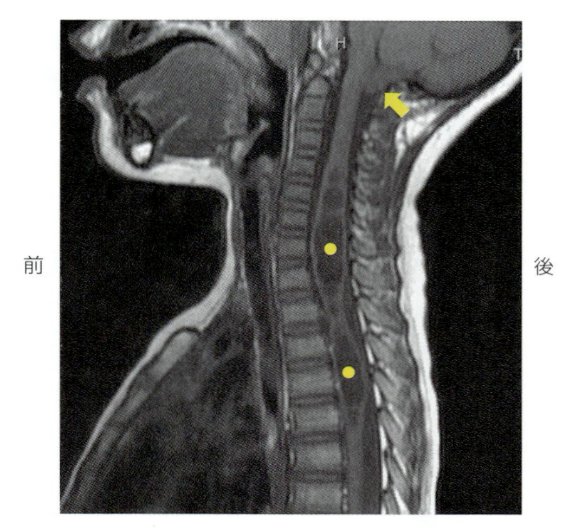

▶図 28　脊髄空洞症の MRI（T1 強調画像，矢状断）

下部頸髄から胸髄にかけて中心管の数珠状の囊胞様拡大を認める（●）．小脳扁桃が脊柱管内に陥入している（矢印，Chiari 奇形 I 型）．

c 脊髄梗塞

軽微な外傷をきっかけに生じる．前脊髄動脈領域が多い．梗塞の生じた脊髄レベルに応じた急性弛緩性運動麻痺（対麻痺や四肢麻痺），解離性感覚障害（温痛覚が障害され，触覚・深部覚は保たれる），膀胱直腸障害を生じる．急性期を過ぎると痙性麻痺となる．

d 脊髄の外傷（脊髄症）

Down 症候群では軸椎の形成不全のため，Klippel-Feil（クリッペル・フェイル）症候群では頸椎癒合のため，頸部の外傷で頸髄症をきたしやすい．四肢麻痺や呼吸障害が主症状である．

e 脊髄空洞症

脊髄中心管に液体貯留した状態であり，圧迫により神経症状をきたす．Chiari 奇形（▶図 28）に関連することが多い．上肢のしびれや痛み，頭痛，頸部痛が症状である．空洞の拡大に伴い，解離性感覚障害を生じることがある．

3 脊髄小脳変性症

詳細は，93 ページを参照のこと．

G 末梢神経障害

1 自己免疫性

a Guillain-Barré 症候群

Guillain-Barré（ギラン・バレー）症候群は，カンピロバクターやサイトメガロウイルス，マイコプラズマなどの感染症に引き続いて生じる急性脱髄性疾患である．末梢神経を構成する糖脂質に対する自己抗体（抗ガングリオシド抗体；血清抗 GM1 抗体，抗 GD1a など）が発症に関与する．軸索型（軸索が変性脱落する）と脱髄型（急性脱髄が生じる）があり，末梢神経伝導検査（➡78 ページ）で診断する．

下肢から発症し，上肢にかけて上行する弛緩性運動麻痺が主症状で，左右対称性である．呼吸筋麻痺や球麻痺，顔面神経麻痺を伴うことがある．発症から 4 週までに進行して症状のピークを迎え，以後ゆっくり回復する．免疫グロブリン大量静注療法や血漿交換療法が行われる．完全回復する場合が多いが，筋力低下と筋萎縮を後遺症に残す場合もある．

b Fisher 症候群

Fisher（フィッシャー）症候群は，感染症後に急激に発症し，外眼筋麻痺と運動失調，腱反射消失を呈する．抗ガングリオシド抗体の 1 つである血清抗 GQ1b 抗体を高率に認める．予後は良好である．免疫グロブリン大量療法が行われる．

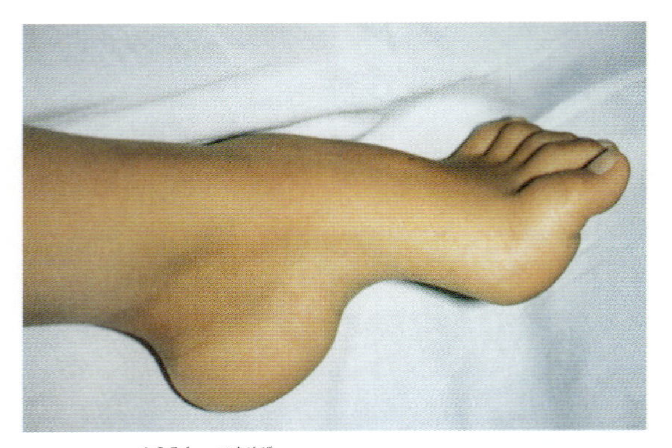

▶図 29　凹足と槌指

c 慢性炎症性脱髄性多発神経炎（CIDP）

慢性炎症性脱髄性多発神経炎（chronic inflammatory demyelinating polyneuropathy；CIDP）は，2か月以上にわたり緩徐に進行する四肢の運動麻痺と感覚障害が主症状である．末梢神経伝導検査で診断する．治療は，副腎皮質ステロイドと免疫グロブリン大量静注療法，血漿交換療法が行われる．再発を繰り返す例がある．

d 急性顔面神経麻痺

特発性（原因不明）の急性顔面神経麻痺は，Bell（ベル）麻痺という．麻痺側の口角が上がらず鼻唇溝が浅い．小児は完全回復することが多い．耳介や外耳道に水疱を認める場合には水痘帯状疱疹ウイルスが原因であり，Hunt（ハント）症候群という．抗ウイルス薬治療を行う．

2 遺伝性ニューロパチー

遺伝子変異による末梢神経障害が慢性進行性に経過し，四肢遠位部優位の筋力低下と筋萎縮が主症状ある．遺伝形式と症状，末梢神経伝導検査により分類される．髄鞘障害（脱髄型）と軸索障害（軸索型）に分けられる．原因は，*PMP22* 遺伝子重複が最も多い．

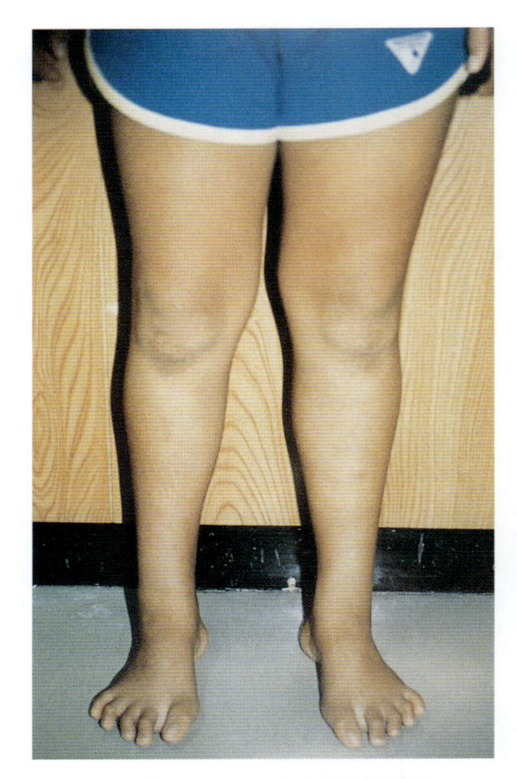

▶図 30　逆シャンペンボトル様筋萎縮
大腿遠位部 1/3 で急に細くなっている．ボトルを逆さにした形に似ているのでそう呼ばれる．

a Charcot-Marie-Tooth（CMT）病

Charcot-Marie-Tooth（シャルコー・マリー・トゥース）病は，10～20 歳代に発症することが多いが幼児期発症もある．垂れ足と鶏歩を呈し，凹足変形（▶図 29）と逆シャンペンボトル様の下肢筋萎縮を特徴とする（▶図 30）．脱髄型で常染色体優性（顕性）遺伝形式のものはⅠ型（CMT1）に分類され，最も多い．

b Déjerine-Sottas（デジェリン・ソッタス）病

乳児期早期より運動発達の遅れを認める．髄鞘低形成（脱髄型）で，MCV は著しく低下する．Ⅲ型（CMT3）に分類され，常染色体優性（顕性）遺伝形式である．

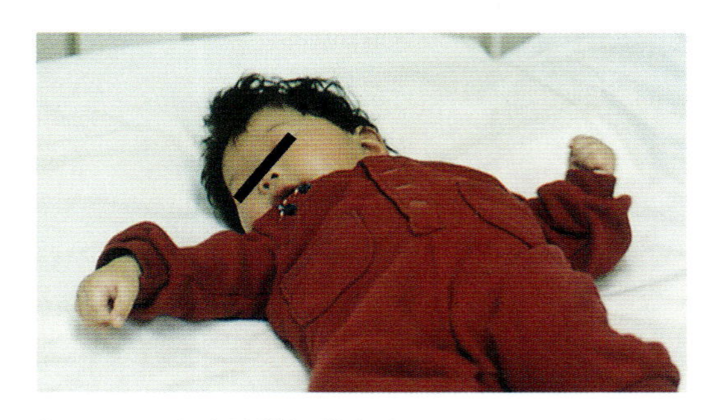

▶図 31 右上腕神経叢麻痺
右腕が挙上できない.

3 分娩麻痺

分娩時に受けた圧力や外力により神経損傷をきたすものである. 早期に気づいて対応することが大切である.

(1) 腕神経叢麻痺 (brachial plexus palsy)

分娩麻痺で最も多い. C5〜C8 および Th1 の頸部神経根が, 分娩時の頸部過伸展により損傷を受けたために生じる. C5〜C6 の上位型〔Erb (エルブ) 麻痺〕と C7〜Th1 の下位型〔Klumpke (クルンプケ) 麻痺〕があり, 前者が多い. Erb 麻痺は, 肩・腕の運動麻痺であり, 手指の運動は保たれる (▶図 31). Klumpke 麻痺は手指・前腕の運動麻痺である.

(2) 顔面神経麻痺 (facial nerve palsy)

顔面神経損傷が産道や鉗子の圧迫で生じる. 泣いたときの顔の左右差で気づかれる.

(3) 横隔神経麻痺 (phrenic nerve palsy)

分娩時の頸部の過伸展で, 腕神経叢損傷と同時に C3-C5 の損傷が生じる. 呼吸障害をきたす.

H 筋疾患

小児期発症の筋疾患には, 遺伝子変異が原因のものが多い. また新生児から乳児期早期にフロッピーインファントとして気づかれる例が多い. 運動障害に対するリハビリテーションと呼吸・循環・栄養管理が大切である.

■状態評価のための検査

- 呼吸機能評価：呼吸機能検査〔肺活量と咳のピークフロー (cough peak flow)〕と覚醒時の酸素飽和度を定期的に検査する. 換気不全の早期診断のために, 睡眠中の酸素飽和度と経皮炭酸ガスをモニターする.
- 心機能評価：胸部 X 線検査と心電図, 心エコーで定期的に評価する.

■支持療法

- リハビリテーション：拘縮・変形予防のための関節可動域訓練を行う.
- 摂食・嚥下：適切な栄養摂取のための姿勢保持や食事形態の工夫などを行う. 十分な栄養がとれない場合や誤嚥リスクがある場合には, 経管栄養を導入する.
- 呼吸不全に対する治療 (➡145 ページ)

1 筋ジストロフィー (MD)

筋ジストロフィー (muscular dystrophy；MD) は, 骨格筋の変性と壊死を主病変とし, 臨床的には進行性の筋力低下をみる遺伝性の筋疾患である. 筋細胞膜を構成する蛋白および膜に結合する蛋白の欠損が原因である. Duchenne (デュシェンヌ) 型筋ジストロフィー (Duchenne muscular dystrophy；DMD), Becker (ベッカー) 型筋ジストロフィー (Becker muscular dystrophy；BMD), 肢帯型筋ジストロフィー (limb-girdle muscular dystrophy；LGMD), 先天性筋ジストロフィー (congenital muscular dystrophy；CMD), 顔面肩甲上腕型筋ジストロフィー (facioscapulohumeral muscular dystrophy；FSHD) の順に多い. 血液検査で高 CK 血症を認める. 発症時期と進行の速度は疾患ごとに異なるが, 発症が早いほど進行が速い.

▶**図 32　登はん性起立；Gowers（ガワーズ）徴候**
立ち上がるときに，まず殿部を上げ，膝に手をついて体をよじ登るように体幹を持ち上げる．
〔日本小児神経学会（編）：小児神経専門医テキスト．診断と治療社，p. 294，2017 より改変〕

先天性筋ジストロフィーはフロッピーインファントである．近位筋優位の筋力低下を呈することが多い．歩行獲得後に発症した場合には，腰帯部の筋力低下があるため，立ち上がるときに膝に手を当て自分の体をよじ登るようにして立つ〔登はん性起立；Gowers（ガワーズ）徴候という（▶図 32）〕．また，歩行時には，殿部が左右に揺れる動揺性歩行（waddling gait）を認める．進行すると呼吸機能障害や嚥下障害，心機能障害をきたす．

a Duchenne 型筋ジストロフィー（DMD）

MD の 36%．X 連鎖性劣性（潜性）遺伝であり，通常は男児だけに発症する．dystrophin（ジストロフィン）遺伝子の変異による dystrophin 蛋白の完全欠失が原因である．診断には，白血球の dystrophin 遺伝子解析を行う．患児の母親の 2/3 は保因者であり，1/3 は突然変異である．出生男児 3,000～4,000 人に 1 人の発生頻度である．

症状

- 2～3 歳ころから転びやすい，走るのが遅いという運動の異常で気づかれる．5 歳ころが運動発達のピークであり，その後は運動機能が低下する．Gowers 徴候と下腿の仮性肥大を幼児期より認める．筋力低下が進むと立位保持のために腰部を前彎し，動揺性歩行となり，10～15 歳に歩行不能となる．同時にアキレス腱短縮や側彎が進行する．上肢機能も近位部より低下し挙上できなくなるが，手指の機能は比較的保たれる．
- 10 歳以降に呼吸筋麻痺による呼吸不全を認めるようになる．睡眠中の換気不全が初めに現れる．朝に多い頭痛や倦怠感，嘔気，食欲低下，日中の眠気などがその症状である．心筋障害による心機能低下は 10 歳以降にみられ，徐々に進行する．その出現時期と進行の経過には個人差が大きい．心機能低下がみられても運動機能低下のために心負荷が少なく，自覚症状に乏しい．そのため呼吸機能と心機能の定期評価を行いながら，機能低下がみられた場合には早期に対応することが機能維持のために大切である．嚥下機能は晩期まで保たれる．
- 平均 IQ は 80 前後で，軽度～中等度知的障害を 1/3 に認める．自閉スペクトラム症や注意欠如・多動症，限局性学習症を合併することもある．
- 人工呼吸器を使用していない場合は，20 歳代前半で呼吸不全のために亡くなっていた．近年は，自宅で人工呼吸器を使う場合が多く，また早期から心不全治療薬を使用するため，30 歳以上でも在宅で生活する患者もいる．

治療

- 病気に対する治療：ステロイド治療により運動機能低下を若干遅くできる．2020 年に，特定の遺伝子変異をもつ患者に対して，dystrophin

蛋白を発現させる治療薬が開発された．
- 呼吸不全に対する治療（➡145 ページ）
- 心不全治療：心不全進行抑制を目的に早期よりアンジオテンシン変換酵素阻害薬（angiotensin converting enzyme inhibitor；ACE 阻害薬）と β 遮断薬が使われる．

b Becker 型筋ジストロフィー（BMD）

MD の 20%．BMD は DMD の軽症型であり，dystrophin 蛋白の部分欠失が原因である．X 連鎖性劣性（潜性）遺伝であり，通常は男児だけに発症する．発症は DMD より遅く，経過も緩徐で個人差が大きい．歩行可能期間が長いため，心不全は DMD と同様に早い時期に現れる例がある．

c 肢帯型筋ジストロフィー（LGMD）

MD の 19%．DMD や BMD に類似した症状を呈するが，発症年齢は，幼児期から成人まで幅広く，症状の進行も個人差が大きい．非常に多くの遺伝子が原因として見つかっている．常染色体劣性（潜性）遺伝が多いが，常染色体優性（顕性）遺伝もある．診断は筋生検と遺伝子解析で行う．

d 先天性筋ジストロフィー（CMD）

MD の 18%．新生児期から乳児期早期に発症する MD である．日本では，福山型先天性筋ジストロフィー（Fukuyama type；FCMD）が最も多く，Ullrich（ウルリッヒ）型先天性筋ジストロフィー（Ullrich congenital muscular dystrophy；UCMD）が次に多い．それ以外の CMD は日本では稀である．

(1) 福山型先天性筋ジストロフィー（FCMD）

常染色体劣性（潜性）遺伝であり，fukutin（フクチン）遺伝子変異が原因である．運動障害は強く，歩行獲得例は少ない．早期から関節拘縮を認める．ミオパチー顔貌を認める（▶図 33）．中等度から重度の知的障害を伴い，てんかんを半数に認める．

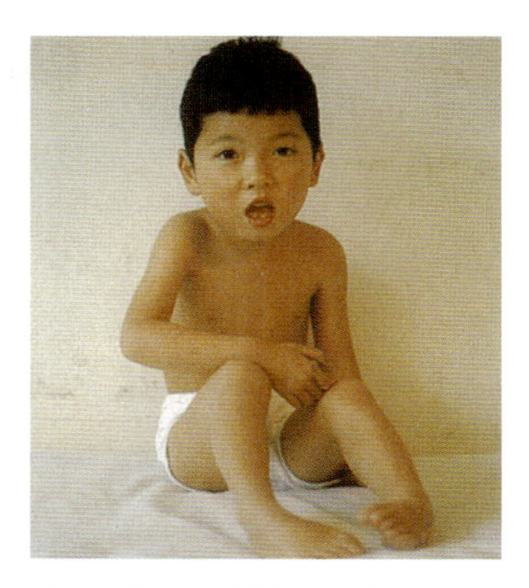

▶図 33 福山型先天性筋ジストロフィー
口をあけて，表情に乏しいミオパチー顔貌が特徴である．四肢関節の拘縮もみられる．
〔埜中征哉，西野一三：臨床のための筋病理 第 5 版．p. 77，日本医事新報社，2021 より〕

頭部 MRI で大脳白質の T2 高信号と小さな脳回が多数みられる多小脳回（polymicrogyria）を認める．血液検査で白血球の fukutin 遺伝子の解析で診断する．5～6 歳が運動発達のピークで以後，退行する．呼吸不全と心不全が進行する．

(2) Ullrich 型先天性筋ジストロフィー（UCMD）

常染色体優性（顕性）あるいは劣性（潜性）遺伝である．Ⅵ型コラーゲン遺伝子の変異が原因である．近位関節の拘縮と手足指関節の過伸展が特徴である（▶図 34）．呼吸障害と側彎の進行が早い．血清 CK 値は正常から軽度上昇を呈する．心筋障害は少ない．

e 顔面肩甲上腕型筋ジストロフィー（FSHD）

MD の 4%．発症年齢は，幼児期から成人まで幅広く，症状の進行も個人差が大きい．常染色体優性（顕性）遺伝である．顔面筋の筋力低下のために，表情が乏しくストローで吸えない．肩・上肢の筋力低下のために，上肢の挙上が困難である．小児期発症例では知的障害を認めることがある．

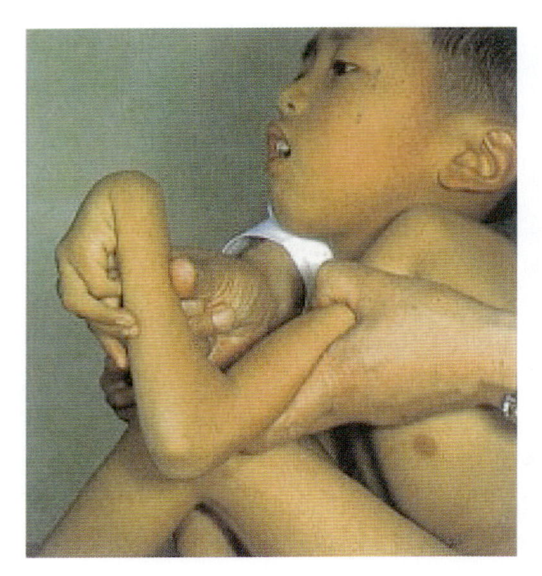

▶図 34　Ullrich 型先天性筋ジストロフィー
手関節の過伸展がみられる．ミオパチー顔貌を認める．
〔埜中征哉，西野一三：臨床のための筋病理　第5版．p. 83，日本医事出版社，2021 より〕

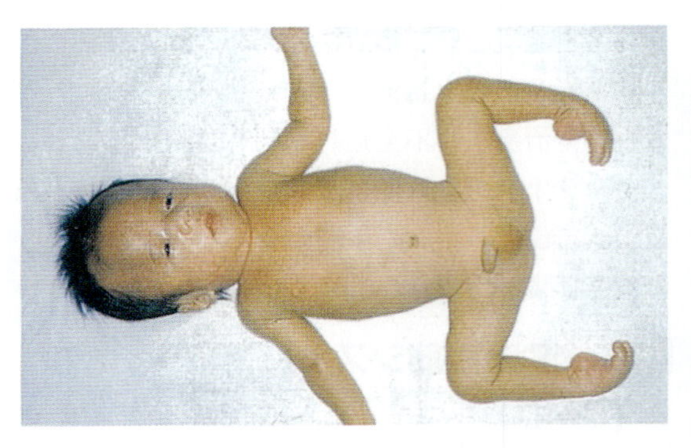

▶図 35　先天性筋強直（緊張）性ジストロフィー
フロッピーインファントで四肢の抗重力運動ができない．内反足を認める．
〔埜中征哉，西野一三：臨床のための筋病理　第5版．p. 160，日本医事出版社，2021 より〕

2 筋強直（緊張）性ジストロフィー

筋強直（緊張）性ジストロフィー（myotonic dystrophy）は，筋強直（ミオトニー）と筋力低下を主症状とする．多臓器の症状を合併する全身疾患である．日本では，*DMPK* 遺伝子の3塩基（CTG）の繰り返し配列の増加が原因であり（1型），常染色体優性（顕性）遺伝である．トリプレットリピート病の1つ（➡63ページ）であり，繰り返し配列が長いほど，発症が早く，症状が重い．先天型の大部分は母親が成人型である（表現促進）．

筋強剛とは，骨格筋を随意的あるいは機械的に収縮させた直後にすぐに弛緩せずに筋収縮が持続する状態である．力強く手を握ったときに手をすぐに開くことができない（把握性ミオトニー）．ハンマーで筋を叩くと筋収縮が強く持続する（叩打性ミオトニー）．小児期以降にみられるようになる．筋力低下は成人になってから進行する．

心症状（伝導障害，心筋症）や認知機能障害，白内障，耐糖能異常，高脂血症などを認める．

(1) 先天型

先天性筋強直（緊張）性ジストロフィーという．胎児期の胎動減少や羊水過多がある．出生直後から筋緊張低下と筋力低下，哺乳障害，呼吸障害，関節拘縮を認める（フロッピーインファント，▶図 35）．生後数か月は人工呼吸器と経管栄養が必要な例が多いが，年齢とともに徐々に改善する．顔面筋の筋力低下が強いため，表情が乏しく口唇が逆V字である（ミオパチー顔貌）．知的障害は強い．

(2) 小児型

1～10歳に発症する．初期には筋症状よりも知的障害の方が目立つ．

(3) 成人型（古典型）

10歳以降に筋強剛と筋力低下で発症する．遠位筋優位の筋力低下を示す．

3 先天性ミオパチー

先天性ミオパチー（congenital myopathy）は，骨格筋の構造異常による筋力低下を主症状とする遺伝性疾患の総称である．筋病理所見により，ネマリンミオパチー，セントラルコア病，ミニコア病，ミオチュブラーミオパチー，中心核ミオパチー，先天性筋線維不均等症に分類され，それぞれに複数の遺伝子変異が確認されている．常染色体優性（顕性）あるいは劣性（潜性）遺伝が多い．筋生検で診断する．

フロッピーインファントとして気づかれることが多いが，軽症例もある．多くの患者はゆっくり運動機能が改善する非進行性の経過であるが，緩徐進行性の例もある．ミオパチー顔貌を呈し，関節拘縮や側彎を認める．

4 後天性筋疾患

a 若年性皮膚筋炎

詳細は，第14章（➡205ページ）を参照のこと．

b 重症筋無力症（MG）

重症筋無力症（myasthenia gravis；MG）は，神経筋接合部のシナプス後膜の構成成分（アセチルコリン受容体（AChR）や筋特異的チロシンキナーゼ（MuSK）に対する自己抗体などが生じることにより，末梢神経から筋への伝達が障害される自己免疫性疾患である．5歳未満の発症が多い．

症状　易疲労性が特徴であり，午後になると筋力低下が生じる（日内変動）．休息，特に昼寝をすると症状が改善する．眼瞼下垂（片側が多い）や複視（外眼筋麻痺）のみの眼筋型が小児は多い．四肢の筋力低下や球症状（嚥下障害や構音障害），呼吸障害を呈する全身型は，10歳以上の小児になると増えてくる．

検査　抗コリンエステラーゼ薬の静注で症状の改善を確認することが診断につながる（エドロホニウム試験）．その他，血清AChR抗体や誘発筋電図（反復刺激試験）などがされるが，陽性率は高くない．

治療　抗コリンエステラーゼ薬やステロイドが有効である．自然寛解例もある．難治例には免疫抑制薬や胸腺摘出術（年長児）が考慮される．

c 周期性四肢麻痺

発作性に骨格筋の弛緩性麻痺をきたす疾患である．発作時の血清K値により，低K性と高K性に分類される．一次性の原因はイオン（KやCa，Na）チャネルの遺伝子変異である〔常染色体優性（顕性）遺伝〕．二次性の原因には内分泌疾患や腎疾患，薬剤がある．

低K性は，激しい運動や食事，ストレスが誘因となる．高K性は，運動後の安静や寒冷が誘因となる．運動麻痺は15分から数時間持続してから改善する．

I 理学・作業療法との関連事項

■子どもの独自の世界を共感する難しさ

新生児仮死の後遺症で脳性麻痺となった熊谷晋一郎氏はその著書『リハビリの夜』のなかで，自身ではコントロールしにくい筋の痙性（苦痛）が，療法士の手によって解放される瞬間を「抱擁にも似た気持ちよさ」と表現している．また，座位保持などの抗重力姿勢からベッドに横たわった瞬間を「二次元の世界」とし，著者の体が床に支えられ，拾われながら手足を動かす感覚を記述している．テンプル・グランディン氏も自ら体験を記した著書『我，自閉症に生まれて』のなかで独自の感覚世界を物語っている．彼女は，自閉症児に頻繁にみられる体を回転させる常同運動を「くるくる回し」と表現し，その行為は，「まるで周囲をコントロールしているような快感をもたらした」としている．その一方で，自身がもつ聴覚と触覚過敏性によるさまざまな苦痛についても詳しく描写している．

言うまでもなく脳性麻痺は脳の器質的な障害によるものである．てんかんも脳の器質あるいは機能的な障害に起因すると考えられている．脳に特異的な障害のあることは，「その子が独自に感じている世界」が存在することを意味する．さらにその世界は，異常な発達の経験によって，より複雑化していることが少なくない．麻痺や姿勢・反射，運動の稚拙さなどは検査測定や観察評価によって把握しやすい．理学・作業療法士は外見的・表面的な評価にとどまることなく，子どもの感じている世界を察する力が求められる．子どもの世界に近づき共感することは，より効果的な治療・援助につながる．さらに，表現のできない子どもたちの代弁者となり，両親や他の療育関係者に貴重な情報を提供することも可能となるだろう．

■子どもを地域で支える

本章で述べられている疾患は理学・作業療法士にとってかかわりが深く，重度の脳性麻痺や筋ジストロフィーでは生涯にわたりリハビリテーションが提供されている．長期の治療・支援では，ライフステージによって優先されるべき課題が変わってくる．例えば，乳児期は授乳や睡眠，起居動作など生きるために不可欠な心身機能の発達，能力の獲得が重要視される．幼児期では対人コミュニケーション能力，食事や着替えなどの日常生活動作の獲得が期待される．学童期は集団生活の基礎となる対人交流技能や書字動作などの学習スキルが必要となる．そして，成人期では就労や自立生活するための個別的支援が求められる．

障害者総合支援法の施行，児童福祉法の一部改正によって理学・作業療法士が活躍できる場が広がっている．通所サービスでは，児童発達支援，放課後等デイサービス，保育所等訪問支援などが展開され，子どもを対象とした訪問看護ステーションからの訪問リハビリテーションも徐々に広がりつつある．活動拠点が大規模施設から地域密着型の小規模施設に移り変わろうとしている．その一方で，大都市への一極集中や貧困など乗り越えなければならない大きな障壁がある．障害児（者）がライフステージに応じて必要なリハビリテーションサービスにアクセスできるよう，多様な働きの場を開拓していくことも我々に求められている．

- □ 意識障害レベルの記載法について説明しなさい．
- □ 脳の発生の経過と脳の先天奇形との関係について説明しなさい．
- □ 二分脊椎の病巣部位と障害の関係について説明しなさい．
- □ 代表的な小児てんかんの好発年齢と症状について説明しなさい．
- □ 脳性麻痺のタイプ別の症状，成長に伴う症状の変化と合併症について説明しなさい．

第6章

発達障害とその周辺疾患，二次障害

学習目標
- 臨床の場で接することの多い自閉スペクトラム症，注意欠如・多動症，知的障害の特徴を十分理解する．
- 発達障害の長期経過と二次障害を理解し，ライフステージにわたった支援と二次障害予防の重要性をふまえて訓練計画を立てる．

A 発達障害

発達障害は，種々の関連する疾患の総称である．生まれつきの脳の機能的な問題が関係して生じ，発達期から日常生活，社会生活，学業上，就労上の困難さを呈する．アメリカ精神医学会による分類（DSM-5：精神疾患の診断・統計マニュアル）では，神経発達障害/神経発達症とも表記される．

発達障害は周囲に障害として理解されにくく，「見えにくい障害」として最近になるまで医学的にも社会的にも認知されていなかった．わが国では，2004年に制定された発達障害者支援法の中で対応の必要がある対象として制度の中に位置づけられた．

1 定義

発達障害は「自閉症，アスペルガー症候群その他の広汎性発達障害，学習障害，注意欠陥多動性障害，その他これに類する脳機能障害であってその症状が通常低年齢において発現するもの」（発達障害者支援法における定義　第二条より）と定義されている．例示された疾患以外に，チック症，発達性協調運動症，吃音なども含まれる*．疾患ごとの特徴が少しずつ重なり合って併存している場合や，年齢や環境により目立つ症状が異なる場合もある．

法律においてはICD-10に基づいた疾患名分類が用いられているが，最近の臨床現場や学術領域ではDSM-5による表記が多く使われるようになっている．

2 支援・治療の考え方

a ライフステージを通じた支援

発達障害にふくまれる疾患は，特徴的な症状だけではなく，それらにより何らかの社会生活機能における支障があることから診断する．生活機能は，症状の重症度などの疾病の状態だけでなく，個人因子や支援を含めた環境因子との相互作用である（▶図1）．それぞれの特性を理解し，状態に応じた環境調整が重要である．

発達障害は，学校教育では特別支援教育の対象であり，知的能力に問題がない場合でも特別支援学級や通級指導教室での教育を受けることができる．また，福祉施策においては，精神障害者保健

＊発達障害者支援法における定義
http://www.rehab.go.jp/ddis/world/foreign/definition/

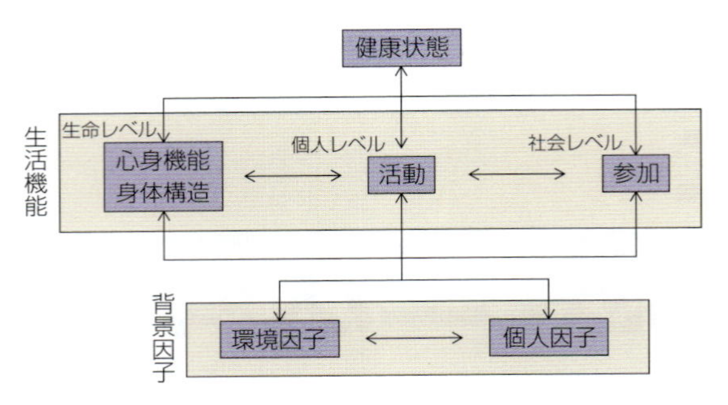

▶図1　生活機能モデル
〔WHO，ICF（国際生活機能分類）2001より〕

福祉手帳の交付対象となっている．早期の支援が有効であることから，診断される前であっても障害福祉サービス受給者証を取得することで，児童発達支援などの福祉サービスを受けられる．

乳幼児期から始まる家庭支援，療育，学校教育そして就労支援へと，ライフステージを通じたサポートが，生活を安定したものにする．小児期よりも成人期での発達障害はさらに「見えにくい障害」であり，職場や生活場面での困難をきたしうる．ライフステージによって変化する人間関係や生活の場に応じて発達障害の特性に配慮した支援・治療が必要である．

b 薬物療法

症状の程度によっては薬物療法が用いられることがある．身体的な疾患とは異なり，薬物の効果は随伴する症状を和らげ軽減するといった対症療法が中心となる．症状により日常生活に著しい支障がある，その症状が発達の著しい妨げとなっている，深刻な二次障害がみられる，精神疾患の合併がある，などの場合に投薬が検討される．

c 保護者への支援

本人への支援と同時に保護者への支援も重要となる．保護者への障害告知と精神的援助は早期療育を進める第一歩となる．保護者の最初の反応は，ショックと障害の否定，失望感，子どもへの同情と過保護などである．障害を受け入れるには，子どもの将来的な見通しを説明し，過度の不安を取り除く必要がある．

ペアレントトレーニングは，発達障害のある子どもの保護者を対象とし，子どもとのよりよい関わり方や日常の困りごとへの対応方法を学ぶプログラムである．保護者と子供関係の安定化や保護者の子育てのストレス軽減にも役立つ．また，ピアサポートは，保護者どうしで悩みを相談したり，体験を共有したりするもので，悩みを打ち明けられる仲間との出会いは精神的な支えとなる．

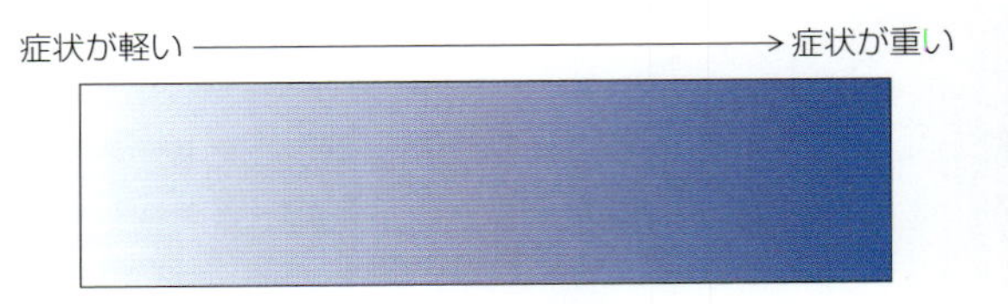

▶図2　スペクトラム（連続体）
発達障害の存在の有無を明確に判断することは難しく，グラデーション（濃淡）のある連続体として示される．症状の程度だけではなく，何らかの社会生活上の支障が存在することが診断基準に含められている．

3 主な疾患

a 自閉スペクトラム症（自閉症スペクトラム障害/広汎性発達障害）

自閉スペクトラム症（autism spectrum disorder；ASD）は，多くの遺伝的な要因が複雑に関与しておこる脳機能障害であり，その発症頻度は約100人に1～2人と想定され，男児に多い．ICD-10では広汎性発達障害が自閉症やアスペルガー症候群を含む概念として示されており，DSM-5では自閉スペクトラム症（自閉症スペクトラム障害）と表記する．

言語発達が著明に遅れるタイプから，言語を流暢に用いるタイプなど症状の程度は非常に幅が広く，軽症から重症まで含めたスペクトラム（連続体）と表現される（▶図2）．ASDの特性のある者すべてが社会生活上の支障をきたしているわけではないので，何らかの社会生活上の支障が存在することが診断基準に含められている．症状の程度や状態を正しく理解し，個々のニーズに合った適切な療育・教育的支援につなげていく必要がある．

症状 ASDは対人関係技能の低さ，強いこだわり，常同行動，感覚過敏または鈍麻などの特徴がある．乳幼児健診では，言葉発達の遅れや，声をたてて笑う・指差しなどの社会性の発達の遅れとして発見されることがある．

DSM-5において，「社会的コミュニケーションおよび対人的相互反応における持続的欠陥」および「行動，興味，または活動の限定された反復的な様式」の2つの特徴として記載されている．これらの特徴の背景には，他者の意図や信念，対人場面での暗黙の了解事項を直感的に理解することが困難となる認知機能の偏りや，入力情報の処理機能の問題などが考えられている（➡Advanced Studies-1）．

また，他の遺伝学的疾患（Rett症候群，脆弱X症候群，Down症候群など）の症状の一部としてASDが現れることがある．

(1) 社会的コミュニケーションおよび対人的相互反応における持続的欠陥

①言語コミュニケーションの困難さ

会話が一方的，自分中心の話題になりがち，会話の文脈がわからずにずれてしまう，比喩表現や冗談，皮肉，間接的な表現がわからずに字義通りに解釈してしまうなどがみられる．また，他者との感情の交流が苦手で，共感に乏しく，相手の感情や意図を推測することの困難さがある．本音と建前の区別もつきにくい．

②非言語的コミュニケーション行動の困難さ

視線が合いにくい，身振りが不適切，身振りの理解ができないなどがみられる．

③人間関係を発展させたり維持したりすることの困難さ

状況に応じたふるまいができない，他者と関心を共有できない，仲間に対して興味がないなどがある．幼児期には，周囲への関心が乏しく一人遊びが多い，ごっこ遊びが苦手などの特徴がみられる．

(2) 行動，興味，または活動の限定された反復的な様式

①常同的または反復的な身体の運動，物の使用，または会話

身体を前後に揺するロッキングや手をひらひらさせるフラッピングのような行動，おもちゃを一列に並べたり物を叩いたりするなどの単調な遊びを好む傾向がある．会話では，反響言語（オウム返し）やCMのフレーズなど特定の言葉の繰り返しなどがみられる．

②強いこだわりや儀式的行動

小さな変化を極端に嫌がり，毎日同じ道順を通ることや同じ食べ物を食べるなど特定のやり方にこだわり，融通が利かない．臨機応変に対応することは苦手で，急な予定の変更によりパニックになりやすい．

③限定した興味の偏り

特定の対象物を収集したり，そのことに関して膨大な知識を蓄積したりする．

④感覚刺激に対する過敏さまたは鈍感さ

特定の音や触感を極端に嫌がる一方で痛みを感じにくいなど，感覚刺激に対する過敏さと鈍感さのいずれかの存在，あるいは両方の混在がみ

Advanced Studies

❶心の理論

他者と関わるとき，相手の心の状態を推測しながら行動することは円滑なコミュニケーションを行っていくうえで重要である．他者の意図や信念を推測する能力は4歳ごろから獲得するといわれ，それを可能にする心的メカニズムを「心の理論」という．幼児期の心の理論の発達過程を調べる方法として，H. ヴィマーとJ. パーナー（1983）は誤信念課題を開発した．バロン・コーエンら（1985）は，この課題を修正した「サリーとアンの課題」を作成し，ASDの子どもが定型発達児やDown症候群の子どもに比べて通過率がきわめて低いことを示した．

近年では，実行機能と心の理解の発達的関連があると考えられている．実行機能を構成する抑制制御，認知的柔軟性，ワーキングメモリー3つの要素と心の理解との相関関係が多くの研究で示されている．この他に，他者理解の発達には，ミラーニューロンシステムの働きとの関連も注目されている．

られる．また，過度に嗅いだり触れたりするなどの特定の感覚刺激へのこだわりを示すこともある．

併存症 ASDにはさまざまな併存症が知られている．知的能力障害（知的障害）が多く，その他，注意欠如・多動症（ADHD），発達性協調運動症，不安症，抑うつ障害，限局性学習症（learning disability；LD：学習障害）がしばしば併存する．また，てんかん，睡眠障害，便秘を合併しやすい．

併存症を考えるうえで重要なことは，ASDがあるか否か，ASDかそれとも別の精神疾患かではなく，ASDとしての症状がどの程度その人の精神状態や生活に影響を及ぼしているか，そして，その他の要因はどうかという視点である．ASDの症状だけをみれば軽症のケースでも，併存症や環境要因など二次的な問題が重なることで，深刻な精神疾患の状態に陥るリスクがある．社会生活上の支障がどの要因によるものか評価して，治療・支援の主軸を決めることが重要である．

治療・支援 本人の社会生活上の困難さを理解し，個々の発達に応じた療育・教育的な対応を行う．さまざまな療育方法が提案されているが，まずは子どもが安心して生活できるよう配慮することが重要である．予定は事前に伝え，具体的にわかりやすく，見通しがもてるように説明するとよい．視覚的に示すことや構造化も有効である．

現在，広く認められている発達障害療育の理論としては，TEACCH（treatment and education of autistic and related communication-handicapped children，自閉症および，それに準ずるコミュニケーション課題を抱える子ども向けのケアと教育），応用行動分析学（applied behavior analysis；ABA）があり，いずれも環境調整や行動のアセスメントをはじめとして広く適用できる．また，介入技法としては，PECS®（picture exchange communication system，絵カード交換式コミュニケーション・システム），社会生活技能訓練（social skills training；SST），認知行動療法（cognitive behavioral therapy；CBT）などが行われている．1つの理論や技法にとらわれず，一般的な理論・技法を理解したうえで，子どもの発達や年齢に合わせて選んだり組み合わせたりして適用することが実際的である．

激しいかんしゃくや強いこだわりなど，個別の症状は薬によって軽減する場合がある．また，学童期以降になると強迫神経症が，思春期には暴力的な行動が目立つようになる症例がある．本人の困り感や生活への支障の程度を考慮して，薬物治療についても検討する．

対人関係でのトラブルが本人の生きにくさにつながることが多い．本人が社会生活に必要な技能を身につけていくことが大きな課題であると同時に，周囲の理解を促し生活環境を整えていくことも重要である．

b 注意欠如・多動症（ADHD/注意欠陥多動性障害）

注意欠如・多動症（attention-deficit/hyperactivity disorder；ADHD）は，年齢不相応な「不注意」と「多動・衝動性」を主な特徴とし，その有病率は学齢期の小児の3～7%程度と考えられている．男児に多い．原因は，大脳の前頭葉や線条体と呼ばれる部位のドーパミンという物質の機能障害が想定され，遺伝的要因と環境要因が相互に影響しあって発現する．

症状 ADHDの診断は医師の診察で観察された行動上の特徴に基づいて行われる．行動上の特徴は，DSM-5において①不注意，②多動・衝動性と記載されている（▶**表1**）．いずれか片方が目立つ場合（不注意優位型/多動・衝動性優位型）と，両方が同程度にみられる場合（混合型）とがある．

診断 定型発達において幼児期は探索活動が活発であり，さまざまな経験や精神的な発達を得て次第に行動を自制できるようになる．したがって，4歳以前にADHDと診断をつけることは困難である．診断においては症状の存在だけではなく，

▶表1 注意欠如・多動症の診断基準

①以下の不注意症状が6つ（17歳以上では5つ）以上，6か月以上持続
・こまやかな注意ができずケアレスミスをしやすい ・注意を持続することが困難 ・話を聞けないようにみえる（うわの空，注意散漫） ・指示に従えず，宿題などの課題が果たせない ・課題や活動を整理することができない ・精神的努力の持続を要する課題を嫌う ・課題や活動に必要なものを忘れがちである ・外部からの刺激で注意散漫になりやすい ・日々の活動を忘れがち
②以下の多動/衝動性の症状が6つ（17歳以上では5つ）以上，6か月以上持続
・着席中，手足をソワソワ，モジモジする ・着席が期待されている場面で離席する ・不適切な状況で走り回ったりよじ登ったりする ・静かに遊んだり余暇を過ごすことができない ・「突き動かされるように」じっとしていられない ・しゃべりすぎる ・質問が終わる前にうっかり答えはじめる ・順番待ちが苦手である ・他の人の邪魔をしたり，割り込んだりする

〔日本精神神経学会（日本語版用語監修），髙橋三郎・大野裕（監訳）：DSM-5 精神疾患の診断・統計マニュアル．pp 58-59，医学書院，2014 をもとに作成〕

その症状が同程度の年齢の発達水準に比べてより頻繁に強く認められること，症状のいくつかが12歳以前より認められること，2つ以上の状況（家庭，学校，職場，その他の活動中など）において困難があること，その症状が他の精神疾患ではうまく説明されないことといった条件がある．

一部の神経疾患，身体疾患，虐待や不安定な子育て環境などにおいても，ADHD同様の症状を引き起こす場合があるため，専門医による総合的な評価が必要である．また，ADHDによる症状の特徴を理解されないまま不適切な状況や対応が続くと，厳しく叱られたり仲間から避難や拒絶されたりする経験を多く積み重ねることになる．その結果，自尊感情や自己評価が低くなったり，反抗的な態度や攻撃的な行動を取るなどして周囲との関わりがうまくいかなくなったりするなど二次障害が生じる．一部には，反抗挑戦性障害，素行障害，さらに反社会性パーソナリティ障害に至る場合がある．

治療・支援 基本的な治療目標は他の発達障害と共通し，症状による生活上の支障を軽減し，情緒的な安定を図り，二次障害を予防することである．保護者や支援者の立場から見える子どもの問題と，子ども本人が感じている困難さは異なる場合がある．まずは，本人の困り感に寄り添いながら，保護者・支援者と連携して治療・支援を進めていく．治療・支援は，環境調整を含む心理社会的アプローチと薬物療法からなる．

ADHDは同時に複数の情報を処理することが苦手であるため，1つずつ順番にやっていくこと（スモールステップ）が取り組みやすい．環境調整として，視覚や聴覚などの外部刺激を減らす（掲示物を減らす，座席は廊下側や窓側を避ける），注意集中が続きやすくする（注目点を明確にする，座席は前の方にする）などの工夫が有効である．

注意の持続の困難さに対しては，説明は短くし，勉強や作業を短時間に区切って行わせるなどの時間的な介入を行う．姿勢が不安定であると集中することが困難になりやすいため，姿勢設定など基本的な物理的環境調整も重要である．本人にとって落ち着く環境となるように，本人自身の意見を取り入れた環境調整が求められる．行動への介入としては，トークンエコノミーなどABAの手法や，自分の気持ち・感情の表現方法や鎮め方を学んだりする認知行動療法などが取り入れられる．保護者が子どもへの対応方法を学ぶペアレントトレーニングなどもある．

環境調整や行動へ介入しても生活上の支障が改善しない場合，6歳以降であれば中枢刺激薬などによる薬物療法も検討する．薬物療法が奏効した場合，本人には「薬物だけで改善したのではなく，薬物療法により自身の本来の姿を発揮できたのだ」と説明し，自信を育て環境への適応力を高められるよう励ますことが大切である．

C 限局性学習症（LD/学習障害）

知的発達に遅れはないものの，読み書きや計算など特定の能力に困難を生じる．DSM-5では限局性学習症（specific learning disorder）と表記する．診断には，まず，全般的な知的能力に遅れがないこと，認知能力のアンバランスの有無を確認する．次に，聞く，話す，読む，書く，計算する，推論するなどの基礎的学習能力を要素別に確認する．同時に中枢神経系の器質的異常，視覚・聴覚障害，運動機能障害などを除外する．

子どもが学校不適応をおこさないためには，家庭や教育環境など環境因子もあわせて評価し，子どもの能力と認知特性に応じた環境調整や教育的対応を行うことが重要である．

d 発達性協調運動症（発達性協調運動障害）

協調運動とは，相互に調整を保って活動する複数の筋によって遂行される滑らかで正確な運動のことである．運動の滑らかさや正確さの背景には，さまざまな感覚入力を統合し，運動意図に基づき運動を計画し，運動として出力し，運動した結果のフィードバックに基づき修正を行っていくという一連の脳機能がある．発達性協調運動症（developmental coordinate disorder；DCD）は，こうした脳機能の障害により，手足に麻痺がないにもかかわらず動きがぎくしゃくして運動や日常生活に困難さをきたす．頻度は5〜6%で，成人になっても症状が残存するのは50〜70%とされる．併存症としてはADHDの約30〜50%，LDの約50%といわれている．

症状　ものをつかむ，ハサミや刃物を使う，書字，自転車に乗るなどの運動技能の拙劣さ，物を落としやすい，人や物にぶつかりやすいなどいわゆる「不器用さ」といった年齢や知的能力と比べて運動が苦手な状態を呈する．この苦手さのために，日常生活活動（ADL），学業や就労，余暇・遊びなどが妨げられる．

治療・支援　やる気の問題や練習不足などと誤解され，自尊感情が傷つき，自己評価が低下していることが多い．運動が競争ではないこと，できなくても問題ないことを意識して伝えるようにし，できないことや運動への嫌悪感を減らすよう努める．学習場面では，参加の機会を保障するためにパソコンやタブレット，音声入力やデジタルカメラの使用などさまざまな道具や代替手段を活用する合理的配慮が必要である．

身体を使った遊びを増やし，子どもの感覚や身体の成長を促すかかわり方をする．失敗体験から身体を使うことを嫌がる場合があるため，本人のペースで楽しめる運動課題や遊びを提案することが必要である．身体を使いやすくするうえで，筋力・体幹トレーニングなどの機能的訓練や，感覚統合療法を用いたり，ADLや学習活動などに対応するために認知行動療法を用いたりする場合もある．姿勢制御や姿勢保持が悪く，学習など机上活動に影響している場合があるので，机や椅子による姿勢設定など環境調整は重要である．感覚過敏がある場合は，感覚をやわらげる材料・道具を使ったり，その子の好きな遊びを通して少しずつ慣らすなどの工夫が有効である．

e チック症（チック障害）

チックとは素早い反復性の運動や発声のことで，意図せず突発的におこる．チック症は，チックが薬物や他の身体疾患など明らかな原因なしに発現する疾患のことである．チックの種類と持続期間により分類される（▶表2）．

▶表2　チック症の分類

	チックの種類		持続期間
	運動チック	音声チック	
暫定的チック症	○		1年未満
		○	
	○	○	
慢性運動チック症	○		1年以上
慢性音声チック症		○	1年以上
トゥレット症	○(多彩)	○	1年以上

〔日本精神神経学会（日本語版用語監修）．髙橋三郎・大野裕（監訳）：DSM-5精神疾患の診断・統計マニュアル．pp 79-80，医学書院，2014をもとに作成〕

症状 チックには運動チックと音声チックがある．運動チックでは，まばたき，顔をしかめる，首を急速に振る，肩をすくめるなどが比較的よくみられる．音声チックでは，咳をする，鼻ならしなどが比較的よくみられ，時に奇声を発する，さらには不適切な言葉を口走る（汚言症：コプロラリア）こともある．チックは，注意を適度に集中しているときには出にくく，興奮，不安，疲労などで増悪する．多種類の運動チックと1つ以上の音声チックが1年以上にわたり続く重篤なチック症は，トゥレット症（トゥレット障害）と診断される．トゥレット症の有病率は学童期で0.3～0.8%である．

原因はまだ完全には明らかになっていないが，中枢神経系のドーパミン過剰状態が関与すると考えられている．強迫性障害，ADHDを合併する頻度が高く，また，ASDやLDにトゥレット症の合併が多いことも指摘されている．

治療・支援 対応として，まず本人，家族，関係者にチックは自分の意思でとめられない不随意運動であり，本人の責任でないことを説明する．また，医療的に完全に消失させることは難しいが長期的には軽快していくので，症状と折り合いをつけて生活をしていくことを勧める．症状を増悪しているストレスがあれば環境調整が必要である．慢性チック症やトゥレット症では薬物療法が必要になることが多い．薬物療法は対症療法であり，症状が重度で集団生活に支障を生じている場合に適応になる．ハビット・リバーサル法など認知行動療法が行われる場合もある．

f 二次障害

発達障害のある人たちは，その特性について周囲に正しく理解されず不適切な対応を受けることがある．否定的な評価や叱責を受けた場合，自尊感情が低下したり，否定的な自己イメージをもったりするようになり，その結果，二次障害と呼ばれる状態を呈することがある（▶図3）．二次障害は発達障害の本来的な特性が強く現れたり，他の症状や疾患が併発したりする．

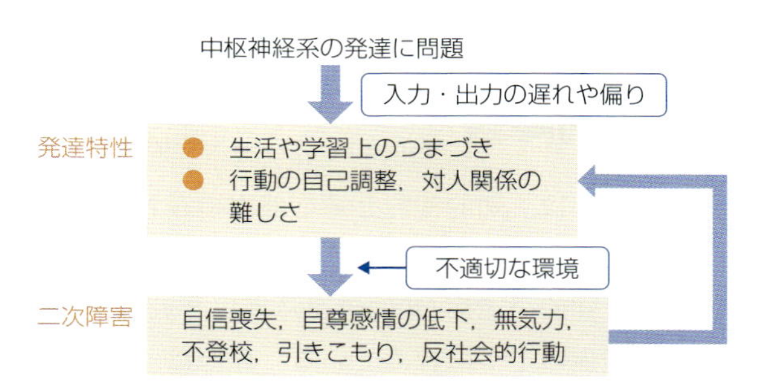

▶図3 発達障害における症状の発生

発達障害の本来的な特性が強く現れる例としては，ASDであればこだわりやパニック，ADHDであれば不注意や衝動性などが著しくなり，日常生活や社会生活に強い支障をきたすようになる．併存して他の症状や疾患を生じる例としては，反抗や暴力，反社会的な犯罪行動，反抗挑戦性障害などの行為障害に至る場合がある．また，心身症として身体的な問題が現れる場合や，不安や気分の落ち込みなどの情緒障害，強迫障害などを呈し，ひきこもりに至る場合もある．

二次障害を防ぐためには，発達障害について周囲が正しく理解し，それぞれの人にあった環境を整え，適切な対応をしていくことが重要である．

g 選択性緘黙（場面緘黙）

特定の場面（幼稚園や学校など）で発話が困難となるが，他の場面（多くは家庭）では，ほぼ通常の発話ができる状態をいう．意図的に話さないのではなく，不安や緊張で話せなくなる状態と考えられており，DSM-5では不安症群に分類されている．発話困難だけでなく，表情が硬くなったり，体がこわばり動きがぎこちなくなったりすることもある．4～6歳頃に始まることが多いが，就学後に気づかれることもある．本人にコミュニケーションの意欲がある場合は改善することが多い．日常生活に支障がある場合は認知行動療法など専門治療の対象となる．

B 知的障害

知的障害は，知的機能と適応能力の遅れや困難さによって特徴づけられる．DSM-5では知的能力障害（知的発達症/知的発達障害）と表記され，神経発達症の1つに含めている．原因は，染色体異常，神経皮膚症候群，先天代謝異常症，内分泌異常症（甲状腺機能低下症など），胎児期の感染症（先天性風疹症候群など），中枢神経感染症（脳炎，髄膜炎など），脳形成異常，てんかんなど多岐にわたる．有病率は一般人口の約1%である．養育など環境の問題による二次障害として，知的発達の遅れをきたすことにも注意が必要である．

症状　発達期（概ね18歳まで）に発症し，論理的思考，問題解決，計画，抽象的思考，判断，学校や経験での学習などの全般的な精神機能における困難として特徴づけられる．知的能力は知能検査によって測られ，平均が100で標準偏差15の検査では，知能指数（IQ）70未満を低下と判断する（➡NOTE-1）．知的能力に加え，日常生活への適応機能など総合的に評価して判断する．発達過程においては，粗大運動，微細運動，言語，社会性など能力全般に遅れることが多い．その後の経過において運動機能がキャッチアップし，言語や認知機能の発達の遅れが明らかになる場合がある．

NOTE

1 知能指数，発達指数

$$\text{IQ（DQ）} = \frac{\text{知能（発達）年齢}}{\text{生活年齢}} \times 100$$

IQ：intelligence quotient（知能指数）
DQ：developmental quotient（発達指数）

軽度	50～69
中等度	35～49
重度	20～34
最重度	20未満

なお，70～85を境界域とすることもある（WHO，ICD-10, 1992より）．

日常生活の適応機能は，概念的スキル，社会的スキル，実用的スキルの3領域の状態で示される（▶表3）．日常生活，学校，職場など複数の生活場面における困難さや支援の必要性により評価する．

評価　知能検査には知能全体を評価しやすいBinet式知能検査（田中ビネー）や新版K式検査，言語や認知面を多角的に評価できるWechsler（ウェクスラー）式知能検査（WPPSI, WISC，WAIS），認知学習処理過程を評価できるK-ABCなどがある．検査の目的や年齢，特徴などにより適当と考えられるものを選択する．日常生活の適応機能については，Vineland（ヴァインランド）適応行動尺度やS-M社会生活能力検査などがある．

治療・支援　合併疾患があれば，その治療を行う．知的障害そのものの改善は困難であるが，適切な環境により，その子なりの知的能力の獲得が得られやすくなり，適応機能の向上が期待できる．早期に発見され適切な療育が施された場合，長期的予後は改善するとされている．発達障害と同様，本人のみならず家族への支援も欠かせない．

▶表3　日常生活の適応機能スキル

概念的スキル	言語（受容言語，表出言語） 読むこと，書くこと お金の概念（算数，家計，金銭管理） 自己管理，決定
社会的スキル	対人関係（対人スキル，対人反応） 社会的責任 自尊感情 だまされやすさ 素朴さ（例：心配しやすい） 対人問題の解決 規則/法に従う能力 被害にあうことを避ける
実用的スキル	日常生活能力（身辺自立能力） 職業能力 健康管理 旅行/移動 職業に関するスキル スケジュールや習慣に従う能力 お金の使用 電話の使用など

〔AAIDDウェブサイト（https://www.aaidd.org/intellectual-disability/definition）をもとに作成〕

乳幼児の早期療育では，①遊び，②コミュニケーション，③食事，④更衣，⑤排せつ，⑥しつけなどに課題を整理し，療育の場と家庭とで目標を共有しながら取り組む．規則正しい生活リズムと生活習慣を身につけることが社会適応性を高める．幼児期から学童期にかけては，保育や教育を通じた生活体験の広がりや他児との交流の中で，社会性やコミュニケーション能力を高めていく．成人期に向けた社会的自立を目標に，機能的な面だけでなく，社会的習慣や規律への適応を図ることが重要である．

C 理学・作業療法との関連事項

■医学は日進月歩，最新の知見を学ぼう

家族（告知されている場合は本人も含む）に疾患や治療についての正しい知識や情報を提供することで，対処方法を学ぶこと，心理的サポートを提供することを疾病心理教育（あるいは家族心理教育）という．理学・作業療法士にも期待されている重要な役割であり，そのためには最新の知見を常に学ぶ必要がある．

例えば，自閉スペクトラム症では模倣が苦手で共感性に乏しいという特徴があるが，ミラーニューロンを原因とする仮説がある．ミラーニューロンはある行為をした場合，自分でやっても他人がしているのを見た場合でも，区別せず同様に反応する運動ニューロンである．自閉スペクトラム症ではヒトのミラーニューロンとされている脳の機能異常（一部は構造異常）があることが確認されている．注意欠如・多動症では行動の制御を司る大脳基底核の体積が，定型発達児よりも小さいことが確認されている．複数の課題を同時に処理するワーキングメモリ（作業記憶）にも機能異常があることがわかっている．「空気が読めない」「落ち着きがない」「指示したことを忘れる」は脳の機能あるいは器質的な問題であり，最新医学はそれを明らかにしつつある．

苦しんでいる家族に正しい知識を伝えることで心理的な安定を促し，冷静に対応する一助となる．もちろん，理学・作業療法士は学んだ知識をわかりやすく説明するための技能を身につけなければならない．

■ライフスキルの獲得を目指す

発達障害児（者）の就労支援を手掛けている梅永は，ライフスキルの重要性を強調している〔梅永雄二：LD 研究 27（1）：2-8，2018〕．梅永によると，「ライフスキルは生活するための技能であり，子どもたちが人生を生き抜くために不可欠なものである」としている．身だしなみや健康管理，スケジュールや金銭管理，進路選択などの意思決定，対人関係やご近所づきあいなど，子どもたちが身につけるべきスキルは多岐にわたる．

ライフスキルが獲得できない場合，生活のしづらさだけでなく，家族への負担も引き起こす．例えば，子どもが家で一人遊びができず，家族を疲弊させてしまうこともある．この場合，余暇スキルの乏しさが原因と思われる．余暇スキルは大切なライフスキルであるが，残念ながら学校では積極的に教えてくれない．理学・作業療法では遊びを積極的に用いている．余暇スキルを育み，家庭生活に定着させること（般化）も目指してほしい．

人それぞれ生活が異なり，獲得すべきライフスキルも一人ひとりで変わる．その子ども（人）らしい生活を実現するために個別的ニーズをとらえておく必要がある．乳幼児期，学童期，そして就労支援など，ライフステージを通じた支援・治療が理学・作業療法士には求められている．そのためには常に身近な存在として，地域に根ざした活動を心がけてほしい．

■褒めて育てるペアレントトレーニング

ペアレントトレーニングは応用行動分析学（ABA）を基盤とした療育手法である．専門家が

保護者にレクチャーし，保護者が家庭で実践することで子どもの成長を促していく．褒め言葉などの強化子を用い，増やしたい行動を増やし，減らしたい行動を減らしていく．二次障害を併発しやすいとされる注意欠如・多動症や発達性協調運動症において，肯定的な療育成果が報告されている．褒めを積極的に優先し，叱りなどの弱化子の使用は最小限にとどめることにより，自尊感情の低下や自信喪失などを回避することが期待されている．最近になり，学校で実践する教師を対象としたティーチャーズトレーニングも広がっている．ABAは発達障害の非薬物療法として十分なエビデンスがあり，理学・作業療法との親和性も高い．学びを深めてほしい理論の1つである．

- □ 発達障害の支援・治療の考え方について，生活機能モデルを使って説明しなさい．
- □ 自閉スペクトラム症の症状と，治療・支援の主軸を決める上でのポイントについて説明しなさい．
- □ 注意欠如・多動症の症状について説明しなさい．
- □ 発達障害の二次障害について説明しなさい．

第7章 骨・関節疾患

学習目標

- 小児の骨・関節疾患が示す症状の特徴をつかむ.
- 小児の骨・関節疾患の最も大きな特徴は，先天的な疾患が多いこと，成長による変化が大きいことを知る.
- 成長とともに変形・機能障害が徐々に悪化することもあり，評価に数年の経過観察が必要であることを理解する.
- 小児では薬物による治療は少なく，装具療法や手術が治療の主体となることを理解する.

A 骨・関節疾患

1 脊柱側彎症

脊柱側彎症（scoliosis）は，脊柱が側方へ彎曲する疾患で，椎体の変形は伴わず原因を取り除けば改善する機能性脊椎側彎症と，椎体の変形を伴い不可逆的な彎曲をきたす構築性脊椎側彎症がある．構築性で最も多いものは特発性脊柱側彎症（側彎症の70%）であり，思春期の女児に多く，無症状であることが多い．しかし，成長に伴い進行し，体幹の非対称性を認め，腰痛・背部痛・胸郭変形による呼吸機能障害などがみられる．

診断　スクリーニング検査として視診で肩の高さの左右差，肩甲骨の突出，ウエストラインの非対称を確認する．また，立位で体幹を前屈する前屈テストで，腰部隆起・肋骨隆起（1.0～1.5 cm）の有無を評価する．これらは学校保健法の運動器検診として義務化されている．X線検査で，脊椎正面像を撮影し，Cobb角を計測する．

治療　Cobb角が25°未満なら経過観察，25～40°であれば装具療法（アンダーアーム型など）を行う．40°より大きい場合は，手術療法（脊柱変形矯正固定術）が考慮される．

2 軟骨無形成症

軟骨無形成症（achondroplasia）の発生頻度は1万～3万人に1人であり，四肢短縮型の低身長を呈する．*FGFR3* 遺伝子の点変異が原因で80%は孤発例といわれる．遺伝形式は常染色体優性（顕性）遺伝である．出生時から，大頭，前額突出，鼻根部の陥凹，三尖手，四肢短縮，O脚（内反膝）がみられる．知能は正常である．ときに，大後頭孔狭窄，胸腰椎移行部後彎や腰椎前彎による脊柱管狭窄を認める．

診断　上記の特徴的な身体所見を認める．X線検査では脊椎正面で下位腰椎の椎弓根幹距離の狭小化，シャンパングラス様の小骨盤腔，方形骨盤や四肢で太く短い長管骨などを認める．遺伝子診断も有用である．

治療　低身長に対しては3歳以降で成長ホルモン投与の対象であり，骨端線閉鎖後は四肢の骨延長術が適応となる．大後頭孔狭窄や脊柱菅狭窄症に対しては，除圧術が適応となる．

▶表1　骨形成不全症の分類（Sillence）

型	遺伝形式	臨床像
ⅠA	常染色体優性（顕性）	青色強膜，難聴，歯牙形成不全なし
ⅠB	常染色体優性（顕性）	青色強膜，難聴，歯牙形成不全あり
ⅡA，ⅡB	突然変異	周産期死亡
ⅡC	常染色体劣性（潜性）	周産期死亡
Ⅲ	常染色体優性（顕性）	乳幼児期青色強膜，次第に白色強膜
ⅣA	常染色体優性（顕性）	白色強膜，難聴，歯牙形成不全なし
ⅣB	常染色体優性（顕性）	白色強膜，難聴，歯牙形成不全あり

3 骨形成不全症

骨形成不全症（osteogenesis imperfecta；OI）は，骨脆弱性による易骨折性や進行性の骨変形と，さまざまな程度の結合組織症状を示す先天性疾患である．稀なものまで含めるとⅠ～XXI型の21タイプがある（▶表1）．

最も頻度が高いのはⅠ型で，Ⅰ型コラーゲンの遺伝子変異（*COL1A1*，*COL1A2*）がある．Ⅰ～Ⅵ型は常染色体優性（顕性）遺伝である（ⅡC型を除く）．Ⅰ型コラーゲンは骨に加えて全身に存在し，易骨折性による脊柱変形（側彎など）・低身長，青色強膜，難聴（思春期以降），歯牙形成不全，関節可動域の拡大，心臓弁膜症などを認める．小児期から骨粗鬆症を認めるが，思春期以降は骨折しにくくなる．

診断　臨床症状に加えて，X線撮影で骨陰影が全身的に薄く，細い長管骨を認める．症例によっては，出生時に骨折像を認める．

治療　骨折に対する対症療法を行う．骨密度の改善目的に，ビスフォスフォネートの投与を行う．

4 骨折

成人と比較した小児の骨折（fracture）の特徴は，以下のとおりである．

- 小児の骨折は，受傷機転がわかりにくくX線像で診断が難しいことがある．
- 長管骨の骨端線に損傷の及ぶ骨折は，その後の骨成長に影響する可能性があり，変形や成長障害を生じやすい．
- 整復が不十分でも，その後の骨の造形上の矯正力は成人に比して非常によい．
- 骨膜が離断されずに済んだ若木骨折では，骨折の治癒期間は成人よりもはるかに短い．

5 ペルテス病

ペルテス病（Perthes disease）は，骨化の途中にある大腿骨頭の骨端に阻血性壊死が生じる疾患である．6～7歳ごろの男児に好発し，股関節痛や跛行，股関節の外転・内旋制限を伴う．多くは片側性である．骨壊死は約3～4年の修復過程を経て正常骨組織に回復するが，形態異常を伴って修復すると将来，変形性股関節症を生じる可能性がある．

診断　X線像で，大腿骨頭骨端の硬化像，軟骨の骨折線，股関節関節裂隙の開大を認める．MRIが早期診断に有用である．

治療　大腿骨頭壊死部の形態異常を伴う修復を予防目的に，免荷装具療法を一般的に行う．

6 発育性股関節形成不全（先天性股関節脱臼）

発育性股関節形成不全（developmental dysplasia of the hip；DDH/先天性股関節脱臼 congenital dislocation of hip joint；CDH）は，乳児期や幼児期に大腿骨頭が関節内包内脱臼の状態を生じるものである．先天的に臼蓋形成不全を伴うことがある．新生児期から乳児期に，股関節の開排制限や脚長差，大腿皮膚溝の非対称を生じる．特に生後1～3か月の間の抱き方で，股関節の開排を維持することが重要である．

診断 新生児期は，股関節脱臼の診断をするためには，股関節を外転するときに骨頭が関節内に陥入するクリックを触診で確認する〔Ortolani（オルトラーニ）法〕．2～3か月以降では乳児の筋収縮が強くなり，クリックはわかりにくくなるので，臼蓋形成不全あるいは脱臼は股関節外転の左右差，下肢長の短縮，会陰・鼠径部のヒダの左右差などに注目して診断する．最終的にX線像にて股関節の状態を確認する．また最近では，6か月未満の乳児では超音波診断も用いる．

治療 股関節を伸展させる旧来の日本のおむつの当て方は，発育期の乳児の股関節の形成に悪影響がある．股関節の発育のためには屈曲外転位が好ましい．家族への抱き方の指導に加え，必要な場合，装具（リーメンビューゲル）の装着やオーバーヘッド牽引が有効である．それで整復が困難な例では，手術的整復が考慮される．

7 O脚，X脚

一般的に，生後0～1歳代では生理的にO脚（約10°），生後2～3歳にはX脚（－10°以内）となる．それ以降7歳ころまでにX脚の程度は軽減してくる．

(1) O脚（bowlegs または genu varum）

歩行開始時に目立ち，その後改善が乏しいものをいう．家族歴，低身長の原因となるくる病（ビタミンD欠乏，低リン血症性など）の有無，脛骨成長板の損傷や骨端の骨化障害によるBlount（ブラント）病，軟骨無形成症との鑑別に注意する．程度が強くなければ経過観察でよいが，疼痛や機能障害を生じるものには手術が必要な場合もある．

(2) X脚（knock-knees または genu valgum）

2～6歳ころに特に目立つ．程度が強いと膝をすったりして歩行に影響が出る．背景疾患の有無に注意する．

8 足の変形

(1) 扁平足（flat foot）

歩行開始時の小児に多くみられるが，通常は次第に足底のアーチ（arch）が形成されて改善する．

一方で，扁平足が21トリソミー，脳性麻痺，先天性筋疾患，骨髄形成異常症（myelodysplasia），Ehlers-Danlos（エーラース・ダンロス）症候群などの背景疾患の一症状であることがある．また，先天性外反足のような場合，関節が固く手術が必要な例もある．

(2) 凹足（おうそく）（hollow foot）

足底のアーチが異常に高い状態をいう．背景に神経筋疾患があることが多い〔先天性ミオパチー，ニューロパチー，脊髄根疾患，脊髄前角疾患など（➡108ページ）〕．

(3) 内反足（club foot）

後足部の背反，前足部の内転，尖足，凹足の変形を呈している状態．先天性内反足は，子宮内の圧迫によるものや先天奇形によるものがあり，男児に多い．背屈制限が強く，尖足の矯正が困難な場合に疑う．治療は，出生後早期からギプス包帯法による矯正を開始し，改善後にアキレス腱皮下切腱術を行う．後天的には，種々の中枢性疾患により，下肢に痙性麻痺を呈すると生ずる．

9 筋性斜頸

筋性斜頸（torticollis）とは，一側の胸鎖乳突筋の障害で頭部を傾け反対側へ回旋させた状態が固定してしまう状態をいう．原因は，以前は出生時分娩障害によるとされたが，その証拠は乏しい．出生前にすでに胸鎖乳突筋が障害されている可能性が指摘されている．約半数で生後2～3週間後に胸鎖乳突筋に腫瘤を触れる．多くは経過観察で改善するが，1歳以後も自然治癒しない場合，手術を考慮する．

10 くる病

くる病（rickets）は骨端線閉鎖前にみられる骨石灰化不全であり，ビタミンDの作用不全やリン欠乏によるものが多い．頭蓋癆・大泉門閉鎖遅延，脊柱側彎，低身長，O脚・X脚を呈する．近年，ビタミンD欠乏母体からの出生や母乳栄養，日焼け止めクリーム使用による日光への曝露不足，偏食などが原因で増加している．

治療は，活性型ビタミンD製剤やカルシウムの補充を行う．低リン血症性くる病の場合は，リンと活性型ビタミンDの投与を行う．一方，未熟児に発症する未熟児骨減少症（未熟児くる病）は，成長過程でのビタミンD，リン，カルシウムの相対的欠乏によるものであり，それらを補充する．

B 理学・作業療法との関連事項

子どもの骨・関節疾患は，理学・作業療法の処方が出ることが多く，一部の先天性疾患を除いては疾病治癒に向けた予防的なかかわりや装具療法，治癒後の経過観察などが中心となる．軟骨無形成症や骨形成不全症，ペルテス病などは小児施設で，脊柱側彎症や骨折，膝や足関節の変形などは一般の整形外科病院やクリニックなどで経験する．しかし，小児施設で働く場合であっても，これらの疾患児に多く遭遇するわけではない．だからこそ基礎的情報や治療法などに関する知識を学ぶことは，理学・作業療法を行ううえで患者の予後を考え，臨床推論する際のヒントとなる．実際にかかわるときには，軟骨無形成症であれば診療ガイドラインを，その他の疾患であればレビューを読み，疾患ごとの全体像を把握しておくことが大切である．

■特発性側彎症

特発性側彎症は，運動器検診が義務化されたことで理学療法士がかかわることが多くなった．脊柱側彎症では，脊椎カーブが一定以上になると脊椎固定術が適応となるため，大きな総合病院や大学病院で経過観察となることが多いが，脊椎カーブが軽度の場合は一般の整形外科病院にも通院する．脊椎カーブの進行と合わせて，コルセットや体幹装具の使用，予防的なストレッチや運動療法を指導する．また，呼吸機能や運動量のコントロール，腰痛の確認，整容面や心理面のフォローが欠かせない．医師と比べ，患児や家族と長時間話す理学・作業療法士だからこそ，包括的なかかわりが可能である．思春期の特発性側彎症では，将来の妊娠，出産，就労などを想定して，特に心理面で患者を支えることが求められている．

■運動発達の遅れ

発達障害の認識が世の中で進むにつれ，身体の使い方が不器用な子ども，運動発達が気になる子どもたちが，小児施設だけでなく一般病院にも通院するようになった．このような子どもは，O脚やX脚，軽度の扁平足や内反足であることが多く，転びやすい，体育が苦手といった主訴で通院が始まる．発達性協調運動障害（DCD）や診断はついていないが運動発達の気になる子どもたちは，全身的・局所的に筋緊張が低緊張で関節が緩いことがある．その場合，動作や運動，机上課題の評価だけでなく，筋緊張の経時的変化や関節弛緩性の評価，筋出力や持久性の評価を総合的に行う必要がある．

またO脚やX脚，扁平足や内反足の子どもに対して，装具療法としてインソール（足底装具）や靴型装具などを使用する．リハビリ介入として装具療法で各関節のみの対応で終わるのではなく，全身性の運動療法や積極的な運動指導を装具療法と併用して継続的に実施することで，症状の改善を図る．そのためには，評価として装具の有無による身体の使い方や日常生活における姿勢の変化も含めて，総合的に確認すべきである．

■ペルテス病

ペルテス病は，成人後の変形性股関節症の発生率が高いことが知られている．治療では，退院後にも継続的な通院が必要であり，大腿骨頭がしっかりと形成されるまでには2年間ほどかかる．発症時とは異なり痛みがないため，自然と動き過ぎて無理をしがちになる．予後に悪影響を及ぼすことがあるため，退院後には日常生活は送れても完治したわけではないことを，本人や家族，かかわる大人たちに認識してもらう必要がある．

注意すべきことは，骨・関節疾患が完治した数十年後に，問題となった部位や隣接関節に痛みが出現する可能性があることである．そのため理学・作業療法が終了する際には，下肢の疾患であれば走行やジャンプなどのよりダイナミックな動きを，上肢の疾患であれば机上課題や ADL 動作を確認し，隣接関節が過可動性になっていないか過負荷の状態ではないかなどを確認する必要がある．そう意識することで，小児期から成人期までの継続的・予防的なかかわりが可能となる．

- □小児の骨・関節疾患の特徴を述べなさい．
- □脊柱側彎症・発育性股関節形成不全の好発年齢と治療について説明しなさい．
- □くる病の症状について説明しなさい．

第8章

循環器疾患

学習目標
- 心機能障害の臨床症状について，理解を深める．
- 左右シャントおよび右左シャントの代表的先天性心疾患について，形態異常と臨床症状を関連させて理解する．

A 心血管系の発生と胎外環境への適応

1 心臓の発生

心臓の発生は中胚葉由来である．発生初期に左右にある心内膜筒が，胎齢22日ころに中央で癒合して単一の心内膜筒を形成する．次にそれが彎曲してループを形づくり，胎齢30日ころには心房を分ける一次中隔が形成される（▶図1）．その後，心房二次中隔と心室中隔が形成されていく．

2 胎児期から出生後への循環動態の変化

胎児期には図2にみるように，酸素飽和度の高い血液は，胎盤から，臍静脈→静脈管→下大静脈→右心房（→卵円孔を通って）→左心房→左心室→大動脈へ，一部は右心房→右心室→肺動脈→

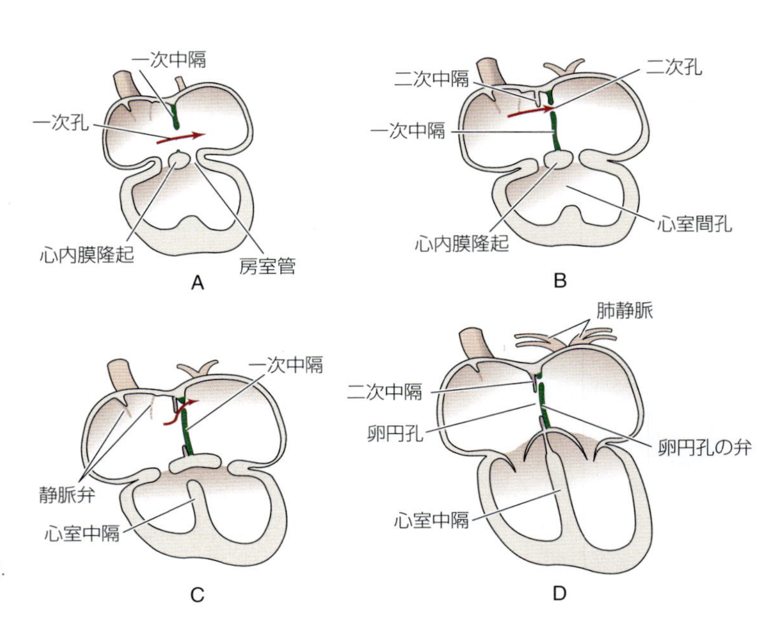

▶図1　心房中隔と心室中隔の形成
A：6 mm 期（ほぼ胎齢 30 日）
B：9 mm 期（ほぼ胎齢 33 日）
C：14 mm 期（ほぼ胎齢 37 日）
D：新生児．向かって左側が右心房・右心室．向かって右側が左心房・左心室

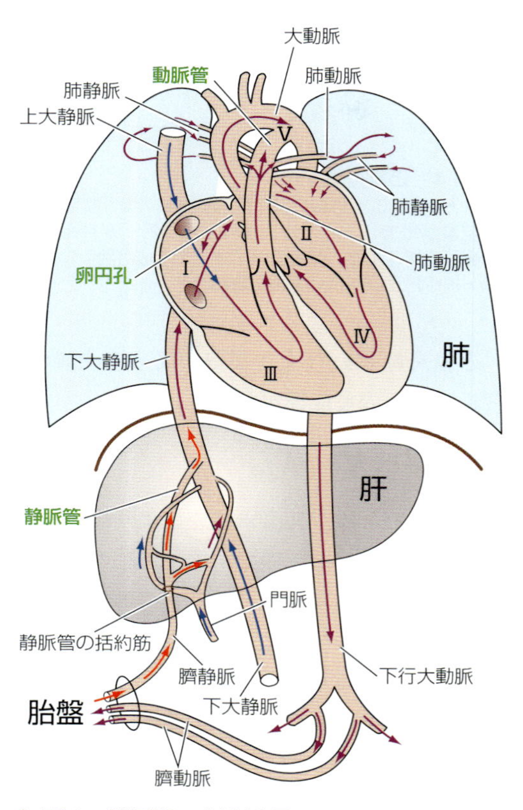

▶図２ 胎児期の血液循環

矢印は血流の方向を示す．酸素化された血液（→，→）が，低酸素化した血液（→）と混じる．（Ⅰ）右心房，（Ⅱ）左心房，（Ⅲ）右心室，（Ⅳ）左心室，（Ⅴ）動脈管．出生数日後に**卵円孔**，**動脈管**，**静脈管**が機能的に閉鎖する．

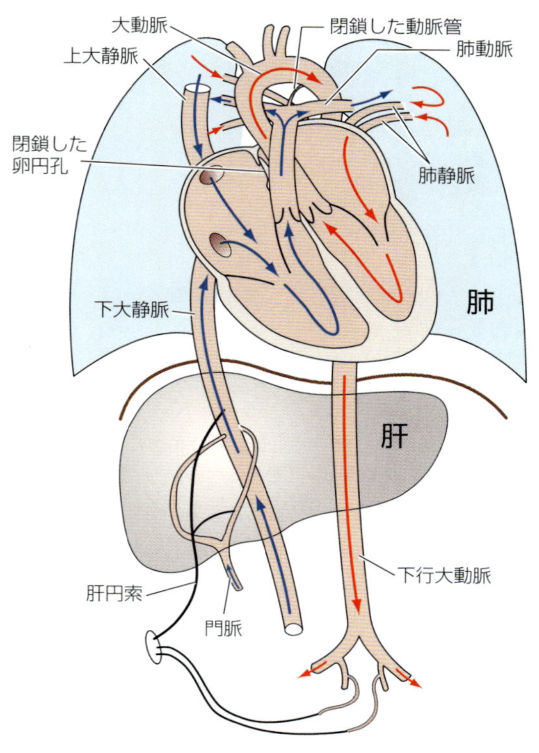

▶図３ 出生後の血液循環

呼吸の開始と胎盤血行の遮断の結果おこる変化に注意．
→：動脈血，→：静脈血

動脈管→下行大動脈へという経路で胎児に供給される．空間的位置関係や心房への血流速度の違いにより，静脈管経由の酸素飽和度の高い血液は卵円孔へ導かれ大動脈に供給される．

出生時には第一呼吸とともに，**図２**の経路の卵円孔が急激に機能的な閉鎖をきたし，静脈管や動脈管も急速に閉鎖するので**図３**にみるように，右心房→右心室→肺動脈→肺→肺静脈→左心房→左心室→大動脈という，本来の成人型の循環動態が成立する．つまり出生後には，酸素飽和度の高い血液は臍静脈ではなく肺から循環がスタートすることになる．

B 症状と検査

成人の循環器科と比較して，小児の循環器科では診療の対象に先天性心疾患（congenital heart disease；CHD），とりわけ心形態異常が多い．後天的なものでは，川崎病（MCLS）のような，小児に特有な疾患もある．

以下に小児の循環器疾患の主要所見と診断の際の検査項目について述べる．

1 主要所見

a 視診，触診，聴診

視診は最も基本的で大切な所見である．呼吸や循環のエネルギー産生系の疾患が背景にある場合

▶**表1　安静時心拍数（毎分）**

年齢	正常下限		平均		正常上限	
新生児	70		125		190	
1〜11月	80		120		160	
2歳	80		110		130	
4歳	80		100		120	
6歳	75		100		115	
8歳	70		90		110	
10歳	70		90		110	
	女	男	女	男	女	男
12歳	70	65	90	85	110	105
14歳	65	60	85	80	105	100
16歳	60	55	80	75	100	95
18歳	55	50	75	70	95	90

〔Kliegman, R. M.（ed.）：Nelson Textbook of Pediatrics. 18th ed., W. B. Saunders, Philadelphia, 2007 より〕

には，その影響が体格や栄養状態，顔貌にまで及ぶ．チアノーゼや発汗の有無，爪床，呼吸数，胸郭変形について観察する．

触診では，脈拍を触知し，心拍数（▶**表1**），緊張度，不整脈の有無などを確認しておく．特に呼吸器系，循環器系に障害があって，訓練などで運動負荷をかける場合には，毎回，事前と事後のチェックをすることが望ましい．

聴診では心音・心雑音，同時に呼吸音の確認をする．心音は前部胸壁からが聞きとりやすく，必ず聴取できる．

正常では房室弁（三尖弁と僧帽弁）閉鎖音のⅠ音と，それに続く大動脈弁と肺動脈弁閉鎖音のⅡ音（$Ⅱ_A$と$Ⅱ_P$があり，接近して聞こえる）が確認でき（▶**図4**），吸気時には「トントロ」，呼気時には「トントン」と聞くことができる．それに対して心雑音は必ずしも聴取できない．心雑音があるときはⅠ音に引き続いて，あるいはⅡ音に引き続いて，またはⅠ音とⅡ音にまたがって聴取される．Ⅰ音に続く粗い質の心雑音は収縮期雑音で，心室中隔欠損症が典型的である．

一方，小児では無害性といわれる収縮期心雑音の頻度が高い．無害性心雑音と器質的疾患由来のものとを，聴診だけで厳密に区別することは困難である．背部の大動脈あたりから心雑音が聴取される場合は，器質的疾患の可能性が高い．“ブーン”と弦をはじいたようなやや高めの心雑音は，無害性心雑音の可能性が高い．

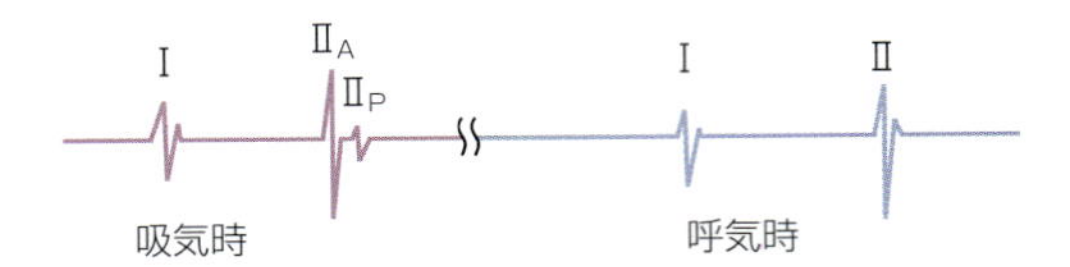

▶**図4　正常心音**

Ⅰ音とⅡ音．Ⅱ音は吸気時には静脈還流の増加により肺血流量が増加し，その分$Ⅱ_p$が$Ⅱ_A$より若干遅れるため分裂して聞こえる．Ⅱ音の固定性分裂では（例：心房中隔欠損症）$Ⅱ_A$と$Ⅱ_p$の間隔は変化せず．

b チアノーゼ

チアノーゼとは，低酸素状態により皮膚や粘膜が暗紫青色を帯びる状態である．末梢性チアノーゼは四肢末端に出現し，必ずしも病的低酸素状態だけでなく四肢の冷却によっても認め，また新生児では生理的に時々みられる．中心性チアノーゼは体幹部，口唇，舌などに認めるものをいう．右左シャント優位の心形態異常，うっ血性心不全，あるいは肺の呼吸機能障害などでも認められる．一方，チアノーゼが顕在しない程度に低酸素状態にある場合にも，爪がドーム状に円形になるばち指を認めることもある（ただし1歳以降にのみ出現）．

c 心不全

心機能の低下により，必要とされる血液を心臓が駆出できなくなった状態を心不全という．その結果，左心房圧の上昇→肺うっ血→右心房圧上昇→末梢からの血液還流低下→浮腫をきたす．

症状としては，多呼吸，陥没呼吸，不機嫌，蒼白，多汗，末梢冷感，哺乳力低下，体重増加不良，肝腫大，呼吸器感染症をきたす．慢性心不全による心拡大の結果，乳幼児期では拡大した心臓による圧迫で胸郭が部分的に前方へ突出する変形をきたすことがある．

d ショック

心拍出量が急激に低下することにより，蒼白，

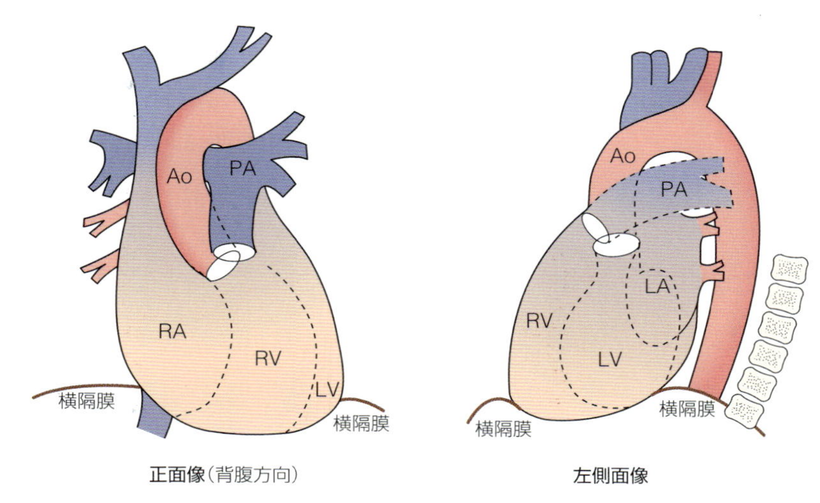

▶図5 胸部X線心陰影の構造
RA：右心房，RV：右心室，PA：肺動脈，LA：左心房，LV：左心室，Ao：大動脈
〔森 彪：小児循環器病学Ⅱ．新小児医学大系，10B，p. 21，中山書店，1986より改変〕

低血圧，意識レベルの低下をきたし，脈拍は頻脈で微弱となる．原因は心不全のほか，出血性，アレルギー性，細菌感染性など，さまざまである．とりあえずの処置として，頭部への循環を確保するために，寝かせて下腿を挙上させ頭部を低くする．また，呼吸・循環の状態に応じて救急処置が必要となる．

2 臨床検査

a 胸部X線写真，心電図（ECG），血圧

胸部X線写真では，心陰影，肺血流の状態などがわかる（▶図5）．心形態異常があると，特徴的な心臓の陰影のシルエットが認められる．また心不全をきたすと，心拡大をみる．

小児の心電図は成人と比較して心拍数が多く，PRやQT時間が短く，R波やS波が高く，QRS電気軸が右軸寄りなどの特徴を示す．

小児の血圧を測定するときには，体格にあったマンシェットを使用して測定する．上肢で測定するときには，上腕の2/3を覆うマンシェットが必要である．不適切に短いマンシェットを使用すると，血圧は実際よりも高く測定される．年齢ごとの収縮期，拡張期血圧を示す（▶図6）．

b 心エコー検査，心臓カテーテル検査

心エコー（心臓超音波検査法）のMモード法，2次元（2-dimensional；2D）法では，心臓の構造と機能を測定することができる．ドプラ法は血流中の赤血球の動きを超音波のドプラ効果を利用して測定することにより，血行動態をリアルタイムで観察できる．カラードプラ法では血流の方向を赤や青で色分けすることで，心臓内のシャントの有無などを見分けることができる（▶図7）．

心臓カテーテル検査では，大腿静脈あるいは動脈から心臓内にカテーテルを挿入して，心腔内の特定部位の内圧の測定，ガス分析，造影検査を行うことができる．心形態異常の診断確定の他に，短絡量や肺血管抵抗を定量的に測定して心機能を推定し，手術適応についての評価も行う．心房中隔欠損症の心房の穴を塞いだり，肺動脈の狭窄を拡げたりする治療にもカテーテルが使われる．

また近年では，心臓MRI（CMR）や高画質の

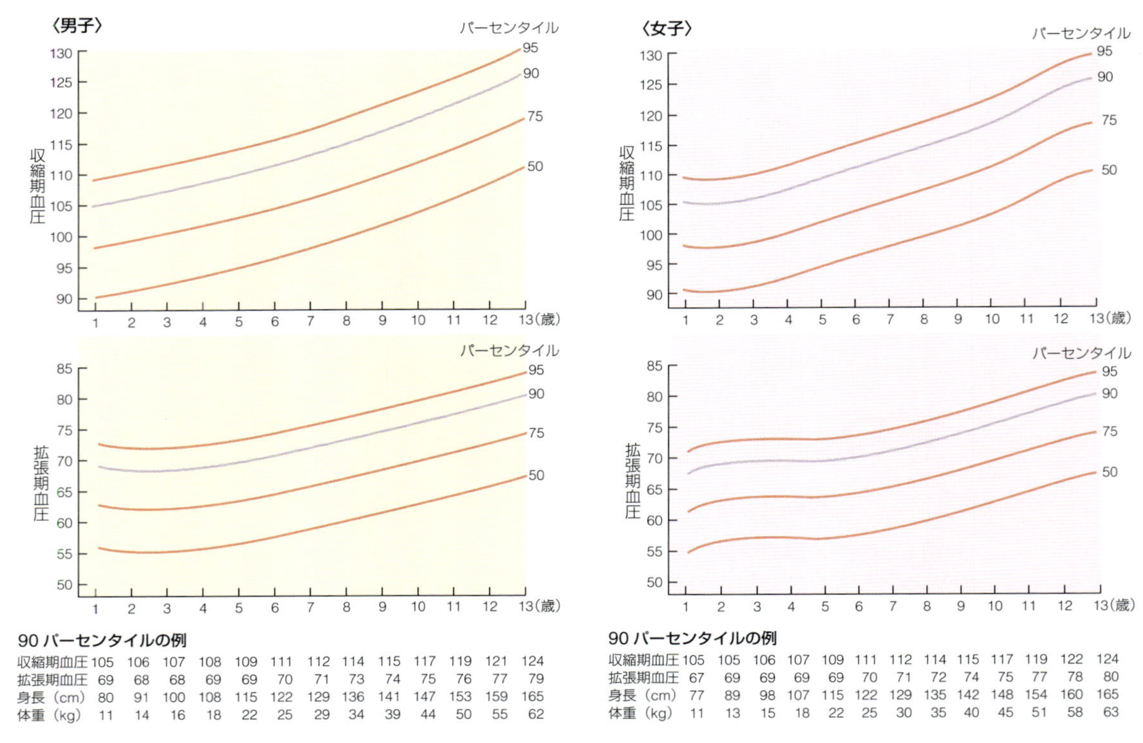

90 パーセンタイルの例（男子）

収縮期血圧	105	106	107	108	109	111	112	114	115	117	119	121	124
拡張期血圧	69	68	68	69	69	70	71	73	74	75	76	77	79
身長（cm）	80	91	100	108	115	122	129	136	141	147	153	159	165
体重（kg）	11	14	16	18	22	25	29	34	39	44	50	55	62

90 パーセンタイルの例（女子）

収縮期血圧	105	105	106	107	109	111	112	114	115	117	119	122	124
拡張期血圧	67	69	69	69	69	70	71	72	74	75	77	78	80
身長（cm）	77	89	98	107	115	122	129	135	142	148	154	160	165
体重（kg）	11	13	15	18	22	25	30	35	40	45	51	58	63

▶図 6　年齢および身長・体重ごとの血圧

〔Kliegman, R. M.（ed.）：Nelson Textbook of Pediatrics. 18th ed., p. 1861, W. B. Saunders, Philadelphia, 2007 より〕

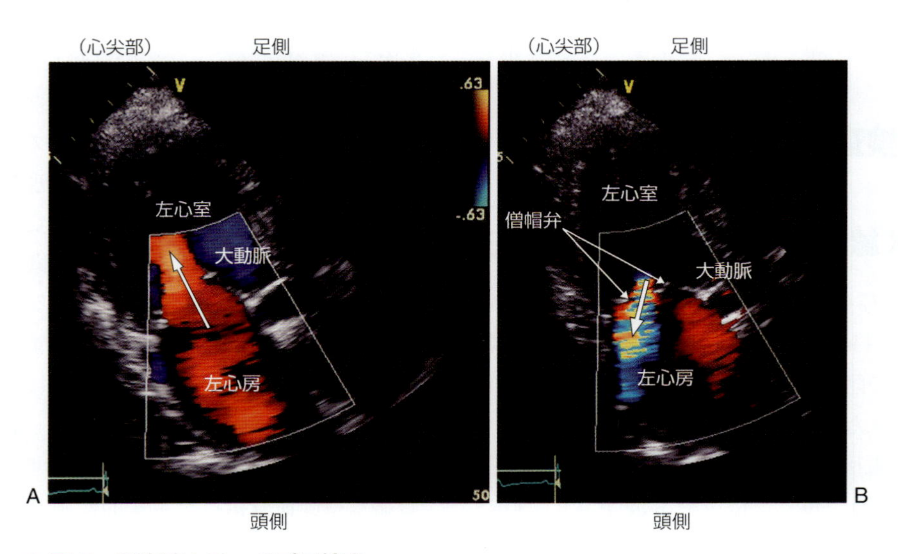

▶図 7　超音波カラードプラ検査

心尖部から左心室・左心房をのぞく．頭側は下方に逆転しているので注意する．

A：拡張期．左心房から左心室への血流を赤色で描出している．矢印は血流の方向．

B：収縮期．僧帽弁を通じて左心室から左心房への異常な逆流をモザイク色（太矢印）で明瞭に描出している．

CT 立体像を検査できるようになってきた．特にCMR は無被曝・低侵襲であるため，適応は広く心エコー検査に準ずる．低年齢児では撮影音による覚醒・体動を防ぐため薬物による深い鎮静も考慮されるが，低換気や誤嚥リスクについては最大限回避する必要がある．

c 心臓検診

学童期に，一次スクリーニングとして，問診，心電図や心音図検査を行う．そして要精検者に対して，精密検査を行う．乳幼児期には発見されなかった心房中隔欠損症や，不整脈などが発見されることがある．

C 発症頻度と原因

1 発症頻度

出生 1,000 人に約 10 人（約 1%）とされ，わが国における頻度は 2016 年の調査では 1.44% であった．**表 2** に，主な疾患名とその頻度をあげる．

表 2　先天性心疾患（2016.1.1～2016.12.31）

	発症数	頻度（%）	順位
心室中隔欠損症	4,797	34.2	1
動脈管開存症	1,448	10.3	3
心房中隔欠損症	2,720	19.4	2
（完全型または不完全型）房室中隔欠損症	383	2.7	
肺動脈（弁）狭窄症	1,175	8.4	4
大動脈（弁）狭窄症	249	1.8	
大動脈縮窄症	319	2.3	
大動脈弓離断症	88	0.6	
完全大血管転位症	246	1.8	
ファロー四徴症（肺動脈閉鎖例を含む）	608	4.3	5
総動脈幹症	46	0.3	
左心低形成症候群	128	0.9	
三尖弁閉鎖症	85	0.6	
単心室症	217	1.5	
純型肺動脈閉鎖症	77	0.5	
両大血管右室起始症	328	2.3	
総肺静脈還流異常症	160	1.1	
修正大血管転位症	64	0.5	
エプスタイン病	89	0.6	
その他先天性心疾患	798	5.7	
計	14,025	100	

2018.3.29 時点　135 施設回答/135 施設
2016 年出生数：976,978／CHD 発生率，1.44%
〔日本小児循環器学会：CHD サーベイランス 2016 調査結果．JSPCCS NEWS LETTER 3，2017 より〕

2 原因

表 2 で示す疾患の約 85% は成因不明で，遺伝的要因と環境的要因の相互作用による多因子遺伝と考えられる．原因が明らかな代表疾患を以下に分類する．

(1) 単一遺伝子異常（3%）

- Marfan（マルファン）症候群：大動脈弁閉鎖不全症（aortic valve regurgitation；AR）が合併する．
- Noonan（ヌーナン）症候群：肺動脈狭窄症（PS），心房中隔欠損症（ASD）

(2) 染色体異常（5～8%）

- Down（ダウン）症候群：房室中隔欠損症（AVSD），心室中隔欠損症（VSD），ASD
- 18 トリソミー：VSD，ASD，動脈管開存症（PDA）

(3) その他（母体への外因の影響）

- 先天性風疹症候群：PDA，肺動脈弁狭窄症（PS），ファロー四徴症（TOF）
- 一部の抗てんかん薬：VSD，ASD，大動脈縮窄症（CoA）など
- 先天性アルコール症候群：ASD，VSD

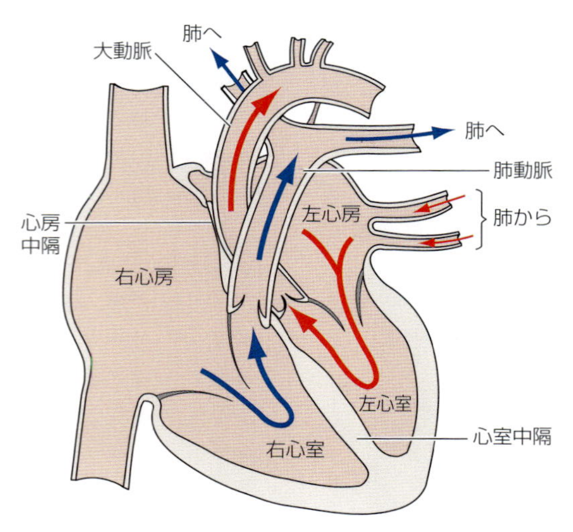

▶図8　正常な心臓と血流の方向
→：動脈血，→：静脈血

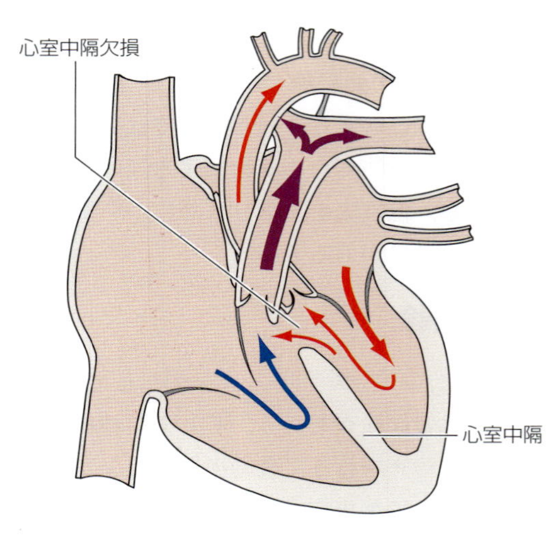

▶図9　心室中隔欠損症（VSD）
心室中隔の欠損を通って血液が左心室から右心室を通過し肺動脈へと流れる．→：動静脈混合血

D 先天性心疾患

1 非チアノーゼ性先天性心疾患

左心室系から右心室系へのシャント（左右シャント）優位の病態では，チアノーゼは生じない（➡NOTE-1）．しかし，全身への血流供給の効率が非常に悪くなり心臓に負担がかかる．

非チアノーゼ性の先天性心疾患として代表的なものをあげる．

NOTE

1 シャント

ここでいうシャント（短絡）とは，異なる管腔（例：左右の心室）間に正常では存在しない交通や吻合があることを指す．血液がそれを通って，一方の腔より他方の腔に入る．中隔欠損症はその例である．

また左右シャントとは，左心系（左心房，左心室など）から右心系（右心房，右心室など）へ血流が短絡する病態をいう．通常左右シャントのみではチアノーゼは生じない．

後述する右左シャントでは，酸素飽和度の低い右心系の血液が左心系に流れ込んで混じり全身に運ばれるため，チアノーゼを生じる．

a 心室中隔欠損症（VSD）

心室中隔欠損症（ventricular septal defect；VSD）は心室中隔の一部が閉鎖しきっていない形態異常である〔心臓内血流動態（▶図8，9）〕．左右シャントの量は，中隔の欠損の大きさと肺血管抵抗に影響される．肺血流量は正常より非常に多くなり，放置すればやがて肺高血圧が生じる．

症状　生後第1日では，まだ左右の心室の圧差がなくて左右シャント量がまだ少ないので，心雑音を聴取しない．しかし，やがて右心室圧が低くなるにつれてシャント量が増大し，胸骨左縁に最強点をもつ収縮期心雑音を聴取できるようになる．

シャント量が少量で肺高血圧も認めない軽症例が最も多く，その場合には特に症状はみられない．心雑音が強い場合には，胸壁を触れたときに振戦（thrill）を感じとることができる．X線像では通常は正常所見であるが，肺血流が若干多くみられる．また心電図上は，正常かやや左心室肥大がみられる．

欠損が大きくて肺血流量が著明に多い場合，呼吸困難，哺乳障害，体重増加不良，著明な発汗，頻回の呼吸器感染症，乳児期の心不全などを認める．欠損が中等度以上になると，収縮期心雑音はむしろ小さくなる．X 線像上は心拡大をみるようになり，特に左心房と肺動脈の拡大をみる．

診断　診察所見と心エコーで診断可能である．手術適応については，心臓カテーテルで評価する．

予後　小さな欠損の多く（30〜50%）が 1 歳までに自然に閉鎖する．大きな欠損があると，呼吸器感染を合併したり心不全をきたしたりする可能性が高い．

治療　乳児期に心不全症状を示す例には，利尿薬，レニン・アンジオテンシン系抑制薬を使用する．心不全進行予防に貧血の是正も重要となる．欠損が大きい場合には手術の適応となる．根治手術を生後 1 年以内に行えば，肺高血圧症への影響も少ない．Down 症候群では肺高血圧症への進行が早いため，より早期の対応が必要となる．感染性心内膜炎発症の予防のために，歯科処置・扁桃摘出時には抗菌薬を事前に投与する．

b 心房中隔欠損症（ASD）/房室中隔欠損症（AVSD）

心房中隔が完全に閉鎖されず，欠損孔を残した状態になると，左右シャントを引き起こす．心房間交通が一次孔欠損によるものと二次孔欠損によるものとに分かれ，二次孔欠損によるものがいわゆる心房中隔欠損症（atrial septal defect；ASD）である．以下に代表例を述べる．

(1) 心房中隔欠損症（ASD）

狭義の心房中隔欠損症は，両心房間の二次孔（▶図 1B➡130 ページ）が開存している形態異常である．肺から還流した血液の一部が卵円孔を通じて左心房から右心房へ流れ，再び肺に流れる．したがって，肺血流は全身への血流より非常に多くなる．

診断　X 線像では，種々の程度に右心室と右心房の拡大が認められる．肺動脈が拡大して，肺血流量が増大する．心電図上は右軸偏位，心エコーでは右心室容量負荷，カラードプラでシャントを確認する．必要に応じて心臓カテーテル検査で確定診断する．

予後　幼児期には無症状であることが多く，学童期あるいは 20 歳代になって肺高血圧，心房性不整脈，心不全が生じてくることもある．また，学童期に心臓検診で，不完全右脚ブロックを契機に発見されることがある．

治療　無症状でも学童期以前に手術をすすめることもある．近年では閉鎖栓を用いた心臓カテーテル治療も選択肢の 1 つとなる．

(2) 房室中隔欠損症（AVSD）

房室中隔欠損症（atrioventricular septal defect；AVSD）は，心房の一次孔（図 1A➡130 ページ）が開存した状態で，基本的な異常は左心系から右心系へのシャントに房室弁の閉鎖不全を合併することである．高圧である左心系側の僧帽弁閉鎖不全をきたしやすい．血流シャント量は中〜大である．心房間交通のみを認める場合は，不完全型として分類する．

症状　シャント量が多く，僧帽弁閉鎖不全を合併する場合には，易疲労性・頻回の肺炎などがみられる．聴診ではⅠ音亢進，Ⅱ音の固定性分裂（分裂間隔が呼吸に影響されない）（図 4➡132 ページ），駆出性収縮期心雑音および拡張期心雑音が認められる．

診断　X 線写真では，両心室と両心房が拡張した心肥大がみられる．肺動脈が拡大して肺血流量が増大する．心電図は軸の上方・左方偏位，心エコーでは右心室拡大，ドプラで左右シャントの所見が認められる．心臓カテーテル検査で手術適応の評価を行う．

予後　左右シャント，肺血管抵抗，僧帽弁閉鎖不全などの程度が予後に影響する．手術しない例では乳児期に心不全を呈する．軽症の場合には，20〜30 歳まで比較的無症状の例もある．

治療　僧帽弁閉鎖不全の程度が大きい場合は，早期の手術が必要である．欠損が大きいほど乳児期の手術は困難であり，肺動脈絞扼術といった姑息手術が先行される．

C 動脈管開存症（PDA）

胎児期には，肺動脈内の血液はほとんど動脈管を通じて大動脈へ流れ込む．しかし，動脈管は出生後早期に機能的に閉鎖する．

もし動脈管が新生児期以降まで開存したまま残ると，生後肺血管抵抗は著減するので肺動脈圧が低下し，その結果，大動脈から肺動脈へ向けて動脈管を通じて血流が逆流するようになる．これを動脈管開存症（patent ductus arteriosus；PDA）と呼ぶ（▶図10）．シャント量は多いと70%にも達する．未熟児の場合には，その未熟性のゆえに動脈管が開存したままで残ることがある．

診断　シャント量が少なければ無症状であるが，多いとVSDにみられるような心拡大，左心不全，肺高血圧を呈して成長障害をもたらす．心雑音は特徴的で，機械様，うなりゴマ様などと，いろいろな呼び方をされるが，心音のⅠ音から始まり，収縮末期に最強となり，Ⅱ音を超えて拡張期に減衰する．心電図は，シャント量が多い場合には左ないしは両室肥大の波形となり，X線像では肺動脈血流が著明に増加している．心エコーで左心房・左心室が拡大する．

予後　動脈管開存が小さければ，ほとんど無症状である．大きければ，乳児早期にうっ血性心不全症状が認められる．外科的無治療例のなかに，肺高血圧症にて呼吸困難，心不全を呈してくるものがある．

治療　残存しているPDAは，根治のためには外科的結紮術か，カテーテルによるコイル塞栓にて閉じる．特に心不全症状を呈している場合には，十分な予備的治療ののち，手術が手遅れにならないようにしなければならない．

早産児の場合　呼吸窮迫症候群（respiratory distress syndrome；RDS）があると，低酸素血症やアシドーシスあるいは内因性プロスタグランジン分泌などの影響で，動脈管が開いたままになっていることがある．症状として，呼吸状態がよくなっても無呼吸が頻発し前胸部が波打ち，二酸化炭素が貯留して酸素が上昇しない．容量負荷による心ポンプ機能低下とPDAによる心拍出量減少から心不全をきたす．動脈管閉鎖を目的としたインドメタシン投与の反応がよくない場合には，外科的結紮術を考える．

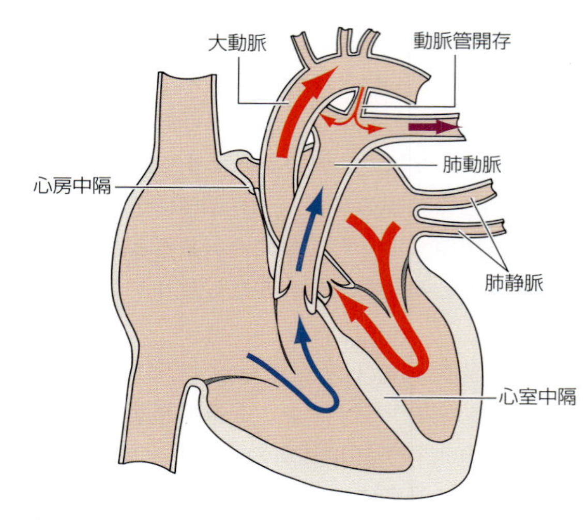

▶図10　動脈管開存症（PDA）
動脈管を通じて大動脈から肺動脈に血液が流れる．胎児期とは血流は逆方向である．➡：動静脈混合血

2 チアノーゼ性先天性心疾患

右心室系から左心室系へのシャント（右左シャント）が優勢な病態では，チアノーゼが出現し，全身への酸素の供給の効率が非常に悪くなる．チアノーゼ性先天性心疾患で最も多いFallot（ファロー）四徴症（tetralogy of Fallot；TOF）について以下に述べる．

■Fallot四徴症（TOF）（▶図11）

肺動脈狭窄，VSD，大動脈騎乗，右心室肥大を四徴とする心形態異常であり，特に前2者が重要である．上下大静脈からの静脈血の還流は正常である．肺動脈の強い狭窄があるので，右心室の血流の多くはVSD経由で直接大動脈に入る．そのために大動脈血の酸素飽和度が低下して，チアノーゼが発症する．また強い肺動脈狭窄により肺

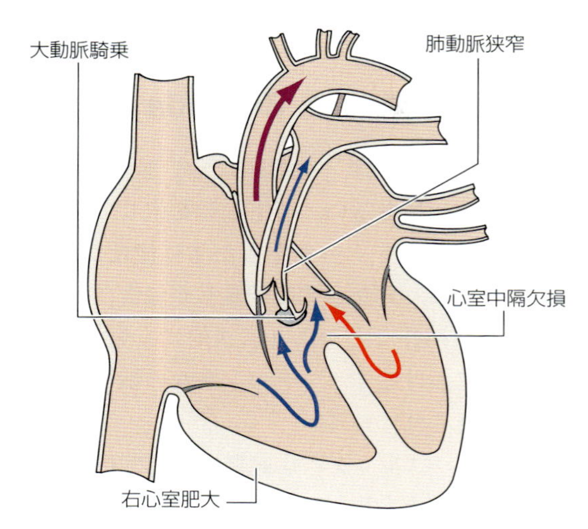

▶図 11　Fallot 四徴症

⟶：動静脈混合血

肺動脈狭窄は右室流出路狭窄を伴うのが特徴的である．筋性組織からなるため興奮時には狭窄を助長し，チアノーゼ発作をきたしやすくなる．

血流量が減ることにより，動脈血として肺から還流する肺静脈血流量も減るためチアノーゼが助長される．右心室からのシャントの程度とチアノーゼの程度は相関する．

症状

- チアノーゼ：出生時には目立たないが，乳幼児期に次第に顕在化する．ばち指も著明である．
- 呼吸困難：特に運動負荷時にみられる．
- チアノーゼ発作（無酸素発作）

  肺動脈が攣縮をおこして呼吸困難をきたす．生後 3 か月から 2 歳ころまでに多い．不穏状態（啼泣など）→チアノーゼ増強→あえぐような息づかい→失神．発作中は低酸素血症，アシドーシス，二酸化炭素増加を認める．
- 発育遅延，収縮期心雑音，右心室把大による左前胸部の膨隆を認める．

診断

- X 線像では木靴様心陰影（心陰影の大きさ正常，右心室肥大による心尖挙上，左第 2 弓陥凹，肺血管陰影減少，大動脈弓の右方への突出）を認める．
- 心電図は右軸偏位，右心室肥大である．
- 心エコー検査で確定診断する．心臓カテーテル検査で手術適応の評価を行う．

合併症　脳塞栓症（多血症に伴う），脳虚血，脳膿瘍，細菌性心内膜炎などがある．

治療

- 重症の TOF は，新生児期に PDA が閉じると肺の血流量が著減して低酸素状態になるので，必要な期間はプロスタグランジン E_1（prostaglandin E_1）を投与して PDA を開存させ肺血流量を維持しておく．
- 血液の粘性が増加しすぎないように，脱水の予防を行う．また，鉄剤投与にて鉄欠乏性貧血を予防してヘマトクリット（Ht）を 55～65% までに保つ．
- チアノーゼ発作に対しては蹲踞（そんきょ）姿勢，酸素投与，モルヒネ投与を行う．また，発作の予防に β ブロッカー（プロプラノロール）を投与する．
- 手術：通常 1～2 歳ころに根治術を行う．VSD を閉じて同時に肺動脈狭窄を解除する．乳児早期にチアノーゼ発作が多い例では，鎖骨下動脈から人工血管を肺動脈に吻合する Blalock-Taussig（ブラロック-タウジッヒ）シャント術などによって，左心系から右心系への血流を増加させて一時的に肺血流を保つ姑息術を行い，成長を待って根治術を計画する．

E 後天性心疾患とその他の心疾患

1 後天性心疾患

a 心筋炎

心筋炎の原因としては，感染性や膠原病によるものがある．ウイルス性心筋炎では，自覚症状のないものから重篤なものまである．重症なものは頻脈，不整脈，聴診上ギャロップリズム，多呼吸，心不全症状を呈する．

b 特発性心筋症

特発性心筋症では，心筋の収縮不全があり，うっ血性心不全症状を呈する．左心室腔が著明に拡大する拡張型心筋症と，心室中隔が著明に肥大する肥大型心筋症がある．

c 感染性心内膜炎

先天性心疾患や弁膜症では，心内膜，弁膜，血管内皮などに細菌が感染して心内膜炎が発症することがある．抜歯，扁桃摘出による菌血症などが誘因となることもある．

発熱が続き，通常の抗菌薬投与に反応しないときに疑い，血液培養・心エコーで診断する．予防的には，抜歯や扁桃摘出の際にあらかじめペニシリン系抗菌薬の投与などを行う．

d 川崎病（MCLS）

詳細は，第14章（➡204ページ）を参照のこと．

2 その他の心疾患

a WPW症候群

Wolff-Parkinson-White（ウォルフ・パーキンソン・ホワイト）症候群を略してWPW症候群という．心電図上PR短縮，QRS上行脚にデルタ波を認める．房室副伝導路が関与し，動悸や心機能低下をきたす．WPW症候群の心電図を有するが無症状であるものは40～65%である．小児から若年成人のWPW症候群での突然死は0～0.015人/年と報告されている．

b 原発性肺高血圧症，特発性肺動脈性肺高血圧症

原因不明．運動時の呼吸困難が主症状である．安静時の肺動脈収縮期圧が高くなり，右心不全をきたす．

c QT延長症候群とBrugada症候群

QT延長症候群は，心電図にQT延長を認め，特殊な心室頻拍あるいは心室細動を生じて，めまい，失神，そして突然死をきたす可能性がある．遺伝性があり，異なる遺伝子異常が報告されている．また薬剤性などにより二次的にも発症する．心筋細胞におけるイオンチャンネルの機能異常などが原因とされている．

Brugada（ブルガダ）症候群は小児では稀であるが，心電図上右脚ブロックに伴うST上昇を認め，失神，心室細動や，突然死の家族歴を認めることがある．遺伝子異常による心筋のNaチャネル機能異常が想定されている．一方，学童集団検診で見つかる無症候性Brugada症候群の詳細はまだ不明である．

F 理学・作業療法との関連事項

先天性心疾患のような内部障害のある子どもは，外見では健常児と区別がつかず，保育園や幼稚園・学校の友だちや教員などに理解されにくいことも多い．

医療の進歩によって，CHD児の長期生存率が上がり，成人先天性心疾患（adult congenital heart disease；ACHD）患者となることで，一般外来を受診するようになっている．2013年の全国調査では，ACHD患者の就職率は60～70%，障害者雇用枠での就職が約40%で，身体障害者手帳の必要性が指摘されている．ACHD患者の職業選択の幅は広いが，疲れやすい，無理はできないなどの制限がある場合，就業時間や休暇，体調に合った仕事内容など，職場での配慮が必要になる．CHD児が定期的な通院が必要な場合は，ACHD患者の現状をふまえて，将来像が明確になるように継続的に患児・保護者教育を行うこと

が大切である．

■チアノーゼと非チアノーゼ

先天性心疾患に対する理学・作業療法では，治療内容やリスク管理を十分に把握しておくことが重要である．非チアノーゼ性先天性心疾患で代表的なVSDでは，生後の生理的肺高血圧の低下に伴い肺血流が増大し，頻呼吸や発育不全が起こりやすい．一方，ASDでは肺体血流比が大きい場合，活動性の低下や発育不全，易疲労性などがみられる．そのためVSD児もASD児も小柄な体格であったり，運動発達がゆっくりであることがしばしばある．これらは手術後の発達にも影響するため，術後に頻呼吸や易疲労性などの症状がなくなった場合であっても，継続的なフォローが必要な場合がある．

チアノーゼ性先天性心疾患では，TOFについて理解を深めておくことが大切である．肺動脈の狭窄が強い場合，チアノーゼや哺乳不良が強く出現しやすい．肺動脈の狭窄が軽い場合はVSDと同様の病態となる．非チアノーゼ性先天性心疾患の乳児より，チアノーゼ性先天性心疾患の乳児の方が脳容量が小さく，発達遅滞がより重度であるともいわれている．チアノーゼの程度によって発達経過が大きく変わるため，正常運動発達や精神発達について学び，保護者の不安が減るよう，各発達に見通しをもったかかわりや，保育園や幼稚園，学校などとの連携が必要である．

■心臓カテーテル治療

心臓カテーテルによる評価や治療を行う場合には，リスクと合併症に注意をしてリハビリテーションを行う．意識レベルや呼吸状態，循環動態，投薬状況，血液の生化学検査を把握しつつ，心電図やパルスオキシオメータ，子どもの機嫌などに気を付ける．術後には，肺血流量や分泌物の増加に伴う気道閉塞や，心室拡大に伴う肺の拡張性低下により無気肺が生じやすい．無気肺を予防するため，定期的な体位変換や術後の安静後には早期からのモビライゼーションが行われている．子どものカテーテル治療では年齢や疾患，治療部位や手技によってリスクが大きく異なるため，その都度，医師と確認しておく．

- □ 左右シャントと右左シャントの血流動態の違いを説明しなさい．
- □ 左右シャントと右左シャントの代表的先天性心疾患を１つずつあげて説明しなさい．
- □ 心不全症状について説明しなさい．

第9章 呼吸器疾患

学習目標

- 呼吸機能とその臨床症状について理解を深める.
- 小児の呼吸器感染症は頻度が高い疾患であり，重症心身障害児では難治性の呼吸器感染症が多い.

A 発生と機能

1 発生

呼吸器の発生は内胚葉起源である．胎齢4週ころに前腸腹壁からの派生物として呼吸器の原基が出現して憩室を形成し，それが気管と左右の肺芽へと発達する（▶図1）．肺芽は体腔内に侵入して気管支を形成していき，末端の細気管支の細胞の一部が扁平上皮細胞になると肺胞として呼吸可能となる（▶図2）．形態的には，胎齢24〜26週にほぼ完成する．

肺サーファクタント（肺表面活性物質）は胎齢24週ころからⅡ型肺胞上皮細胞から産生されるようになり，出生後の肺胞の拡張に不可欠である．出生時には第一呼吸による肺胞への空気の流入とともに，循環系にも変化が生じる．すなわち，肺胞の拡張，肺血管抵抗の低下による肺動脈血流増加，動脈管閉鎖，卵円孔閉鎖を生じて，呼吸・循環動態は成人と同様になる．

2 機能の発達

新生児の胸郭は前方からみて三角形であり，主として横隔膜を使った腹式呼吸をしている．1歳近くなると上部胸郭が広がり，さらに肋骨が回旋されはじめる．この結果，呼気時と吸気時の肺容積の差が大きくなり，また横隔膜もドームの形態を増して呼気と吸気時の肺容積の差を大きくする．このようにして新生児期と比較して，1歳こ

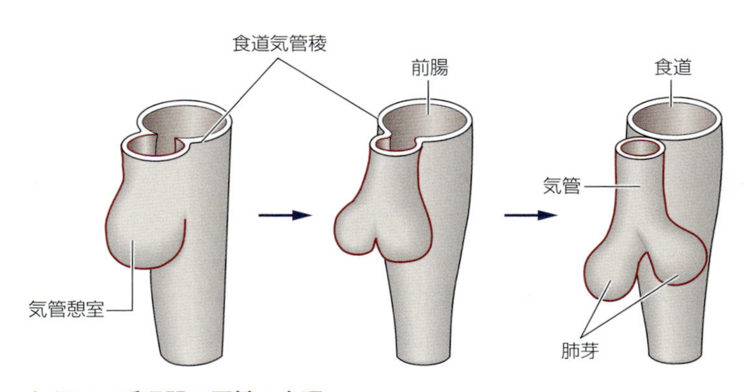

▶図1　呼吸器の原基の出現

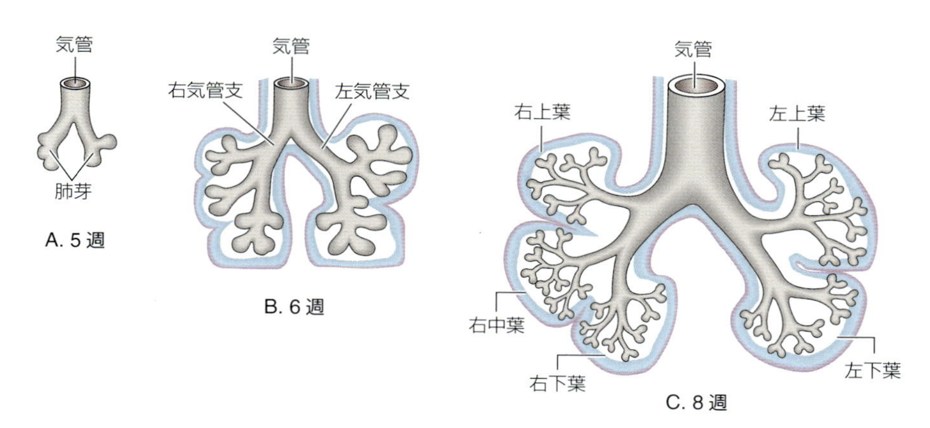

▶図 2　気管および肺の発達

〔Sadler, T. W.：Langman's Medical Embryology. 6th ed., p. 231, Williams & Wilkins, Baltimore, 1990 より〕

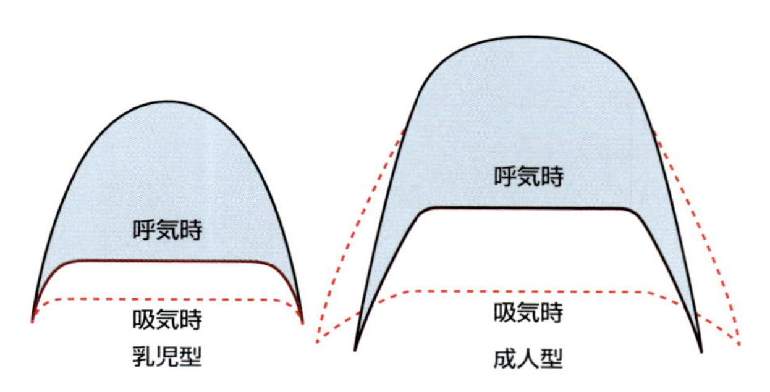

▶図 3　乳児型と成人型の呼吸（胸郭と横隔膜の動態）

▶表 1　正常な呼吸数（毎分）

新生児	乳児	幼児	学童	成人
29〜32	22〜28	20〜28	18〜20	16〜18

〔浜崎雄平：呼吸器疾患．内山 聖（監修）：標準小児科学　第 8 版．p. 375，医学書院，2013 より〕

ろから肺活量は著明に増大する（▶図 3）.

B 症状と検査

1 臨床症状

呼吸回数（▶表 1），特に多呼吸は呼吸機能低下を鋭敏に反映している．咳嗽（cough）は気道粘膜のレセプターを介した反射であり，それにより喀出された気管内分泌物が痰である．痰を伴うと湿性咳，伴わないと乾性咳という．

喘鳴（ぜんめい）（stridor または wheezing）は気道の狭窄により生じる．吸気時にゼーゼーというのは stridor で，主に咽頭や喉頭の胸郭外気道の狭窄である．呼気時にピーピー，ヒューヒューというのは wheezing で，主に気管，気管支などの胸郭内気道の狭窄で生じる．聴診器で容易に鑑別できる．

呼吸困難（dyspnea）は，通常は自覚症状を伴うが，乳児や重症心身障害児の場合にはわかりにくいことも多い．そこで，多呼吸，鼻翼呼吸，陥没呼吸，呻吟，チアノーゼなどがないか，注意深く観察する．一般に吸気性呼吸困難は胸郭外気道，つまり鼻から気管の上部で生じ，呼気性呼吸困難は胸郭内の気道障害で生じる．

胸痛（chest pain）は小児では少ないが，気管支炎，肺炎そして胸膜炎などのときにみられ，流行性胸膜痛症でも認める．

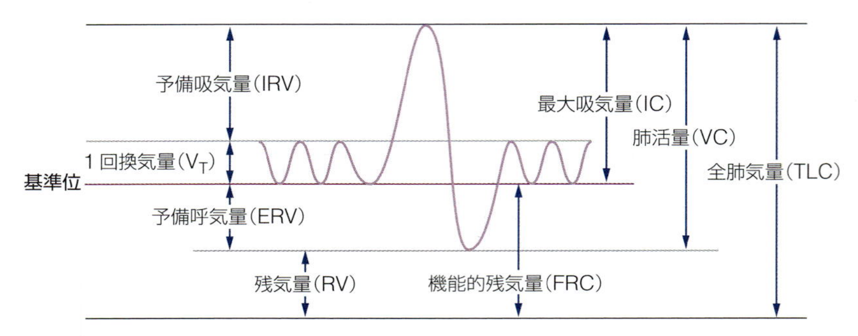

▶**図 5　肺機能検査**

IRV：inspiratory reserve volume, V_T：tidal volume, ERV：expiratory reserve volume, RV：residual volume, FRC：functional residual capacity, IC：inspiratory capacity, VC：vital capacity, TLC：total lung capacity
〔浜崎雄平：呼吸器疾患．内山聖（監修）：標準小児科学　第 8 版．p. 380，医学書院，2013 より〕

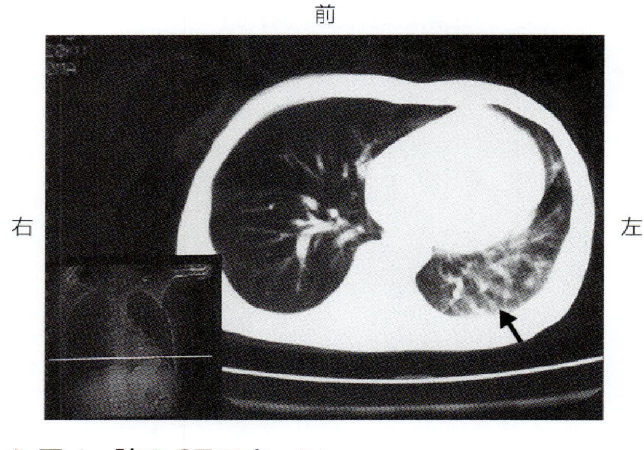

▶**図 4　肺の CT スキャン**

左下肺野に肺炎像を認める（矢印）．この部位は，一般に通常の単純 X 線写真では心陰影が重なって肺炎像がわかりにくい．左下の写真は CT の断面部位を示すもの．

2 臨床検査

呼吸器系の主な臨床検査を以下に示す．

(1) 胸部単純 X 線写真

小児で最も多い検査の 1 つである．背部から正面方向への撮影（P→A）と，側面方向のもの（R→L，L→R）がある．肺，気管支，肺血管，心臓などを評価することができる．

(2) 胸部 CT

単純 X 線写真にて心陰影と重なる部分の診断や，腫瘤性・嚢胞性病変，気管支拡張症などの診断に有用である（▶**図 4**）．

(3) 血液ガス

動脈血中の $P\text{O}_2$（酸素分圧），$P\text{CO}_2$（炭酸ガス分圧），pH などを測定することにより，肺の換気状態および酸塩基平衡が評価できる．一般に換気不全で $P\text{CO}_2$ 上昇，ガスの拡散障害で $P\text{O}_2$ 下降がみられる．パルスオキシメータは，センサーを指尖部などに取り付けて，経時的に末梢血酸素飽和度や脈拍数がモニタリングできる．

(4) 肺機能検査

スパイログラムは呼気，吸気をマウスピースから直接連続して測定することにより，肺活量（VC）などの肺機能検査（▶**図 5**）や最大呼気流量（PEF）を検査する．呼吸障害を，VC 低下の拘束性肺疾患（胸水貯留など）と，PEF 低下の閉塞性肺疾患（気管支喘息など）の機能的 2 側面から分析することができる．

(5) 気管支鏡（bronchoscopy）

ファイバースコープにより，直接に気管内を観察する．

(6) 胸腔穿刺

胸腔内に穿刺を行い，胸水の排出や胸水の検査，あるいは気胸時の空気吸引などを行う．

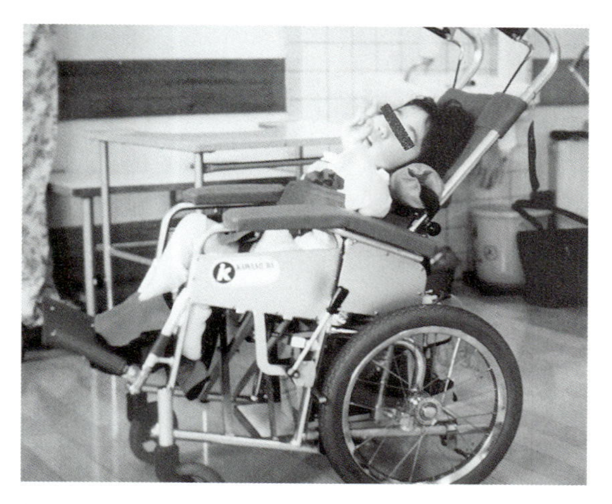

▶図 6 在宅酸素療法
持続的に，あるいは夜間や必要時に酸素吸入を行う．また外出時には，写真のように酸素ボンベを車椅子に積んで出かけることも可能である（酸素ボンベは車椅子の後面に乗せてある）．

C 治療と処置

1 酸素療法

急性の呼吸不全，心不全だけでなく，在宅酸素療法（▶図 6）などの慢性投与にまで，適応範囲が急速に広がってきている．特に慢性的な呼吸障害はよい適応例であり，酸素療法の終了を待たずに退院して在宅での生活が可能となってきた．

ただし，呼吸障害により P_{CO_2} が高い患者に不注意に高濃度の酸素を投与すると，呼吸中枢の応答が低下して換気の反応が弱くなり，かえって CO_2 が蓄積して昏睡状態（CO_2 ナルコーシス）に進展するので注意が必要である．必要最小限の酸素濃度の投与にとどめなければならない．

2 人工換気

気道の十分な開通下での酸素化不良・換気不良では，酸素投与，ネーザルハイフロー療法，非侵襲的陽圧換気（NPPV）が病態や重症度により選択される．

頻回の吸引や，エアウェイの使用などでも上気道の確保が十分でない場合には，まず気管挿管が行われる．さらに，その状態が今後長期間続くと想定される場合には，気管切開の適応となる．それに加えて，自発的な呼吸数が十分でなく，換気障害も持続する場合には，人工換気が必要となる．その場合には，P_{O_2} と P_{CO_2} を継続的に測定しながら人工換気の条件を調整しなければならない．

3 薬物療法

吸気への加湿に加えて，去痰薬，気管支拡張薬，抗アレルギー薬などを，吸入・経口や経皮的に投与する．

4 理学的処置

a 体位変換

肺区画の立体的位置関係を念頭において，痰の排出を行いたい肺区画を高い位置にして，気管支を通じて痰が排出しやすいように体位を定期的に設定する．

b タッピング，バイブレーション

椀状にした手のひらで，排痰を目的とする肺区画の胸壁を繰り返したたく（tapping），あるいはバイブレータのようなもので振動を与える（vibration）．その他，自己排痰法など，近年この分野でさまざまな手法が取り入れられている．毎日継続することで，長期的な呼吸機能改善がはかれる．

D 呼吸器疾患

1 上気道疾患

a 鼻出血

小児期にはKiesselbach（キーゼルバッハ）部位（鼻中隔前下端）からの出血が多いので，とりあえずは鼻根部を両側方から指でつまむ（要するに鼻をつまむ）ように圧迫すると，通常は数分間で止血する．口を大きく「アーン」とさせて咽頭側へ出血していないことを確認する．

止血しにくいときは，氷冷圧迫，アドレナリンを含んだタンポンを使用する．止血困難なときは，出血性の基礎疾患の有無について検査が必要である．

b 鼻咽頭異物

幼児は遊びながら鼻に異物を入れてしまうことがあるので，注意が必要である．

c 扁桃肥大

学童期には，口蓋扁桃やアデノイド（咽頭扁桃）が肥大傾向にある．頻回にA群溶連菌感染を繰り返す場合，あるいは急性糸球体腎炎の原因となる場合に，摘出を検討する．肥大しているだけで明らかな気道閉塞の症状がなければ摘出の適応にはなりにくい．

いびきや睡眠時無呼吸があれば，扁桃摘出術やアデノイド切除術が必要か評価する．

d 急性鼻炎，副鼻腔炎

いわゆる“風邪”の急性鼻炎は，急性上気道炎といわれることもある．咽頭痛，鼻汁，鼻閉をみる．ほとんどがウイルス感染である．症状が10日以上続いたり，発熱あるいは膿性鼻汁になってきたりする場合は，副鼻腔炎への進行の可能性がある．

e 急性咽頭（扁桃）炎

急性咽頭（扁桃）炎は強い咽頭痛を伴う．ほとんどがウイルス感染だが，A群溶連菌によるものもある（➡157ページ）．

f クループ

クループは喉頭閉塞をきたす症候群で，冬季に多く，3か月～5歳児に多発する．ウイルス性が多い．はじめは乾性の咳嗽，声がかれる．やがて吸気性喘鳴が持続するようになり，鼻翼呼吸・肋間の陥没が出現する．さらに進むと，呼吸困難から低酸素状態を発症し危険である．

g 急性喉頭蓋炎

2～7歳児に多発し，インフルエンザ菌感染がほとんどである．

症状　発熱，咽頭痛，呼吸困難，頸部後屈姿勢，急激（数時間）に進行する気道閉塞

診断　X線写真は側臥位で撮り，喉頭蓋の浮腫の有無を確認する．

治療　気道確保，抗菌薬，酸素投与，ステロイドホルモン

h 喉頭軟化症

喉頭軟化症では，出生後まもなくから吸気性喘鳴をきたす．喉頭蓋などの緊張が低く，吸気時に声門側へ引き込まれる．1～2歳までに改善することが多い．

2 下気道疾患

a 急性気管支炎

急性気管支炎（acute bronchitis）の多くはウイルス感染により引き起こされ，二次性に細菌感染をきたすこともある．

乾いた咳が次第に多くなってくる．進むと胸

痛，呼吸促迫，小児では嘔吐を伴ってくる．やがて痰が膿性（黄白色）となってきて，発熱することもある．

さらに進行すると，中耳炎，副鼻腔炎，肺炎などを併発する．アレルギー性気管支炎と鑑別しなければならない．

治療としては鎮咳薬などの対症療法で，細菌の二次感染があれば抗菌薬を投与する．加湿，体位変換に留意する．

b 肺炎

（1）感染による肺炎（pneumonia）

細菌（インフルエンザ菌，肺炎球菌，溶連菌，ブドウ球菌，緑膿菌，結核菌，マイコプラズマなど），ウイルス，真菌などの感染によって罹患する．ニューモシスチス肺炎や他の真菌性肺炎は，日和見感染（➡NOTE-1）といわれる．

乳幼児では症状がわかりにくいが，元気がない，食欲がない，機嫌が悪いなどのほかに，多呼吸，発熱，チアノーゼ，呻吟，鼻翼呼吸，肋間陥凹を認める．気管支炎を合併していれば咳嗽を伴う．

検査

- 白血球増加（細菌性の場合）
- CRP 陽性（炎症反応）
- 胸部 X 線写真で肺野に陰影を認める（▶図 7）．
- 咽頭・喀痰培養で起炎菌を同定する．

治療 細菌性肺炎の場合には感受性のある抗菌薬を，マイコプラズマ肺炎（➡158 ページ）にはマクロライド系抗菌薬が投与される．適宜補液や酸素投与を行う．

NOTE

1 日和見感染

免疫力が低下する病態や条件（例：悪性腫瘍，免疫抑制薬の使用，免疫不全，高齢者など）を背景に，通常は発病力をもたない弱毒性の病原体により感染症を発症してしまう場合をいう．

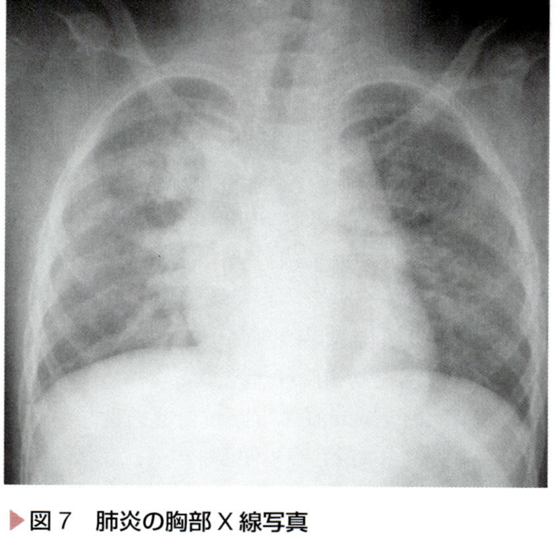

▶図 7 肺炎の胸部 X 線写真
右肺野（向かって左側）にびまん性に強い陰影を認める．

（2）嚥下性肺炎（aspiration pneumonia）

誤嚥（➡226 ページ），あるいは胃食道逆流症（gastroesophageal reflux disease；GERD）（➡169 ページ）により，口腔・胃内容物が気道内に入るために生じる肺炎である．意識障害，脳性麻痺，仮性球麻痺の患者などに発症しやすい．その場合は咳嗽もなく，誤嚥の有無がわかりにくいことがあり，長期間にわたり喘鳴，多呼吸，発熱，膿性痰，体重増加不良などを認める．

治療 通常の肺炎治療のほかに，誤嚥や GERD が明らかであれば，その対策も合わせて考える．姿勢，呼吸状態への対応など総合的な対策を考える．また口腔洗浄（毎食後ブラッシングなど）により，肺炎罹患は減少する．重度心身障害児の場合，持続酸素投与で GERD が軽減することもある．

c 百日咳

百日咳菌（*Bordetella pertussis*）による感染症で，潜伏期間は約 10 日間である．近年，青年層にも増加中である．

症状は経過期間により，次のように変化する．

①カタル期（catarrhal stage）：1～2 週間．鼻汁，眼球結膜炎，流涙，微熱

②痙咳期（paroxysmal stage）：2〜4週間以上．咳が漸増する．顔面を紅潮させて立て続けにせき込んだあと「ヒーッ」と言って息を吸い込むレプリーゼ（reprise）を繰り返すのが特徴．嘔吐，さらには咳が強くなると無酸素症により痙攣を合併することもある．

③回復期（convalescent stage）：2週間以上．症状が軽快してくる．

診断　白血球中リンパ球増多，細菌培養（病初期），PCRで核酸検出，直接蛍光抗体，ELISA（抗体測定）などが用いられる．

治療　早期のマクロライド系抗菌薬の投与，対症療法，予防にはDPTワクチン

d 結核（TB）

結核（tuberculosis；TB）は，結核菌の経気道感染によっておこる．発病した小児の多くに家族の感染が認められる．小児の新たな発症は減少している．

小児期結核は一次感染または初期変化群といわれ，肺と肺門部リンパ節に病変をつくるのが特徴である．このときにはツベルクリン反応（ツ反）の自然陽転があり，胸部X線写真の肺門リンパ節腫大で診断が確定する．不機嫌，食思不振，微熱などが，感染したときの症状である．多くは無症状でいったん治癒する．

数年から数十年を経て二次結核，あるいは進行性結核に進展する例がある．ほとんどが肺結核であり，発熱，咳嗽，喀痰の症状に続いて全身症状が悪化していく．またリンパ節結核，結核性髄膜炎，脊椎カリエスなどをおこすこともある．ただし，乳幼児では胸部X線で全肺野に粟粒大の病巣を認める粟粒結核として発病することがある．このときは高熱，多呼吸，呼吸困難を呈する．

診断

- 家族内結核感染者の有無
- 胸部X線写真：肺門部リンパ節腫大，石灰化像（二次結核は肺上葉に多い，粟粒結核では全肺野に小結節陰影を認める）
- 菌の染色・分離培養：喀痰，小児では早朝空腹時の胃液培養，髄液などを調べる．
- 髄液細胞増多：結核性髄膜炎時
- 喀痰中の菌のDNAの有無をPCR（polymerase chain reaction）にて検査する．あるいはBCGの影響がないクォンティフェロン®TBゴールドとTスポット®TB検査（インターフェロン-γを測定する血液検査である．5歳以下では偽陰性があり，ツ反と合わせて総合判定する）．

治療　化学療法，栄養摂取

予防

- 法律：2007年，結核を感染症法の二類感染症に位置付け，結核予防法は廃止となった．
- BCG接種：予防のため生後5〜8か月に施行
- 抗結核薬イソニアジド（INH）の予防的投与など

e 胸膜炎

胸膜炎（pleuritis）では，胸膜に炎症が広がり，胸膜腔に胸水が貯留する．胸部X線写真でびまん性の陰影が認められ，側臥位で液面が見えることがある．化膿性の胸膜炎になることもある（➡Advanced Studies-1）．

f 無気肺

気管支の閉塞が原因で，一部の肺区域にまったく含気がない状態が胸部X線写真にて認められることがあり，これを無気肺（atelectasis）という（▶図8）．肺炎などに合併してみられることがある．聴診では当該部の呼吸音が減弱する．

g 気胸

胸膜腔へ肺から空気が流入して蓄積し，肺を圧

Advanced Studies

❶膿胸（empyema）

膿腔内に膿が貯留した状態．細菌性肺炎の症状に始まり，進行すると発熱，呼吸困難，胸痛，チアノーゼなどの症状が生じてくる．治療は，肺炎に対する処置に加え，胸腔内穿刺，持続吸引が行われる．

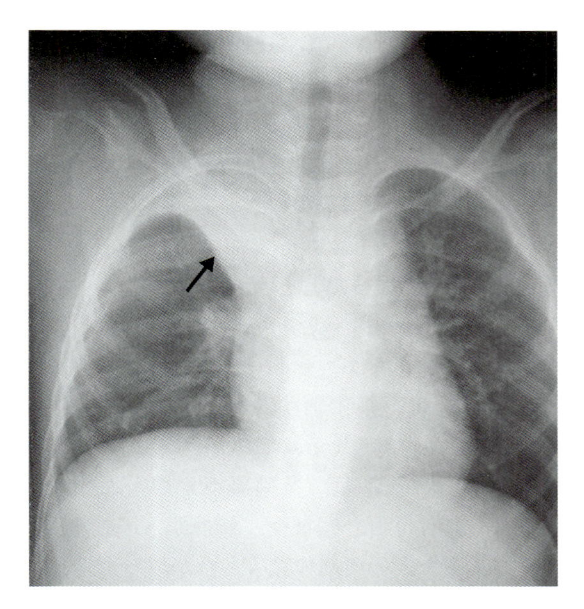

▶図 8 無気肺の胸部 X 線写真
無気肺が右上肺野にある（矢印）．図 7 の症例の肺炎治癒過程での所見．

迫する状態を気胸（pneumothorax）という．新生児に多く，多呼吸，呼吸困難，チアノーゼを認める．高度のものは穿刺持続吸引をする．

h 細気管支炎

細気管支炎（bronchiolitis）は，1 歳未満の乳児で男子にやや多く発症する．ウイルス感染（50% 以上は RS ウイルス）が原因である．乳児の気管支は径が小さいので，感染により容易にしかも急激に狭窄しやすい．

小気管支の上皮の浮腫，粘液と脱落上皮の蓄積などにより気道抵抗が大きくなり，初期には空気取り込み状態がおこる．やがて一部に無気肺を生じ，急速に低酸素血症となる．

初期の臨床症状は，上気道炎（鼻汁，くしゃみ）である．数日後，発熱や発作性の喘鳴を伴う咳嗽から急速に，呼気性呼吸困難，不穏，哺乳困難へと進展する．多呼吸（60～80/分），鼻翼呼吸，肋間陥没，低体温を認めることもある．

診断

- 基本的には上記症状から臨床的に診断する．
- X 線写真では，過換気，一部無気肺，胸郭拡大を示す．
- 気管支喘息，気道内異物，心不全，百日咳などとの鑑別が必要である．

治療　入院が必要である．湿度を高くした酸素テントを使用し，必要に応じて気管挿管，人工呼吸管理を行う．脱水を改善するために輸液を行う．気管支拡張薬やステロイドホルモンを使用する．

予防　早産児，気管支肺異形成（BPD）児（➡50 ページ），先天性心疾患や呼吸器疾患のある乳児などに対し，RS ウイルス感染が流行する秋～冬にモノクローナル抗体のパリビズマブを重症化予防の目的で定期的に投与することがある．

i 気道内異物

異物が気道内に入ることで急激な呼吸困難が出現し，救急処置が必要となる．

異物によっては X 線写真に写らないものもあるので注意を要する．小児にとってピーナッツなどの豆類は気管につまりやすく，特に危険である．

必要な場合，全身麻酔下に気管支鏡を使用して，鉗子で異物を摘出する．

E 理学・作業療法との関連事項

本章における呼吸器の発生や発達過程，正常な呼吸数，臨床症状・検査の知識は，小児疾患だけでなく成人，高齢者のリハビリテーションを行ううえでも共通する知識として重要である．胎齢 24 週ごろでの呼吸器の形態的な完成と肺サーファクタントの産生は，早産児が自発呼吸を行ううえで，とても重要な意味をもつ．つまり，それ以上早く出生することは，生命維持の困難さにつながり，脳への機能障害のリスクが上がることを示している．新生児・乳児は胸郭の形態が成人と異なり，肋骨に傾斜がついていない．そのため，胸式呼吸が不十分となり，横隔膜の上下運動も成人と比べて不十分となる．このような形態的な特徴は，新生児・乳児の呼吸数に影響しているため，呼吸器疾患のない子どもであっても，胸郭の形態や呼吸状態を評価することは，活動性を向上するために必要な知識である．

■呼吸リハビリテーション

呼吸器疾患に対する理学・作業療法の重要なかかわりは，呼吸リハビリテーションである．具体的にリハビリテーションの場面では，コンディショニングとADLトレーニング，全身持久力・レジスタンストレーニングを組み合わせて実施する．コンディショニングには，呼吸練習や呼吸介助，NPPVの使用，肺区画を考慮しての体位変換，排痰の促しや呼吸機能改善，胸郭の柔軟性向上のための胸郭モビライゼーションなどが含まれ，重症例であるほど，その実施割合が高くなる．全身持久力・レジスタンストレーニングは，運動耐容能の向上や身体活動性の向上・維持を目的に行われる．軽症例では，その実施割合が高く，低負荷から高負荷へと個別に負荷量を調整する．

呼吸器疾患に対しては，薬物療法が中心となることもあるが，患者は運動時の呼吸困難や症状の誘発を避けるために通常のADL練習を避ける傾向にあり，身体活動性が低下しやすい．ADLやさまざまな活動の制限により，心的苦痛や健康関連QOLが低下する．そのためにも，多職種でかかわることで，入院を予防し，不安や抑うつの改善，健康関連QOLを改善することが重要である．このようなかかわりによる呼吸リハビリテーションの効果が，いくつも報告されている．呼吸リハビリテーションを実施する際に，肺胞や胸郭の発達過程，正常な呼吸数，肺機能検査の基準値などを知っておくことは，各疾患の臨床症状を理解するためや治療にかかわる際に参考になる．

■ICUでの呼吸リハビリテーション

ICUでの呼吸リハビリテーションでは，ICU-AW（ICU-acquired weakness：集中治療による神経筋障害）や集中治療後症候群（post intensive care unit syndrome：PICS）が課題となっている．ICU-AWは，多臓器不全や人工呼吸器管理などに伴う身体侵襲や，鎮静薬・筋弛緩薬・ステロイドなどの薬剤の弊害も合わさった重症疾患に続発する神経筋障害の総称である．人工呼吸器装着期間やICU滞在期間，在院日数の長期化につながるため，ABCDEバンドルのような包括的なかかわりが重要といわれている．PICSは，ICU退室後も続く呼吸機能低下，神経・筋異常，認知機能の低下，ストレス障害，うつ症状などを複合的に生じる症候群である．ICUから一般病棟，在宅復帰に至るまで継続的な呼吸リハビリテーションと運動療法の継続が必要といわれており，PICUでも同様に，継続的なかかわりが求められている．

肺炎後の呼吸や姿勢管理は，重症心身障害児（重症児）で特に重要である．重症児に関しては，胸郭変形や全身の筋緊張，摂食・嚥下機能，呼吸状態，1日の姿勢の種類や時間などを総合的に考える必要がある（詳細は第18章➡223ページ参照）．

- □ 呼吸困難の症状について説明しなさい．
- □ 呼吸機能改善の治療と処置について説明しなさい．
- □ 嚥下性肺炎と細気管支炎の原因，症状，治療について述べなさい．

感染症

学習目標
- 感染症は小児で最も頻度が高い疾患である．細菌，ウイルスなどによる感染症のそれぞれの特徴をおさえる．
- 小児の代表的な感染症についての診断，治療を理解する．

A 症状

一般小児科外来の感染症の大部分は，急性の感染症である．感染症の発生は，原因となる病原体とその感染経路，そして宿主に感受性が存在することが必要である．小児では，宿主の年齢要因が病態に大きく影響する．

1 急性感染症

a 発熱

体温調整は，視床下部の神経核により行われている．視床下部は，末梢の温度感覚器と，循環する血液温度の情報に基づいて体温調整する．体温には日内変動があり，一般に朝が低く，夕方に高くなる．感染症は内因性サイトカイン（➡198ページ）を発生させ，これを通じてこの体温調整を高温側に再設定し，その結果発熱する．

熱の産生は代謝亢進，筋活動（ふるえ）により，熱の保存は交感神経を通じた末梢血管の収縮や丸くなる姿勢をとることにより，また熱の放出は末梢血管拡張，発汗などにより行われる．

通常は37.5℃以上を発熱という．小児は一般的に発熱には耐性があるので，解熱剤の使用には論議が多い．しかし，身体的にハイリスクの小児（心肺疾患，糖尿病など）には解熱剤の使用は選択肢に入る．また基礎疾患がなくとも，高熱そのものは体力の消耗をきたすので，局所の冷却や合理的な解熱剤の使用は必要である．ただし，解熱剤は一時的に症状を軽くするが，本来の疾患の経過には影響を与えないことに注意すべきである．

b 局所症状

咽頭痛や咳嗽・鼻汁といった局所症状は感染臓器を推定するのに非常に重要である．しかし，幼少であるほど症状は局在しにくく，また訴えも不正確であり，わかりにくい．

c 発疹，皮膚症状

小児では，ウイルス感染症，細菌感染症で発疹をきたすことが多い．一般に非特異的な症状が多いが，下記の疾患には皮膚や粘膜に特徴的な発疹を認める．

- ウイルス感染症：麻疹，風疹，水痘，突発性発疹，単純ヘルペス，帯状疱疹など
- 細菌感染症：猩紅熱（溶連菌感染症），ブドウ球菌性熱傷様皮膚症候群（staphylococcal scalded skin syndrome；SSSS）など
- 重症感染症では発疹のほかに出血斑を伴うことがある：敗血症（髄膜炎菌）など

d 下痢

ウイルス性，細菌性のどちらにも起因する．外国旅行中，あるいは帰国直後に下痢を発症したときは，現地での感染も考える必要がある．

e 髄膜炎

急性に，頭痛，発熱，悪心・嘔吐がみられる場合に疑う．髄液検査では細胞数が増加する．

2 慢性感染症

感染から発病まで長い潜伏期間があり，また発症後も比較的長い経過をとる．慢性感染症の代表的な例としては，次のものがあげられる．

- 亜急性硬化性全脳炎（subacute sclerosing panencephalitis；SSPE）：変異麻疹ウイルスの中枢神経内持続感染による．潜伏期は6～8年程度で，行動異常で発症してから，数年で寝たきりとなる．わが国での新規発症はきわめて稀である．
- B型肝炎（HB）：HBウイルスによる（➡156ページ）．
- AIDS（後天性免疫不全症候群）：HIV感染による（➡163ページ）．

3 先天性感染症

母体が感染することによって，胎児は次のような影響を受ける．

- 妊娠の非常に初期の感染：流産してしまうか，まったく影響がないかのどちらかである．
- 胎芽期の感染：感染により器官形成に影響を受け，形態異常を伴うことがある．
- 胎児期の感染：生後の乳児期での感染と基本的に同じ影響にとどまる．ただし重症であれば脳の形成不全の結果，小頭症などを生じる．

4 その他

a 輸入感染症

海外への旅行者や海外からの訪問者が増加するとともに，コレラ，赤痢，マラリアなどの感染症の持ち込みも増加している．最近の海外渡航歴がある場合には，可能性を考える．

b 人獣共通感染症

近年，感染症の感染経路が明らかになり，またヒトと動物のかかわり方の変化も伴って，野生動物・家畜・ペットを介する感染が注目されだした．トリインフルエンザとトリ，オウム病とトリ，トキソプラズマとネコの糞便，あるいは出血性大腸炎と生肉などがある．これらは通常はヒトからヒトへの感染はない．

B 診断と治療

感染症診断には感染臓器の同定と原因微生物診断が必要である．これに患者背景を踏まえた重症度評価を行う．

1 細菌性

診断

- 鏡検：検体をグラム染色して顕微鏡で見る．
- 培養：病原性細菌の分離を目的として行われる．
  便，咽頭ぬぐい液，喀痰：本来これらの検体は，無菌状態ではなく，常在菌を混じているので，結果は示唆的にとどまる．
  尿，膿汁，血液，髄液，組織，体内挿入チューブ：膿汁を除いて，本来これらの検体は無菌状態なので，菌が検出された場合は確定的である．
- 血清抗体価の上昇：特定の菌への特異的IgM

抗体が検出されるか，2週間の間隔をあけてIgG抗体上昇があれば診断確定である．

- 迅速診断：病原性細菌の抗原を特異抗体により検出（ラテックス凝集反応，酵素免疫法，蛍光抗体法），細菌・真菌の代謝産物（エンドトキシンなど）の検出，あるいはPCR法（DNA・RNA検出，結核菌などにて）で行われる．
- その他の検査
  血液検査：血液中の好中球の増加，血清CRP増加，血清抗体価の高値を認める．
  髄液検査：白血球細胞増多がみられる．
  X線写真，CT，RIシンチグラフィで病巣を推定する．

治療 原因菌が同定された場合，その菌の感受性が高い抗菌薬を投与する．

予防接種 BCG，百日咳・ジフテリア・破傷風・ポリオ（4種混合ワクチン），インフルエンザ菌（ヒブワクチン），肺炎球菌など（第1章の**表5**➡25ページ）

2 ウイルス性

診断

- 培養：病原性ウイルス分離（腸管ウイルス，風疹など）にて病原を確認する．
- ペア血清（2週間の間隔をあけて比較）4倍以上の抗体価の上昇
- 迅速診断：PCR法でウイルスのDNA（あるいはRNA）を確認（ヘルペス，新型コロナ），あるいは特異抗体によるウイルス抗原の検出（インフルエンザ，RSウイルス，アデノウイルス，ノロウイルス，ロタウイルス）を行う．

治療 近年，多種類の抗ウイルス薬が開発されてきた．

- 抗ウイルス薬
  アシクロビルなど：単純ヘルペス・水痘ウイルス感染症
  ガンシクロビル：サイトメガロウイルス感染症
  ジドブジン（AZT）など：HIV感染症
  ノイラミニダーゼ阻害薬：インフルエンザA・B型感染症両方に有効
- モノクローナル抗体
  パリビズマブ：RSウイルス感染症の予防（筋注）
- γ-グロブリン：B型肝炎，麻疹

予防接種 麻疹，ムンプス，風疹，水痘，ポリオ，インフルエンザ，日本脳炎，B型肝炎，新型コロナ（➡Advanced Studies-1）など

3 その他の病原体

- リケッチア（ツツガムシ病，発疹チフスなど）：細菌に分類されるが，非常に小さい．主に昆虫により媒介される．
- 原虫（トキソプラズマ，マラリア，アメーバ）
- 寄生虫（蟯虫，回虫，シラミ）
- 真菌（カンジダ症，ニューモシスチス肺炎，アスペルギルス症）：免疫低下状態の患者に感染症がおこりやすい．

Advanced Studies

❶新型コロナウイルス感染症（COVID-19）

2019年12月，中華人民共和国武漢市で最初に報告された新型コロナウイルス感染症は，日本では2020年1月16日に初めて患者が報告され，同年2月1日に指定感染症と定められた．その後，世界的大流行（パンデミック）となり，ウイルスの変異に伴う感染拡大の波を繰り返しながら2022年現在まで続いている．小児の感染例はオミクロン株の流行以降に特に多く，死亡例も発生している．成人患者に比べて呼吸器症状の重症化は少ないが，痙攣，意識障害などの神経症状や嘔吐，経口摂取不良などの全身症状の出現に注意を払う必要がある．感染予防にはワクチンが推奨されている．

C 各年代での代表的感染症

1 胎児期

a TORCH 症候群

TORCH 症候群（TORCH complex）は，トキソプラズマ症（toxoplasmosis），梅毒，ジカウイルスなど（other），風疹（rubella），サイトメガロウイルス（cytomegalovirus）感染症，単純ヘルペス（herpes simplex）感染症の一群の先天性感染症のいずれかを指す．母体にとって，妊娠中の感染は必ずしもはっきりしないことがあり，新生児期の症状も互いに類似している．

未熟性，IUGR（➡47 ページ），貧血，血小板減少，眼症状，中枢神経障害（小頭症，水頭症，脳内石灰化），肺炎，心筋炎，肝炎，肝脾腫が認められる．

b 先天性風疹症候群

先天性風疹症候群（congenital rubella syndrome；CRS）は，母体が妊娠中に風疹ウイルスに感染することによって母子間で経胎盤垂直感染する．妊娠2か月の母体風疹感染で 35%，4か月で 8% の先天奇形の出現率があるといわれる．

子どもの症状として，難聴，白内障，心疾患が古典的三主徴とされ，そのほか発達遅滞，ときに小頭症など多彩な症状を呈する．

c トキソプラズマ症

トキソプラズマ症はネコ類を終宿主とする原虫性寄生虫 *Toxoplasma gondii* の経口・接触によって胎内感染がおこる．

乳幼児の症状として脈絡網膜炎，貧血，痙攣，黄疸，水頭症，肝脾腫，肝腫，精神遅滞が認められる．

d サイトメガロウイルス感染症

わが国では妊婦のサイトメガロウイルス（cytomegalovirus；CMV）抗体保有率が減少しており，抗体のない妊婦が初感染を受けると，経胎盤で胎児に先天性感染症をもたらす危険性がある．妊婦への感染経路で重要なのは，乳幼児の唾液・尿である．

乳幼児の症状として，小頭症，脳内石灰化，脳室周囲嚢胞，脈絡網膜炎，肝脾腫，黄疸，出血斑，精神遅滞，痙攣，難聴が認められる．

e 先天性梅毒

母体が *Treponema pallidum*（梅毒トレポネーマ）に感染していることによって，経胎盤的に感染する．

新生児期に鼻炎，手掌・足底の発赤，肝脾腫の症状が出る．数週〜数か月ののち髄膜炎，脳炎，水頭症を発症する．

治療としては，感染妊婦および新生児にペニシリンを使用する．

2 新生児期・乳児期（〜1歳）

以下，a〜d 項には細菌感染症，e〜h 項にはウイルス感染症，i 項には真菌症を記す．

a 新生児敗血症

新生児敗血症（neonatal sepsis）に罹患しても，初期は非特異的な症状（哺乳不良や何となく元気がない）のことがあり，感染の事実はわかりにくい．やがて呼吸促迫，無呼吸発作，呻吟などの呼吸器症状が出現し，ショック状態となる．髄膜炎菌では多数の皮下出血をみる．

診断　血液培養によって診断が確定する．一般に白血球は増加するが，重症になるとむしろ減少する．ただし白血球中の幼若顆粒球の比率は増加する．体温は不安定である．

合併症　髄膜炎，腎盂炎，骨髄炎を併発することがあり，死亡率は高い．

原因菌

- B 群連鎖球菌（GBS）：産道感染で発症する．
- 大腸菌（*Escherichia coli*），髄膜炎菌など

b 細菌性髄膜炎

細菌性髄膜炎は，病原細菌がくも膜下腔に侵入し，増殖することで生じる．一度発生すれば死亡や重い後遺症を残す可能性が高い疾患であり，疑えば速やかな治療が必要である．

■新生児期

細菌性髄膜炎（bacterial meningitis）の初期の症状は非特異的で，無呼吸，徐脈，哺乳障害，呼吸障害などである．やがて傾眠，大泉門膨隆，痙攣，項部硬直の症状が出現してくる．原因菌は新生児敗血症と同様である．検査として髄液検査・培養，頭部 CT などが行われる．

■乳幼児～学童期

病初期に発熱，哺乳障害，上気道感染症状などのほかに，髄膜刺激症状〔Kernig（ケルニッヒ）徴候（➡NOTE-1）や Brudzinski（ブルジンスキー）徴候（➡NOTE-2）〕が出現する．やがて脳圧亢進症状として，頭痛，嘔吐，意識障害，痙攣などが出現してくる．検査は髄液検査・培養が必須である．原因菌はインフルエンザ菌 b 型，肺炎球菌，髄膜炎菌がある．インフルエンザ菌と肺炎球菌には乳児期の予防接種が行われ，減少している．

合併症

- 硬膜下水腫，頭囲拡大，意識障害
- 硬膜下膿瘍：通常の抗菌薬治療に十分反応せず熱が長く続く特徴がある．
- 抗利尿ホルモン不適合分泌症候群（syndrome of inappropriate secretion of antidiuretic hormone；SIADH）：抗利尿ホルモン（ADH）が過剰に分泌されて尿量減少，低ナトリウム血症，浮腫がおこる（➡179 ページ）．

後遺症 知的障害，てんかん，難聴，視覚障害，行動異常，運動障害，水頭症

無菌性髄膜炎については，161 ページを参照のこと．

c 黄色ブドウ球菌感染症

黄色ブドウ球菌（*Staphylococcus aureus*）は常在菌の一種である．新生児はもちろん，小児期では鼻腔内や皮膚などに認められる．一方，新生児・乳児では伝染性膿痂疹（impetigo contagiosa；とびひ）の原因にもなる．しかし，年長児では，癤（せつ）〔furuncle（毛孔炎）〕，癰（よう）〔carbuncle（癤が広がった）〕などの皮膚化膿症のほかに，中耳炎，骨髄炎，化膿性関節炎，膿瘍，肺炎，髄膜炎，敗血症などの身体深部の炎症性疾患や，産生する毒素による食中毒の原因菌にもなる．

耐性菌（MRSA）については，161 ページを参照のこと．

d 百日咳

第 9 章（➡147 ページ）を参照のこと．

e 単純ヘルペスウイルス感染症

単純ヘルペス感染症は単純ヘルペスウイルス（herpes simplex virus；HSV）による感染症で，口唇周囲（HSV-1 型）と性器（HSV-2 型）に水疱様の発疹を生じさせる．HSV は，軽症から中等症の皮膚・粘膜疾患を起こすだけでなく，重症な脳炎や全身感染症（新生児ヘルペス）を惹起す

NOTE

1 Kernig 徴候

仰臥位で下肢の股関節と膝関節を 90° 屈曲させた状態から，下肢を伸展させて膝関節を開いていくときに，髄膜炎があると抵抗があって伸展できない．

2 Brudzinski 徴候

仰臥位で患者の頭の後ろに手を当てて頭部を前屈させたときに，同時に股関節，膝関節が屈曲する現象をいう．

る．感染後は障害所定の部位に潜伏感染し，免疫低下により再活性化する．

診断

- ウイルス分離，抗原検査，PCR法などで診断する．
- 頭部CT：ヘルペス脳炎では多嚢胞性脳軟化を認めることがあり，年長児や成人では側頭葉に病巣が限局する（第5章の**図3**➡81ページ）．
- 脳波：ヘルペス脳炎では周期的に突発波が出現するのが特徴である．

治療　抗ウイルス薬としてアシクロビル，ビダラビンを使用する．

f B型肝炎 （A型肝炎➡160ページ，C型肝炎➡163ページ）

B型肝炎（hepatitis B；HB）は，以前に“血清肝炎”といわれたものの一部である．原因であるB型肝炎ウイルス（hepatitis B virus；HBV）の潜伏期間は2〜6か月で，小児期には症状の顕在化は少ないが，一部は慢性の肝炎に移行する．小児期でも稀に慢性肝炎から肝硬変，肝癌に進行する．急性肝炎を発症したときは黄疸や他の肝炎症状はA型肝炎とも共通するが，A型よりゆっくりと発現して長く続く．

HBVの感染があると，血液検査でウイルスの表面の抗原であるHBs抗原や，その他の成分のHBe抗原が検出される．またそれらに対する抗体である抗HBs抗体，抗HBe抗体も認められる．近年はHBV-DNAでウイルス量を測定する．

垂直および水平感染の経路が知られている．垂直感染は，HBs抗原陽性の母親から新生児への感染経路である．特に母親がHBe抗原陽性であると，感染力が強く，分娩時に感染して児がキャリアとなる可能性が高くなる．

なお，垂直感染以外のヒトからヒトへの感染経路を水平感染という．B型肝炎ウイルスが知られていなかった時期には，輸血により感染した例が多くみられたが，これも水平感染の例である．

▶**表1　HBs抗原陽性の母親からの出生児への処置**
（2013.12改訂）

		出生	1か月	6か月	9〜12か月
検査	HBs抗原				○
	HBs抗体				○
治療	HBIG筋注	○			
	HBワクチン	○	○	○	

予防　2016年10月からは乳児への予防接種が定期接種に組み込まれた．なお，HBs抗原陽性の母親から出生した新生児については，健康保険により検査とワクチン接種が施行されている（第1章の**表5**➡25ページ）．この対象出生児への処置の予定表を**表1**に示す．

B型肝炎は成人では肝硬変，肝癌の原因の1つである．医療関係者など感染の機会が多い職種は，抗体が陰性の場合，HBワクチンにより免疫力をつけておくことが望ましい．

治療　成人の慢性B型肝炎では，インターフェロンや核酸アナログが使用される．

g 突発性発疹症

突発性発疹症（exanthema subitum）は，ヒトヘルペスウイルス6型と7型（HHV-6, 7）による感染症である．2歳までの乳幼児期に多く発症する．母体から経胎盤で受けた免疫グロブリン抗体が生後6か月ごろに消失するため，特に生後6か月以降に発症頻度が高い．潜伏期間は約10日．急な発熱（39〜40℃）があるが，熱のわりに元気がある．3〜4日目に解熱し，主に体幹から始まり全身へと広がる斑状丘疹が出現する（▶**図1**）．熱性痙攣や急性脳症，その他の神経症状を合併することがある．

h RSウイルス

第9章「細気管支炎」の項（➡149ページ）を参照のこと．

i カンジダ症

カンジダは本来皮膚や口腔内に常在する真菌で

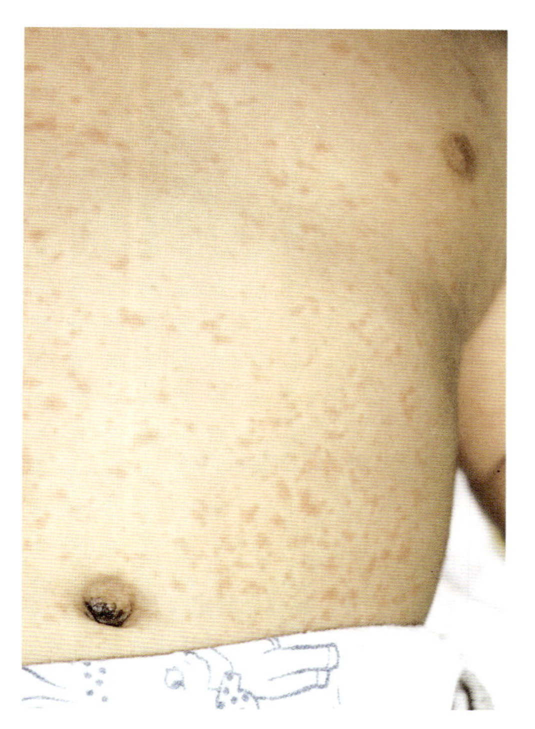

▶図１　突発性発疹症

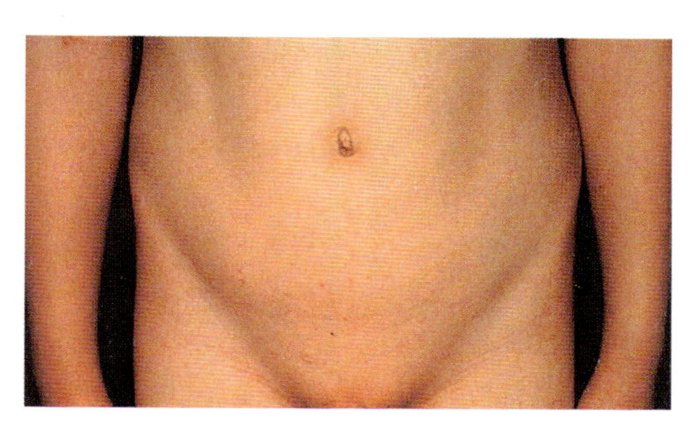

▶図２　A 群溶連菌感染症の皮疹
鮮紅色小丘疹を多数認める.
〔植田浩司：細菌感染症. 楠 智一ほか（編）：必修小児科学アトラス. p. 132, 南江堂, 1994 より〕

ある. 乳児の口腔内で白苔状のものは鵞口瘡（がこうそう）とよばれるカンジダ症で, 軽くこすってもはがれない（➡168 ページ）. また, おむつ部位の皮膚カンジダ症は境界明瞭な発赤であり, 皮膚の清潔・乾燥保持のうえ抗真菌薬の外用薬を塗布する. 深部カンジダ症は日和見感染で発症し, 呼吸器・消化器その他の臓器が感染するので, 抗真菌薬の全身投与が必要になる.

3 幼児期・学童期

以下, a～f 項には細菌感染症, g～s 項にはウイルス感染症を記す.

a A 群溶連菌感染症

A 群溶連菌（group A streptococcus）は, 幼児期・学童期に多い咽頭炎や皮膚炎（伝染性膿痂疹, とびひ）の原因菌の一種である.

全身の症状を伴う猩紅熱といわれる状態（▶図 2）になると, 発熱, 鮮紅色小丘疹, 口周囲蒼白, 舌苔とそれに続く苺舌（➡168 ページ）を特徴とする. 迅速診断キットで咽頭ぬぐい液中の抗原を検出できる. 感染後に急性糸球体腎炎をおこすこともある.

治療としてはペニシリン系抗菌薬を使用する.

b カンピロバクター感染症

カンピロバクター（*Campylobacter*）菌は, ウシ, ニワトリなどの家畜, トリ, イヌ, ネコなどのペットの排泄物を介して経口感染する.

症状として, 発熱, 臍周囲腹痛, 腹痛発作, 水様便, また, 便に鮮血が混じるという特徴がある.

診断には, 微好気性の条件で原因菌の培養をする必要がある. カンピロバクター・ジェジュニ（*Campylobacter jejuni*）による胃腸炎症の 1/3,000 例に Guillain-Barré 症候群（➡107 ページ）の発症をみる.

治療にはマクロライド系抗菌薬を使用する.

c サルモネラ感染症

サルモネラ（*Salmonella*）属の細菌による経口感染である. は虫類などのペットからも感染する.

主な症状は急性胃腸炎であり, 下痢, 発熱, 粘血便，嘔吐である．食中毒では代表的な原因菌の1つである．また菌型によっては敗血症様症状を呈するものもある．チフスは海外旅行者で時々発症をみる（➡NOTE-3）．

サルモネラ感染症による胃腸炎に対する抗菌薬の使用については，保菌状態への移行を助長するので議論がある．したがって症状が軽ければ，あえて治療に抗菌薬を使用しないことがある．

d 食中毒

カンピロバクター，ブドウ球菌，ボツリヌス菌，腸炎ビブリオ，サルモネラ，病原性大腸菌（O157など）（➡Advanced Studies-2）などの原因菌がある．冬はノロウイルスによる集団発生がみられる．

ブドウ球菌とボツリヌス菌は，細菌が産生する毒素により発病する毒素型食中毒で，ほかは感染型食中毒である．潜伏期は毒素型のほうが短い．

e エルシニア感染症

エルシニア（*Yersinia*）属の細菌感染により，発熱，下痢，腹痛，発疹などの症状がみられる．主要な菌種として，胃腸炎などを引き起こす*Yersinia enterocolitica*のほかに，ペスト菌，仮性結核菌がある．

f マイコプラズマ感染症

マイコプラズマ（mycoplasma）は非常に小さくて細胞壁をもたない細菌であり，学童期以降の市中肺炎の原因微生物としては最も多い．

症状として，著明ではないが発熱があり，長びく強い咳嗽が認められる．

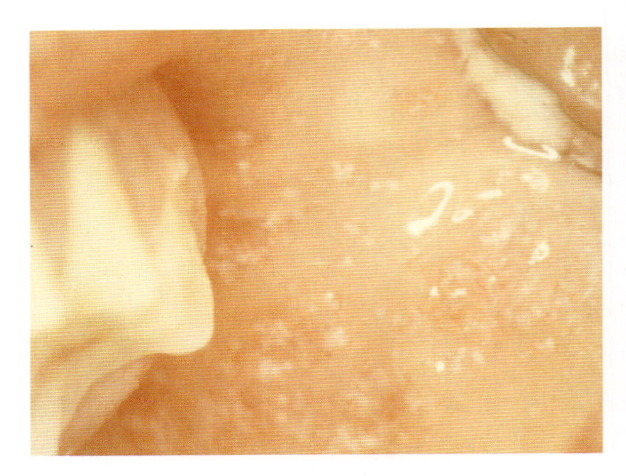

▶図3　Koplik斑（口腔内頬部粘膜）

胸部X線写真で中・下肺野の陰影，マイコプラズマの分離同定，抗体価測定などにより，診断を行う．治療には，マクロライド系抗菌薬を使う．

合併症　発疹，胸膜炎，神経系疾患〔脳炎，Guillain-Barré症候群（➡107ページ）〕などがある．

g 麻疹

麻疹ウイルス（measles virus）による感染症である．潜伏期間は10〜12日．カタル期（前駆期）は3〜5日続き，微熱，結膜充血，眼脂，鼻汁，くしゃみ，咳，そして小臼歯近傍の頬部粘膜に白い斑点状のKoplik（コプリック）斑（▶図3）を認める．いったん解熱したのち半日ほどで，再発熱（>40℃）とともに発疹期に入る．発疹は顔面・頸部から1日のうちに全身に広がる（▶図4）．一部はやがて癒合し，重症な例

NOTE

3 チフス

乳児では胃腸炎症状から敗血症を呈する．年長児では高熱，白血球数減少，バラ疹（直径1〜6 mm，バラ色，胸腹部に）を認める．原因菌は*Salmonella typhi*.

Advanced Studies

②病原性大腸菌 O157

大腸菌は腸内の常在菌であるが，食中毒などの消化管感染症をおこす型を病原性大腸菌という．そのなかの，O157型はベロ毒素産生大腸菌であり，水様・粘血便から，重症例では血性下痢となり，意識障害，痙攣をきたして溶血性尿毒症症候群（HUS）（➡209ページ）を発症し，腹膜透析が必要となることがある．

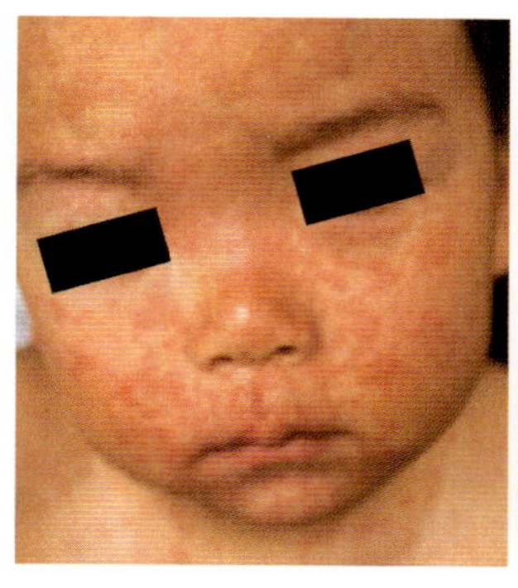
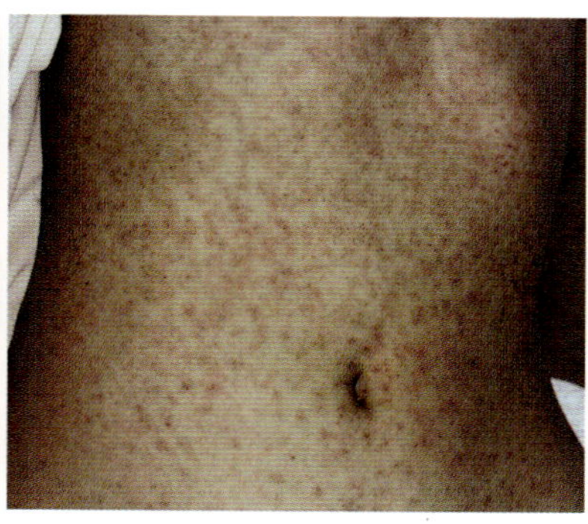

▶図 4　麻疹
不定形の発疹と回復期の色素沈着.
〔脇口 宏：ウイルス感染症．森川昭廣（監修）：標準小児科学　第 7 版．p. 330，医学書院，2009 より〕

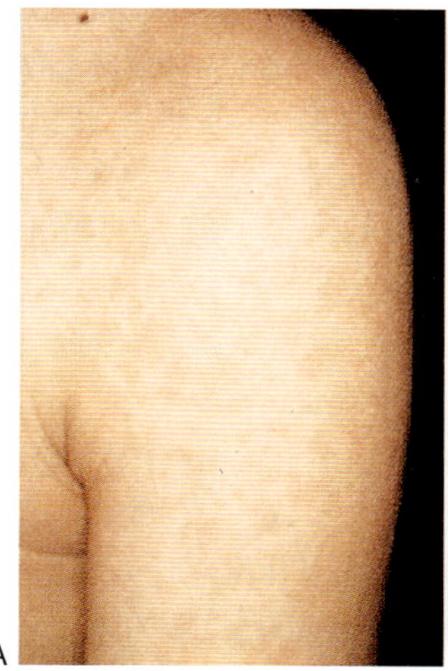
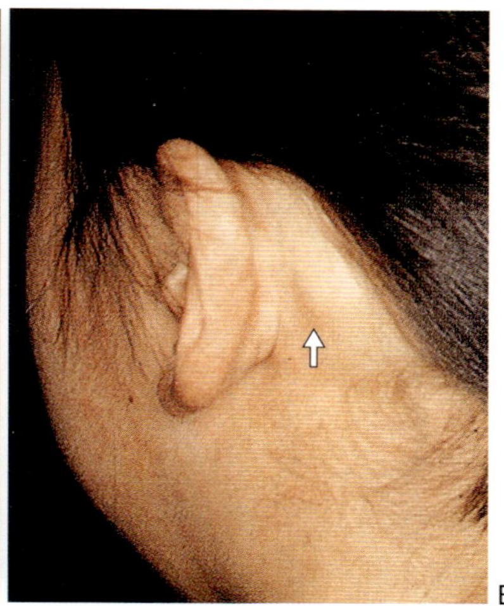

▶図 5　風疹
A：皮疹，B：後耳介リンパ節腫脹（矢印）
〔岡部信彦：図説臨床小児科講座．13，感染症，p. 175，メジカルビュー社，1982 より〕

では出血斑を伴う．発疹は 1 週間ほどで色素沈着を残しながら消退していく．

合併症　中耳炎，肺炎，脳炎（頻度：1～3/1,000），亜急性硬化性全脳炎（SSPE）（頻度：1/10 万人）（➡152 ページ）．

予防　生ワクチンがある．患者に接触後 3 日以内なら生ワクチン，5 日以内なら γ-グロブリンを筋注すると軽症化する．

h 風疹

風疹ウイルス（rubella virus）による感染症である．潜伏期間は 14～21 日．顔面に始まり急速に全身に広がる発疹が出現する．猩紅熱様小発疹が特徴で，特に顔面での発疹の癒合や，瘙痒感を伴うこともある．3 日間ほどで消失する．リンパ節（後耳介，後頸，後頭部）の腫大が目立つ（▶図 5）．発熱は発疹出現とともに認めるが，個

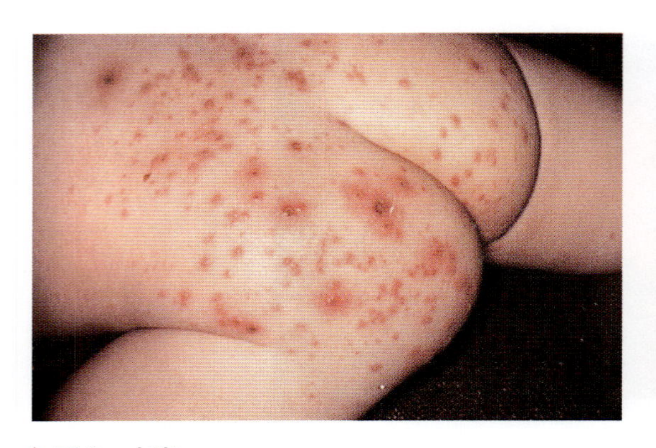

▶図6　水痘
一部に痂皮化が始まっている.
〔Callen, J. P., et al. (eds.)：Color Atlas of Dermatology. p. 170, W. B. Saunders, Philadelphia, 1993 より〕

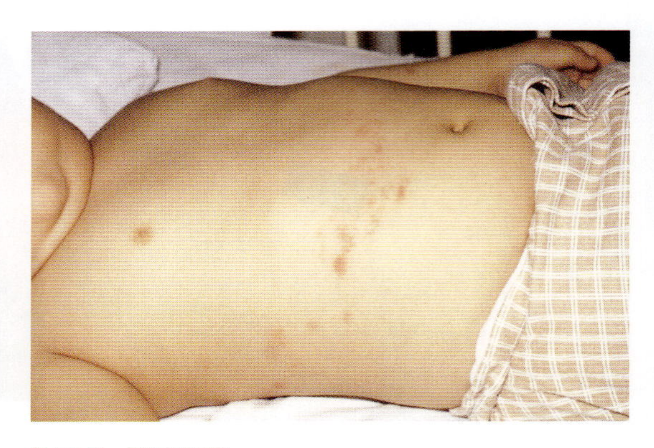

▶図7　帯状疱疹
T9の皮膚分節に沿って発疹が認められる.

人差がある．合併症の脳炎の発生頻度は麻疹と比較して低い（頻度：1/5,000）．予防には生ワクチンがある．

先天性風疹症候群については，154ページを参照のこと．

i ムンプス

ムンプスウイルス（mumps virus）による感染症（流行性耳下腺炎，おたふくかぜ）である．小児期の感染が多く，30～40%は不顕性感染である．一般に終生免疫が得られるが，2度目の感染も報告されている．

潜伏期間は16～18日．片側ないしは両側の耳下腺の疼痛，腫脹が認められる．予防に生ワクチンがある．

合併症　無菌性髄膜炎，精巣炎（成人男子），卵巣炎（成人女子），膵炎，聴力障害．

j 水痘，帯状疱疹

水痘〔水ぼうそう（varicella，chickenpox）〕も帯状疱疹（herpes zoster）も，同じ水痘・帯状疱疹ウイルス（varicella-zoster virus；VZV）による感染症である．

水痘初感染の潜伏期間は14～21日．発熱に続いて発疹が出現する．発疹は2～3日のうちに水疱を形成して痂皮状となっていく（▶図6）．発疹は痒みが強く，頭髪部を含む体幹に認める．免疫が低下している小児（白血病，悪性腫瘍，ネフローゼ，重症気管支喘息など）では重症化する危険性があり，予防接種を必ず受けておく．

帯状疱疹は，脊髄後根神経節などに潜伏感染していたウイルスが再活性化して発症する．三叉神経や脊髄後根の知覚神経の支配域に一致して，小水疱・小丘疹を伴う発疹として発症する（▶図7）．成人では激しい疼痛をみるが，小児では痛みより痒みのほうが目立つ．抗ウイルス薬のアシクロビルなどが有効である．予防に生ワクチンがある．

k A型肝炎

A型肝炎ウイルス（hepatitis A virus；HAV）の経口感染による．潜伏期間は約3週間で，発熱，倦怠感，悪心・嘔吐，上腹部痛，黄疸，濃い色の尿，薄い色の便などの症状がみられる．回復に数週間はかかる．

血液検査にてAST，ALT，ビリルビン上昇，プロトロンビン時間の延長などを認め，IgM抗HA抗体などが陽性となる．

なお，B型肝炎は156ページ，C型肝炎は163ページを参照のこと．

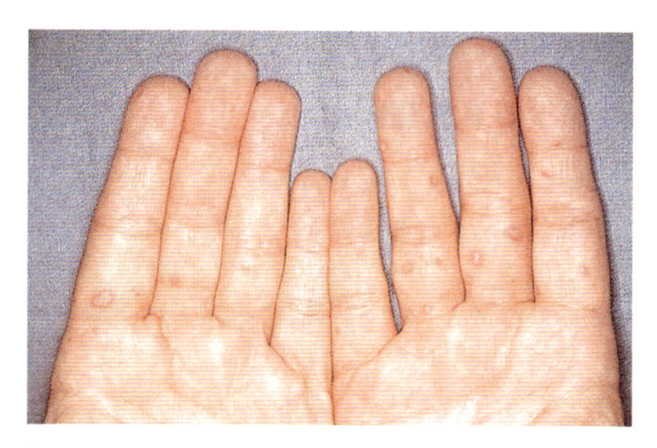

▶図 8　手足口病
〔Callen, J. P., et al. (eds.) : Color Atlas of Dermatology. p. 170, W. B. Saunders, Philadelphia, 1993 より〕

l 手足口病

手足口病（hand-foot-mouth disease）はエンテロウイルス（腸管系ウイルス）による感染症で，通常は夏季に幼児間に流行する．

症状は口内疹，手足の水疱性発疹（▶図 8），殿部小発疹，発熱がみられる．時に髄膜炎を合併する．

m ヘルパンギーナ

コクサッキーウイルスなどのエンテロウイルスによる夏風邪症状をきたす．幼児に多く，発熱，咽頭粘膜疹，嚥下痛がみられる．

n ポリオ（急性灰白髄炎）

ポリオウイルス（poliomyelitis virus）1～3 型による感染症である．1 歳児が罹患しやすく，発熱ののち非対称性に弛緩性麻痺が出現する．わが国での新しい発症は非常に稀であり，予防にはポリオ不活化ワクチンを使用する．

o 日本脳炎

日本脳炎ウイルス（Japanese encephalitis virus）による感染症で，コガタアカイエカによって媒介される．大部分が不顕性感染であるが，顕性感染では，突然の発熱，頭痛，項部硬直，意識障害，痙攣を発症し，一部は死亡，一部は中枢神経後遺症を残す．国内での発症は年間数人に減少している．予防にワクチンがある．

p アデノウイルス感染症

アデノウイルス（adenovirus）には 50 タイプ以上の血清型がある．咽頭結膜熱はいわゆるプール熱といわれ，発熱と咽頭・眼瞼結膜の著しい発赤がある．

q 伝染性紅斑

伝染性紅斑（erythema infectiosum）は，ヒトパルボウイルス（parvovirus）B-19 が関与して発症する感染症である．両側頬部のびまん性紅斑（リンゴ病ともいわれる）や，四肢のレース状・網目状紅斑を認める．特別な予防対策はない．

r ロタウイルス乳児下痢症

ロタウイルスによる乳児下痢症については，第 11 章（➡170 ページ）を参照のこと．

s 無菌性髄膜炎

主にウイルス性の髄膜炎であるが，ムンプスウイルスや夏に流行するエンテロウイルスなどが原因である．

急性発症，頭痛，発熱，悪心・嘔吐と，髄膜刺激症状などがみられる．

4 その他の代表的感染症

以下に，年齢にあまり依存しない感染症を並べた．a～i 項には細菌感染症，j～l 項にはウイルス感染症を記す．

a MRSA 感染症

メチシリン耐性黄色ブドウ球菌（methicillin-resistant *staphylococcus aureus*；MRSA）の病原性は通常の黄色ブドウ球菌と変わらない．しかし，メチシリンをはじめ多剤耐性であり，接触した手を通じての細菌拡散の予防が管理上は最も大切である．最終的に有効な抗菌薬は，現在のところバンコマイシンであるが，近年バンコマイシン耐性黄色ブドウ球菌（vancomycin-resistant *staphylococcus aureus*；VRSA）が増えつつある．

b 赤痢

赤痢菌（*Shigella*）の経口感染による細菌性赤痢が最も多い．大腸，特に結腸に感染する．2～4日の潜伏期を経て，急激に悪寒，高熱，悪心・嘔吐，下痢などの症状が現れる．次第に粘血便となる．結腸の攣縮によるテネスムス（しぶり腹）をきたす．

c コレラ

コレラ菌（*Vibrio cholerae*）による急性消化器感染症である．

潜伏期は1～3日．下痢で発症し，次第に便回数も量も増加して，米のとぎ汁様の白色水様便となる．嘔吐，強度の脱水状態，目が落ちくぼんだコレラ様顔貌，麻痺性イレウス，ショックを呈する．

治療　脱水に対する処置，および抗菌薬投与．

d ジフテリア

ジフテリア菌（*Corynebacterium diphtheriae*）による．国内発症はほとんどなく，中央アジアからの輸入感染症である．発熱，咽頭痛と咽頭偽膜形成，bull-neck（頸部リンパ節炎により頸部腫脹），呼吸困難，循環不全．DPT ワクチンで予防する．

e 破傷風

破傷風菌による．国内のどこの土壌でも見つかる．国内発症は少ないが，致死率は高い．傷から入った菌による神経毒で発症．開口障害，顔面筋緊張，全身痙攣，後弓反張など．受傷時に免疫グロブリンとトキソイド投与．小児期は DPT ワクチンで予防する．

f ボツリヌス感染症

ボツリヌス菌（*Clostridium botulinum*）の神経毒素により神経筋接合部の神経伝達が阻害される．食中毒は食品中の毒素を経口摂取して発症．複視，瞳孔散大，口渇，尿閉，構音障害，嚥下障害，脱力，呼吸困難．

乳児ボツリヌス症は，蜂蜜中の芽胞摂取により1歳未満の乳児で発症するので注意を要する．

g 結核

第9章（➡148 ページ）を参照のこと．

h 大腸菌感染症

大腸菌はヒトの腸管内の常在菌であるが，一部に腸管への侵襲性や毒素をもつ血清型があり，腹痛・下痢などの消化器症状や血便をきたすため病原性大腸菌という（Advanced Studies-2➡158 ページ）．

i 緑膿菌感染症

緑膿菌は湿度の高い環境に分布する．本来の病原性は弱いが，院内や施設内での代表的な日和見感染症（第9章の NOTE-1➡147 ページ）の1つである．多剤耐性菌が増加している．肺炎，尿路感染症などを発症する．

j インフルエンザ

冬にインフルエンザ（influenza）A 型または B 型ウイルスによる感染症が流行する．ウイルス表面に2種の蛋白抗原 HA と NA があり，これでさらに血清型分類される．

通常の感冒より全身症状は強く，急激な発熱，悪寒，咳嗽，頭痛，筋肉痛，咽頭痛があり，その後呼吸器症状も出現する．年少児では脳症を発症することがあり，年長児でも異常行動を生じることがあるため注意が必要である．迅速抗原検査が有用である．治療薬として，経口・吸入・点滴のノイラミニダーゼ阻害薬がある．いずれも発病初期に投薬すると有効である．予防にワクチンを使用する．

k C型肝炎

（A型肝炎➡160ページ，B型肝炎➡156ページ）

以前，非経口感染による非A非B型肝炎といわれた肝炎の大部分を占める．65歳以上の成人における抗体陽性率1〜2%と比較して，小児の陽性率はきわめて低い．ほとんどの場合，血液ないしは血漿製剤からのC型肝炎ウイルス（HCV）により感染する．

感染後は6〜8割がキャリアとなり，多くが慢性肝炎に移行する．20〜30年の経過で慢性肝炎から肝硬変に進展する頻度が高く，また肝硬変から肝癌が発生する例は少なくない．

診断　感染の有無はHCV抗体を検出するか，PCR法でウイルスのRNAを測定する．

治療　肝炎発症例に対する治療は，成人ではインターフェロン，ペグインターフェロン，それらとリバビリンとの併用療法があり，さらに近年ではDAA（direct antiviral agents）の経口内服による著しい治療効果が期待されている．

なお，わが国で1989年に供血者血液のHCV抗体スクリーニングが行われだしたころから，輸血後肝炎の発症率はほぼ皆無となった．

l 後天性免疫不全症候群（AIDS）

後天性免疫不全症候群（acquired immunodeficiency syndrome；AIDS）は，ヒト免疫不全ウイルス（human immunodeficiency virus；HIV）による感染症である．成人では，血液（輸血など），精液（性交）からの感染が主な感染経路である．唾液，涙，尿からの感染はほとんどない．小児では母子間の垂直感染が主で，胎児期，分娩時，授乳期（母乳による）での経路がある．

症状　HIVの初感染時はウイルスが2〜3週後に急激に増殖し，発熱やリンパ節膨張などの非特異的感染症状がみられるが，その後，中和抗体などが産生されてウイルス量は減少して，半年ほどで症状は消失する．そして，数年間は無症候期で症状は目立たないが，その間にHIVが感染したCD4陽性Tリンパ球が減少しつづけ，200/μL^3以下になると，ニューモシスチス肺炎やサイトメガロウイルス網膜症などの日和見感染症やKaposi（カポジ）肉腫を発症して，AIDS発病とされる．

診断　日和見感染症の発病とCD4リンパ球減少で本症を疑う．小児では，母親のHIV感染歴に注意する．抗体スクリーニング，あるいはPCR法やウエスタンブロット法で確定診断する．

治療　複数の抗ウイルス薬を併用するcART療法が標準治療であり，AIDSの発病が著減してきた．HIV陽性妊婦からの感染出生児は，症状の発現を待たずに出生時から治療を開始する．

D 理学・作業療法との関連事項

■**ワクチンギャップ**

これまで日本では，推奨接種に伴う健康被害の救済措置のたびに国が批判され，予防接種に消極的な対応をしてきた．日本国内で流通しているワクチンが，諸外国と比べて少ないという状況を生み出したのである．ワクチンギャップと呼ばれるこの現象は医療先進国である日本においていまだ解消されていない大きな課題である．例えば，おたふくワクチンによる無菌性脊髄炎への懸念から定期接種が広がらず，接種率の低迷に伴いムンプスの全国的流行が繰り返されている．2013年4月には，Hib（ヒブ）・肺炎球菌・ヒトパピローマウイルスの3つのワクチンが定期接種に加えられ，ワクチンギャップの解消に努めている．しかしながら，同時接種が十分に普及していないこと，異なるワクチンの接種間隔など課題は多い．医療従事者である理学・作業療法士は子どもたちが適切に定期接種を受けられるようサポートしてほしい．また，初期評価の際などに，母子手帳を持ってきていただくことをお勧めする．乳児健診や各種予防接種の状況など，多くの情報がみてとれる．

■感染症から自分と子どもたちを守る

医療機関や施設などで患者や職員が新たな感染症に罹患することを院内感染という．医療法によって病床を有する医療機関では感染対策委員会（ICC）の設置が義務付けられ，院内感染対策などのために感染制御チーム（ICT）が組織されるようになった．ICTは医師だけでなく，さまざまな医療従事者で構成されるため理学・作業療法士が加わることも多い．医療従事者には常に標準予防策（スタンダードプレコーション）が求められている．例えば，手洗いやワクチンの接種，手袋・マスク・ガウンの装着である．

さらに院内感染の予防するためには，感染症に関する知識を深めておかなければならない．例えば，感染経路の違いによる感染対策である．感染経路は空気感染，飛沫感染，接触感染の3つに大別される．結核は空気感染であり，陰圧個室に収容し，医療従事者はN95マスクを装着して医療行為をしなければならない．メチシリン耐性黄色ブドウ球菌感染症（MRSA）は接触感染であり，体温計などの医療器具を共用しないこと，手袋やエプロンを着用することが必要となる．乳幼児では免疫力が乏しいだけでなく，ワクチンの未接種であることも少なくない．自身の身を守るだけでなく，子どもたちを感染させないためにも感染対策について理解を深めてほしい．

- □ 発熱と発疹をきたす急性感染症をあげ，診断と治療の要点を述べなさい．
- □ 新生児敗血症，細菌性髄膜炎の原因，症状，治療，合併症について説明しなさい．
- □ 小児の代表的感染症（黄色ブドウ球菌，A群溶連菌，麻疹，風疹，マイコプラズマ）の症状，治療，合併症について説明しなさい．

第11章 消化器疾患

学習目標
- 消化器疾患の症状の特徴について理解する．
- 代表的な先天奇形，および乳幼児期に多い急性疾患について知る．

A 消化器の発生

消化管，肝臓，膵臓は内胚葉に由来する．内胚葉にとり囲まれた腔が胚体内に組み入れられて原始腸管を形成する．原始腸管は頭側から前腸，中腸，後腸に区分される．肝臓は前腸末端から発生する（▶図1）．伸長を続ける原始腸ループは上腸間膜動脈で形成される軸のまわりを，前方からみて反時計まわりに回転して，横行結腸が十二指腸の前に位置するようになる（▶図2）．

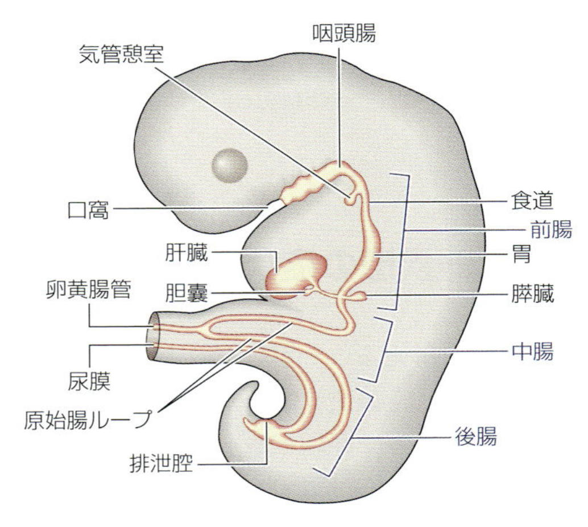

▶図1　胎齢第4週の胚子

B 機能的発達と症状

1 機能的発達と乳児期の特徴

消化管を通じての本格的な栄養の摂取と吸収は出生直後から始まる．そして，消化管からの安定した栄養の消化吸収ができるようになるまでに，特に乳児期と幼児期には，成人期と異なる特徴をみる．

- 摂食：吸啜（新生児期）→丸呑み（離乳前期）→咀嚼（離乳後期）へと口腔機能が発達する（➡20ページ）．
- 溢乳（regurgitation）：口角からたらたらと乳汁が流れ出る現象は生後9～12か月ころまで続く．噴水様に出る嘔吐とは区別され，異常ではない．
- 食事と食欲：小児の摂食量は本来むらが多い．
- 便性：出生直後には胎便（黒緑色，粘性，ガム様）であり，経口摂取が始まって生後4～5日で茶褐色になる．母乳の場合には粉ミルクよりも排便の量が少なく，便性は軟らかく黄色調である．
- 黄疸：新生児黄疸は血液中に間接ビリルビンが増加し，生後1週間のうちにピークを迎え，次第に消失する．直接ビリルビンの増加はどの年齢でも異常である．

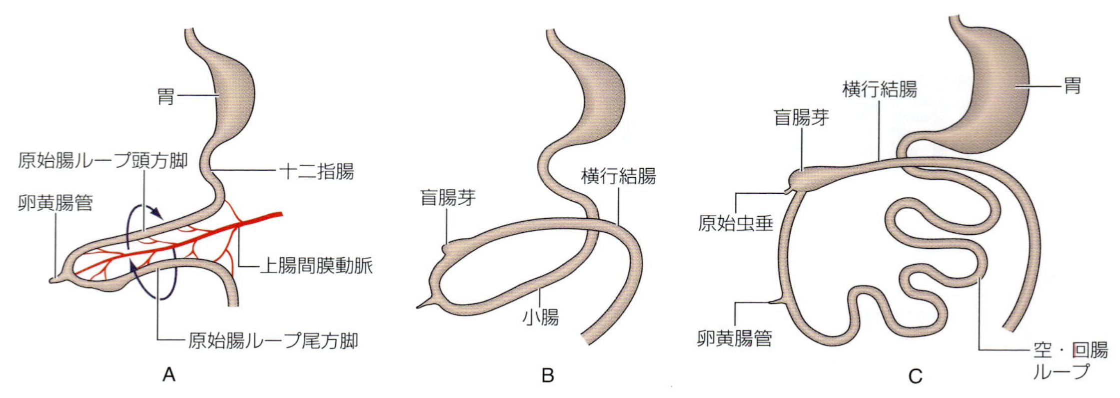

▶図 2　消化管の形成

A：回転前の原始腸ループ（側面）．矢印は時計の針と逆の回転を示す．
B：時計の針と反対方向に 180° 回転後の原始腸ループ（側面）．
C：時計の針と反対方向に 270° 回転後の腸ループ（前面）
〔Sadler, T. W.：Langman's Medical Embryology. 6th ed., pp. 248-250, Williams & Wilkins, Baltimore, 1990 より〕

2 消化器疾患の症状

小児は自ら訴えることが少ないので，消化器症状については，その発症の解剖学的背景を念頭において観察したり，吐物や排泄物をしっかりと観察する習慣を身につけることが大切である．

- 嚥下障害：全身の障害とのかかわりがある〔例：脳性麻痺の仮性球麻痺（➡NOTE-1）など〕．
- 嘔吐：消化管閉塞が原因で嘔吐が生じる場合は，十二指腸の下部より肛門側の閉塞では吐物に黄色の胆汁が混じるので，それより口側での閉塞と区別できる．
- 下痢：食べた物がそのまま出ているか，膿や血液が含まれていないかなど，内容物をよく観察する．大部分の水分は小腸で吸収されるので，小腸疾患は大量の下痢の原因となる．大腸疾患の下痢は量的により少ない．
- 便秘：大腸蠕動が弱くて直腸に便がたまってこないと，便が乾燥して排便反射が生じにくくなる．硬くて大量の便は排便時の疼痛を伴うこともあるのでますます排便しなくなり，慢性便秘の悪循環に陥る．
- 腹痛：一般に疼痛は 2 種類の感覚神経で伝達される．皮膚や筋肉からの感覚神経の A 線維は鋭い局在性の痛みを伝達し，内臓や腹膜からの C 線維は局在のはっきりしない鈍痛を伝達する．腹痛の自覚的局在は，皮膚節（➡NOTE-2）の分布と深い関係がある．例をあげる．
  - 肝，膵，胆嚢，胃などの疼痛は心窩部（T8 あたり）へ投射される．
  - 小腸遠位部，盲腸，虫垂，大腸近位部の疼痛は臍周囲部（T10 あたり）へ投射される．
  - 大腸遠位部，尿管，骨盤内臓器の痛みは恥骨上（T12 あたり）へ投射される．
- 消化管出血：食道，胃，十二指腸からの出血は吐血となる．しかし血液が胃酸や小腸の消化液に触れると急速にコーヒー様となり，これが吐

NOTE

1 仮性球麻痺

延髄の運動神経核よりも上位中枢で両側の錐体路が障害されると，構音，嚥下，呼吸障害といった延髄障害による球麻痺に似た症状を生じる．

2 皮膚節（dermatome）

単一の脊髄神経根により支配される皮膚の知覚領域．内臓の発生・分布とも関連をもつ（例：T8 とは，第 8 胸髄支配の意）．

物に混じる．一方，鮮血便は，出血部位が遠位（肛門に近い）であるか量が多いことを示す．遠位回腸まで（胃，十二指腸，空腸など）の出血部位のときはタール便（黒色下痢便）となりメレナという．

- 腹部膨満：腹壁の緊張低下，液体・ガス・固体の蓄積，腹水，臓器の腫大など，種々の原因によって生じる．
- 黄疸：皮膚，粘膜，血清の黄染が認められ，肝機能障害に伴う．
  - 総血清ビリルビン 2～3 mg/dL 以上で出現
  - 間接ビリルビン上昇は，溶血や肝での間接ビリルビン除去障害などによる．新生児では生後，生理的に出現する（➡45 ページ）．
  - 直接ビリルビン上昇は肝細胞からの排出減少，胆道疾患による．

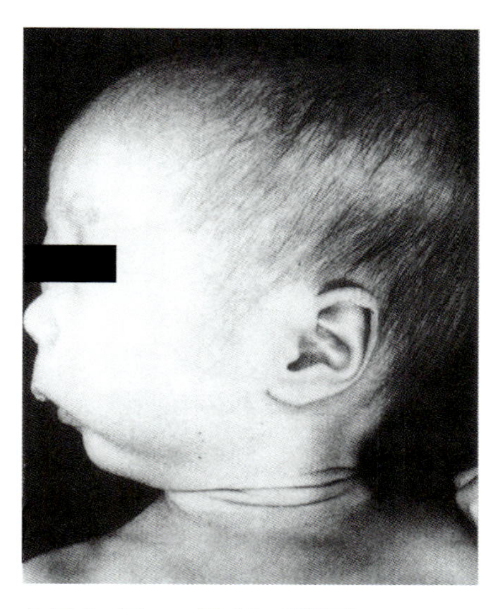

▶図 3　Pierre Robin 症候群
〔黒木良和：Pierre Robin 症候群．梶井正ほか（編）：新先天奇形症候群アトラス，p. 39，南江堂，1998 より〕

C 消化器疾患

1 口腔疾患

a 先天異常

代表的な形態異常について以下に記す．

(1) 口唇裂・口蓋裂（cleft lip, cleft palate）

口唇口蓋裂は，わが国では 1/400～500 出生の頻度でみられる．口唇裂は口唇に披裂を生じている．男子に多い．孤発例もあるが，口蓋裂よりも遺伝素因が強い．通常，鼻唇溝の左または右に偏して認められる．

口蓋裂は上顎正中部が裂けている．開鼻声の発音となり，時に伝音性聴覚障害（中耳炎の併発による）の合併がある．

口唇裂と口蓋裂は合併する場合もある．近年では，形成外科的治療によって，ほとんど痕跡がわからないまでに治癒する．

(2) 粘膜下口蓋裂（submucous cleft）

硬口蓋の骨が欠損しているが，軽いと口蓋垂が分裂してみえるだけであり，重いと欠損が軟口蓋，硬口蓋にまで及び，開鼻声の発音となる．

(3) Pierre Robin（ピエール・ロバン）症候群

小顎症，舌下垂，高口蓋あるいは口蓋裂を認める（▶図 3）．仰臥位では舌根が沈下して咽頭を塞ぎ，呼吸障害をきたす．呼吸障害を軽減するために，寝かせるときはうつぶせにする必要がある．症状軽快のためには下顎の発達を待つ．

上記 (1)～(3) のいずれの疾患も，差し迫る問題は摂食である．

口唇裂の手術は生後 2～6 か月に行うことが多い．4～5 歳ころに見直し，鼻の手術も同時に行うこともある．

口蓋裂の手術対応については個人差がある．きれいな発音を得やすくするには早いほうがよいが，頭蓋の発育の途上であるという問題もあり，時期や回数の決定には総合的評価が必要である．

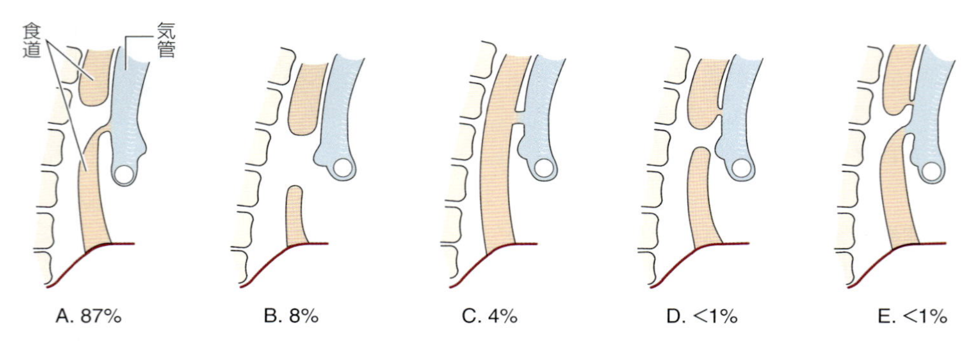

▶図 4　食道気管瘻の型と頻度
〔Kliegman, R. M.（ed.）: Nelson Textbook of Pediatrics. 9th ed., p. 1262, Elsevier Saunders, Philadelphia, 2011 より〕

b 口内炎

口内炎（stomatitis）とは口腔粘膜の有痛性潰瘍（炎症）を指す．細菌性・ウイルス性感染によるものや，薬物性，症候性のものなど，原因は多様である．

c 歯肉口内炎

歯肉口内炎（gingivostomatitis）は，単純ヘルペスウイルスの初感染によるものである．1〜3 歳ころに高熱，口内痛，流涎，口臭，摂食拒否などの症状を呈する．舌や軟口蓋に水疱を認め，歯肉は発赤して出血をみる．1 週間ほど症状が続いて自然治癒する．

d 口腔カンジダ症

真菌の *Candida albicans* の感染症で，鵞口瘡（がこうそう）（thrush）ともいう．乳児期に頬粘膜，舌，歯肉に白色の乳かすのように付着し，舌圧子でこすっても取れない．全身状態がよければ放置可能である．抗癌剤使用などで抵抗力が著明に低下しているときには，全身感染への進展に注意しなければならない．

e 舌小帯短縮症

舌小帯短縮症とは，先天的に舌小帯が舌先端近くまで付着して舌を前方へ出せない状態をいう．一般に吸啜・発語の機能の妨げにはならないが，稀に特定の発音が不明瞭になることがある．

f 苺舌

苺舌（strawberry tongue）では，全体に発赤した舌に散在する茸状乳頭が目立ち，イチゴ状に見える．溶連菌感染症や川崎病（MCLS）で認める症状である．

2 食道疾患

a 食道閉鎖，食道気管瘻

食道閉鎖は羊水過多があるときに疑われ，分娩室で新生児の口腔内に分泌物が過剰にとどまることや，カテーテルが胃に入らないことで気づかれる．

食道気管瘻があると，経口摂取開始時にむせ，チアノーゼ，咳嗽を認める．吸引により一時症状が改善してもすぐに再発してしまう．**図 4A** のように気管と遠位食道に瘻があると，腹部に空気が入ってパンパンに腫れて呼吸困難に陥る．またいわゆる H 型（▶**図 4C**）では，誤嚥性肺炎を繰り返しても，いつまでも瘻の存在に気づかれないこともある．

b 胃食道逆流症

胃食道逆流症（gastroesophageal reflux disease；GERD）は，胃内容物が食道に逆流する現象であり，正常でも食後多少は認められる．異常な場合には，胃内容物が食道に滞留したり，食道へ逆流した胃酸が長く滞留したりする．

乳児期の症状としてはまず嘔吐である．対応策として摂食後直立位にしたり，摂取する固形物の割合を増やすことで，多くの場合2歳までに軽快する．重症心身障害児（重症児）には重症な例が時に認められる（➡226ページ）．

合併症として，誤嚥性肺炎，喘鳴，食道炎（➡NOTE-3）をきたす．

診断

- 内視鏡で食道の潰瘍性びらんを，また食道下部連続pH測定で食道内の胃酸の滞留を確認する．
- 食道裂孔ヘルニアの診断は透視下造影で行う．

治療

- 軽症例では食後上体を少し高く起こす．少量・頻回授乳，アレルギー用ミルクの試用
- 内科的投薬：制酸薬，H_2ブロッカー（シメチジン），プロトンポンプ阻害薬，消化管運動調整薬などが使用される．
- 重症例では外科的処置が必要である．

c 食道裂孔ヘルニア

食道裂孔ヘルニア（esophageal hiatal hernia）は横隔膜ヘルニアの一種である．胃の一部が胸腔内へ引き上げられる滑脱型が多い．

NOTE

3 食道炎

便潜血，吐血・コーヒー残渣様吐物，嘔吐，鉄欠乏性貧血があれば胃食道逆流症（GERD）が疑われる．放置によりアカラシア（下部食道括約筋の弛緩機能が欠如して食物が胃に入らない）をきたす．こうなるとバルーン拡張術や外科的処置が必要となる．

3 胃・腸疾患

a 肥厚性幽門狭窄症

肥厚性幽門狭窄症（hypertrophic pyloric stenosis）の発生頻度は1.0/1,000（男：女＝4：1）である．

胃の幽門前庭の平滑筋の肥大により通路が非常に狭くなり，食べ物が通りにくくなっている状態である．

出生直後には症状は認めず，生後2～3週間目から噴水様嘔吐が始まる．この嘔吐は，哺乳直後ないしは数時間後にみられる．胃内容物のみで胆汁は含まない．嘔吐の直後でも哺乳を求める．嘔吐を繰り返す症状が進行すると，脱水症状，体重減少，嗜眠傾向，低クロール性アルカローシスおよび低カリウム血症をきたす．

左上腹部から右上腹部へ向けての胃の蠕動（ぜんどう）を皮膚上から認める．触診で胸骨下ないし，腹部右上方にオリーブ様の腫瘤を触れる．硬くて可動性があり，疼痛がない．

上部消化管造影検査では，幽門筋の圧迫による“beak（くちばし）sign”（▶図5）や線状の幽門管“string（弦）sign”，あるいは十二指腸球部が圧排された“umbrella（傘）sign”がみられる．超音波検査で肥厚した幽門筋を認める．

治療

- 外科的処置：輸液によりNa，K，Clの補正をしたのち，ただちに粘膜下までの筋切開（pyloromyotomy）を行う．
- 内科的処置では改善に時間を要する．アトロピン投与，少量頻回哺乳，食後に背を伸ばした姿勢保持，場合により経静脈栄養が行われる．

b 胃十二指腸潰瘍，消化性潰瘍

胃十二指腸潰瘍（gastroduodenal ulcer）の原因は多因子である．しかし最終的に胃液によって，胃・十二指腸の粘膜の保護作用が障害されて

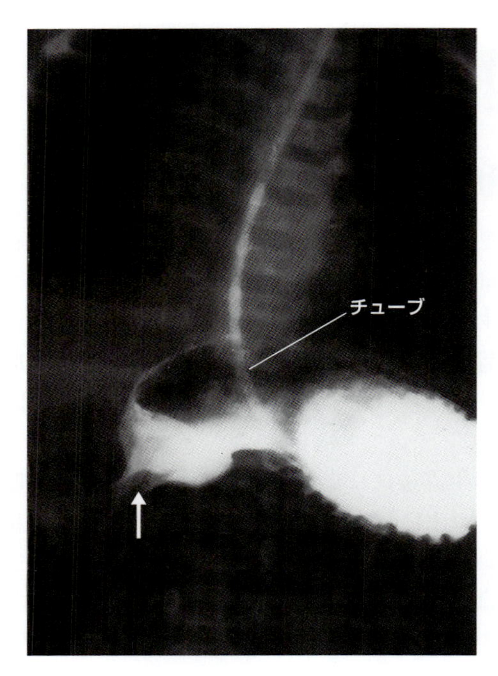

▶図 5　肥厚性幽門狭窄症
仰臥位で造影剤をチューブから注入する．胃の幽門から十二指腸へ流出する部位で停滞している．幽門部で造影剤が beak（くちばし）状となっている（矢印）．

潰瘍ができる．近年，ピロリ菌（*Helicobacter pylori*）の胃壁への感染が要因の 1 つとなることが示された．

6 歳以降は，胃潰瘍より十二指腸潰瘍のほうが多くなり，症状が成人に似てくる．すなわち，心窩部痛，嘔吐，急性・慢性の消化管出血（結果として鉄欠乏性貧血）などである．一方，より幼小児では，頻度は低いが，摂食困難，嘔吐，啼泣，消化管出血などの症状が出る．

潰瘍が穿孔すると，ショック，貧血，腹膜炎，膵炎などを引き起こす．

診断　内視鏡にて確定される．ピロリ菌感染は，生検，血液・尿の抗体検査．便の抗原検査などで診断する．鑑別診断上，臍疝痛（小児では心窩部痛より臍周囲痛が多い）などに留意する．

治療

- H_2 ブロッカー（シメチジン），プロトンポンプ阻害薬の投与．
- ピロリ菌に対する抗菌薬投与（除菌）の併用．
- 心理的・環境的整備によりストレスの軽減に努める．

c 急性胃腸炎，急性大腸炎（乳児下痢症）

(1) ウイルス性

冬から春にかけてロタウイルス（rotavirus）による乳児下痢症が多くなる．乳幼児は発熱，嘔吐，下痢，脱水症，学童は嘔吐が主症状である．白色下痢便をみることがある．ラテックス法などによる糞便の抗原検査が可能である．治療として水分・電解質と消化のよい食物の補給に努める．強い脱水症状に対しては輸液も有効である．予防に乳児期経口ワクチンがある．

またノロウイルスは，年長児に嘔吐下痢症をもたらす．診断に糞便の抗原キット検査がある．

(2) 細菌性

細菌性腸炎の主症状は，発熱・腹痛・粘血便である（カンピロバクター・サルモネラ感染症，食中毒など➡157 ページ）．コレラ菌は菌体外毒素による下痢で，大量頻回の水様便を呈する（➡162 ページ）．赤痢菌は腸粘膜の組織障害を生じて，びらん，潰瘍をつくり，膿粘血便，テネスムス（しぶり腹）を生じる（➡162 ページ）．病原性大腸菌も 5〜6 型に分かれるが，そのなかの 1 つである O157 は，ベロ毒素を産生して組織障害をきたし，水様性下痢から血便を生じる（第 10 章の Advanced Studies-2 ➡158 ページ）．

d 腸重積症

腸重積症（intussusception）では，回腸が結腸に入り込む型が最も多い（▶図 6）．その結果，腸粘膜が絞扼されて静脈血の還流が悪くなり，重積部位が怒張して浮腫を生じ，粘膜からの出血に伴い粘血便をみるようになる．

3 か月〜2 歳ごろまでが好発年齢である．発生頻度は 1〜4/1,000 であり，明らかな季節性は認められない．

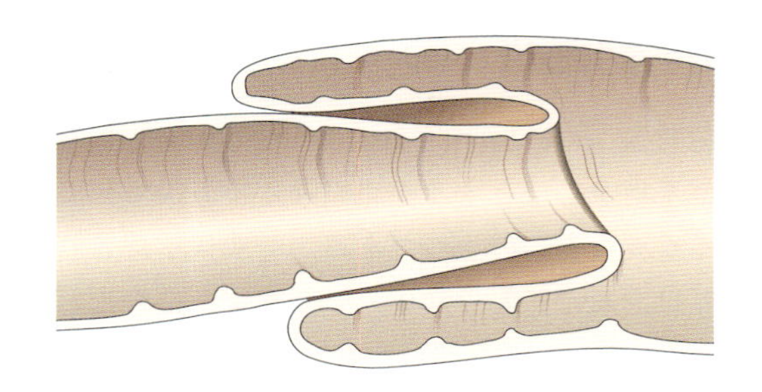

▶図 6 腸重積症の典型的な型
〔Caffey, J.：Pediatric X-ray Diagnosis. 6th ed., p. 662, Yearbook Medical Publishers, Chicago, 1972 より〕

典型例では，始まりは急で，患児は繰り返して襲う腹痛に蒼白となり，下肢を屈曲して大泣きする．はじめのうちは元気が戻るが，腹痛を繰り返すうちにぐったりとしてきて最終的にはショック状態となる．嘔吐を伴うこともあり，やがて胆汁が混じる．排便は次第にみられにくくなる．70～90% で血便をみる．

腹部の触診では右上腹部に圧痛をもったソーセージ様の腫瘤を触れる．ただし不機嫌で啼泣も強いので，腹筋の緊張をとって診察する工夫が必要である．

再発が約 10% にみられる．

診断

- 典型的な場合は，臨床症状から容易に推測できる．
- 浣腸で鮮血便が確認できる．
- 超音波検査では，縦向きに管状（pseudokidney sign），横断でドーナツ状（target sign）の重積部位を認める．
- 腹部 X 線写真で重積部位が推測され，希釈ガストログラフインなどによる高圧浣腸により，重積部に"蟹の爪"状陰影欠損を認める（▶図 7）．

 整復には造影剤か空気を用いる．また，エコーガイド下に生理食塩水の注腸を使用するという方法も試されている．

治療 発症後 24 時間以内なら，造影剤高圧浣腸・空気浣腸での整復率が高い．48 時間を超えると穿孔のリスクが高くなるため手術のほうが安全である．

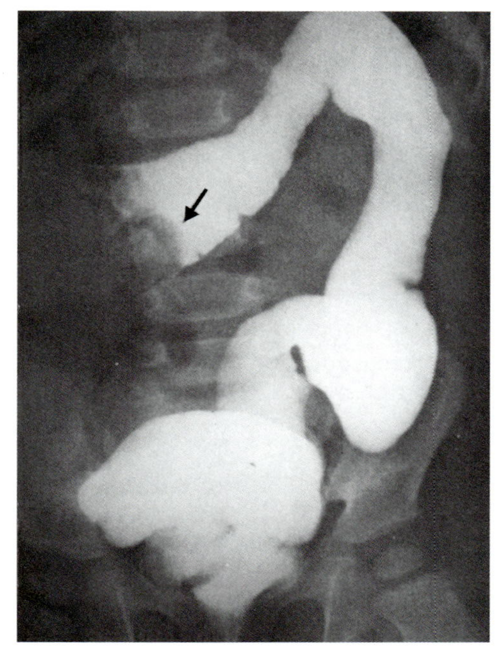

▶図 7 腸重積症
バリウム造影にて，重積部に"蟹の爪"状陰影（矢印）を認める．
〔Caffey, J.：Pediatric X-ray Diagnosis. 6th ed., p. 663, Yearbook Medical Publishers, Chicago, 1972 より〕

e Hirschsprung 病（先天性巨大結腸症，アガングリオノーシス）

Hirschsprung（ヒルシュスプルング）病は新生児期に大腸の閉塞をもたらす．男児に多く（4：1），発生頻度は 1/5,000 である．

胎児期に神経堤からの神経細胞の移動が障害されたのが原因で，一部の消化管壁の神経節細胞が存在しない．そのために該当部位の蠕動がおこらず，機能的閉塞を生む先天性疾患である．無神経節が直腸から S 状結腸まで広がる程度の症例が 80% を占める．

出生直後に胎便が出なかったり，生後 1 週間のうちに部分的あるいは完全な消化管閉鎖の症状

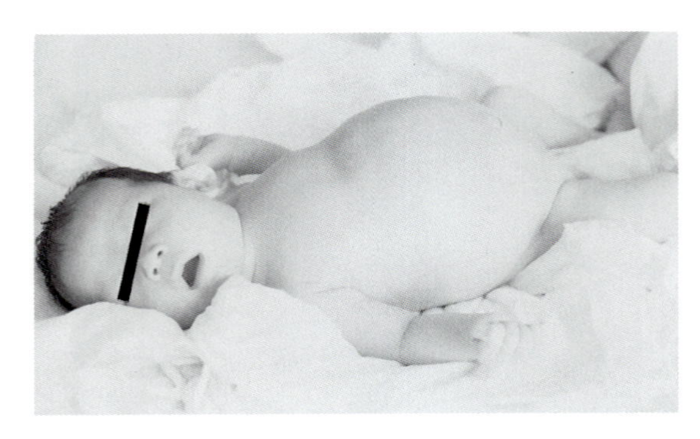

▶図 8　Hirschsprung 病
腹部膨満が著明である.

(嘔吐，腹部膨満，便の回数が少ない) が現れる (▶図 8). 逆に新生児期には下痢を伴うことがある. 母乳栄養よりも粉ミルクのほうが症状が強く出る. 便秘と下痢が交互にみられることもある.

診断

- X 線写真：造影検査では，神経節のある正常結腸部位から神経節のない異常部位へ向かい，消化管の管径が著しく減少する.
- 直腸肛門圧測定：直腸部分に挿入したバルーンを膨張させたとき，正常では蠕動が開始して圧が急激に低下するが，本疾患では圧の上昇がみられる.
- 直腸生検で，神経節のないことで確定する.

治療　無神経節腸管部を切除する手術を行う. 場合により，一時的に人工肛門を造設して，体重増加を待ち，そのあとに根治手術を行う.

f 鎖肛

発生学的に後腸の総排泄腔は直腸と膀胱 (および女性の場合は膣) に分化する. この部位の形成障害がおこると，直腸が肛門につながらなかったり (▶図 9)，膣や膀胱に瘻孔をつくることもある (▶図 10). このような先天的に肛門がない状態を総称して，鎖肛 (atresia ani) と呼ぶ.

人工肛門を造設して 1 歳〜1 歳半ころに根治術を行う.

g 急性虫垂炎

急性虫垂炎 (acute appendicitis) は，小児で腹部手術を必要とする疾患のなかでも最も頻度が高く重要なものの 1 つである. 一般に予想されるよりは診断は難しく，成人よりも穿孔をきたしやすい. 5 歳以下の発症は少なく，10 歳代から青年期に多い.

まず急性に虫垂の閉塞を生じ，粘膜細胞が分泌する粘液が管腔内に貯留して内圧が上昇し，粘膜への血流障害により壊死を生じる. その結果，細菌感染が続発して炎症が広がる. さらに穿孔が生じると，腸内容物による汚染が腹膜に広がり，急性腹膜炎となる.

腹痛は最初，臍周囲から始まり，半日〜1 日のうちに疝痛が右下腹部の McBurney (マクバーニー) 点 (臍と右腸骨突起線上外から 1/3 の点) に限局してくる. しかし，別の部位を痛がることもある. このころジャンプなどをすると痛みは増強し，やがて圧痛が明瞭になり，発熱・白血球増加をきたす. 嘔吐は乳幼児で多くみられる. 発症時には便秘になることが多いが，時に軟らかい便をみることもある.

検査

- 血液検査：白血球増加 (特に好中球増加の強い炎症所見)
- 超音波検査：虫垂が穿孔していない段階での診断に有効である. 腫脹した虫垂や内腔の膿瘍などがみられることがある.
- CT：腫脹した虫垂や穿孔後の膿瘍を認める.

治療

- 初期であれば，虫垂切除あるいは抗菌薬投与を行う.
- 穿孔時には脱水の補正を十分にし，抗菌薬の投与と並行して手術が行われる.

h 過敏性腸症候群

過敏性腸症候群 (irritable bowel syndrome) では，下痢あるいは下痢と便秘が特別の原因なく

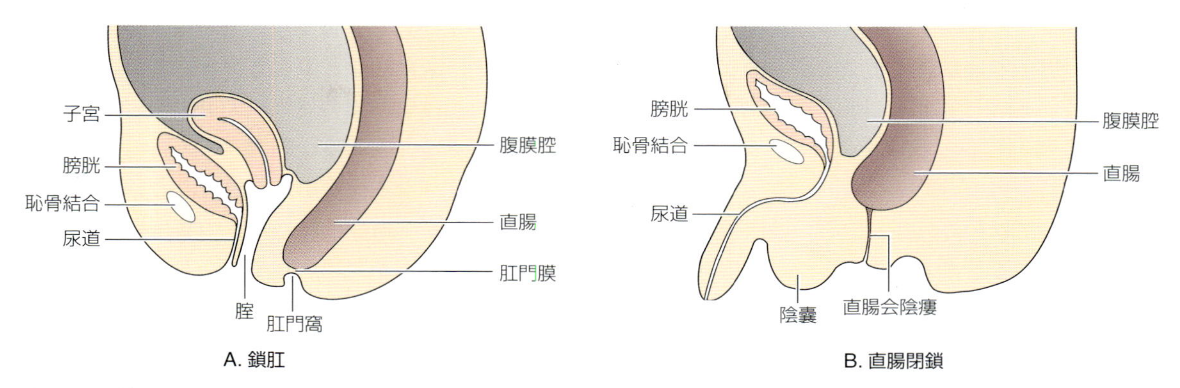

▶**図 9　鎖肛と直腸閉鎖**
鎖肛（A）では肛門膜が隔膜として残存しており，直腸閉鎖（B）では直腸会陰瘻が存在する．
〔Sadler, T. W.：Langman's Medical Embryology. 6th ed., p. 256, Williams & Wilkins, Baltimore, 1990 より〕

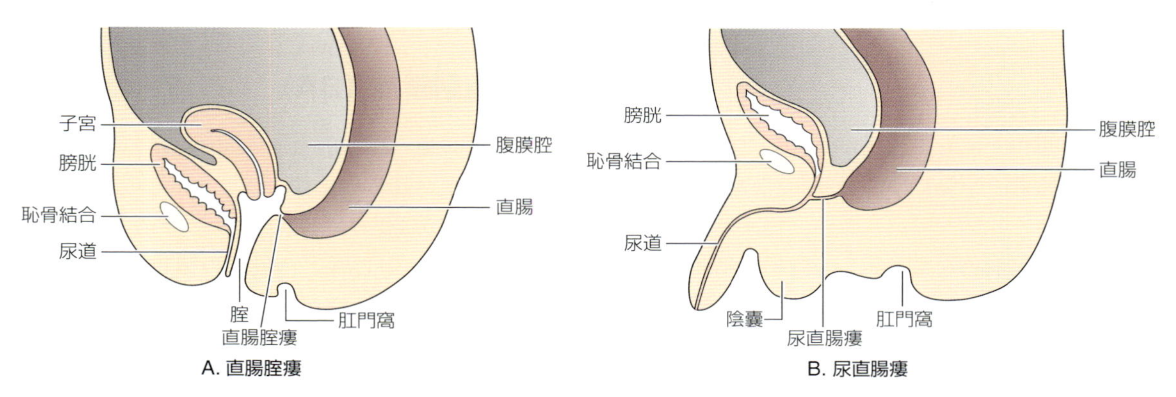

▶**図 10　直腸閉鎖を合併した瘻の形成**
〔Sadler, T. W.：Langman's Medical Embryology. 6th ed., p. 257, Williams & Wilkins, Baltimore, 1990 より〕

繰り返し生じる．思春期に多くみられる．腹痛を伴うこともあり，たいてい排便とともに消失する．ストレスとの関係も論じられている．

i 炎症性腸疾患（IBD）（潰瘍性大腸炎，Crohn 病）

大腸や小腸に炎症や潰瘍を生じる原因不明の疾患を炎症性腸疾患（inflammatory bowel disease；IBD）といい，潰瘍性大腸炎と Crohn（クローン）病が代表的なものである．遺伝性と環境性のかかわりが指摘されている．

潰瘍性大腸炎の粘膜病巣は，直腸から結腸方向へ連続し，最大で大腸全体にわたって広がり，血便，下痢，腹痛が主徴である．10 歳代の若年者から高齢者まで発症する．

Crohn 病の病巣は時に消化管深層に至り，小腸末端が好発部位であるが消化管のどの部位にも非連続に生じ，右下腹部痛，発熱，体重減少，下痢，血便，などを生じる．20 歳前後が好発年齢であり，わが国で増加している．

治療　投薬（分子標的治療薬含む），栄養療法，外科的処置などがある．

j 鼠径ヘルニア

ヘルニアとは，腹壁を通じて体内の内容物が体外へ飛び出してくる状態である．胎生後期には，内鼠径リングに起始する腹膜が，鼠径管を内下方に広げ，男子では陰嚢にまで広がりそこに精巣が入る．この管腔は正常では出生前に閉鎖するが，これが遺残している状態を鼠径ヘルニア（inguinal hernia）という．

症状としては，外鼠径リングの腫脹である．その大きさはさまざまで，陰嚢または大陰唇にまで広がるものもある．常時腫脹している例と，啼泣時など腹圧をかけたときのみ認められる例がある．一般に痛みは伴わない．

男子では陰嚢水腫との鑑別が必要である（懐中電灯で照らす逆光テストや超音波検査を行い，内容物を確認する）．

女子の鼠径ヘルニアでは，乳児期には卵巣が鼠径管から出ていることが多い．

合併症

- 嵌頓：患児が泣いて腹圧が上昇した際に脱出した腹腔臓器（小腸）が，再び腹腔内に還納されなくなった状態．啼泣，蒼白，発汗，嘔吐，局所の膨隆・変色などをみる．乳児期に多い．

治療　嵌頓例には手術が必要だが，非嵌頓例も予防的意味で手術が望ましい．

k 臍ヘルニア

皮膚に覆われた臍の突出を臍ヘルニア（umbilical hernia；「でべそ」）という．生後1か月ころに気づかれ，2～3か月は大きくなりつづける．その後，徐々に小さくなってくる．1歳ころまでに80%自然治癒する．嵌頓のリスクは少ない．2～3歳で治癒しなければ根治術を施す．

4 肝臓・胆嚢疾患

新生児期の胆汁うっ滞（黄疸）は生後1か月までに気づかれる（➡45ページ）．高ビリルビン血症が，間接型か直接型かをまず区別する．直接型（胆汁うっ滞型）は，直接ビリルビンが総ビリルビンの20%以上の場合である．

次に，治療可能な特定の病気でないかを検査する．そのなかには，敗血症，甲状腺機能低下症，ガラクトース血症などが含まれる．また，新生児期の肝疾患は胎内での感染（TORCH症候群）が原因であることもある（➡154ページ）．

以上のような主な疾患を除外したときに，直接型高ビリルビン血症なら，以下の新生児肝炎，先天性胆道閉鎖症が問題となる．なお，核黄疸（間接型高ビリルビン血症）については，第3章（➡46ページ）を参照のこと．

a 新生児肝炎（NH）

新生児肝炎（neonatal hepatitis；NH）の大部分は原因不明である．少数例で，サイトメガロウイルスなどのウイルス感染が確認されている．

b 胆道閉鎖症（BA）

胆道閉鎖症（bile duct atresia；BA）では，黄疸が生後1か月ころに目立つようになる．発症は1/10,000～15,000の頻度であり，その発症例の85%は肝門より上部での胆道の閉鎖，残りは肝門までは開存している．

新生児肝炎との鑑別は難しい．灰色便が長く続けば胆道閉鎖の可能性が高いが，新生児肝炎の極期でも認められる．

検査

- 超音波検査：先天性胆道拡張症などとの鑑別が可能である．
- 肝シンチグラフィによる肝細胞への取り込みと胆道への排出の観察で，十二指腸内への排泄を認めない．
- 経皮的肝生検の所見は重要である．
- 試験開腹は鑑別困難なときに必要となる．

治療　疑いのある例で腹腔鏡検査と直接胆道造影により閉塞部位を確認する．肝管と空腸を吻合して治療可能な病巣であれば，ドレーンを造設．不可能であれば，Kasaiの術式にて肝門を腸管と吻合させると黄疸消失が得られるのは約6割程度である．それが難しい場合に肝移植が考慮される．

c 先天性胆道拡張症（CBD）

先天性胆道拡張症（congenital bile duct dilatation；CBD）は，先天性総胆管拡張症ともいわれ，総胆管が嚢腫状に拡大する疾患である．正確な発症頻度は不明であるが，欧米に比べ，東洋人に発症頻度が高い．

腹痛，腹部腫瘤，黄疸を症状とし，手術後の予後は良好である．

d A 型肝炎

詳細は，第 10 章（➡160 ページ）を参照のこと．

e B 型肝炎

詳細は，第 10 章（➡156 ページ）を参照のこと．

f C 型肝炎

詳細は，第 10 章（➡163 ページ）を参照のこと．

g Reye 症候群

詳細は，第 5 章（➡83 ページ）を参照のこと．

5 その他の疾患

a 急性膵炎

急性膵炎（acute pancreatitis）は小児では稀であるが，重症児には時々みられる．原因としてウイルス性，薬物性（バルプロ酸など），外傷性などがある．

発熱，腹痛，悪心・嘔吐の症状を呈し，重症例では，顔面蒼白，激しい持続的腹痛がみられる．血清アミラーゼ値・リパーゼ値上昇，腹部エコー・腹部 CT で膵腫大を認める．

b 急性腹膜炎

急性腹膜炎（acute peritonitis）は腹膜の炎症であり，原因として 2 歳以下では消化管穿孔，2 歳以上では虫垂炎の穿孔（➡172 ページ）が多い．

D 理学・作業療法との関連事項

消化器疾患のある児へのリハビリテーションでは，口腔機能や摂食，手指や目と手の協調の発達過程を知っておくことは，各疾患の臨床症状を理解するためや治療にかかわる際に参考になる．

先天的な口腔の異常があると乳幼児期の摂食が困難となりやすい．また，口唇裂・口蓋裂にて形成外科的治療を行った場合でも，口唇裂では顔立ちの問題が，口蓋裂では発声・発語に課題を抱える児が多い．そのため，形成外科的治療後には，保育園や幼稚園・学校へ理解を促すことや，児や保護者へのメンタルケアが欠かせない．特に，出生直後に直面する哺乳の問題や目立ちやすい顔立ちなど，母親のショックは大きい．口唇裂・口蓋裂では，手術後の経過により，青年期にかけて複数回手術を行うことがある．患者における精神的苦痛は，時に内向的な人格形成や性格の変化など，社会に対する適応性低下にも影響する場合があることに気を付けなければならない．

■重症心身障害児の摂食・嚥下機能

GERD での姿勢管理は，重症心身障害児（重症児）で特に重要であり，理学・作業療法士がかかわることが多い．脊柱側彎や股関節脱臼など変形，筋緊張の亢進・低下が，口腔・咽頭・喉頭・食道・胃へと続く消化器系の各機能に影響するため，一般的な形態測定，関節可動域測定などと合わせて適切な姿勢管理を考えていく．

一方，重症児の分野で積極的に実施されていない点としては，栄養評価がある．年齢や手術前後を問わず，GERD のある重症児では多角的に栄養評価を実施し，その推移を確認しておくことが重要である．

栄養評価には，身体計測として身長，体重，上腕三頭筋皮脂厚（triceps skinfold thickness；TSF），上腕周囲長（arm circumference；AC），下腿周囲長（calf circumference；CC）などがある．TSF と AC から上腕筋周囲長（arm muscle circumference；AMC）と上腕筋面積（arm muscle area；AMA）が算出でき，筋や脂肪量の変化から栄養状態の変化を推察することができる．身体構成成分として DXA 法（dual-energy X-ray absorptiometry，二重エネルギー X 線吸収測定法）やより簡易的に実施できる体組成分析装置にて，体脂肪量や除脂肪体重，体脂肪率，筋肉量などを評価できる．普段の食事状況として，1 回の食事時間，むせの有無，水分摂取量の確認，栄養士による聞き取り調査にて総エネルギー摂取量を推察し，把握しておくことも重要である．

血液生化学的指標として，血清総蛋白，アルブミン，総コレステロール，微量元素などを参考にするが，個人差も大きいことを承知しておき，他の栄養評価と合わせて判断していく．

重症児の摂食・嚥下機能を考える際には，姿勢や介助方法，食形態などを工夫する．それでも誤嚥や GERD，変形や筋緊張の変化による呼吸機能の低下が認められる場合には，経口摂取以外の栄養摂取方法の開始も検討すべきである．

■経管経腸栄養

腸管による消化吸収に障害がないが，経口摂取が困難な場合や消化器疾患の程度によって，経管経腸栄養となる．GERD のない場合には経鼻胃管，GERD を認める場合には経管経腸チューブが使用される．栄養状態によって，胃瘻や腸瘻の適応となる．

使用される経腸栄養剤は，医薬品扱いと食品扱いとして提供されるものに分けられており，それぞれに成分栄養剤，消化態栄養剤，半消化態栄養剤がある．最も有名なエンシュア・リキッドは，医薬品の半消化態栄養剤に分類される．ミキサー食は栄養素の不足が生じにくく，適度な粘度があり，嘔吐やダンピング症候群をおこしにくいことから，近年，その有用性が見直されている．

理学・作業療法では，食事前後の姿勢管理，チューブ管理などで医師や保護者とかかわる．そのためには，各疾患の病態や栄養評価など，総合的な知識が求められる．

- □ 消化器系疾患の代表的症状について説明しなさい．
- □ 先天異常による口腔疾患の代表疾患をあげなさい．
- □ 腸重積症の症状と検査について述べなさい．

第12章 内分泌・代謝疾患

学習目標
- 各種ホルモンの働きについて，生理学の知識を整理しながら各疾患の病態を理解する．
- 糖尿病急性期と慢性期の症状・病態を把握し，治療について理解する．

A 内分泌疾患

内分泌系は，生体において内部環境の恒常性の維持と外部環境へ適応を可能にする役割をもつ．内分泌ホルモンは，細胞の増殖，代謝，性機能，骨代謝など，全身的な作用を有している．そのため，小児の内分泌異常は，成長，発達，成熟に重要な影響を及ぼす．

以下に，主な内分泌臓器の疾患について説明する．

1 視床下部・下垂体疾患

下垂体には前葉と後葉があり，前葉からは以下のホルモンが分泌される．

- 成長ホルモン（growth hormone；GH）
- 甲状腺刺激ホルモン（thyroid-stimulating hormone；TSH または thyrotropin）
- 副腎皮質刺激ホルモン（adrenocorticotropic hormone；ACTH）
- 黄体形成ホルモン（luteinizing hormone；LH）
- 卵胞刺激ホルモン（follicle-stimulating hormone；FSH）

LH と FSH はまとめてゴナドトロピン（性腺刺激ホルモン）ともいう．

- プロラクチン（prolactin；PRL）

いずれも視床下部で産生されるホルモンにより分泌が調節される．

▶表1　視床下部と下垂体前葉ホルモンの関連，および対応する標的器官

視床下部ホルモン	下垂体前葉ホルモン	標的器官
GHRH，GIH	GH	肝，腎，骨
TRH	TSH	甲状腺
CRH	ACTH	副腎皮質
GnRH	LH，FSH	性腺
PIF	PRL	乳腺

GHRH：成長ホルモン放出ホルモン
GIH：成長ホルモン放出抑制因子（＝ソマトスタチン）
TRH：甲状腺刺激ホルモン放出ホルモン
CRH：副腎皮質刺激ホルモン放出ホルモン
GnRH：性腺刺激ホルモン放出ホルモン（＝LHRH）
PIF：プロラクチン放出抑制因子

これらの下垂体前葉ホルモンと，対応する視床下部ホルモンと標的器官を**表1**にまとめる．

下垂体後葉から分泌されるホルモンには，以下のものがあり，いずれも視床下部の神経核で産生され，神経軸索を介して後葉から分泌される．

- アルギニン・バソプレシン（arginine vasopressin；AVP）

抗利尿ホルモン（antidiuretic hormone；ADH）ともいう．

- オキシトシン（oxytocin）

成人女性では子宮収縮，射乳作用が知られているが，小児期での生理作用は不明である．

a 汎下垂体機能低下症

汎下垂体機能低下症（panhypopituitarism）は，すべての下垂体前葉ホルモンの産生・分泌が障害されている状態である．

中枢神経系の発生異常を伴う先天性の場合には，新生児期の低血糖，無呼吸，低血圧や遷延性黄疸が重要な症状であり，その他の症状として，体重増加不良，哺乳不良（甲状腺機能低下症），男子の小陰茎，停留精巣（ゴナドトロピン分泌不全）が特徴的である．

腫瘍，外傷などによる後天性の場合は，原疾患の症状のほかに，成長の停止，二次性徴の遅延，るいそう，尿崩症などを認める．

診断治療については，「間脳下垂体機能障害の診断と治療の手引き（平成30年度改訂）」（「間脳下垂体機能障害に関する調査研究」班編）を参照のこと．

b 成長ホルモン分泌不全性低身長症

成長ホルモン分泌不全性低身長症（growth hormone deficiency；GHD）には，原因により特発性（約90%），器質性（5～10%），遺伝子異常によるものがある．出生時には身長は標準であるが，1歳以降に低身長が顕著となる．骨年齢も遅れる．

検査　成長ホルモン（GH）は正常な睡眠中の波状的高値を示さず低値にとどまり，薬物負荷でも低値である．また，GHの作用を仲介するソマトメジンC（IGF-1）やその結合蛋白のIGFBP-3も低値である．

器質性・遺伝子異常によるものでは，X線写真やCTによるトルコ鞍の形成不全（平坦化）の所見，MRIによる下垂体前葉低形成像などが参考になる．

治療

- GHDの場合には，遺伝子組換えヒト成長ホルモン（recombinant human growth hormone；rhGH）の在宅自己注射（皮下注）を開始する．
- わが国では，小児慢性特定疾病における成長ホルモン治療の助成対象基準が存在する．

c 下垂体機能亢進症

下垂体性巨人症（pituitary gigantism）が発生することは非常に稀であるが，原因の多くは下垂体腺腫でGHが過剰分泌されるためである．過剰なGHは長管骨骨端が閉鎖していないときは身長が著しく伸びて巨人症（gigantism）となり，骨端が閉じてからは先端巨大症（acromegaly，主に体の遠位部の増大，独特の顔貌）を引き起こす．腺腫に対しては手術的処置，放射線治療，あるいはソマトスタチン誘導体や成長ホルモン受容体拮抗薬，ブロモクリプチン投与が行われる．

d 尿崩症

尿崩症（diabetes insipidus）は，下垂体後葉からの抗利尿ホルモン（ADH）分泌障害による中枢性尿崩症と，腎尿細管のバソプレシン V_2 受容体障害またはアクアポリン2障害による腎性尿崩症の2つがある．1日の尿量は4～10Lになる（成人では3L/日以上，小児においては2L/体表面積 m^2/日）．尿比重も低く，脱水状態でも尿比重は1.010を超えない．

(1) 中枢性尿崩症

腫瘍，炎症，その他で視床下部・下垂体後葉周辺が障害されると発症する．一部は遺伝性である．抗利尿ホルモンの欠損により，腎尿細管での尿濃縮ができず多尿となる．後天的な原因で，原因不明の特発性が多く，腫瘍性には胚細胞腫，頭蓋咽頭腫などがある．

治療　デスモプレシン（desmopressin，バソプレシンの誘導体）の点鼻または経口投与，腫瘍があれば手術治療．

(2) 腎性尿崩症

先天性腎性尿崩症の約90%がX連鎖潜性遺伝形式で，男子に発症する．バソプレシン V_2 受容体の異常に起因する．新生児期から発症し，多尿のため多飲となる．水分が不足すると高熱，急速な体重減少を呈する．遺伝的な場合には，家族が乳児の多飲を単なる癖と考えていることがある．乳児期に強い脱水を繰り返すと，脳の発達にも影響する．また，便秘，嘔吐などの症状を呈する．積極的水分補給や，サイアザイド系利尿薬の投与を行う．

後天性のものは，炭酸リチウムなどの薬剤性などで生じる．

e 抗利尿ホルモン不適合分泌症候群（SIADH）

抗利尿ホルモン不適合分泌症候群（syndrome of inappropriate secretion of ADH；SIADH）は，脳炎や髄膜炎，肺炎，抗がん剤投与時などにより発症する．

ADH の過剰分泌により腎での水の再吸収が亢進し，初期に尿量が著減して血清浸透圧が低いままになり（血清 Na 値低値：120 mEq/L 以下），水中毒の状態となる．慢性期に尿中 Na 排泄が多くなり，尿量は改善するが血清浸透圧は低下した状態が持続する．

症状は，低ナトリウム血症によるもので，初期は食思不振，悪心・嘔吐を呈し，やがて過敏状態，意識障害，痙攣をおこす．治療は，原因疾患の治療と，水制限や高張食塩水投与を行う．

2 甲状腺疾患

甲状腺刺激ホルモン放出ホルモン（thyrotropin-releasing hormone；TRH）は，視床下部より分泌されて下垂体前葉の甲状腺刺激ホルモン（TSH）の分泌を刺激する．TSH は甲状腺ホルモン T_4，T_3 の合成を促し（表 1➡177 ページ），甲状腺内に濾胞コロイドとして貯蔵される．また TSH は T_4，T_3 の血中への分泌を促す．

血液中に放出された甲状腺ホルモンは，チロキシン結合グロブリン（thyroxine-binding globulin；TBG）と結合して全身に運ばれる．なお，血液中の T_4 の 70%，T_3 の 50% が TBG と結合している．ほかの蛋白とも結合していない遊離型の free T_4（FT_4），free T_3（FT_3）は，末梢組織で甲状腺ホルモン作用を発揮する．甲状腺ホルモンは酸素消費の増加，蛋白質合成の促進，成長と分化への影響など，代謝全般への影響を与える．

甲状腺疾患は機能障害の面からは，甲状腺機能低下症（hypothyroidism）と甲状腺機能亢進症（hyperthyroidism）に大きく分けられる．以下，それぞれの代表的な疾患について述べる．

a 甲状腺機能低下症

(1) 先天性甲状腺機能低下症，クレチン症（cretinism）

新生児 1/3,000～5,000 の頻度で発生する．新生児マススクリーニングの対象疾患である．

新生児期には特徴的所見に乏しいが，遷延性黄疸，哺乳不良，無欲顔貌，傾眠，巨舌，腹部膨満，臍ヘルニア，低体温（35℃以下），浮腫，徐脈，貧血などが数か月のうちに徐々に出現する．3～6 か月ころには精神・運動発達の遅れが目立ってくる．大泉門と小泉門閉鎖の遅れ，開口，歯牙出現の遅れ，粘液水腫（myxedema）（眼瞼，手背，外陰部の圧痕を残さない浮腫），筋緊張低下がみられるようになる．

長期間無治療の場合，身体的・知的発達に重大な障害をもたらす．

検査 甲状腺ホルモン（FT_3・FT_4）低値～正常値，TSH 高値，頸部エコー・シンチグラムで甲状腺欠損や異所性甲状腺などを認める．詳しい病型診断は，就学前頃の検査で行う．

治療 レボチロキシンナトリウム（T_4 製剤）内服を新生児期から開始することで，上記の症状を未然に防ぐ．

(2) 慢性甲状腺炎，橋本病（Hashimoto disease）

自己免疫疾患で，女子に多い．思春期に発症のピークがあり家族集積性がある．甲状腺はリンパ球浸潤を伴いびまん性に腫大して硬く，圧痛はない．はじめのうち，甲状腺機能は正常であるが，数か月から数年のうちに機能低下をみる例がある．

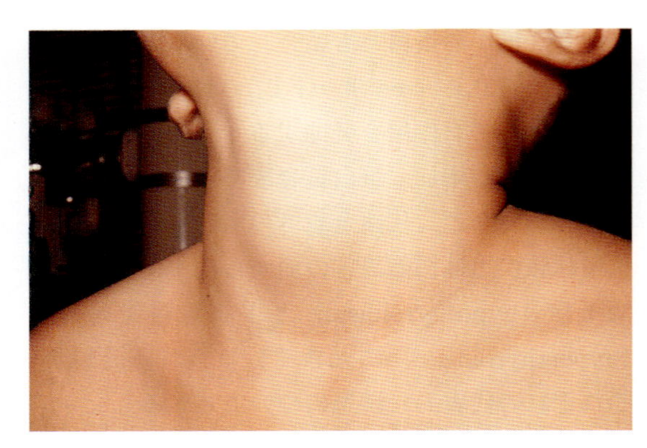

▶図1　甲状腺腫
頸部中央前面に腫脹を認める．

検査　初期はFT_4，FT_3とも正常で，TSHのみやや高値のことが多い．やがて甲状腺機能が低下してくるとFT_4に引き続いてFT_3が低下し，TSHが逆に上昇する．甲状腺抗ペルオキシダーゼ抗体や，抗サイログロブリン抗体が陽性のものがあり，合わせると95%で甲状腺の自己抗体を証明できる．

治療　甲状腺機能低下がある場合，レボチロキシンナトリウム（T_4製剤）内服．

(3) 甲状腺腫（goiter）

甲状腺が病的に腫大している状態を指す（▶図1）．原因の1つは，甲状腺ホルモンの合成障害により甲状腺ホルモンが低下したのに反応して，TSHが下垂体から大量に分泌されて甲状腺が刺激されるためである．そのほかに，炎症（橋本病）や腫瘍性でもみられる．機能的には亢進・低下または正常のいずれでもありうる．母親が妊娠中に抗甲状腺薬などを内服していると，胎児は甲状腺機能低下を伴う甲状腺腫を生じる．

世界的にみて，ヨードが不足している地域では，甲状腺機能低下を伴う甲状腺腫の率が高くなる（海水にはヨードが多く含まれているため，海産物を多くとる地域では甲状腺腫の発症率は少ないといわれる）．

b 甲状腺機能亢進症，Basedow病

小児の甲状腺機能亢進症のほとんどがBasedow（バセドウ）病であり，女子が約5倍多い〔Graves（グレーブス）病ともいう〕．小児の場合，初期症状は，落ち着きがなくなり，頻脈，手指の振戦，体重減少，発汗，軽度の眼球突出（exophthalmos），甲状腺腫大などがみられる．

検査　甲状腺ホルモン（FT_4，FT_3）高値，TSH低値，抗TSH受容体抗体（TRAb）か刺激抗体（TSAb）が陽性．甲状腺エコー検査での，びまん性甲状腺腫や血流増加．

治療　抗甲状腺薬であるチアマゾール，プロピルチオウラシル，無機ヨウ素剤の内服．一部で甲状腺の亜全摘が行われる．チアマゾール使用時は無顆粒球症に注意する．

3 副甲状腺（上皮小体）疾患

副甲状腺は甲状腺の背面に左右2個ずつの合計4個存在する．副甲状腺ホルモン（parathyroid hormone；PTH）は，骨からカルシウム（Ca）を動員し，腎尿細管でのCaの排泄を減少させ，血清Ca値を上昇させる．加えて，ビタミンDを活性化し腸管からのCa吸収促進をはかり，間接的に血中Caを上昇させる．また腎尿細管でのリン（P）の再吸収を抑制して，血中Pを低下させる．

a 副甲状腺機能低下症

副甲状腺機能低下症（hypoparathyroidism）の主症状は低Ca血症によるものである．

低Ca血症は，血液中のCa値が小児期8.5 mg/dL未満，新生児期8.0 mg/dLの低値を示す（正常9～10 mg/dL）．血液中のCaはアルブミンと結合しているため，低アルブミン血症（$<$4.0 g/dL）がある場合には，血清Ca値を補正して判定する［Ca補正値＝Ca測定値（mg/dL）－アルブミン値（$<$4.0 g/dL）＋4.0］．

- 生後72時間以内に発症する早発型低Ca血症は，特に未熟児，仮死児，糖尿病の母親からの出生児に多い．多くは無症状であるが，易刺激性・無呼吸発作・振戦・全身痙攣をきたすことがある．PTHが低下しているため，Ca製剤の静注，ビタミンD製剤を経口投与する．生後72時間以降で発症する遅発型低Ca血症は，副甲状腺機能低下症などの疾患の可能性を考える．
- PTH分泌低下により生後数年以降にテタニー（手足の痙攣）や，全身性痙攣を生じる特発性のものなどがある．

b 偽性副甲状腺機能低下症（pseudohypoparathyroidism）

低Ca血症をきたすが，PTHはむしろ高値である．すなわちPTHの標的組織（骨と腎）の先天性不応症による．さらに，一部にAlbright（オルブライト）徴候（円形顔，第4中手骨・中足骨短縮，低身長，肥満，皮下骨腫，短指症）を認めるIA型が有名である．精神発達遅滞を伴うことも多い．

PTH投与に対して，尿細管のcAMP反応とP排泄を評価するEllsworth-Howard（エルスワース・ハワード）試験による病型分類が一般的であったが，今後は遺伝子検査に立脚したものになっていくと考えられる．

c 副甲状腺機能亢進症

副甲状腺機能亢進症（hyperparathyroidism）には原発性と続発性があり，小児では原発性は稀である．

原発性は，副甲状腺の腺腫，過形成，癌腫などによる．高Ca血症，高Ca尿症による腎結石などを呈する．新生児期の発症は，ほぼCa感知受容体の機能喪失型変異によるものである．続発性は慢性腎不全などにより，血清Caが低下して二次的にPTHが亢進する．

4 副腎疾患

副腎は皮質と髄質からなる．副腎皮質刺激ホルモン放出ホルモン（CRH）は視床下部より分泌されて下垂体前葉の副腎皮質刺激ホルモン（ACTH）の分泌を刺激し，ACTHは副腎皮質ホルモンの合成を促す（表1➡177ページ）．

副腎皮質ホルモンには，糖質コルチコイドのコルチゾールと，鉱質コルチコイドのアルドステロン，副腎アンドロゲンのDHEA，DHEA-Sがある．コルチゾールは細胞内の受容体に結合して蛋白質の合成を調節し，抗ストレス作用を発揮する．糖質・蛋白質・脂質の代謝調節，免疫機能の制御などのさまざまな作用を有する生命維持に最も重要なホルモンである．コルチゾールは，視床下部でCRHを，下垂体ではACTHを介するフィードバック機構を通じて，コルチゾール自体の合成の調整をする．アルドステロンは主にレニン-アンジオテンシン（renin-angiotensin）系に調節されており，血液中のナトリウム（Na）などの変化を調整して血液量や血圧を保つ．

一方，副腎髄質はアドレナリン（エピネフリン）とノルアドレナリン（ノルエピネフリン）を産生する．

a 副腎皮質機能低下症

副腎皮質機能低下症（hypoadrenalism）の原因には，原発性（副腎性）・続発性（視床下部・下垂体性）がある．原発性のなかでも，副腎の大量出血が原因で出生直後の新生児に発症する急性副腎（皮質）不全では，浅く速い呼吸が出現し，放置すれば低血糖・ショック状態になり数時間で死亡する．年長児では自己免疫性のAddison（アジソン）病として低Na・高K，低血糖，色素沈着を呈することがある．

治療はコルチゾールの静注補充療法である．

b 先天性副腎過形成

先天性副腎過形成（congenital adrenal hyperplasia；CAH）とは，遺伝子異常により副腎皮質ホルモンの合成に関与する酵素が欠損する疾患群の総称である．最も頻度の高いものは21-水酸化酵素欠損症であり，15,000～20,000人に1人である．21-水酸化酵素の欠損によりコルチゾールとアルドステロンの産生が障害され，フィードバック機構により，二次性にACTHが過剰分泌される．その結果，副腎が腫大し過形成を生じる．コルチゾールの合成が障害されるため，過剰な前駆体は，男性ホルモン作用をもつ副腎アンドロゲンの産生経路に向かい，副腎性器症候群（adrenogenital syndrome；AGS）を発症し，男性では思春期早発徴候，女性では外性器の男性化徴候を呈する（➡183ページ）．

①**塩喪失型AGS**：21-水酸化酵素欠損の7割を占める．アルドステロン合成も同時に障害され，塩が尿中に喪失し，血清Na低値，血清K高値となる．生後2週間以内に嘔吐，哺乳力微弱，脱水，体重減少，皮膚色素沈着増強，女児の外性器異常（陰核肥大など）を認める．

②**単純男性化型AGS**：21-水酸化酵素欠損の3割では部分欠損にとどまり，新生児期の症状は軽い．女児の外性器異常，思春期早発症の外陰部症状を認める．

治療

- 新生児マススクリーニング対象疾患であり，出生後早期より治療が開始される．いずれの型も，糖質コルチコイド（ヒドロコルチゾン）補充が必要である．さらに，塩喪失型では，鉱質コルチコイド（フルドロコルチゾン）および塩化ナトリウムも乳児期に投与する．
- 女児では外性器形成手術を要することがある．
- 女児では外性器の男性化の程度によって，戸籍登録などに対する法的・社会的カウンセリングが必要となる場合がある．

c 副腎皮質機能異常症

以下にあげた副腎皮質機能亢進症（hyperadrenocorticism）は，いずれも腫瘍や医原性などによる副腎皮質ホルモンの過剰分泌が原因である．

(1) Cushing（クッシング）症候群

コルチゾールの過剰産生による．中心性肥満，満月様顔貌，皮膚線条，低身長，高血圧，糖尿病，多毛，精神障害，骨粗鬆症を呈する．治療目的でコルチゾールやACTHを大量に使用したときにも二次性に同じ症状を認める．

**(2) 原発性アルドステロン症
(primary hyperaldosteronism)**

副腎腫瘍などによるアルドステロン（aldosterone）過剰産生による．レニン（renin）は低値を示し，高血圧，低カリウム（K）血症，多飲・多尿，筋力低下を呈する．

**(3) 続発性アルドステロン症
(secondary hyperaldosteronism)**

腎血流の低下により，レニン分泌が亢進し，それに伴いアルドステロンの分泌が二次性に亢進する．症状は原発性アルドステロン症のそれと同様である．

d 褐色細胞腫

褐色細胞腫（pheochromocytoma）は，副腎髄質，その他，腹部内交感神経叢などに起源する腫瘍が原因で発症し，カテコラミンの過剰分泌を認める．

症状として，成人では著しい高血圧（収縮時180～260 mmHg）がみられる．初期は突発的に出現し，次第に持続的となる．発作時は頭痛，動悸，蒼白，嘔吐，発汗がみられる．ひどいと痙攣をきたす．小児では，体重減少，成長率低下，易疲労感などを契機に受診する場合がある．血中・尿中のカテコラミンが増加する．

e 神経芽腫

詳細は，第16章（➡214ページ）を参照のこと．

5 性腺疾患

a 性腺の発育

(1) 精巣

胎児下垂体からのゴナドトロピン〔gonadotropin，黄体形成ホルモン（LH），卵胞刺激ホルモン（FSH）〕分泌によって，子宮内で胎児精巣からテストステロン（testosterone）が分泌される．胎生 8〜12 週で分泌がさかんとなり，性染色体が XY の胎児では外性器の男性化が進行する．

出生後は，生後 1〜3 か月の間，ゴナドトロピン分泌が生理的に思春期相当となり（mini-puberty と呼ばれる），テストステロンも増加する．生後 6 か月ころからは LH が減少してテストステロンも低値となる．その後，思春期になって再び増加する．

(2) 卵巣

エストラジオール（estradiol-17；E_2），エストロン（estrone；E_1）を分泌する．これらの代謝産物のエストリオール（estriol；E_3）を含めて，エストロゲン（estrogen）という．これらは男児と同じように，胎生期と出生後 1〜3 か月で下垂体からのゴナドトロピン分泌に応じて増加する．その後，思春期に再び増加する．また卵巣はプロゲステロン（progesterone）も分泌する．これは下垂体からの LH で分泌が増加する．

b 性腺発育不全による症候群

さまざまな先天異常で性腺発育異常を合併する．以下にその代表例を記す．

(1) Turner（ターナー）症候群

性腺形成障害を呈する．詳細は第 4 章（➡67 ページ）を参照のこと．

(2) Noonan（ヌーナン）症候群

Turner 症候群と似た体型となるが，約半数が *PTPN11* 遺伝子の変異で生じる．男女ともに発症し，翼状頸，漏斗胸，小陰茎，停留精巣，肺動脈弁狭窄，低身長，外反肘，眼間開離，一部精神遅滞を認める．

(3) Klinefelter（クラインフェルター）症候群

精巣は発育不全．詳細は第 4 章（➡67 ページ）を参照のこと．

(4) Prader-Willi（プラダー・ウィリー）症候群

低ゴナドトロピン性性腺機能低下症を呈する．詳細は第 4 章（➡63 ページ）を参照のこと．

c 性分化疾患

染色体，性腺，または外性器が非定型であることを性分化疾患（disorders of sex development；DSD）という．

(1) 46，XX 性分化疾患

性染色体は XX であるが，非典型的な外性器で発見される．原因は性腺の分化形成異常によるもの，性腺は卵巣であるがアンドロゲン過剰によるもの，その他がある．最も頻度の高いものは，21-水酸化酵素欠損症によるもの（アンドロゲン過剰）である．その他，テストステロンをエストロゲンに変換するアロマターゼの欠損症，母体へのアンドロゲン作用のある薬剤投与などがある．

(2) 46，XY 性分化疾患

性染色体は XY であるが，非典型的な外性器で発見される．原因は性腺の分化形成異常によるもの，性腺は精巣であるがアンドロゲンの合成障害や作用異常によるもの，その他がある．アンドロゲン不応症では，精巣を有するが外性器が完全に男性化せず，種々の程度に女性化がみられる．

(3) 卵精巣性 DSD（ovotesticular DSD）

性染色体は 60% で 46，XX．精巣と卵巣をもつ．外性器は正常女性から正常男性例までさまざまである．

d 思春期早発症

思春期早発症は，二次性徴の発現が本来の時期よりも早期に生じる場合をいう．分類は，ゴナドトロピン依存性と非依存性があり，原因は特発性，中枢神経腫瘍，髄膜炎後遺症，原発性甲状腺機能低下症などがある．頻度は，特発性で女児に多い．また，身長の伸びの開始と終了の両方が早くなることにより，結果的に低身長にとどまる．

早発乳房は，ほかの二次性徴は認めず，乳房のみ肥大する．2歳までに発症し，3〜4歳ころまでに自然に消失する（➡Advanced Studies-1）．

B 糖代謝異常

1 糖尿病

糖尿病（diabetes mellitus；DM）は，膵β細胞から分泌されるインスリンの欠乏あるいは抵抗性の亢進などのインスリン作用不足のため，炭水化物，蛋白質，脂質の代謝が異常となり，慢性的な高血糖〔>200 mg/dL（小児期正常値は70〜100 mg/dL）〕が持続する疾患である．

a 1型糖尿病

小児では1型糖尿病（type 1 DM）が多い．ただし，わが国の学童では1〜2/10万の発症で，ヨーロッパ，北米に比べれば，はるかに少ない．

著明にインスリンが欠乏し，糖尿病性昏睡やケトアシドーシスを予防するためにも，外来性インスリンの投与が必要となる．

一定の素因（HLA抗原に関連した）のうえに，ウイルス感染・環境因子が関与して生じる自己免疫機序により膵β細胞が障害され発病する．

初発症状は，多尿，多飲，多食，体重減少のほか，時にケトアシドーシス〔嘔吐，多尿，脱水，Kussmaul（クスマウル）大呼吸，呼気のアセトン臭，そして放置されると意識障害から昏睡となる〕がみられる．

糖尿病性昏睡あるいはケトアシドーシスは，感染などを契機に発症する．このときには検査上，高血糖，ケトン血症，酸血症，尿糖陽性，ケトン血症，ケトン尿を伴う．

診断

- 尿糖，著明な高血糖・あるいはHbA1cの高値（➡NOTE-1）が認められる．
- 糖尿病性昏睡あるいはケトアシドーシス時はケトン血症，ケトン尿も認める．
- 膵島関連自己抗体（抗グルタミン酸脱水素酵素：抗GAD抗体など）が検出されることが多い．

治療

- 糖尿病性昏睡，あるいはケトアシドーシスを発症し著明な高血糖をきたしたときは，輸液，電解質補正をただちに開始し，持続的なインスリン投与を血糖安定後開始する．
- その後の治療目標は，まず，インスリンの適量使用の確立と，成長に応じた栄養摂取と運動を行い，糖尿病合併症（神経障害，網膜症，腎症など）が生じないよう血糖値をコントロールすることである．高血糖による多尿・多飲，インスリン不足によるケトアシドーシス，および著しい低血糖といった症状をきたさないように厳

Advanced Studies

①性の多様性

性別に関する要素は多様である．身体の性は，性染色体，性器の状態，性ホルモンのレベルなどから決定され，出生時の特徴により戸籍上の性別が決められる．他にも，性の自己認識（性自認，心の性），性的指向（好きになる性），性役割（男性としての役割，女性としての役割），性別表現（服装や髪形などの表現）などがある．これらが多数派と異なる場合に性的マイノリティと呼ばれ，LGBTQ+とも表現される．日本のLGBTQ+当事者は約8〜10%とされ，LGBTQの68%が学齢期にいじめを経験しているとの報告がある．性にも多様性があることを理解し，すべての子どもたちがそれぞれの個性を受け入れて成長できるよう支援することが必要である．

NOTE

1 ヘモグロビンA1c（HbA1c）

赤血球ヘモグロビンのなかで不可逆的に血糖と結合したものの割合をいう．赤血球寿命は約120日なので，最近2〜3か月の血糖値の平均的な動向が反映される．正常成人では6.5%未満であり，幼小児では少し高い．

密に血糖を管理する.

- インスリン製剤は効果発現時間の異なる数種類のものがあり，それらを適切に使い分けて毎日数回皮下注射を行う頻回注射法や，インスリンポンプを利用した持続皮下インスリン注入療法もある.
- 血糖値のコントロールは，血糖・尿糖の測定だけでなく，HbA1c も定期的に評価する．糖尿病合併症（神経障害，網膜症，腎症など）の評価も定期的に実施する.
- インスリン治療中に低血糖（後述）をきたすことがあるので注意する．速やかに血糖を上げるためには，ブドウ糖を携帯するのがよい.

経過　十分なインスリンが投与されないと，血糖値は上昇し糖尿病合併症を生じる．思春期がやや遅れ，やや小柄となる場合もある．思春期に分泌される成長ホルモンや性ホルモンの影響で血糖値のコントロールが不安定になる.

b 2 型糖尿病

2 型糖尿病（type 2 DM）は遺伝因子に規定されたインスリン分泌能と，筋・肝などの諸臓器でのインスリン抵抗性に加えて，過食，肥満，運動不足といった環境因子が関連して発症する．最近では中学生・高校生に増加している.

年長児では学校検尿で糖尿が発見される機会が多くなった．経口ブドウ糖負荷試験で高血糖を示す．HbA1c の上昇も認める．治療として，肥満がある場合には，体重減少がまず必要である．メトホルミン（ビグアナイド薬）や SU 剤といった経口血糖薬，必要に応じてインスリン製剤を使用する.

合併症　1 型糖尿病とも共通するが，長期の経過にて，網膜症，腎症，神経障害などをきたす.

2 低血糖

低血糖（70 mg/dL 未満）は，ブドウ糖を主たるエネルギー源とする脳に重大な影響を与える．脳への影響は，年齢やその他の条件（低酸素，血流障害など）で変化するが，新生児では 40 mg/dL を下回ると著明な低血糖（hypoglycemia）といえる．交感神経症状としては蒼白，動悸，発汗振戦などを示し，神経症状としては傾眠，昏睡，無呼吸，痙攣などを示す.

低血糖をきたす疾患は，高インスリン血症を伴うものと伴わないものが存在する.

前者は，先天性高インスリン血症が有名であり，糖尿病母体から出生した児や在胎不当軽量児，インスリン分泌を調節する膵臓の K_{ATP} チャネル異常などが原因として挙げられる．治療は，高濃度のブドウ糖液持続投与，ジアゾキシドがある.

後者は，ケトン性低血糖症の頻度が多い．グリコーゲンの貯蔵量の少ない幼児に長時間の絶食が強いられた場合に生じることが多く，低血糖症状に加えてケトン体の貯留による代謝性アシドーシスを認める．治療はブドウ糖の経口もしくは経静脈的投与である.

3 肥満

成人の肥満（obesity）は死亡率を上昇させるといわれている．したがって小児期には，その予備軍として注意を払う．肥満の定義は，6～18 歳未満の小児で肥満度が＋20% 以上，かつ体脂肪率が有意に増加した状態をさす.

肥満に起因ないし関連する健康障害（医学的異常）を合併するか，その合併が予想される場合で，医学的に肥満を軽減する必要がある場合を肥満症という，疾患単位として取り扱う.

症候性肥満の診断基準には，高血圧，睡眠時無呼吸症候群，2 型糖尿病，動脈硬化，肝機能障害，脂質異常，高尿酸血症などを含む．治療は，食事，運動，睡眠といった生活リズムへの生活習慣指導が有益で，体重測定などの行動療法に加え，食事療法・運動療法を家族の協力のもと実施する（➡19 ページ）.

- 単純性肥満：素因や環境によって生じ，基礎疾患を認めないもの.
- 症候性肥満：Prader-Willi症候群やCushing症候群など背景疾患がある場合.

C 理学・作業療法との関連事項

■概日リズムの大切さ

成長ホルモンは，細胞の損傷の修復，脂質の代謝，筋骨格系と脳神経系の発達に深く関係している．子どもの成長ホルモンは生後1年間と第二次性徴期に分泌が盛んとなり，夜間にピークを認め，朝方になると徐々に低下する．つまり，子どもにとって睡眠はこころと体の成長に大きな意味をもっている．ヒトの生理現象（体温，ホルモン分泌，睡眠覚醒サイクルなど）はほぼ1日周期で変動している．これを概日リズムという．生後間もない新生児では昼夜の区別は明確ではなく，概日リズムの個体差が大きいことが知られている．早期の概日リズムの形成は，子どもの成長を促すだけでなく，養育者の負担軽減にもつながる．

子どもの概日リズムに影響を及ぼすさまざまな要因が確認されている．例えば食事のタイミングと栄養摂取が概日リズムと深くかかわっている．食事のタイミングを変える，あるいは欠食することは概日リズムの乱れを引き起こしてしまう．栄養面では覚醒作用のあるカフェインの摂取，過度な摂取量による肥満も概日リズムに悪影響を及ぼすことが確認されている．

睡眠を脅かすもう1つの要因に「光」がある．夜の光はメラトニンの分泌を抑制し，概日リズムの乱れへとつながる．現代の子どもは多くのメディアに囲まれていて，スマートフォンやパソコンから出されるブルーライトも適切な睡眠を妨げることがわかっている．子どもは光への感受性が高いとの報告もあり，入眠前の照明など環境を調整することも見落とすことなく支援してほしい．

■子どもは「小さな大人」ではない

子どもは成長に伴って身体が劇的に変化する．子どもの臓器の機能は未熟であり，代謝の予備能（ストレスに耐えうる能力）は低い．例えば，乳幼児の体重当たりの酸素摂取量は成人と比べ高いが，胸郭の動きは小さく1回あたりの換気量は少ない．乳幼児は呼吸数を多くすることで代償している．子どもは外的環境の変化に脆弱であり，周囲の大人が見守る必要がある．

子どもの代謝のトラブルとして脱水症が広く知られている．成人の体の水分含有率は約6割であるが，新生児は約8割である．子どもは水分代謝が速く，皮膚や肺からの失われる水分量も多い．したがって，子どもは大人に比べて多くの水分摂取を必要としている．その一方，子どもは感冒（風邪）や胃腸炎などの感染症に罹りやすく，発熱や下痢は体から水分を奪い脱水症を引き起こしかねない．子どもは口の渇きや発熱を自覚できず，大人に訴えない場合も少なくない．理学・作業療法を行う際には，呼吸，心拍数，体温などバイタルサインを見逃してはならない．

- □ 甲状腺機能亢進症と低下症の症状について説明しなさい.
- □ 急性副腎不全について説明しなさい.
- □ 1型糖尿病の糖尿病性昏睡あるいはケトアシドーシス時の症状について述べなさい.

第13章 血液疾患

学習目標
- 各血球，血漿成分とその働き，および病的状態について理解する．
- 代表的疾患として，貧血，白血病，出血性疾患を知る．

A 造血組織の発生

造血組織の発生は，受精卵着床後，胎齢3週目に中胚葉組織中に認められる．胎齢2か月から胎生中期までは，造血は主として肝臓内で行われるが，胎齢6か月ころから次第に骨髄に移行して，出生時には骨髄で大部分の造血が行われる．

造血組織は，乳児期は骨髄腔を埋める赤色髄（red marrow）にあるが，四肢の長管骨では次第に脂肪化し，黄色髄（yellow marrow）に置き換えられていく．年長児と成人で造血機能をもつ骨髄は，肋骨，胸骨，脊椎，骨盤，頭蓋骨，鎖骨，肩甲骨などに限定されてくる．なんらかの理由で造血の需要が大きくなると，四肢の長管骨での造血が再開される．

骨髄内の多能性造血幹細胞は，成熟を伴わない分裂が可能である．また，コロニー形成刺激因子（colony-stimulating factor；CSF）やインターロイキン（interleukin；IL）などのサイトカインの刺激を受けて，一部は種々の細胞に分化・成熟して，顆粒球系，赤芽球系などの前駆細胞となる（**図1**）．それぞれは顆粒球コロニー形成刺激因子（granulocyte-colony stimulating factor；G-CSF）やエリスロポエチン（erythropoietin；EPO）などの系統特異的サイトカイン刺激によって，前駆細胞から成熟した好中球や赤血球などへの分化（成熟）がもたらされる．

B 血液の成分

1 血球成分

血球成分は，赤血球（red blood cell または erythrocyte），白血球（white blood cell または leukocyte），血小板（platelet）の3つに大別される．

a 赤血球

赤血球の合成には，アミノ酸，鉄，ビタミンなどを必要とする．合成速度は，腎臓で産生されるエリスロポエチンにより増加する．また，エリスロポエチンは組織内低酸素状態で産生が増加する．

赤血球の乾質量（水を除いた質量）の90%はヘモグロビン（hemoglobin；Hb）である．これは酸素を組織に運搬する蛋白質である．ヘモグロビンは成人では Hb A，胎児では Hb F が主である（▶**図2**）．Hb F は Hb A よりも同じ酸素分圧下では，より多くの酸素と結合する（つまり低酸素状態での酸素の運搬に適する）．

赤血球は，検査上新生児期に多いが，生後3か月ころに最も減少する．その後，ゆっくりと再び増加して成人値へと近づく．成人では，赤血球寿命は120日である．

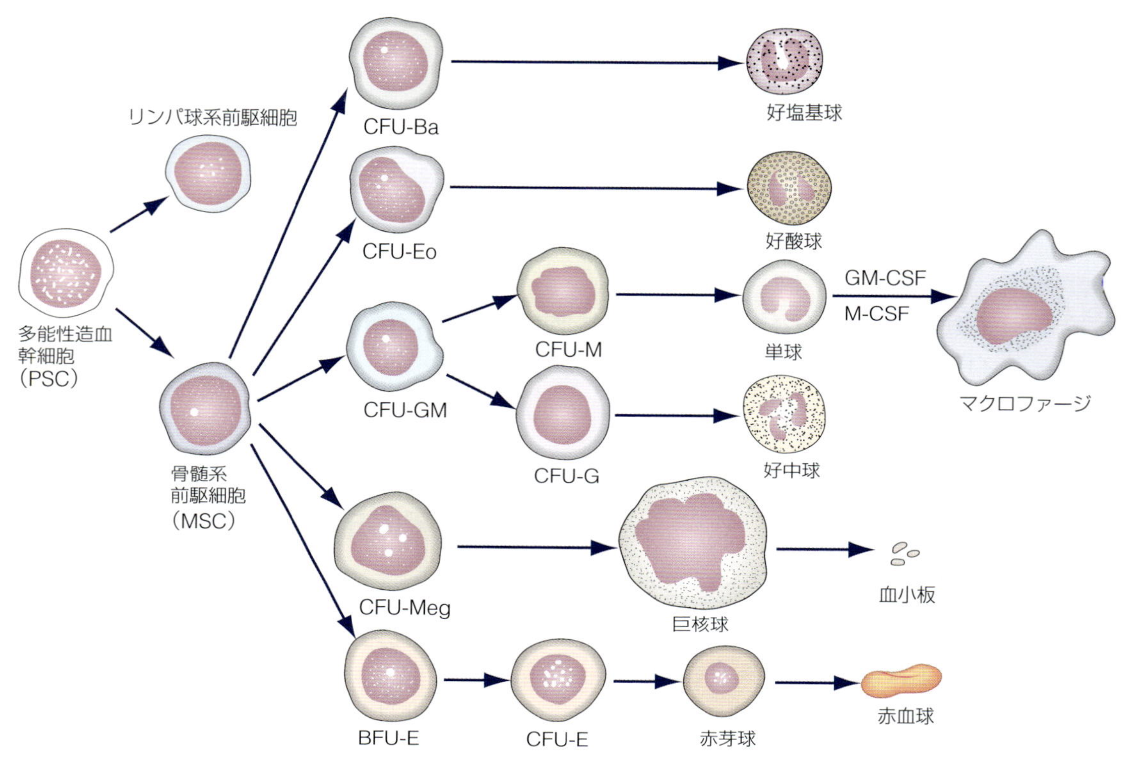

▶**図 1　血液細胞の分化**

CFU：colony forming unit（コロニー形成細胞），BFU：burst forming unit（前期赤芽球系前駆細胞），Ba：好塩基球，Eo：好酸球，M：マクロファージ，G：好中球，Meg：巨核球，E：赤芽球

〔Clark, S. C., Kamen R.：The human hematopoietic colony-stimulating factors. *Science* 236（4806）：1229-1237，1987 より改変〕

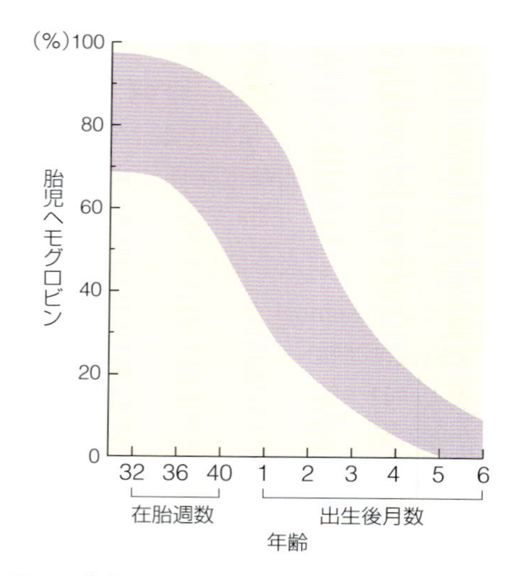

▶**図 2　生後の胎児ヘモグロビンの変化**

総ヘモグロビン中の Hb F の割合を示す．

〔Behrman, R. E.（ed.）：Nelson Textbook of Pediatrics. 15th ed., p. 1377, W. B. Saunders, Philadelphia, 1996 より改変〕

末梢血検査（血液一般検査）基準値

- ヘモグロビン（g/dL）：11.5〜16，平均 12〜13（1〜12 歳，新生児期は少し高値，乳児は少し低値である）
- ヘマトクリット（%）：34〜45，平均 37〜40（1〜12 歳，新生児期は少し高値，乳児は少し低値である）
- 網赤血球（reticulocytes）：1%，幼若な赤血球

b 白血球

白血球の分類は，まず形態上の分類から始まるが，リンパ球は機能的にも細分類され，それぞれが特徴的な働きをする．総白血球数は 6 千〜1 万 1 千/μL，平均 8〜9 千/μL（1〜12 歳，新生児・乳児期は少し高値）である．

(1) 好中球

全白血球の30～55%を占める．顆粒が中性色素に染まりやすく，核は1～5分節している．そして，細菌感染に対して貪食と殺菌により生体を防御する中心的役割をする．

(2) 好酸球

大きな顆粒は酸性の色素に染まりやすく，全白血球の2～3%を占める．アレルギーや寄生虫感染症で増加する．

(3) 好塩基球

大きな顆粒は塩基性に染まりやすく，全白血球の0.5%ほどである．顆粒にはヒスタミンやヘパリンが含まれる．

(4) 単球

全白血球の約5%を占め，貪食と殺菌機能をもつ．リンパ球への抗原情報伝達，ウイルス感染防御，サイトカイン産出，さらに血流から組織の中に入りマクロファージとなって貪食機能を持続する．

(5) リンパ球

全白血球の40～60%を占め，免疫機能の中心的役割を担う．乳幼児期には好中球より多い．

①T細胞：細胞性免疫を担う．

②B細胞：液性免疫を担う．

C 血小板

骨髄の巨核球からつくられる，小さな，核をもたない細胞の断片である．組織の傷害時に血管収縮が生じ，さらに血小板は血管内皮に粘着し，血小板どうしが凝集して血小板血栓が形成される（一次止血）．血小板数は，1～12歳で15万～40万/μLである．

2 血漿成分

主な血漿蛋白質として，以下のものがある．

(1) アルブミン

分子量は小さいが血漿中の蛋白質量として最も多い．血漿浸透圧の主要な構成成分であり，ビリルビン，脂肪酸，あるいは種々の薬物と結合する．

(2) グロブリン

α，β，γなど多様な種類のものがある．免疫グロブリンも含まれる．

(3) フィブリノゲン

フィブリンの前駆物質で，血液凝固の結果，血餅となる（二次止血）．

3 輸血

全血輸血は避けて，できるだけ成分輸血（赤血球，血小板，血漿などの特定成分）を行う．これにより，献血者の負担も少なくなる．

赤十字血液センターでの献血時の血液検査項目は，赤血球血液型（ABO式，Rh式），赤血球の不規則抗体スクリーニング，梅毒反応，HBs抗原，HBc抗体，HCV抗体，HIV抗体，HTLV-1（ATLA）抗体，ヒトパルボウイルスB19抗原，肝機能である．さらに1999年からはHBV，HCV，HIVを対象に，NAT法で核酸の有無のチェックを加えた．これらの厳重なチェックにより，輸血後のHBV，HCV，HIVといった感染症は減少した．

生物学的製剤の輸血をできるだけ避ける目的で，おのおのの血球成分を増加させる以下のような造血因子が開発されている．

- 赤血球の増加：エリスロポエチン
- 好中球の増加：G-CSF
- 血小板の増加：トロンボポエチン受容体刺激薬

また，副作用の少ない自己血輸血も適応が広がっている．

4 造血幹細胞移植

健康ドナーの造血幹細胞移植は，患者の造血機能を回復させること，あるいは特定の代謝異常で欠損している酵素を補うことを目的として行われる．前処置として患者に抗悪性腫瘍薬，免疫抑制薬の投与や放射線照射を行い，患者の骨髄細胞を枯渇させてから施行する．

患者とドナーの主要組織適合抗原である，ヒト白血球抗原（human leukocyte antigen；HLA）の一致度が重視される．近年はドナーの全身麻酔を必要とする骨髄移植だけでなく，ドナーに身体的負担のない臍帯血移植や，ドナーにG-CSFを投与し末梢血から造血幹細胞を得る末梢血幹細胞移植が行われている．

C 赤血球系の異常

1 貧血

貧血（anemia）ではヘモグロビンやヘマトクリットが減少している．貧血の症状として，蒼白，不機嫌，易刺激性，食思不振，活動低下，心肥大，収縮期心雑音などを認める．また，異食症（氷を好む）も有名である．以下に赤血球の形態学に基づく貧血分類と未熟児貧血を述べる．

a 小球性

小球性貧血（microcytic anemia）は，赤血球の平均容積（MCV）が正常よりも小さい．

(1) 鉄欠乏性貧血（iron deficiency anemia）

種々の原因でヘモグロビンの形成に必要な鉄の不足から生じる貧血である．

成人は体内に5 gの鉄分をもつが，新生児は総計0.5 gの鉄分しかもたない．小児は成人するまでに，この不足分を補って成長する必要がある．鉄分の消化管からの吸収率は10%にすぎないので，毎日ほぼ8～15 mgの鉄分の摂取が必要となる．ヒトの母乳と比較して，牛乳に含まれる鉄分は吸収率が悪いので，牛乳に偏った食生活の場合には鉄の欠乏を生じる．

診断　献血で，貧血，血清鉄低値，フェリチン低値，総鉄結合能（TIBC）高値を示す（銅欠乏性貧血は症状が似ているので鑑別診断に注意する．この場合も，血清鉄が低い）．

治療　鉄剤投与

(2) 出血性貧血

頭蓋内出血や消化管出血など，慢性出血に伴って発症する．

b 正球性

正球性貧血（normocytic anemia）は，赤血球の平均容積（MCV）は正常である．正球性貧血の代表は溶血性貧血であり，遺伝性球状赤血球症，自己免疫性溶血性貧血などがあげられる．後述の再生不良性貧血も正球性貧血である．腎性貧血にはエリスロポエチンが使われる．乳児期（生後3か月ころ）の生理的貧血では，一過性にヘモグロビン値は最低9 g/dLくらいにまで減少する．

c 大球性

大球性貧血（macrocytic anemia）は，赤血球の平均容積（MCV）が正常よりも大きい．巨赤芽球性貧血はその1つであり，葉酸あるいはビタミンB_{12}の欠乏によって生じる．極低出生体重児の場合，生後4～7か月ころに軽度なものが出現することがある．

d 未熟児貧血

(1) 生後3～6週

一時的な生理的造血機能の低下である．骨髄造血の抑制（エリスロポエチン活性の低下），あるいは血液容積の増大などにより，貧血をきたす．鉄剤の投与には反応しない．必要な場合には輸血を行う．

(2) 生後16週以降

貯蔵鉄の枯渇による鉄欠乏性貧血なので，鉄剤の投与に反応する．その他，葉酸，ビタミンB_{12}の不足によるものもある．

2 溶血性貧血

赤血球が種々の原因により体内で破壊されていく貧血を溶血性貧血（hemolytic anemia）という．

a 新生児溶血性貧血

新生児溶血性貧血（hemolytic disease of newborn または erythroblastosis fetalis）では，Rh（D）陰性の血液型の母親と Rh（D）陽性の胎児，および O 型の母親と A 型ないしは B 型の胎児の場合に血液型不適合が生じ，児に溶血性貧血と黄疸を発症する可能性がある．

特に Rh 不適合妊娠では，初回分娩時に児の赤血球の Rh 抗原が母体を感作して抗体を産生するようになるため，2 回目以降の Rh 不適合妊娠の際に，母体から胎児に移行した抗体によって，児が溶血性貧血と黄疸をおこす．最近では，初回妊娠時に Rh 不適合妊娠とわかれば，母体への感作を防ぐために分娩直後に抗 D 抗体を母親に注射する．これにより，Rh 不適合による溶血性疾患はかなり減少した．

b 遺伝性球状赤血球症

遺伝性球状赤血球症（hereditary spherocytosis）は，常染色体優性（顕性）遺伝〔稀に常染色体劣性（潜性）遺伝〕である．赤血球膜の異常があり，膜での Na 排出ポンプが十分に働かないため，赤血球内に Na が蓄積して赤血球は球状などの形態異常をきたす．結果として赤血球は血管内での変形能に乏しくなり，脾臓で壊されやすくなる．

貧血，新生児期の強い黄疸，乳児期以降の脾腫の症状のほか，発熱を伴わない無形成発作（aplastic crises）により急激な貧血をきたす．無形成発作は，伝染性紅斑を起こすヒトパルボウイルス B19 感染により発症しやすくなる．

検査
- 貧血，網赤血球増加
- 高ビリルビン血症
- 鏡検による赤血球形態異常（中央の凹みがない）
- 赤血球膜浸透圧脆弱性テストで陽性所見である．
- 赤血球膜関連蛋白の遺伝子検査

診断　臨床および検査所見にてほかの溶血性貧血との鑑別

治療　重度の貧血と無形成発作に対しては赤血球輸血を，繰り返す例では 6 歳以降に脾臓摘出を行う．幼若児で脾臓摘出をすると，重症肺炎球菌感染症の危険が大きい．

3 再生不良性貧血

再生不良性貧血（aplastic anemia）は，骨髄での血液産生能減少により，血球成分がすべて減少する疾患である．

先天性のなかで，Fanconi（ファンコニ）貧血は先天奇形を伴う．後天性のものは，薬物性，放射線被曝などによる．

治療　蛋白同化ホルモン，メチルプレドニゾロン，免疫抑制療法，骨髄移植などが必要となる．

D 白血球系の異常

小児は成人と比較して，正常白血球数が多い．新生児は平均約 1 万 3 千/μL，1 歳児は約 1 万/μL，成人で約 7 千/μL である．

1 白血球増加症

白血球増加症（leukocytosis）のなかで，特に好中球の増加（neutrophilia）が，感染症，炎症（リウマチ，血管炎など）でみられる．

類白血病反応（leukemoid reaction）は，白血球増加（>5 万/μL）と幼若化を伴い一過性である例が多いが，数年以内に急性骨髄性白血病を発症する例もある．

2 白血球減少症

小児で白血球数が約4千/μLを下回ったときに，白血球減少症（leukopenia）という．重症感染症，インフルエンザなどでみられる．

3 白血病

小児の悪性腫瘍のなかで，白血病（leukemia）の発症頻度は最も高く，小児悪性腫瘍の30%以上を占め，毎年，小児3/10万の新規発症がみられる．白血病のなかでは，急性リンパ性白血病（acute lymphocytic leukemia；ALL）が70%で最も多い．

分類　細胞形態学的分類（FAB分類）と，細胞表面マーカーなどによる細胞の由来（B・Tリンパ系，あるいは骨髄・単球系）による分類がある．ただし，ALLでは，FAB分類は最近使用されない．

a 急性リンパ性白血病（ALL）

発症年齢は2～5歳が最も多く，75～80%がB前駆細胞由来である．

主な症状は，紫斑などの出血傾向，顔色不良，発熱，食思不振，倦怠感，四肢の疼痛，肝脾腫である．

診断　貧血，血小板減少，白血球減少（時に白血球増加），芽球の存在（末梢血，特に骨髄），血清LDH，尿酸の増加がみられる．T細胞型ALLでは，胸部X線写真で縦隔腫瘤を認める．

治療計画

①寛解導入療法：プレドニゾロン，ビンクリスチン，L-アスパラギナーゼ，アントラサイクリン系薬剤などの抗悪性腫瘍薬を使用する．寛解導入療法終了後，95～98%の患児で，骨髄液を鏡検すると白血病細胞を認めなくなる“寛解”状態になる．

②中枢神経予防治療：中枢神経は浸潤が多い部位なので，あらかじめ予防的に治療を行う．メトトレキサート（MTX）髄注やMTX大量点滴静注がその主体である．以前行われていた放射線照射は，低身長など内分泌学的問題をおこすこともあり，行われなくなった．

③強化療法：一定の期間のあとに再寛解導入治療などの強力な化学療法を行う．

④寛解維持療法：その後，MTXや6-メルカプトプリン内服などの弱い化学療法を長期にわたって行う．

①～④の治療は一般的に2年程度かかる．

支持的療法　抗悪性腫瘍薬に対する制吐薬，成分輸血，G-CSFで白血球増加をはかる治療がある．薬剤によるものだけでなく，クリーンルームなどの環境整備も含め，骨髄抑制，感染症に対するこれらの技術の進歩が果たす役割は大きい．

リスク別の治療法　副作用の軽減を目指すために行われる．初診時白血球数と年齢が主要な指標である．

- 標準リスク群：末梢血白血球数が5万/μL以下で1～10歳であれば，中枢神経や心臓への負担の軽減を考えた治療法の選択を行う．わが国での長期無病生存率は80%.
- 高リスク群：末梢血白血球数5万/μL以上，年齢1歳未満か10歳以上，あるいはある転座の染色体異常が認められた場合は，比較的強い治療を行う．場合により，造血幹細胞移植（同種移植はHLAの適合が必要，自家移植，臍帯血移植）を施行する．長期無病生存率は40%前後である．

再発　再発した場合の予後はまだよくない．造血幹細胞移植が試みられることがある．

b その他の白血病

(1) 急性骨髄性白血病（acute myelogenous leukemia；AML）

小児白血病の約25%を占める．ペルオキシ

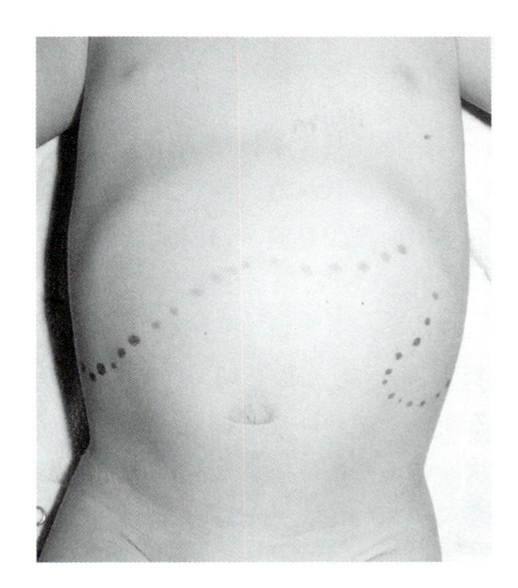

▶図 3　伝染性単核球症
腹部中央から右側腹部は肝腫大．左側腹部は脾腫．

ダーゼ陽性（顆粒球系）の芽球を認める．

(2) 慢性骨髄性白血病（chronic myelogenous leukemia；CML）

小児白血病の約 3% を占める．末梢血では白血球数が著増し，種々の分化段階の白血球がみられる．

4 伝染性単核球症（IM）

伝染性単核球症（infectious mononucleosis；IM）は，Epstein-Barr（エプスタイン・バー）ウイルス（EBV）感染による．初感染の一部に発症するが，初感染年齢が高いほど（思春期〜青年期）発症の確率が高くなる．リンパ球増加，EBV 抗体価上昇を認める．ただし，乳児ではサイトメガロウイルスによることが多い．

症状は，発熱，急性咽頭炎，頸部リンパ節腫大，肝脾腫（▶図 3）を呈するが，2〜4 週で治癒する．

E 出血性・血栓性疾患

1 止血のしくみ

血管は傷害を受けると収縮し，傷害された血管内皮に血小板が凝着する．これを一次止血という．

二次止血は，一次止血とともに進行し，内因性凝固系と外因性凝固系とが協力しながら，最終的にフィブリノゲンからフィブリン塊（血餅）を生成する．第Ⅷ，Ⅸ因子の凝固因子の反応を含む．一方で，線溶系の働きは，フィブリン塊を切断し，可溶化して血管修復と血管再開通に寄与する．

2 出血性疾患

a 凝固系異常

(1) 血友病（hemophilia）

凝固第Ⅷ因子の先天性欠乏症は血友病 A，第Ⅸ因子の先天性欠乏症は血友病 B という．いずれも X 連鎖潜性（劣性）遺伝なので，原則男子に発症する．

血友病 A は出生男子 12/10 万人，血友病 B はその 1/5 とされる．

症状

- 乳児期：点状・斑状出血斑（膝，肘など当たるところ）
- 幼児期：外傷性出血，関節出血（疼痛，腫脹，運動制限を生じる），頭蓋内出血，鼻出血など
- 学童期：足，膝，肘関節への出血と熱感・腫脹および激しい疼痛，腸腰筋出血（血腫）など

治療　重症例では第Ⅷ・Ⅸ因子の経静脈的定期補充療法を行う．そのほかの症例では，出血時のオンデマンド凝固因子補充が行われる．近年血友病 A の定期補充療法として，第Ⅷ因子のバイパス製剤であるエミシズマブ（皮下注射）も使用され

ている．

(2) 新生児メレナ（真性メレナ）

生後1週間以内にみられる消化管出血で，黒っぽいタール便で発症する．肝の未熟性を基盤とした，ビタミンK依存性凝固因子（第Ⅱ，Ⅶ，Ⅸ，Ⅹ因子）の一過性の低下による．

主な症状は，下血，吐血である．頭蓋内出血は稀である．血液検査でプロトロンビン時間（PT）延長やPIVKA-Ⅱの増加を認める．

治療　ビタミンK_2投与，対症療法

(3) 乳児ビタミンK欠乏症

生後30～60日の母乳栄養児に多い．ビタミンK欠乏による．

症状は，頭蓋内出血，不機嫌，嘔吐，傾眠，痙攣，大泉門膨隆，貧血がみられる．検査上PT延長，PIVKA-Ⅱ増加を認める．

治療　ビタミンK_2投与，対症療法

予防　わが国では生後1か月目までに3回，ビタミンK_2シロップを経口投与することが推奨されている．生後3か月まで週1回の投与を続ける施設もある．

(4) 播種性血管内凝固（disseminated intravascular coagulation；DIC）

重症感染症，低酸素症，酸血症，組織壊死，ショックなどを伴う病状の極期あるいは末期に，出血傾向（止血困難），乏尿，呼吸困難，黄疸，疼痛などが認められる状態である．多臓器の細小血管内で血栓症をきたし，臓器障害を起こす．さらに，血小板や凝固因子が大量に消費された結果，出血傾向となる．検査所見としては，プロトロンビン時間（PT）が延長し，二次線溶が亢進してフィブリン分解産物（FDP，D-ダイマー）が増加する．

治療　基礎疾患の原因治療，ヘパリンなどの抗凝固療法，新生児などでは交換輸血が施行されることもある．

b 免疫性血小板減少症（ITP）

免疫性血小板減少症（immune thrombocytopenia；ITP）は，予防接種やウイルス感染症が引き金となり，その1～4週間後に発症することが多い．血小板に対する自己抗体が産生され，脾臓で血小板が破壊される．症状は皮下出血あるいは全身の小出血斑，粘膜・歯肉・鼻への出血，血便，血尿などであり，1～2週間で出血傾向は消失する．発症のピークは1～4歳．

血小板数は10万/μLを切り，時に1万/μL以下となるが，骨髄の巨核球は正常かむしろ増加する．症状の強い時期は主に病初期で，小児では急性型が多く，80%は1年以内に軽快または治癒する．

治療　軽度であれば，経過観察，副腎皮質ステロイド，γ-グロブリンで治療する場合もある．慢性型には脾臓摘出も考える．

3 血栓性疾患

小児でみられる脳梗塞の一部に，アンチトロンビン，プロテインCとプロテインSの先天的欠乏症が関係しているといわれる．アンチトロンビン，プロテインCとプロテインSのいずれも抗凝固物質である．

F 理学・作業療法との関連事項

小児悪性腫瘍の中では白血病が頻度が高い．白血病の診断時や治療の初期段階には，筋力・身体機能の低下，易疲労性が問題となる．治療時には関節可動域制限や筋力・筋持久力の低下，全身持久性の低下などがおこる．地域の小児がん医療や支援を提供するためには，一定程度の医療資源の集約化が必要であり，小児がん診療拠点病院として厚生労働大臣が指定した病院が全国に15施設ある．また，小児がん連携病院には，地域の小児がん診療を行う連携病院，特定のがん種等についての診療を行う連携病院，小児がん患者等の長期

の診療体制の強化のための連携病院の 3 種類があり，各病院と連携して，地域全体の小児がん医療や支援の質の向上を目指している（白血病をはじめ，小児がんに対するリハビリテーションの流れについては 16 章➡216 ページ）．

がん患者リハビリテーションとして診療報酬を算定する場合，施設基準には，専任の常勤医師が 1 名以上いること，常勤の理学療法士，作業療法士，言語聴覚士が 2 名以上いることに加えて，登録者全員が指定の研修を修了していることが必要である．そのため，そのような病院で勤務する場合は，卒後の研修が必要となる．

■造血幹細胞移植とリハビリテーション

造血幹細胞移植には，HLA 半合致移植や HLA 合致移植，臍帯血移植など，様々な種類がある．HLA 半合致移植は，血縁者を移植ドナーとすることが可能で骨髄バンクからドナーを得る必要がなく，適切なタイミングで移植を行うことができる．移植片対宿主病（graft-versus-host disease；GVHD）を発症しやすいが，移植片対白血病（graft-versus-leukemia；GVL）効果や抗腫瘍免疫（graft-versus-tumor；GVT）効果が期待できる．

近年では，造血幹細胞移植後の機能変化やリハビリテーションの介入に関する報告も増えてきており，その可能性が期待されている．多様な合併症を伴うため身体機能が低下するため，造血幹細胞移植中，移植後にリハビリテーションを実施することが『がんのリハビリテーション診療ガイドライン』〔第 2 版〕（2019．金原出版）でも強く推奨されている．

子どもでは，身体機能評価の際に年齢や体格を考慮して基準値と比較し，個体差が大きいことを踏まえて患児の変化を追う必要がある．リハビリテーション経験のない患児と家族との信頼関係の構築やオリエンテーションには時間を要することが多い．移植の前処置が開始されると，それに伴う移植前処置関連毒性や，生着時には生着症候群がみられる場合がある．また，長期無菌室管理による活動量低下，急性 GVHD や感染により廃用症候群の発生・増悪がみられる．

理学・作業療法では，体調や安静度，無菌室などの特殊な環境に合わせて実施することになる．移植患児では，身体機能低下が長期間続くことから，退院後も必要に応じて小児がん連携病院や地域の病院との継続的なフォローアップが欠かせない．

■血液疾患に関する基礎知識の必要性

貧血は，慢性腎臓病，関節リウマチ，甲状腺疾患などの慢性疾患に伴い出現することや，高齢者では潜在的な炎症のように原因のわからない貧血もある．本章の基礎知識は成人分野でも重要な知識となる．

血友病は，適切な止血管理がされない場合，関節内出血や筋内出血によって関節拘縮がおこるため理学・作業療法の対象となる．関節症に対する装具療法，運動機能評価や関節保護を目的とした運動指導が必要になる．装具療法は，関節内出血・筋内出血の程度によって家庭でも使用する必要があり，生活状況を踏まえた患児や家族に対する教育を行わなければならない．凝固因子の補充療法や滑膜切除術など，実施している治療や時期に応じて関節固定の有無を決定するため，筋萎縮予防のために自動関節可動域練習や筋力強化運動などを病態に応じて取り入れる必要がある．

- □ 鉄欠乏性貧血の症状について述べなさい.
- □ 急性リンパ性白血病の治療を概説しなさい.
- □ 小児期の代表的な出血性疾患をあげなさい.

第14章 免疫・アレルギー疾患，膠原病

学習目標
- 免疫機構を理解したうえで，アレルギーと自己免疫疾患・膠原病との関係を把握する．
- アレルギー疾患や気管支喘息は発生頻度が高く，自己免疫疾患・膠原病は成人ほど種類は多くはないが，重要な疾患があることを理解する．

A 免疫

1 免疫システム

免疫システムは生体防御の機構であり，大きく分けて自然免疫（innate immunity）と獲得免疫（acquired immunity）がある．前者には物理的障壁による感染防御を果たす健康な皮膚や気道上皮細胞の線毛も含まれる．代表的なものとして，マクロファージ，好中球，ナチュラルキラー（NK）細胞，あるいは補体などがあり，感染源を貪食・殺菌，あるいは破壊する．

一方，獲得免疫は自然免疫の基盤の上に，体内に侵入した感染源あるいはその抗原を認識して，殺菌あるいは破壊する．リンパ球がその働きの代表であり，T細胞リンパ球は細胞性免疫を，B細胞リンパ球は液性免疫を担当する．さらに，獲得免疫は抗原についての長期記憶が可能であるので，2度目の抗原への曝露には迅速な対応が可能となる．

これらの防御機能の代償として，アレルギー疾患，自己免疫疾患，移植臓器の拒絶反応がある．また，免疫反応を担う造血細胞成分の生成は，胎児早期には肝臓で，出生後は骨髄で主に行われる．

（1）マクロファージ・樹状細胞

血中の単球は数日で血管外に移動して組織に定着し，マクロファージや樹状細胞となる．リンパ節，脾臓，肝臓，肺，皮膚など全身に認められる．マクロファージは強い貪食能をもつ．マクロファージや樹状細胞は貪食した抗原の情報を，Tリンパ球に伝達する機能（抗原提示能）がある．

（2）好中球

好中球は細菌へと遊走し，貪食と殺菌を行う．

（3）リンパ球

リンパ球には機能を異にするNK細胞，T細胞，B細胞などがある．

①**NK細胞**は自然免疫で，腫瘍細胞やウイルス感染細胞に対して細胞傷害性をもつ．

②**T細胞**は細胞性免疫を担い，末梢血リンパ球の約70%を占める．

- ヘルパーT細胞（helper T lymphocyte；Th）：細胞表面の抗原はCD4であり，分泌するサイトカインによりTh1細胞とTh2細胞に分類される．Th1細胞はサイトカインのIFN-γ（インターフェロン-γ）の産生を通じて，B細胞の活動を抑制する．一方，細胞傷害性T細胞の働きを補助して，Ⅳ型の遅延型アレルギーや自己免疫疾患に関与する．Th2細胞はサイトカインのIL-4（インターロイキン-4）やIL-13の産生を通じて，B細胞の抗体産生を誘導し，IgEを介したⅠ型の即時型アレルギーに関与する．

- 細胞傷害性 T 細胞，キラー T 細胞（cytotoxic T lymphocyte；CTL）：細胞表面の抗原は CD8 であり，ウイルス感染細胞，癌細胞，移植細胞などを細胞死に至らしめる．

③ **B 細胞**は液性免疫（免疫グロブリン産生）を担い，産生した免疫グロブリン（抗体）を抗原と結合させ，CTL や補体に攻撃しやすくして不活化・排除する．末梢血リンパ球の約 10% を占める．分泌される免疫グロブリン（Ig）は以下の 5 つのクラスに分類される．

- IgM：抗原に反応して最初に出現する．
- IgG：IgM より遅く出現するが，長く存在する．胎盤を通過して胎児の受動免疫を担う．
- IgA：血液中以外に消化管，眼球結膜などの分泌液中にも存在する．
- IgE：即時型アレルギー反応に関与する．気管支喘息，アナフィラキシーなどの発症に関与する．
- IgD：機能がまだよくわかっていない．

(4) 補体

補体（complement）は，1960 年代細菌融解の研究中に発見された．すなわち，血清中で特異抗体に関連する成分と，加熱で不活化される非特異的成分とが見つかり，後者が補体とされた．

補体は複数の蛋白質が順次反応していく古典経路（classical pathway；補体成分 C1qrs，C4，C2，C3，C5，C6，C7，C8，C9 の順に反応）と，その一部を共有する代替経路（alternative complement pathway），レクチン経路（lectin pathway）がある．たとえばウイルス感染の場合に，ウイルスに対する抗体がまだ十分血中に存在しない病初期に，補体によるウイルスの中和の働きが大きな意味をもつ．

(5) サイトカイン

T 細胞と B 細胞リンパ球および NK 細胞は，抗体とは異なるサイトカインという多種類の蛋白を分泌する．サイトカインは免疫組織細胞の分化・増殖あるいは炎症を促したり，その他さまざまな調整を行う．たとえば，インターフェロンはウイルスの増殖を抑制し，IL-6 は炎症反応を調節し，IL-4 や IL-13 は B 細胞を成長させて IgE 分泌を誘導し，G-CSF は好中球を増殖させ，エリスロポエチンは赤血球を増加させる．

2 免疫状態の獲得

(1) 能動免疫

生体に抗原を投与して，特異的免疫反応を誘導し，その生体内で免疫状態を獲得する．ワクチンなどがその例である．

(2) 受動免疫

免疫状態の生体からの抗体または γ-グロブリンをとり出し，同系統の免疫されていないほかの生体に与え，免疫能を付与する．治療用には，経静脈用，筋注用あるいは皮下注用免疫グロブリン製剤がある．ただし，有効な期間は能動免疫よりも短い．

3 免疫不全

量的異常では，一般に感染が重篤化しやすい．

質的異常があると，*Pneumocystis jirovecii*（ヒトでニューモシスチス肺炎をおこす病原体），サイトメガロウイルスなどの日和見感染が生じたり，水痘（varicella）が致命的になる．

a T 細胞系の異常

代表的な原発性免疫不全症候群に DiGeorge 症候群がある．DiGeorge 症候群の 90% 以上に染色体の欠失（22q11.2 の欠失）がみられ，22q11.2 欠失症候群と呼ばれる（➡69 ページ）．胎芽期の第 3，4 咽頭嚢（pharyngeal pouches）の発生異常があり，その結果，副甲状腺と胸腺の発生障害や心血管奇形を伴う．結果として，易感染性や新生児期の低カルシウム血症性痙攣をおこす．

後天性免疫不全症候群（AIDS）での CD4 リンパ球減少については，第 10 章（➡163 ページ）を参照のこと．

b B 細胞系の異常

抗体産生が障害される群で，原発性免疫不全症のなかで最も頻度が高い．

代表的な疾患はX連鎖無γ-グロブリン血症（X-linked agammaglobulinemia）である．X連鎖劣性（潜性）遺伝で原則男子に発症し，IgG，IgA，IgMが低値を示す．母体由来のIgGが消失する生後半年から繰り返す感染（肺炎，中耳炎，副鼻腔炎）が主症状である．受動免疫（γ-グロブリン投与）で治療する．

c T 細胞および B 細胞系の異常

Wiskott-Aldrich（ウィスコット・オルドリッチ）症候群は細胞骨格形成の異常により，リンパ球の異常をきたし，易感染性・湿疹・血小板減少を3主徴とするX連鎖劣性（潜性）遺伝疾患で，IgAとIgEは上昇する一方，IgMは低下する．

毛細血管拡張性運動失調症（ataxia-telangiectasia）は常染色体劣性（潜性）遺伝で，進行性小脳失調，眼球結膜の毛細血管拡張，慢性副鼻腔・肺感染症を主症状とし，T細胞リンパ球の減少，IgA，IgEの減少を呈し，悪性腫瘍の発症をみる．

d 貪食細胞の異常

代表的な疾患に慢性肉芽腫症（chronic granulomatous disease）がある．好中球・単球の貪食能は正常だが，細胞内殺菌能に障害がある．乳児期から青年期までに発症する．全身のリンパ節腫脹を認め，頸部では排膿切開を必要とする．肺炎や骨髄炎のほか，皮下，皮膚の化膿疹を認め，慢性の炎症により食道，十二指腸，尿道などの通過障害を併発する．

B アレルギー

1 免疫とアレルギーの関係

アレルギーとは，免疫反応を通じて宿主に生じる生理的反応とは異なる，病的な免疫反応である．原因となる「アレルゲン」は即時型アレルギー反応を引き起こし，「抗原」とよく同義語に使われるが，すべての抗原がアレルゲンになるわけではない．アレルギー反応に対してアトピーという言葉が使われる場合には，家族性あるいは遺伝性素因が念頭にある．

2 アレルギーの分類

a I 型アレルギー反応（即時型，アナフィラキシー型）

IgEが関与する．血管周囲の肥満細胞（mast cell）表面に付着したIgEに再び抗原が結合すると，肥満細胞からヒスタミンやロイコトリエンなどの化学伝達物質が急速に遊離し，平滑筋の収縮や粘膜の浮腫などの症状を示す．気管支喘息，アレルギー性鼻炎，蕁麻疹，アナフィラキシーなどをもたらす．

b II 型アレルギー反応（細胞傷害型）

細胞膜（たとえば赤血球膜）や細胞膜の付着物質が抗原となり，それに抗体が結合して細胞自身が融解する．代表疾患は自己抗体による溶血性貧血，免疫性血小板減少症（ITP）である．

c III 型アレルギー反応（免疫複合体型）

Arthus（アルサス）型ともいう．傷害を受ける細胞からは離れたところで，抗原と抗体が結合して免疫複合体を形成する．これが補体系の反応を起こして臓器の障害をもたらす．代表疾患は糸球体腎炎である．

d Ⅳ型アレルギー反応（遅延型）

抗原に感作されたTリンパ球が引き起こす細胞性免疫反応である．ツベルクリン反応のように24〜48 時間後に反応がピークになる．

e Ⅴ型アレルギー反応

細胞表面レセプターへの自己抗体の結合により，細胞が機能亢進状態となる．代表疾患はBasedow（バセドウ）病である．

実際の臨床では複数の反応が重なり合っていることが多い．たとえば，気管支喘息の気道抵抗増加は，抗原曝露直後だけでなく，数時間後にも再び認められる．これは，ヘルパーT細胞のうちのTh2 細胞が，曝露抗原への即時型のⅠ型反応をおこすIgE 産生を亢進させ，さらに好酸球が関与するアレルギー性炎症といわれる遅発型の反応にも関与するからである．一方，Th1 細胞はIgE 産生を抑制する．

さらに，免疫応答はTh1 細胞とTh2 細胞の機能バランスにより調節を受けている．このバランスが崩れてTh2 優位になると，即時型反応やアレルギー性炎症が生じやすくなり，Th1 優位になると細胞性免疫が異常に活性化されてCrohn（クローン）病などを生じる．

3 アレルギーの診断

a 診断の手がかり

季節，日内変動，環境（室内，室外），ペット，湿度，家族歴などが原因（アレルゲン）を知る重要な手がかりとなる．

b 検査

アレルギーがあれば，末梢血液で好酸球増多や鼻汁中に好酸球を認め，血清中のIgE とRAST（抗原特異的 IgE）の増加を認める．

- 皮膚テスト：多種類の抗原を使ったスクラッチテストや皮内反応などがあるが，テストの種類により感受性・特異性に一長一短がある．
- 誘発試験：抗原の経口あるいは経気道の投与を行う．最も確かだが，症状が実際に出現する可能性があり，慎重を要する．

4 アレルギー疾患

a 気管支喘息

気管支喘息（bronchial asthma）の有病率は乳幼児で 10〜15%，学童期以降は 4〜8% である．発症年齢は，1 歳までが 30% ほどを占め，6 歳までに 90% 近くの発症がみられる．

思春期前は男女比は 2：1 と，男子に多く発症するが，その後は男女同じである．

発症年齢と予後との関係ははっきりしないが，小児期に症状が軽い場合は成人期に治癒する可能性が大きい．少数例に難治性のものがある．

病態生理　種々のアレルギー性あるいは非特異的な刺激に対する気道の過敏性が引き金になり，そこから生じるIgE や好酸球が関与する気道炎症が中核と考えられる．呼吸路の狭窄が，気管支の収縮，気管内粘液の過剰分泌，粘膜の浮腫，細胞浸潤，上皮や炎症細胞の脱落や気道リモデリングと呼ばれる組織変化により生じる．特に呼気時には，胸腔内圧が高くなり，気道はさらに狭くなるので，呼吸障害が強くなる．

肺胞での換気が悪くなると，まず動脈内の酸素分圧が低下しはじめ，やがて二酸化炭素が蓄積しはじめる．低酸素血症と酸血症は肺血管を収縮させ，肺サーファクタントの産生を低下させて無気肺が進行し，症状の悪化につながる．

原因

①免疫学的：環境中の原因に曝露されて発症する．多くはIgE の上昇を伴う．幼少時は食物性抗原の比重が大きく，その後は環境性抗原の

割合が多くなる.
②内分泌学的：女性では初潮や更年期の前に悪化しやすい.
③精神的：ストレスによる障害は，喘息の強さよりも，難治性とより関連している.

症状

- 初期は鼻汁を伴う風邪様症状
- やがて咳嗽，喘鳴（wheezing，気管支の狭窄によって呼気時に「ヒーヒー」，乳児では「ゼーゼー」），多呼吸，呼気延長を伴う呼吸障害を呈する.
- さらに補助呼吸筋の使用，チアノーゼ，胸郭の過換気状態，脈の速拍を認めるようになる.
- 重症化すると，喘鳴がむしろ消失，歩行・会話困難，起座呼吸，腹痛，多量の発汗，微熱，疲労が明らかとなる．呼吸不全状態では意識障害などもみられる.

診断　咳嗽・呼気性呼吸困難を繰り返すことから，臨床的に診断する．特に運動，ウイルス感染，特定物質の吸引が誘因の場合には疑わしい.

検査

- 白血球：好酸球増加
- 皮膚テスト，血清 RAST 検査：特定の抗原への感作の有無を確認
- 誘発試験：経口，吸入などにて抗原を試験的に投与（ただし注意が必要）
- 運動負荷テスト：ある程度以上走ると気管支収縮を生じる．すなわち気道の過敏性を呈する.
- 胸部 X 線写真：特異的所見はない．無気肺，気胸などを除外すること
- 呼吸機能テスト：最大呼気流量（PEF）の低下などの閉塞性呼吸パターンを呈する.
- 血液ガス，経皮酸素モニタリング：呼吸困難をきたして入院を要する状態では，特に必要な検査である．動脈血酸素分圧（P_aO_2）の低下や動脈血二酸化炭素分圧（P_aCO_2）の上昇が，呼吸不全の指標である.

治療

①急性発作の強度と治療

発作強度は，小・中・大発作と呼吸不全の 4 段階に分類する．治療は，気管支拡張薬（β_2 刺激薬）の吸入が基本であり，中発作以上なら酸素投与，ステロイド全身投与を行う．近年，痙攣などの中毒症状をおこしやすいアミノフィリン静注は，控える傾向にある.

②呼吸不全時の治療

- 通常の薬物治療で反応が乏しく，呼吸困難が増強するときは ICU に入院となる．呼吸状態の定期的チェック，動脈ライン確保（経時的ガス分析を行う）が必要である.
- 酸素投与と適切な輸液（脱水の改善をはかる）
- 薬物治療（気管支拡張薬，ステロイド全身投与），人工呼吸器管理（必要ならば麻酔下にて行う）

③長期管理の治療

刺激物の除去，食餌性・気道性刺激を避ける（例：たばこの煙，アイスドリンク，気温・湿度の急変，ダニアレルゲンなど），心理的安定の確保を図る．わが国では，治療内容による症状変化を考慮した「真の重症度」をガイドライン指針より一定期間の後に求めて，それに対応する治療を行うことが推奨されている.

- 間欠型：年数回の発作．有症状時だけ治療する.
- 軽症持続型：月 1 回以上の発作がある．普段から抗アレルギー薬または吸入ステロイドなどの治療が必要.
- 中等症持続型：週 1 回以上の発作．普段から吸入ステロイド薬に加え，ロイコトリエン受容体拮抗薬や経口または貼付 β_2 刺激薬が必要.
- 重症持続型：ほとんど毎日発作があり，入退院も繰り返すので，高用量の吸入ステロイド薬やロイコトリエン受容体拮抗薬などの併用に，β_2 刺激薬または経口ステロイドも必要となる.

b アレルギー性鼻炎

近年増加傾向にある．小児期でも人口の 15～30% の罹患があるといわれる．喘息やアトピー

性皮膚炎との合併が多い．また花粉症などの季節性のアレルギー性鼻炎も増加している．

病態　鼻粘膜に付着したアレルゲンは粘膜下肥満細胞のIgEに結合してヒスタミンなどを放出するだけでなく，4～8時間後に好酸球などによるIL-5を通じた遅発反応を生じて症状を誘発する．

症状　鼻汁，くしゃみ，鼻閉，結膜炎，頭重感

検査　アレルゲン皮膚テスト，血清RAST検査，鼻汁中好酸球増加

治療　環境性あるいは食物性の抗原除去あるいは回避，抗ヒスタミン薬，ステロイド点鼻．近年，舌下免疫療法（減感作療法）が保険適用となった．

c アトピー性皮膚炎

アトピー性皮膚炎（atopic dermatitis）の典型的な皮膚症状は，瘙痒疹，発赤（紅斑），浮腫，滲出液，痂皮，瘢痕などである．のちにアレルギー性鼻炎，気管支喘息を伴うことがある．

症状　乳児期の湿疹は，頬部，顔面，頭部，腹部，四肢伸側が中心で，痒みが強く，ひっかいて皮膚を傷つけ，二次感染をきたすことがある．食事内容が変化したとき（たとえば，鶏卵，牛乳，小麦，大豆，魚などが開始されたとき）に湿疹が出現することがある．しばしば食物性アレルゲンが関与している．

多くの場合には5歳ころまでに湿疹は軽快する．肘関節，膝関節の屈側，手首，顔面などに湿疹は限局してくる．湿疹は次第に乾性となり，皮膚の肥厚をもたらす．

乳児脂漏性湿疹，接触性皮膚炎との鑑別が必要である．

治療　痒みの外因を除くために，乾燥，発汗を避け，衣類は柔らかな木綿の生地を使用する．せっけんで皮膚を清潔に保つことは重要であり，しっかりと洗い流せばよい．

急性期で症状が強いときは，ステロイド軟膏や保湿剤で炎症の改善と皮膚の保湿を図る．瘙痒感には抗ヒスタミン薬内服を行う．症状が落ち着いてくれば，より弱いステロイドに変更または中止を試みる．免疫抑制薬のタクロリムス軟膏を使うこともある．

d 食物アレルギー

食物アレルゲンには，鶏卵，牛乳，小麦，大豆，そば，エビ，キウイなどがある．症状は，アトピー性皮膚炎，蕁麻疹，気管支喘息，消化管アレルギー，アナフィラキシーなど多彩である．免疫学的発症機序は，ヘルパーT細胞のTh2，Th1の関与が大きいなど，気管支喘息の場合とも共通している．

診断は病像のほかに，アレルゲンの検索（特異IgE抗体），厳格な食物除去・負荷試験による．治療は，厳格なアレルゲン診断に基づく食物除去療法である．母乳栄養児の場合は，母親もアレルゲン食物の除去の考慮が必要になり，人工栄養児で牛乳アレルギーの場合は，加水分解ミルクなどを考慮する．消化力の向上を期して，3～6か月ごとに抗原感作の程度を再検討する．この感作の減少を確認しながら，次第に食物の種類と量を増加させていく．

e 蕁麻疹

蕁麻疹（urticaria）の症状は，皮膚に痒みを伴う発赤を生じ，その部位が膨疹状となる．その病態は，アレルギー性の原因として，①抗原が肥満細胞表面に結合したIgEと結合してヒスタミンを放出して発症する場合，②補体が関与する場合，そして非アレルギー性の原因として，③物理的刺激や血清ブラジキニンが関与する場合など，多様である．

アレルゲンとして，原因を特定するのは難しい場合が多い．1か月を超えて繰り返し現れる場合には慢性蕁麻疹という．原因となるアレルゲン除去や，抗ヒスタミン薬の投与を行う．

f アナフィラキシー

アナフィラキシー（anaphylaxis）では，抗原

に対してⅠ型のアレルギー反応が急激に生じ，生命の危険にまで及ぶ．異常知覚，嚥下困難，咽頭・胸部絞扼感，全身の蕁麻疹，血管運動性浮腫，くしゃみ，喘鳴，悪心・嘔吐，腹痛，重くなると血圧低下，徐脈，意識消失，心肺停止を呈する．迅速なアドレナリン筋注が肝要であり，リスクの高い患者には携帯型のアドレナリン筋注キットが処方可能である．

g 薬物副反応

薬物の副反応（adverse reaction）では，薬理学的なものと，免疫反応が関与するものとの2種類に分かれる．前者の多くは，高濃度投与の結果生じる．後者は必ずしも高濃度でなくとも発症する．

h 虫刺症

局所的・薬理的な反応のほかに，全身のアナフィラキシー反応がある．

i 予防接種に伴うアレルギー反応

アレルギー反応の原因は，ワクチンそのもののほかに，なかに含まれる抗菌薬，鶏卵成分，保存剤などの場合がある．現在，予防接種によるアナフィラキシーは非常に稀になっている．鶏卵アレルギーだけでは，(アナフィラキシーを呈したのでなければ）麻疹ワクチンとインフルエンザの予防接種は禁忌ではない．

C 自己免疫疾患，膠原病

ヒトは本来自己の抗原には免疫寛容性をもつので抗体をつくらないが，その抑制機構が破綻して自己の抗原に対する抗体をつくって発病してしまう状態を自己免疫疾患という．膠原病は全身の炎症性疾患で，結合組織の変性・硬化がみられ，原因として自己免疫疾患が考えられている．

1 若年性特発性関節炎（JIA）

若年性特発性関節炎（juvenile idiopathic arthritis；JIA）は，成人の関節リウマチとは別の疾患である．免疫機構の関与があり，関節の滑膜炎などをきたす．

大きく3つの型に分類される．

①多関節炎（polyarthritis type）：病初期に5関節以上の関節炎，上肢（指）関節や下肢関節の障害が多い．発疹，リンパ節腫脹，皮膚結節，脊椎炎なども認める．リウマトイド因子陽性例に予後不良のものがある．

②少関節炎（oligoarthritis type）：主に下肢の関節の症状，微熱．女児で抗核抗体陽性例に虹彩炎がみられる．

③全身型（systemic type）：関節炎，高熱，紅斑，リンパ節腫脹，肝脾腫，漿膜炎などをきたす．

治療　非ステロイド性抗炎症薬，メトトレキサート（MTX），ステロイドが治療の基本となる．難治例には TNF（tumor necrosis factor）-α を阻害するアダリムマブや，IL-6を阻害するトシリズマブといった生物学的製剤も使用される．時機を逸せず関節可動域訓練を行う．

2 全身性エリテマトーデス（SLE）

全身性エリテマトーデス（systemic lupus erythematosus；SLE）は若い女性に好発し，細胞の核成分に対する種々の自己抗体が出現する．

症状の臨床像は多彩である．発熱，関節痛・腫脹，発疹（蝶形紅斑，結節性紅斑，紫斑，粘膜疹），神経症状（痙攣，精神症状，舞踏病など），腹痛，肝脾腫，リンパ節腫脹，心臓障害（心雑音，心拡大），胸痛（胸膜炎など），腎障害（ネフローゼ，高血圧，血尿，浮腫）がみられる．

検査　炎症反応陽性，自己抗体や LE 細胞陽性など

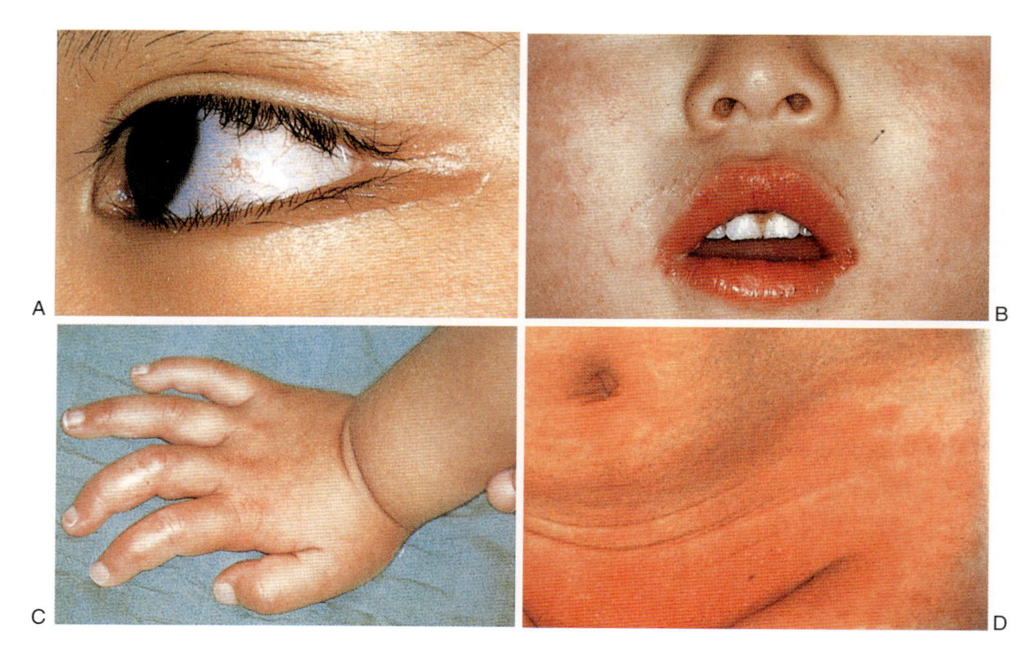

▶図 1　川崎病（MCLS）
A：眼球結膜充血，B：口唇充血，C：手の硬性浮腫，D：体幹の不定形発疹
〔川崎富作：小児膠原病学Ⅱ．新小児医学大系，22B，PlateⅤ，中山書店，1984 より〕

治療　ステロイドホルモン，免疫抑制薬を使用

3 川崎病（MCLS）

川崎病（Kawasaki disease または mucocutaneous lymph node syndrome；MCLS）は原因不明で発熱を伴う小児の疾患であり，炎症性サイトカインが高値となって心臓の栄養血管である冠動脈の血管炎を伴う．4 歳以下に多い．

症状として，5 日以上続く高熱，眼球結膜の充血，口腔内所見（咽頭炎，口唇亀裂，苺舌），四肢の所見（手足の硬性浮腫・発赤，その後に指先からの膜様落屑），発疹（体幹，不定形），非化膿性頸部リンパ節腫脹などが認められる（▶図 1）．病状に重症感がある．

合併症としては，発症 2 週間以内に，10～40% で冠動脈炎が見つかり，冠動脈拡大・動脈瘤をエコー検査で認める．心合併症がなければ予後は良好である．

検査　白血球増多，血小板増多，貧血，炎症反応陽性

治療　大量 γ-グロブリン静注，アスピリンなどを使用

4 IgA 血管炎

かつてはアレルギー性紫斑病（anaphylactoid purpura）やヘノッホ・シェーンライン（Henoch-Schönlein）紫斑病と呼ばれた．皮膚毛細管，腎糸球体，消化管粘膜組織などの細小血管の血管炎である．川崎病と同様原因特定が困難なことが多いが，A 群 β 溶連菌などの感染症に続発することがある．

臨床的症状は以下のとおりである．

- 皮膚症状：主に下肢～殿部に隆起した紫斑（▶図 2），四肢末端，眼瞼および頭蓋部の浮腫
- 関節症状：一過性関節痛，関節の腫脹
- 腹部症状：疝痛，便潜血，下血，腸重積症
- 腎症状：血尿，初期にネフローゼを呈するものは予後不良である．

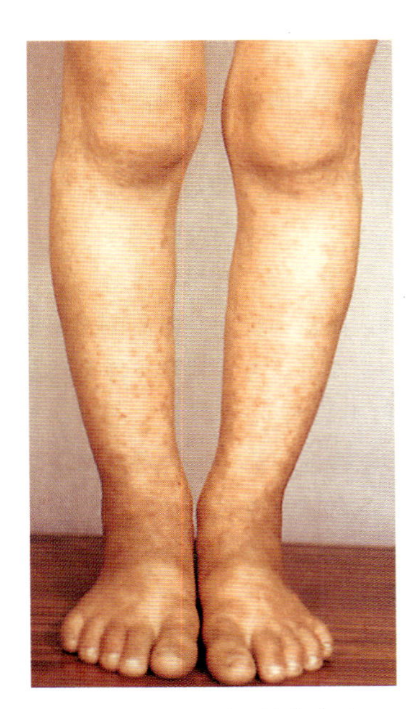

▶図2 アレルギー性紫斑病
下肢～殿部，上肢に発疹をみる．
〔眞弓光文：膠原病および類縁疾患．森川昭廣（監修）：標準小児科学 第7版．p. 321，医学書院，2009より〕

検査 特異的検査所見はない．凝固第 XIII 因子の低下している症例がある．

治療 対症療法．強い腹部症状に対してステロイドが有効な例がある．また，第 XIII 因子低下症例の腹痛に第 XIII 因子製剤を投与することがある．

5 若年性皮膚筋炎

若年性皮膚筋炎（juvenile dermatomyositis）は，5～9歳が好発年齢で，女子に多い（男女比は2：3）．組織学的には小血管の炎症が本体である．

症状は，四肢近位・体幹の筋力低下（歩行障害，階段昇降困難，髪すき困難，着衣困難）が著しい．筋痛があり，仰臥位から座位そして支持なしで立ち上がる際に困難がみられる．呼吸困難，鼻声，嚥下障害のほか，皮膚症状としては，上眼瞼の紫紅色のヘリオトロープ疹，手指および四肢関節背面の紅斑であるGottron（ゴットロン）徴候，頬部紅斑がある．皮下組織のカルシウム沈着，胃腸障害もみられる．

検査 筋からの逸脱酵素（CK，アルドラーゼ，AST，LDH）が上昇し，筋電図は筋原性パターンを示す．筋生検で確定診断する．

治療 ステロイド，MTX，免疫抑制薬，大量 γ-グロブリン療法などが選択される．リハビリテーションとしては拘縮予防，筋力低下予防を行い，安定期にはある程度積極的に訓練するなどの長期的治療計画が必要である．

D 理学・作業療法との関連事項

気管支喘息の患児は，一般的な呼吸器疾患患者と同様に，運動時の呼吸困難や症状の誘発を避けるために活動を控える傾向にあり，身体活動性が低下しやすい．既往に気管支喘息のある患者とかかわるときには，これまでの生活歴を参考に，現在の身体機能に影響がないかを考慮すべきである．

■主な疾患とリハビリテーション

思春期や成人期以降も医療を必要とする自己免疫疾患患者は多い．JIAでは，発症10年以内に服薬が不要となる患者は3割程度といわれており，残りの7割は成人後も病気を抱えながら生活をする必要がある．疾患そのものの再燃だけでなく，長期の薬物療法による副作用や合併症がある．リハビリテーションの処方が出ている患児にとっては，理学・作業療法士が医師や看護師以上に長い時間接する専門職となる．そのため，継続的なメンタルケアに理学・作業療法士が担う役割は大きい．JIAは症状が多岐にわたるため，関節可動域練習は早期から実施するが，症状に合わせて個別に指導することが大切である．

小児期に発症するSLEは罹病期間が長く，JIA

とともに初期から成人以降の治療を見据えたかかわりが望まれる．実際にかかわる際には『全身性エリテマトーデス診療ガイドライン』（2019 年，南山堂）も参照し，将来を見据えたかかわりを行う．

若年性皮膚筋炎は，皮膚トラブル，筋痛，筋力低下が問題となる．これらのような小児期発症の自己免疫疾患は，1 施設で経験できる症例数が少ないため，疾患ごとの基礎的な情報を知ることは臨床推論を行うために必要である．

関節炎，関節痛が持続している場合には，悪化すると関節拘縮や脱臼・亜脱臼が進行し，関節変形により日常生活が困難となりうる．成長期には，骨の成長と筋の伸張性，活動量，関節に負担のかかる運動や作業などを総合的に考慮し，関節の保護に努める．風邪や疲労，ストレスなどで症状が悪化することがあるため，感染対策や十分な睡眠，規則正しい食事も重要である．ステロイドの副作用には筋萎縮や骨芽細胞の働きを弱め，破骨細胞の働きを強める作用がある．また，腸や腎臓でのカルシウムの吸収を低下させ，骨折のリスクが上がる．そのため肥満を防止しつつ，良質な蛋白質を摂取すること，カルシウムやビタミン D・K を積極的に摂取し，骨粗鬆症の予防に努めることが大切である．

■医療費助成制度

小児慢性特定疾病における医療費助成は，定められた疾病の状態の程度を満たす必要があり，その対象は 18 歳未満であるが，満 18 歳以前から補助を受けていた場合は満 20 歳まで期間が延長される．一方，指定難病は難病法による医療費助成制度である．JIA は小児慢性特定疾病と指定難病の対象疾患となっている．SLE や若年性皮膚筋炎などは小児慢性特定疾病の対象疾患であり，医療費の助成を受けることができる．

基本的に医師から説明があるが，保護者の心的負担を減らすためにも，理学・作業療法士も制度やその窓口を理解しておくことが大切である．JIA の中の乾癬性関節炎，付着部関連関節炎，未分類関節炎などは助成対象とならないため，実際に JIA 患者とかかわる際には注意が必要である．

■小児から成人への移行支援

小児慢性疾患に共通する移行期医療の支援の概念に，日本小児科学会の掲げた「小児期発症疾患を有する患者の移行期医療に関する提言」がある．①自己決定権の尊重，②年齢（加齢）により変化する病態や合併症への対応，③人格の成熟に基づいた対応と年齢相応の医療の 3 つからなっている．本人や家族とコミュニケーションをとる際には，その時点での人格の成熟に基づいた説明・対応をし，自己決定権を尊重し，促すことが求められる．わが国では，小児科やこども病院での外来や入院にて，年齢の上限を設けている施設が多い．高校生以上では転居や進学，主治医の異動などを機に他施設に受診先を変えた場合，初診で小児科やこども病院を受診することは難しいため，適切な移行時期も視野に入れたかかわりが必要である．

- □ 自然免疫と獲得免疫を担う血液中の細胞，蛋白質について，まとめて説明しなさい．
- □ 気管支喘息の重症度と治療について述べなさい．
- □ 川崎病の症状と合併症について説明しなさい．

第15章 腎・泌尿器系，生殖器疾患

学習目標
- 腎機能検査の概略を知る．
- 腎炎，ネフローゼ，生殖器疾患（男児）について理解し，腎不全への対応を把握する．

A 腎・泌尿器系疾患

1 腎・泌尿器の発生・発達

腎・泌尿器系と生殖器とは，機能的に異なるが，発生学的・解剖学的には両系とも中胚葉から発生し，密接に絡み合う．

腎が尿を作る機能を示す糸球体濾過量（glomerular filtration rate；GFR）は，新生児期には，体表面あたりの成人値のおよそ1/5であり，2歳ごろに成人値に達する．

2 検査

a 検尿，血液生化学検査

検尿では尿蛋白，潜血，ケトン体や尿糖などを調べるほかに，顕微鏡的に沈渣にて白血球，赤血球，円柱，細菌，結晶の有無をみる．それにより腎・尿管・膀胱の障害や感染の有無をある程度知ることができる．血液検査では，血清クレアチニン（Cr）あるいはシスタチンCはGFRを反映する．

b 画像検査

- 腹部単純X線写真：腎尿管膀胱単純撮影（plain film of kidney-ureter-bladder；KUB）は，腎・尿管・膀胱全体を1枚の写真に収めたものである．
- 腹部エコー，CT，MRI：腎，尿管，膀胱の形態を検査する．腹部エコーは侵襲性がなく，簡便にある程度の形態評価が可能である．
- 経静脈性腎盂造影（intravenous pyelography；IVP）：腎や腎盂の形態，尿管・膀胱の形態をみることができ，合わせて腎血流・機能が推定できる（▶図1）．
- 排尿時膀胱尿道造影（voiding cystourethrography；VCG）：膀胱に造影剤を満たし，排尿時の尿道の形態や尿管への逆流の有無を検査する．
- レノグラム・腎シンチグラフィ：左右それぞれの腎の血流動態，排泄相の観察，および形態の評価ができる．

c 腎機能検査

腎・尿路系の各構築要素に対する主な腎機能検査を示す．

- 糸球体：クレアチニンクリアランス〔ほぼ糸球体濾過値（GFR）に等しい〕で推定する．ただしやせて筋肉が少ないと血清クレアチニンは低下するので，そのような場合はシスタチンCでGFRの評価を行う．
- 近位尿細管：尿中のβ_2-ミクログロブリン，アミノ酸，ブドウ糖などを測定する．
- 遠位尿細管集合管：Fishberg（フィッシュバーグ）

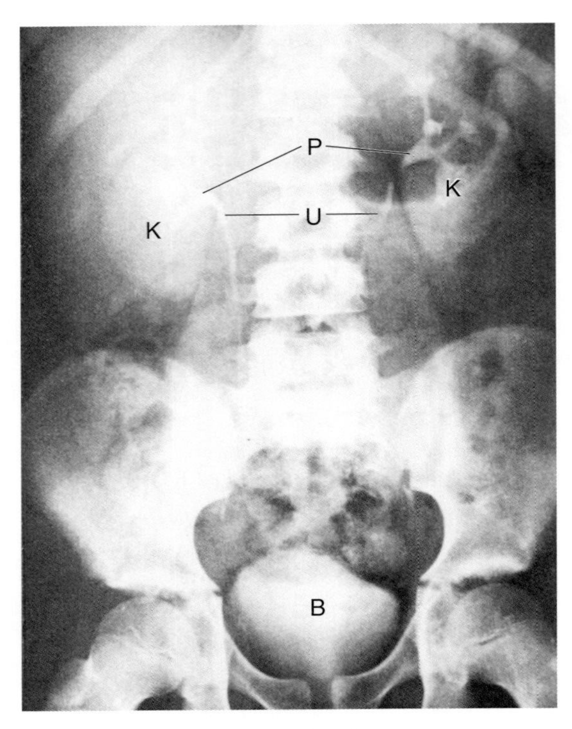

▶図1　経静脈性腎盂造影（IVP）
腎臓（K）のアウトライン，腎盂（P），尿管（U），膀胱（B）が造影されている．
〔Caffey, J.：Pediatric X-ray Diagnosis. p. 758, Year Book Medical Publishers, Chicago, 1972 より〕

濃縮試験で行う．

d 腎生検

腎臓の一部を採取して，その組織を顕微鏡などで観察し，腎疾患の診断や治療方針を検討する．糸球体腎炎は，腎生検に基づく糸球体の形態により病理学的に分類されている．

3 健診における検尿

わが国では1974年から学校検尿が開始され，また3歳児健診でも行われるようになった．検査項目は尿中蛋白と潜血であるが，腎疾患の発見とその後の腎不全への進行減少に貢献した．しかし近年，腎不全発生の原因疾患として新たに問題となっているのは先天性腎尿路異常（➡212ページ）といわれ，その早期発見のために重要なのは検尿ではなく腹部エコーでの形態評価といわれている．今後の集団検尿の課題である．

4 尿路感染症

大腸菌などによる細菌感染症で，上部尿路感染の腎盂腎炎では，発熱，悪寒，背部痛などの症状を呈する．尿検査では膿尿，細菌尿がみられ，血液検査で白血球増加，CRP陽性を認める．治療は抗菌薬を使用する．小児では尿路感染の背景に先天性腎尿路異常を有することがある．このため，尿路感染を繰り返す場合には，膀胱尿管逆流症の有無を確認する目的でVCG検査が施行される．

5 血尿を主とした腎疾患

血尿は程度により，肉眼的血尿と，肉眼ではわからないが尿沈渣を鏡検してわかる顕微鏡的血尿（>5/HPF，すなわち400倍の強拡大で一視野5個以上の赤血球が見つかる程度）がある．

また，血尿が腎臓起源の場合，尿は茶色ないしコーラ色で，顕微鏡では円柱を認めることがある．一方，血尿が膀胱・尿道起源の場合，尿はピンク色で凝血を含むことがある．

a 溶連菌感染後急性糸球体性腎炎

溶連菌感染後急性糸球体性腎炎（poststreptococcal acute glomerulonephritis；PSAGN）は，A群β溶連菌感染（咽頭，皮膚）後，約2週間で発症する．以前は小児の肉眼的血尿の最も多い原因であった．発病時に血清中の補体（C3, CH50）の減少がみられ，免疫系の関与（免疫複合体の糸球体への沈着，Ⅲ型アレルギー反応）があるといわれている．

5〜8歳の小児に多い．突然の肉眼的血尿，乏尿，浮腫，高血圧，急性腎不全（程度は個人差が大きい）で発症する．急性期症状は通常約1〜2

か月で消失し，一般に予後は良好である．

診断 臨床症状に加えて，尿検査で血尿（沈渣に腎由来の赤血球円柱を含む）を認める．血液検査で溶連菌抗体価〔抗ストレプトリジンO抗体（ASO）〕高値，補体C3低値，GFR低下，直近の溶連菌感染症の罹患の証明などにより診断が確定する．

治療 急性腎不全，乏尿，高血圧などに対する対症療法が行われ，ほとんどの症例が軽快する．

b IgA 腎症

最も頻度の高い慢性糸球体腎炎である．腎生検による病理学的観察では糸球体メサンギウムへのIgAの沈着をみる．臨床的には，血尿や蛋白尿，あるいは両方を認める．

予後は程度によるが，重症例では緩徐に腎機能障害の進行を示す．未治療の場合，3～4割の患者が10～20年の経過で末期腎不全に至るといわれている．小児では重症例に対して，ステロイドを含めた免疫抑制療法（カクテル療法）が実施される．

c 膜性増殖性糸球体腎炎

小児では稀なタイプの慢性糸球体腎炎だが，10歳代で学校検尿の蛋白尿，血尿で発見される例がある．かつては多くが末期腎不全に至る予後不良の疾患とされていたが，学校検尿により早期に発見される症例が多くなり，近年予後は改善している．急性糸球体腎炎と同様に血尿や蛋白尿，高血圧を示すが程度はさまざまである．

診断 補体が低下するので，溶連菌感染後急性糸球体腎炎との鑑別診断が必要である．腎生検で確定する．

d 紫斑病性腎炎（Henoch-Schönlein 紫斑病性腎炎，IgA 血管炎）

紫斑を伴い発症する腎炎である．体内の毛細血管に免疫グロブリン（IgA）が沈着することにより発症するIgA血管炎〔以前はHenoch-Schönlein（ヘノッホ・シェーライン）紫斑病と呼ばれ，現在はIgA血管炎と名称が変わった〕の罹患に伴い発症する．IgA血管炎（➡204ページ）の約50%に合併するとされている．腎生検では糸球体でメサンギウム細胞の増殖をみる．大多数では腎障害は軽度であるが，一部に腎予後不良な重症例もある．

e 溶血性尿毒症症候群（HUS）

溶血性尿毒症症候群（hemolytic uremic syndrome；HUS）は溶血性の貧血，血小板減少，急性腎不全を三主徴とする疾患である．

原因は小児では細菌性感染（特に病原性大腸菌O157による出血性大腸炎）（第10章のAdvanced Studies-2➡158ページ）がほとんどであるが，その他の感染や薬剤性，遺伝子異常により発症することもある．症状は三主徴の他に意識障害や痙攣，消化器症状や循環器症状など多岐にわたる．

HUSでは腎臓の血管内皮細胞の障害が生じると，局所的な血栓が生じる．赤血球がその部位を通過するときに機械的破壊が生じて溶血する．さらに血小板が障害部位へ吸着し急性腎不全を発症する．

診断 三主徴すなわち溶血性貧血（ヘモグロビン10 g/dL以下，赤血球の形態異常を伴う），血小板減少（10万/μL以下），そして急激に発症する急性腎不全にて診断となる．あわせてO157の感染など，原因を調べる検査が重要である．

治療 それぞれの症状に対する対症療法が中心となる．急性腎不全に対しては補液，利尿薬，腹膜透析などが行われる．

f 多発性囊胞腎

多発性囊胞腎（polycystic kidney disease；PKD）は常染色体優性（顕性）遺伝（ADPKD）のものと，常染色体劣性（潜性）遺伝（ARPKD）のものがある．疾患が進行すると両側の腎臓は腫大し，皮質から髄質に広範囲に多数の囊胞を認めるようになる．

▶表1 小児特発性ネフローゼ症候群の診断基準

1. 高度蛋白尿	≧40 mg/時/m²*（夜間蓄尿） または，≧2.0 g/gCr**（早朝尿）	成人基準：≧3.5 g/日 （随時尿は 3.5 g/gCr**）
2. 低アルブミン血症 （血清アルブミン値）	≦2.5 g/dL	成人基準：≦3.0 g/dL
1. と 2. はネフローゼ診断のための必須条件である． 成人は，浮腫と，脂質異常症（高 LDL コレステロール血症）があればより診断が確実である （成人は厚生労働省調査研究班 2011 年）．		

参考：*m² は体表面積（成人：約 1.6 m²，7 歳半：0.8 m²，1 歳：0.4 m²）
　　**Cr は血清クレアチニン
〔日本小児腎臓病学会（監修）：小児特発性ネフローゼ症候群診療ガイドライン 2020．診断と治療社，pp5-6，2020 より作成〕

ADPKD は，遺伝性腎疾患の中で最も頻度が高い疾患である．60 歳までに患者の約半数が末期腎不全に至る．通常進行は緩徐で，30 歳代以降で発症する例が多いが，一部小児期から発症する重症例もある．

ARPKD は，妊娠中の母親の症状として羊水過少がある．典型例では，出生時に腹部両側に大きな腫瘤がみられる．新生児期の呼吸・腎不全，乳児期に血尿，高血圧のほか，気胸，のちに肝不全を認める．

診断　いずれも家族歴と画像検査（腹部エコー，CT，MRI）で嚢胞が指摘されることで診断される．

g Alport 症候群

Alport（アルポート）症候群は，慢性腎炎と難聴，眼合併症を主症状とする遺伝性の症候群である．乳幼児期に血尿が出現し，次第に蛋白尿が出現し，緩徐に腎不全が進行する．遺伝形式から，女性よりも男性が重症であることが多い．根本的な治療法はなく，必要に応じて腎保護薬が投与される．

6 蛋白尿を主とした腎疾患

a ネフローゼ症候群（NS）

日本小児腎臓病学会の小児ネフローゼ症候群（nephrotic syndrome；NS）の診断基準を**表1**に示す．

小児では 90% が原因不明の特発性ネフローゼ症候群（primary nephrotic syndrome）である．腎生検による病理型分類では，その 80% は組織学的に大きな異常がない微小変化（minimal change）群であり，8% が巣状分節性糸球体硬化症，6% が膜性増殖性糸球体腎炎型とされる．

■特発性ネフローゼ症候群

- 2～6 歳に好発，新規発症は小児 6.5/10 万人，男女比は 2：1 である．
- 感冒症状に引き続いて発症することがある．
- 浮腫（眼瞼，程度が強くなると下肢→全身→腹水→胸水へと広がる）とともに，食欲低下，腹痛，下痢を示す．
- 血尿が持続する場合は腎炎も考慮される．

治療

- 診断確定後，ステロイド（プレドニゾロン）投与（60 mg/m²/日連日，または 2 mg/kg/日連日）を行う．
- 浮腫が強ければ塩分制限や利尿薬投与，重症例ではアルブミン（蛋白製剤）静注を行う．
- ステロイド投与で約 8 割以上の患児が寛解（尿蛋白消失）になる．4 週間で効果がみられないときは，ステロイド（プレドニゾロン）抵抗性と考える．
- ステロイド抵抗性や頻回の再発，ステロイド治療の継続が難しいときは，免疫抑制薬のシクロスポリンなどを投与する．

b 体位性（起立性）蛋白尿

学童から青年期に，早朝起床直後の尿では蛋白尿を認めないが，起立位を持続すると認める．これを体位性（起立性）蛋白尿（postural proteinuria）という．

体位性蛋白尿であれば，棒を腰に背部から水平に当てて両腕で抱える起立前彎負荷試験でも蛋白尿を認める．多くは成人すると消失する．放置しておいてもよい（注：一般に，健常人でも発熱時や運動後に少量の蛋白尿が認められることがある）．

7 腎不全

a 急性腎不全

急性腎不全（acute renal failure）では，急激な腎機能障害（血清クレアチニン上昇）や尿量低下，高血圧，電解質異常などを呈する．

原因として，腎前性（脱水，出血，心不全），腎性〔急性腎炎，溶血性尿毒症症候群（HUS）〕，腎後性（尿閉や尿管閉塞），外傷後のミオグロビン血症（crush syndrome）などが考えられる．

治療　急性腎不全に対しては電解質補正，高血圧への対処，透析療法などが必要となる．腎前性や腎後性のものは，通常早期に原因が除去されれば回復する．腎性の場合は原因により対策はさまざまである．

b 慢性腎臓病（CKD）

慢性腎臓病（chronic kidney disease；CKD）は，さまざまな原因により腎機能障害が長期にわたって進行する病態で，多くは不可逆性である．検査では腎機能を示す血清クレアチニンやシスタチンCが慢性的に上昇する．小児では原因として先天性腎尿路異常が多数を占め，次に巣状分節性糸球体硬化症があげられる．

臨床症状は基礎疾患としての腎臓病に依存するところが大きい．CKDの初期は自覚症状に乏しいが，進行とともに，倦怠感や食欲不振，浮腫，息切れなどのいわゆる尿毒症といわれる全身臓器のさまざまな症状が出現する．また，腎性貧血や甲状腺機能亢進症などによる腎性骨症，電解質異常（高カリウム血症，高リン血症，低カルシウム血症など）や代謝性アシドーシスが出現する．心不全，肺水腫や高血圧などの心循環器合併症は，最大の死因となる．小児のCKD患者では，特に成長障害（低身長）や発達障害も大きな問題となる．

治療

- 原疾患の治療がそれぞれ行われるが，困難なことも多い．慢性糸球体腎炎に対しては腎保護薬が投与される．
- かつては小児のCKDでは運動制限が行われることがあったが，その有効性は示されていない．現在では運動の制限は極力避けることが基本方針となる．
- 食事療法は症状や必要に応じて塩分や水分の管理を行う．ただし小児期には，成長に応じた栄養的配慮が必要であり，原則として蛋白質や脂質の摂取制限は行わない．
- 高血圧に利尿・降圧薬投与，貧血対策（エリスロポエチン投薬）などが行われる．

上記対応にもかかわらず腎不全が進行した場合には，以下の腎代替療法が必要となる．

透析療法　人工的に血液中の余分な水分や老廃物を取り除く治療を透析と呼ぶ．透析には主に腹膜透析と血液透析の2種類がある．

①腹膜透析（peritoneal dialysis；PD）
腹膜カテーテルを腹腔内に入れて，透析液を定期的に（1日数回）出し入れする．持続的腹膜透析（continuous ambulatory PD；CAPD）や自動腹膜透析（automated PD；APD）も一般に広まり，在宅でも行われるようになってきた．

②血液透析（hemodialysis；HD）
前腕に内シャントを造設して，週数回の透析時

にそれを利用して血液を還流する．小児では体格から，造設が難しいことが多い．

腎移植　新しく腎臓を移植することで腎臓の機能を回復させる治療法である．腎移植には家族から腎臓をもらう生体間移植と，脳死患者などから移植バンクを通して腎臓をもらう献腎移植がある．根本治療であり生活の制限もなくなるが，拒絶反応をおさえるため免疫抑制薬の内服が必要となる．

8 先天性腎尿路異常（CAKUT）

先天性腎尿路異常（congenital anomalies of the kidney and urinary tract；CAKUT）は，腎臓のサイズが小さい低形成腎，腎臓の実質のさまざまな形成異常を伴う異形成腎，腎の無形成といった腎臓そのものの異常に加え，さまざまな尿路疾患などを含む腎尿路の構造異常を指す概念である．特に低形成腎，異形成腎は小児CKDの最大の原因疾患である．

近年，先天性腎尿路異常は進行した成人期慢性腎臓病の60％の原因であることも注目されている．一部に遺伝子異常が見つかっているが，多くは原因不明である．臓器の異常として，腎尿路の発生異常，尿路通過障害，膀胱尿管逆流などを呈する．幼児期に多飲・多尿，低身長を認めることもある．気づかないと腎機能障害が進行するため，その早期診断と適切な管理が重要である．

B 生殖器疾患（男児）

1 停留精巣

停留精巣（undescended testis）とは，胎児期に精巣が陰囊内にまで下降せず，鼠径管が腹腔内にとどまっている状態をいう．健診などで陰囊内に精巣が片方あるいは両方とも触知できず，指摘されることが多い．1～2歳を過ぎて改善しない例は悪性化や妊孕性低下の可能性があるので，手術にて陰囊内精巣固定術を行う．

2 陰囊水腫

陰囊水腫（hydrocele testis）では，陰囊から鼠径部にかけて，弾力性のある腫瘤を触れる．光を当てると透光性がある．多くは2歳までに自然治癒する．男子では鼠径ヘルニア（➡173ページ）との鑑別を要する．

3 包茎

包茎とは包皮が翻転できず，陰茎先端が包皮に包まれた状態をさす．真性包茎は，包皮口が狭くて包皮の反転と亀頭の露出ができないことをいう．出生時の男子はほぼ包茎の状態であるが，ほとんどが生理的なもので問題なく，経過観察でよい．亀頭包皮炎などの感染や排尿障害，嵌頓包茎などがある場合に介入を要する．

C 理学・作業療法との関連事項

■静かに進行しやすい腎疾患

腎臓は水・電解質の調節機構を司る重要な臓器である．尿を産生する機能は出生時より急速に発達し，2歳ごろには成人レベルに達することが確認されている．腎疾患は自覚症状がないまま静かに進行することもあり，いかに早く発見するかが予後に影響を与えることとなる．IgA腎症など主要な腎疾患の早期発見・治療に学校検尿が寄与していることは言うまでもないが，検尿だけでは発見できない腎疾患もある．子どもの腎疾患は尿の色や量，血圧や浮腫（むくみ），食欲や倦怠感などで示されることが多い．理学・作業療法士には静かな病気に“気づく力”を身に着けてほしい．

■トイレットトレーニングは楽しく

子どもは1歳半ごろになると尿や大便が出たことを自覚し，訴えるようになる．尿意や便意を感じて伝えるのは2歳ごろであり，そのころからトイレの自立に向けた指導が始まる．しかし，子どもの発達は個別性が高く，トイレットトレーニングの開始時期や内容も一様でない．例えば，筋緊張が低く，内臓感覚や深部感覚が曖昧な子どもでは尿意を自覚できないことが多い．その場合，排泄したら大人に伝えることを習慣化したり，トイレ誘導の時間を決めて尿意を感じやすくしたり，トイレ動作の準備段階の工夫が必要となる．

感覚過敏のある子どもはどうだろうか？　触覚過敏のある子どもは便座の冷たさが辛いかもしれないし，聴覚過敏の子どもは流れる水の音に耐えられないかもしれない．触覚・聴覚・嗅覚など，トイレには配慮すべき強い感覚刺激が数多く潜んでいる．

本来，人にとって排泄することは心地いいはずである．しかし，感覚過敏や失禁などの失敗経験の蓄積からトイレが怖く辛い場所になってしまうことがある．チャレンジしたら褒める，できたら褒める，スモールステップで失敗させずに成功させる．小さな「できた！」を積み上げることで子どもたちの自立を応援しよう．

- □ 溶連菌感染後急性糸球体腎炎の診断と治療について説明しなさい.
- □ ネフローゼ症候群の症状について説明しなさい.
- □ 慢性腎臓病の腎代替療法について説明しなさい.

第16章

腫瘍性疾患

学習目標
- 悪性腫瘍の長期にわたる治療は，治療中だけでなく，治療後の発達・成長にも影響を与えるので，治療や予後についての理解を深める．

A 悪性腫瘍の発生頻度

わが国では，2016年から「全国がん登録」が開始された．これにより，今後正確な全国のがん情報が集約できると期待される．また，日本小児血液・がん学会でも疾患登録集計を行っており，2018年の集計に基づくわが国での小児がんの発生割合を，**表1**に示す．

なお，小児がんの新規発生は，わが国で年間2,000～2,500人とされている．白血病（leukemia）が38.6%と最も多く，脳腫瘍などの中枢神経系腫瘍（12.3%），リンパ腫・細網内皮系腫瘍（11.7%）と続く．

▶**表1　わが国の小児がんの発生割合**

病名	割合（%）
白血病・骨髄異形成症候群	35.3
中枢神経系腫瘍	17.9
リンパ腫・組織球症	11.5
神経芽腫群	6.7
骨肉腫	2.4
横紋筋肉腫	2.4
網膜芽腫	2.3
Ewing肉腫	2.0
肝芽腫	2.0
腎芽腫	1.6

（日本小児血液・がん学会疾患登録集計2018年より作成）

B 各論

白血病については第13章（➡192ページ）を，脳腫瘍については第5章（➡94ページ）を参照されたい．

ここでは，小児科医が発見することの多い小児がんである神経芽腫，網膜芽腫，肝芽腫，腎芽腫について述べる．

1 神経芽腫

神経芽腫（neuroblastoma）は，1/1万人の割合で発症し，75%が5歳までに発症する．神経芽腫は1歳半以上の児に多い腫瘍の増大，進展転移を示す悪性度の高いものと，1歳半未満の児に多い自然退縮あるいは分化傾向（良性腫瘍への転化）を示すものがある．

1歳未満で病期1，2，あるいは4sの場合には，自然寛解がありうる（▶**表2**）．

交感神経鎖は傍脊柱に頭部から仙骨まで広がるが，神経芽腫の70%は腹腔内に発症し（副腎からが最も多くて50%），20%が胸腔内（後縦隔）に発症する．発生起源から，カテコラミン産生腫瘍として知られている．

症状　原発巣，転移巣の症状に加え，全身症状も経験される．例えば，発熱，貧血，腹部膨満，呼

▶表2 神経芽腫国際病期分類（INSS）

病期	病巣の広がり
1	腫瘍は原発巣に限局．手術で肉眼的に完全切除
2A，2B	腫瘍は原発巣から周辺組織に広がるが，正中を越えない．肉眼的に完全または不完全切除
3	腫瘍は正中を越えている
4	転移は，骨，他組織，軟部組織，リンパ節などに認める（病期 4s は除く）
4s	原発腫瘍は病期 1 か 2 であるが，転移は肝臓，皮膚，骨髄のみ（1 歳未満に限定した病期）

INSS：international neuroblastoma staging system

吸困難，骨痛，歩行障害，眼窩出血がある．椎弓内に浸潤した場合，膀胱直腸障害や下肢麻痺が現れる．稀な症状として，下痢，眼球異常運動，小脳失調，高血圧，頻脈などがある．

診断

- 局所：触診，X 線写真，エコー，CT，MRI による腫瘍の局在と周辺臓器への浸潤の確認
- 転移巣：腫瘍特異的に集積する ^{123}I-MIBG シンチグラフィ，骨シンチグラフィ，骨髄検査で転移の有無をみる．
- 腫瘍マーカー：血中の神経特異的エノラーゼ（neuron specific enolase；NSE）上昇や，カテコラミンの代謝産物である尿中バニリルマンデル酸（vanillylmandelic acid；VMA），ホモバニリン酸（homovanillic acid；HVA）高値をみる．

治療　低リスク群や中間リスク群では強度の弱い化学療法や手術，または無治療経過観察が選択される場合もある．予後不良である高リスク群では，造血幹細胞移植を加えた化学療法，局所に対する外科手術と放射線治療を組み合わせた集学的治療が行われる．

予後　年齢が高いほど（1 歳半以上），腫瘍が広がるほど（病期 3・4），また腫瘍組織においてがん遺伝子である *MYCN* 遺伝子の増幅があると，予後が悪い．さらに，化学療法薬による晩期合併症も問題である（例：シスプラチンによる腎障害，難聴など）．

2 網膜芽腫

網膜芽腫（retinoblastoma）は 1/1.5 万人の頻度で発生する．*Rb* 遺伝子の生殖細胞系列変異による遺伝性発症が約 40% あり，両側性であり，乳児期に発症する．

眼球内腫瘤による白色瞳孔があり，瞳孔反射の異常や夜間猫の目のように光り気づかれる．最近では，スマートフォンで小児を撮影した際に気づかれる場合もある．

片側性で限局期であれば局所療法を行い，眼球を温存し，進行期の場合は眼球摘出を行う．一方，両側性では全身化学療法や局所治療であるレーザー照射や動注化学療法により眼球温存を試みる．

3 肝芽腫

肝芽腫（hepatoblastoma）は，わが国では年間 30～50 例の登録がある．神経芽腫や腎芽腫とともに腹部腫瘤で発見される代表的疾患である．発熱，食思不振，嘔吐がみられるときもある．稀にヒト絨毛性ゴナドトロピンを産生し，思春期早発をきたす．各種画像検査のほか，腫瘍マーカーである α 胎児蛋白（alpha-fetoprotein；AFP）が診断に用いられる．肺への遠隔転移が多く，骨への転移はまれである．

治療は化学療法と手術が主体であるが，進行例では肝移植が必要となる症例もある．手術で腫瘍を全摘出できる症例は予後良好であるが，進行例では予後不良である．

4 腎芽腫

腎芽腫（nephroblastoma, Wilms tumor）は，わが国では年間 40～60 例の登録がある．腹部膨満が最も一般的な症状であるが，血尿や腹痛，高血圧をおこすこともある．

各種画像検査の後に，外科手術で腫瘍を摘出し病理診断を行ってから，化学療法を行うのがわが国では一般的である．特異的な腫瘍マーカーはない．予後は病理組織型によって異なる．

C 理学・作業療法との関連事項

小児がん医療の進歩により長期生存率が上昇しているが，対応している職員数や依頼件数は全国的にばらつきがある．がん治療のほとんどは，長期入院が必要であり，限定された入院環境の中で身体活動量は低下しやすく，患児の復学支援や社会復帰，同胞支援などの課題がある．また，小児がんサバイバーの半数以上に出現する晩期合併症として，成長・発達障害や内分泌障害，高次脳機能障害，二次がんなどが問題となっている．理学・作業療法を行う際には，現在の治療経過だけでなく，退院後の生活も念頭に置いてかかわる必要がある．

■術後のリハビリテーション

手術を伴う場合は，術後の肺炎や無気肺などの呼吸器合併症の予防と，早期の身体機能の回復を目的に，全身のコンディショニングと運動療法が行われる．そのため，入院前の身体活動の評価や術前からの合併症予防のためのかかわり，入院中のメンタルケアなどが求められる．治療期間が長期化することや運動耐容能が長期間低下し続けることで健康関連QOLが低下するため，理学・作業療法士は継続的にかかわる必要がある．そのためには，呼吸リハビリテーションと同様に運動耐容能の向上や身体活動性の向上・維持が求められる．運動耐容能の評価には，6分間歩行テストやエルゴメーター，トレッドミルなど用いた運動負荷試験などがあるが，子どもにとって負担の少ない評価を優先して実施することが重要である．運動負荷試験のように負担の大きい評価は，必要に応じて実施することが大切である．一方，身体活動性の評価には，身体活動量として歩数計，活動量計，質問紙による生活活動調査などが行われる．身体活動性を向上させるために，身体活動性のセルフモニタリング，コンディショニング，患者のモチベーションを高めて行動変容を促すようなセルフマネジメント教育，趣味やレクリエーションへの参加促進などがある．

2020年に実施された全国の小児がん診療拠点病院での小児がん患者に対するリハビリテーション実態調査では，リハビリテーション内容としてレジスタンストレーニングやストレッチ，全身持久力トレーニング，レクリエーションなどが共通して行われていた．退院後の生活への心配を減らすためにも，入院前の状態を評価し，退院時や外来リハビリテーションでの定期的な評価が重要である．例えば，「入院前の状態と比べて，現時点では○○だから学校生活が送れます．でも，運動機能は入院前と比べて4割下がっているので，休憩を多く入れましょう」といったように，評価に基づいた具体的な説明を心がける．しかし現時点では，他分野と比べて，小児がんのリハビリテーション介入に関するエビデンスは不足しており，介入内容だけでなく標準化された評価法の使用が少ないことも問題となっている．学生の頃からさまざまな標準化された評価に触れておくことが，臨床現場に出た際に必ず役立つ．

■患児や保護者とのかかわり

治療期間の短い長いにかかわらず，小児がん診療拠点病院のスタッフであってもその半数が，患者や保護者との関係性作りに課題を抱えている．辛い治療に臨んでいる子どもを医療者としてどう支えるか，子どものそばにいることしかできない，代わってあげたいができない，そのような後悔や自責の念を抱いている保護者を医療者としてどう支えるか，子をもつ親の気持ちになり，その不安を減らすことができるよう包括的にかかわることが大切である．

外来リハビリテーションを実施している小児がん診療拠点病院は，全体の２割以下なのが現状である．そのため，がん治療の退院後には地域の市中病院や訪問リハビリテーションが担う役割が大きい．しかし，施設内の教育システムや地域ごとの連携システムが不足しており，退院後の対応やスタッフ間の交流，研修会などの教育体制の充実などの課題がある．

□ 小児に発生頻度の高い悪性腫瘍をあげなさい．

第17章 習癖・睡眠関連病態・心身医学的疾患

学習目標
- 幼小児ではさまざまな習癖や睡眠関連病態があるが，経過観察してよい状態と治療が必要な状態の区別を理解する．
- 身体疾患と心理社会的因子の関連を説明できる．
- 心身医学的疾患の代表的な疾患を説明できる．

A 習癖

指しゃぶりや爪噛みは乳幼児にしばしば見られる習癖であり，ほとんど自然に消失していく．特定のタオルやぬいぐるみ，おしゃぶりなどを寝る前にくわえる行動もよく見られるが，これも自然に消失する．このような習癖が強い場合やいつまでも続く場合には，背景に発達障害や心理的な不安などが存在する場合があるので，こどもの心身の発達状態や発達特性，家族関係，集団適応などを慎重に見てゆくことが重要である．

乳幼児期の男児に見られる性器いじりは，思春期の自慰（マスターベーション）とは異なり自然に消失する．

乳幼児の女児が，顔を紅潮させて両脚を挟むように股をこすり合わせたりする行為（乳児マスターベーション）も自然に消失する．行為が続く場合は，ほかの遊びに誘導するとよい．外陰部の湿疹が原因の場合がある．また，性的虐待が背景にある場合もある．

B 睡眠関連病態

夜泣きや夜驚症，不眠などの睡眠関連病態は健康な乳幼児にもしばしばみられ，数年で自然に消失する．発達障害や中枢神経疾患では，自然消失しない場合や程度が強い場合があるため，治療を要することがある．

1 不眠症

寝不足は日中の機嫌や緊張，集中力に影響する．自閉スペクトラム症，注意欠如・多動症，重度知的障害には不眠症（insomnia）が多い．朝は明るい部屋で過ごす，日中はしっかり活動する，夜は部屋を暗くする，などの環境調整を行い，重症の場合は薬物治療を考慮する．

2 睡眠関連呼吸障害

a 閉塞性睡眠時無呼吸

小児でも稀ではなく，アデノイド（咽頭扁桃）増殖症と扁桃腺肥大が主な原因である．睡眠中のいびきと吸気時の胸郭陥没がその症状であり，閉塞性無呼吸（obstructive sleep apnea）をきたす．高度な無呼吸は，日中の眠気，多動，攻撃的行動，成長の遅延，朝の頭痛，夜尿をきたす．閉塞性無呼吸を合併している多動・衝動性・不注意の場合，アデノイド・扁桃腺切除術後に症状が改善する．

b 神経筋疾患に関連した睡眠時低換気

詳細は，第18章（➡226ページ）を参照のこと．

3 中枢性過眠症候群

中枢性過眠症候群（ナルコレプシー：narcolepsy）は，10歳代に発症することが多く，通常では考えられない状況で眠る（試験中や体育など）．睡眠時間は30分以内で睡眠後に爽快感がある．笑いや驚きなどの情動で脱力するカタプレキシー（cataplexy：脱力発作）や入眠時幻覚（入眠時の悪夢），睡眠麻痺（入眠時の筋緊張低下，いわゆる金縛り）なども認める．薬物治療が有効である．

4 睡眠時随伴症候群

睡眠時遊行症（sleep walking）は入眠して1～3時間後に歩きまわる症状で，睡眠時驚愕症（夜驚：sleep terror）は睡眠中に突然，泣き叫ぶ症状である．錯乱性覚醒は睡眠からの覚醒時に錯乱状態が数分持続する症状で，悪夢（nightmare）は激しく混乱した夢から目覚め，おびえる症状である．

このような睡眠時随伴症候群（パラソムニア：parasomnia）は3～14歳頃の正常小児にしばしば見られ，数年で自然に消失する．症状は数分程度が多い．危険のないように見守ることが基本である．刺激して起こそうとしても逆に興奮する．本人はほとんど覚えていない．不安などの心理的影響で増加することはあるが，安易に愛情不足と結び付けて保護者を不安にさせることは避ける．症状が強い場合には薬物治療を考慮する．

5 睡眠関連運動障害

a むずむず脚症候群

むずむず脚症候群（restless leg syndrome）は成人に多いが小児例も稀ではない．夕方から夜間に足が痛痒い，むずむずする感覚が出現するため睡眠を妨げる．この不快感を軽減するために足を擦り合わせたり，叩いたり，歩きまわるようになる．薬物治療が有効である．

b 睡眠関連律動性運動異常症

乳幼児期に生じ，自然消失する．入眠期に頭部あるいは体幹を，1 Hz前後の周期で数秒から数分にわたり律動的に反復する．頭打ち（head-banging）や頭を振る（head rolling），体をゆする（body rocking）などが主な症状である．

C 心身医学的疾患

子どもを見るときに，その症状が身体疾患であるか心の病気であるかの二者択一ではなく，身体疾患の客観的評価と心理社会的要因の影響を包括的に捉える必要がある．心理社会的要因が関連する場合には，病院や学校などの関係機関と連携して治療にあたることが重要である．

1 心身症

心身症（psychosomatic disorder）とは「身体疾患のうち，その発症と経過に心理社会的因子が密接に関与し，器質的ないし機能的障害の認められる病態を呈するもの．ただし，神経症，うつ病などの精神障害に伴う身体症状は除外される」と定義される．身体疾患の治療を行いながら，心理的な配慮や対応も同時に行う．身体疾患として矛盾がないのが心身症であり，後述する身体表現化障害や転換性障害，詐病（意識的に病気の症状を演じる）とは異なる．代表的な心身症として，気管支喘息と摂食障害を例示する．

a 気管支喘息

喘息発作時には診察所見も検査所見も通常の気管支喘息（bronchial asthma）の発作として矛盾なく，吸入などの処置が必要である．しかし予防や治療を十分行うにもかかわらず，たびたび喘息発作を繰り返す場合に，心理的な要因の影響を検討する．面談をしていく中で心理的ストレスの影響が強いと判断されれば，環境調整やカウンセリングなどを行いながら，ストレスを上手に回避・克服する術を身につけることを目指す．

b 摂食障害

摂食障害（eating disorder）には，神経性無食欲症（anorexia nervosa）と神経性大食症（bulimia nervosa）がある．行動は真反対であるが，精神病理的には類似性がある．前者は思春期女性に起こりやすい．体重へのこだわり，ボディーイメージの障害（痩せているのに太っていると感じる），活動性の亢進を認める．拒食が進むと低栄養の結果，無月経や低身長に至る．

2 身体表現化障害，転換性障害

身体表現化障害（somatoform disorder）と転換性障害（conversion disorder）は，以前はヒステリーと呼ばれていた．心理社会的なストレスや不安，緊張，葛藤の場面で無意識にさまざまな症状を呈する状態をいう．

歩けない，声が出ない，見えない，聞こえない，痙攣する，などが多い．一般的な特徴は，状況依存的（同じような場面でおこる），大げさ，症状が強いわりに無関心（歩けないのに平気でいる），などがある．年少児の場合には，環境調整や家族への指導などで速やかに改善する．知的障害のある思春期女性におこる場合は，遷延化しやすい．

3 チック

詳細は，第6章（➡120ページ）を参照のこと．

4 反応性愛着障害（反応性アタッチメント障害）

幼小児期に著しく不適切な養育（虐待など）を受けたために，養育者と安定した愛着形成が阻害されたことにより生じる対人関係の障害である．虐待を受けた子どもの行動特性には，衝動性，過剰な攻撃性，共感の欠如，感情コントロールの欠如など，発達障害の行動特性に類似している点がある．

以下の2つのタイプがある．

(1) 抑制型：反応性愛着障害（反応性アタッチメント障害）

警戒心や怯えが強く，養育者を含めた他人との交流や感情のやり取りが乏しい．

(2) 脱抑制型：脱抑制型対人交流障害

誰にも対しても過剰に馴れ馴れしく近づき交流する．行動のわりに感情の表出は表面的である．

5 不安症（不安障害）

強い不安や恐怖などの感情により，過剰な反応や病的反応を引き起こし，その感情や反応を回避するためにさまざまな行動変化をきたす状態である．

a 分離不安（分離不安障害）

養育者や家など愛着のある人や場所から離れるときに強い不安のために，身体症状（頭痛や腹痛）や問題行動（拒否，激しく泣く，攻撃性）をきたす．

b 選択性緘黙

詳細は，第6章（➡121ページ）を参照のこと．

6 不登校

不登校の背景は種々あり，個々の症例に対して包括的に判断する必要がある．背景に発達障害や不安障害のある例が多い．また，身体症状（頭痛や腹痛，微熱，倦怠感）の訴えが強く心身症と捉えられることが多い．

D 理学・作業療法との関連事項

■安らかな睡眠への支援

現代社会は，交通網の発達による屋外照明の増加，商業施設の照明の過剰な使用などによって「眠らない街」とも表現される大都市が増えている．家庭内においても，テレビゲームやスマートフォンなど，子どもの睡眠を脅かすさまざまな要因が多く存在している．

さらに，発達障害のある子どもたちは，睡眠や覚醒状態（意識レベル）に問題をもつ場合も少なくない．いつもうとうとしている傾眠状態の子どもは日中の経験学習が妨げられるし，理学・作業療法の効果にも影響を与える．「眠りが浅い」「夜間に覚醒してしまう」など十分な睡眠時間が確保できない子どもでは，成長・発達そのものに影響を及ぼしかねない．

発達障害のある子どもたちの睡眠や覚醒状態の問題は，中枢神経系疾患などの原疾患によるもの，パニックや常同的な行動などの行動障害によるもの，抗てんかん薬の副作用によるものなど，原因はさまざまである．睡眠や覚醒状態の問題は，環境調整や生活リズムの改善，服薬管理によってコントロールできることも多い．そのため，理学・作業療法士が適切に介入するための第一歩は，1日あるいは週・月単位で子どもの生活を評価し，睡眠と覚醒状態を把握することである．そのうえで，医師やコメディカルスタッフとの連絡調整や保護者への指導を行っていく必要がある．

好きな動画に固執するあまり入眠時間が遅くなっている自閉症児に対し，夕飯から入眠までの行動をイラストに表示し，アラーム付きのタイマーを活用することで行動の切り替えを容易にした結果，入眠時間を早められたことがある．また，重度心身障害児の訪問リハビリテーションにおいて，呼吸リハビリテーションとポジショニング指導を行った結果，夜間の痰の吸引回数を減らせたこともある．いずれも児童の睡眠障害の改善につながった例であるが，理学・作業療法士が子どもの適切な睡眠に向けて取り組むことは，保護者への支援にもつながることを心にとめてもらいたい．

■楽しい食事への支援

食べることは生きるための基本的な行為であり，子どもの心身の発達に欠かせないものである．摂食障害は，「食の喜び」を奪うだけでなく，低栄養や低体重といった生命維持にかかわる重要な問題である．近年，摂食障害と発達障害との関連性が注目されているが，なかでも自閉症児は，興味・関心が限定的で固執しやすい傾向がある．さらに味覚などの知覚過敏性も多くみられることから，偏食など食行動の異常へとつながりやすい．偏食のある子どもたちを療育する者にとって，少しでも多様な食材を口にしてもらいたいと願うことは当然である．しかし，過剰な偏食指導もまた「食の喜び」を奪い，さらなる食行動の異常につながりかねない．

以前，唾吐きや他児を噛むといった行動障害が出現してきたという自閉症児の療育相談を受けたことがある．調べたところ，その行動障害が出現し始めたときとほぼ同時期に，学校の先生による偏食指導が開始されたことがわかった．実際に給食の場面を観察すると，その子どもは明らかにストレスを受けており，食べ終えたあとにも達成感や充足感は感じられなかった．観察後，過度の偏食指導が行動障害につながっている可能性があることを伝え，苦手な食材の盛り付けを少なくし到達点を明確にすること，無理して食べなくてもよいという雰囲気をつくること，一口でも食べられたときには賞賛することなどを具体的に提案した．後日のフォローアップで，偏食傾向は改善されないものの行動障害が減ったことが確認された．そして，何よりも本児が食事時間に笑顔を見せるようになったとの報告がうれしかったことを記憶している．

■子どもの精神疾患

メタアナリシス（複数の調査研究を統計学的にまとめ，結果を導き出す研究方法）によって子どもの精神疾患の有病率は 13.4% であり，中でも不安症は 6.5% と最も高いことが確認されている（Polanczyk GV, et al：Annual Research Review：A meta-analysis of the worldwide prevalence of mental disorders in children and adolescents. J Child Psychol Psychiatry 56：345-365, 2015）．したがって，発達分野に携わる理学・作業療法士は精神疾患についても理解しておく必要がある．不安症は過剰な恐怖や不安が持続した状態である．恐怖は脅威となる対象や状況が明確なことが多く，不安は将来におこりうる恐怖への予期的な情動反応である．どちらも自律神経症状（血圧や発汗など）として現れやすいが，子どもは症状を言語化することが難しく，見逃されてしまうことも少なくない．子どもの不安症は頭痛や吐き気など身体症状，睡眠や食欲などのさまざまな生活場面で表出される．子どもたちからのサインをとらえることも，理学・作業療法士に求められている．

- □ 習癖について説明しなさい．
- □ 心身症の代表例として，気管支喘息を説明しなさい．
- □ 身体表現化障害を説明しなさい．
- □ 反応性愛着障害を説明しなさい．

第18章 重症心身障害児・医療的ケア児

学習目標

- 重症心身障害児と医療的ケア児の概念と背景疾患の主なものを理解する．
- 運動障害と呼吸障害の状態と対応を理解する．
- 在宅生活を支援する機関連携を理解する．

A 重症心身障害児と医療的ケア児

医療の進歩により救われる命が増えてきた一方で，重い身体障害のあるまま生活する子どもも増加している．それに伴い日本においては，障害児と家族を支援する社会保障制度が整備されてきた（➡NOTE-1）．

重症心身障害児（重心児）と医療的ケア児は，医療・福祉制度の中で作られた日本独自の枠組みであり，疾患を指す用語ではない．重度の運動障害（歩行できない）と重度の知的障害（IQ35 以下）を併せもつ障害児のことを重症心身障害児という（▶図 1）．

医療的ケア児とは，医学の進歩を背景として，NICU などに長期入院した後，引き続き人工呼吸器や胃瘻などを使用し，痰の吸引や経管栄養などの医療的ケアが日常的に必要な児童のことである（厚生労働省）．医療的ケア児の 40% は重症心身障害児であるが，運動障害や知的障害の軽い医療的ケア児もほぼ同数である（▶図 2）．医療における診療報酬加算のための，超重症児（者）・準超重症児（者）という区分もある（▶表 1）．

重心児・医療的ケア児の原疾患は多岐にわたるが，周産期脳障害（脳性麻痺）と先天異常・染色体異常が主なものである．それ以外には，頭部外

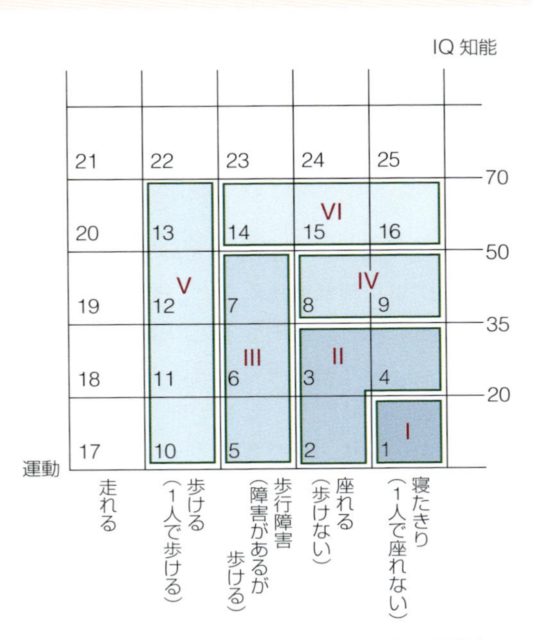

▶**図 1　重症心身障害児の定義（大島の分類）**
〔大島一良：重症心身障害の基本的問題．公衆衛生 35（11）：648-655, 1971 より改変〕

NOTE

1 医療的ケア児支援法

2021 年 6 月に医療的ケア児及びその家族に対する支援に関する法律（医療的ケア児支援法）が可決され，同年 9 月に施行された．この法律により，すべての都道府県に医療的ケア児支援センターの設置が義務づけられ，患者と家族の相談支援を行うこと，ならびに医療，保健，福祉，教育，労働等の業務を行う関係機関等への情報提供と研修を行うことがその業務である．

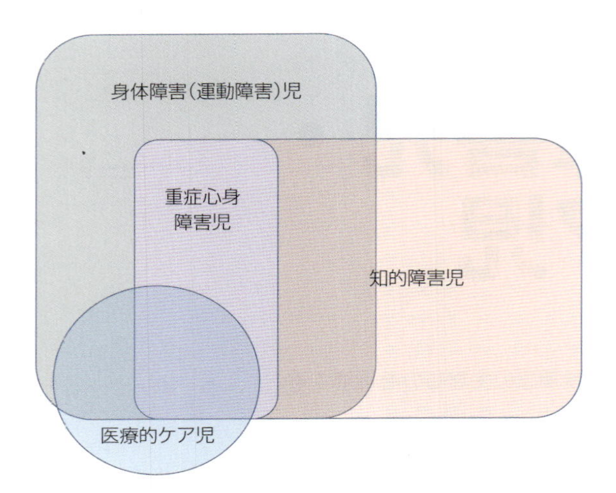

▶図2　重症心身障害児と医療的ケア児
重症心身障害児は，重度身体障害（歩けない）と重度知的障害（IQ<35）を併せ持つ障害児のことである．医療的ケアを日常的に必要とする医療的ケア児の40％は重症心身障害児であるが，残りの60％は身体障害あるいは知的障害が重度ではない．

傷や脳炎・髄膜炎，脳腫瘍などの後天性脳障害，先天性心疾患，神経筋疾患などがある．

近年，重心児・医療的ケア児の多くは自宅で生活している．急性期病院の主治医の他に，訪問診療，訪問看護，訪問リハビリテーションなどが在宅支援にかかわり，リハビリテーション施設や放課後等デイサービス，レスパイト（ショートステイ）などの通所施設，行政，保育・教育機関など多くの施設と職種がかかわる．相談支援員を中心とした機関連携の重要性が高まっている．保育・教育機関では，主治医の指示書のもとに，現場に配置された看護師が医療的ケアを実施して，生活や学習をすることが増えてきている．

▶表1　超重症児（者）・準超重症児（者）の判定基準

以下の各項目に規定する状態が6か月以上継続すること（NICU退出児を除く）

1. 運動機能：座位までとする
2. 判定スコア

項目	スコア
(1) レスピレーター管理	10
(2) 気管挿管，気管切開	8
(3) 鼻咽頭エアウェイ	5
(4) O_2 吸入または SpO_2 90％以下の状態が10％以上	5
(5) 1回/時間以上の頻回の吸引 6回/日以上の頻回の吸引	8 3
(6) ネブライザー　6回/日以上または継続使用	3
(7) 中心静脈栄養IVH	10
(8) 経口摂取（全介助） 経管（経鼻・胃瘻含む）	3 5
(9) 腸ろう・腸管栄養 持続注入ポンプ使用（腸瘻・腸管栄養時）	8 +3
(10) 手術・服薬にても改善しない過緊張で，発汗による更衣と姿勢修正を3回/日以上	3
(11) 継続する透析（含　腹膜灌流）	10
(12) 定期導尿（3回/日以上）	5
(13) 人工肛門	5
(14) 体位交換　6回/日以上	3

超重症児（者）：スコアの合計が25点以上
準超重症児（者）：スコアの合計が10点以上24点以下

B 健康管理

1 運動障害

運動麻痺や筋緊張亢進あるいは低下，およびそれらに関連して生じた関節拘縮や側彎，変形に対するリハビリテーションが必要である（第5章「脳性麻痺」の項➡99ページ参照）．筋緊張亢進に対する治療には，抗痙縮薬やボツリヌス筋注療法，髄腔内バクロフェン注入療法などがある．また，関節脱臼や骨折予防のために姿勢や体位変換などの日常的なケアが大切である．

2 呼吸障害

患者の原疾患や状態によって呼吸障害の病態が異なり治療方針も異なる（▶表2）．口腔・鼻腔から喉頭までを上気道，胸郭内の気管から気管支を下気道といい，その狭窄の部位により治療が異なる．複数の要因が呼吸障害に関与する．

▶表 2 呼吸障害の主な原因とその対処法

<table>
<tr><th></th><th></th><th>状態</th><th>一次治療</th><th>二次治療</th></tr>
<tr><td rowspan="6">上気道狭窄（鼻腔〜咽頭〜喉頭）</td><td>アレルギー・炎症</td><td>アレルギー性鼻炎・副鼻腔炎</td><td>アレルギー・炎症の治療</td><td></td></tr>
<tr><td>上気道狭窄</td><td>アデノイド・扁桃腺肥大
胃食道逆流症による喉頭披裂部浮腫
鼻腔狭窄，下顎低形成・後退</td><td>アデノイド・扁桃腺摘出，経鼻咽頭エアウェイ，胃食道逆流症の治療</td><td rowspan="2">持続陽圧換気療法
気管切開</td></tr>
<tr><td>筋緊張低下</td><td>舌根沈下・後退</td><td rowspan="4">ネックカラー
ポジショニング
エアウェイ
抗痙縮薬</td></tr>
<tr><td rowspan="3">筋緊張亢進</td><td>頸部後屈による気道狭窄</td><td rowspan="3">ボトックス筋注療法
髄腔内バクロフェン注入療法
持続陽圧換気療法
気管切開</td></tr>
<tr><td>喉頭軟化症</td></tr>
<tr><td>気管狭窄症，気管軟化症</td></tr>
<tr><td rowspan="8">下気道狭窄</td><td rowspan="2">誤嚥</td><td>唾液誤嚥</td><td>ポジショニング，口腔吸引，嚥下訓練</td><td rowspan="7">在宅酸素療法
非侵襲的陽圧換気療法
気管切開下人工換気療法</td></tr>
<tr><td>食物</td><td>ポジショニング，食事形態の調整，嚥下訓練</td></tr>
<tr><td>喀痰貯留</td><td></td><td>去痰剤，吸入，呼吸器リハビリ</td></tr>
<tr><td>気管支喘息</td><td></td><td>気管支喘息の薬物治療</td></tr>
<tr><td rowspan="4">拘束性換気障害</td><td>筋緊張亢進</td><td>ポジショニング，呼吸器リハビリテーション，抗痙縮薬，ボトックス筋注療法，髄腔内バクロフェン注入療法</td></tr>
<tr><td>気管狭窄症，気管軟化症</td><td>ポジショニング，発作時の酸素投与，薬剤投与</td></tr>
<tr><td>胸郭変形</td><td rowspan="2">ポジショニング，呼吸器リハビリテーション，カフアシスト，在宅酸素療法（CO_2 ナルコーシスに注意）</td></tr>
<tr><td>呼吸筋力低下</td><td>非侵襲的陽圧換気療法
気管切開下人工換気療法</td></tr>
<tr><td rowspan="2">中枢神経障害</td><td>中枢性無呼吸</td><td>肺胞低換気</td><td>在宅酸素療法（CO_2 ナルコーシスに注意）</td><td rowspan="2">非侵襲的陽圧換気療法
気管切開下人工換気療法</td></tr>
<tr><td>咳嗽反射の低下</td><td>喀痰貯留</td><td>去痰剤，吸入，呼吸器リハビリテーション，カフアシスト</td></tr>
</table>

症状 慢性に経過する場合は自覚症状に乏しい．朝の頭痛や眠気，疲れやすさ，活気不良，食欲低下などが主なものである．

検査 血液ガス分析や経皮的酸素飽和度，ポリソムノグラフィ（polysomnography：呼吸運動と酸素・炭酸ガス濃度の長時間記録），胸部 X 線写真や CT 検査で総合的に判断する．

治療・管理 気道確保（ポジショニングや経鼻咽頭エアウェイ）や排痰の介助・補助（徒手・機械によるカフアシスト），口鼻腔吸引，在宅酸素療法，呼吸補助（非侵襲的陽圧換気療法），気管切開術などを状態に応じて行う．

a 上気道狭窄（鼻腔〜咽頭〜喉頭）

吸気時の喘鳴（息を吸うときにガーガーと音が聞こえる）と陥没呼吸を認める．物理的な狭窄（アデノイド・扁桃腺肥大や鼻腔狭窄，下顎低形成・後退）や筋緊張低下は睡眠時に目立つ．呼吸は努力性で鼻翼呼吸，下顎呼吸となる．気道を広げるためのポジショニングが有効である．

筋緊緊張亢進により気道狭窄が生じる場合には，ポジショニングや痙縮に対する治療が有効である．胃食道逆流症（gastro esophageal reflux disease；GERD）があると，胃酸による喉頭披裂部の炎症・浮腫が気道狭窄の原因となる．この場合には，GERD の治療を優先する（➡169 ページ）．

b 下気道狭窄

重心児は，胸郭変形と側彎により気管が圧排され気管狭窄をきたしやすい．

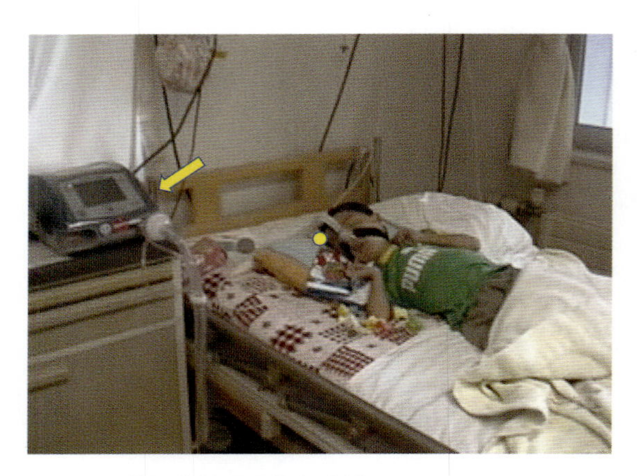

▶図3　非侵襲的陽圧換気療法
〔日本小児神経学会社会活動委員会，北住映二，杉本健郎（編）：重症児者の教育・福祉・社会的生活の援助のために．新版　医療的ケア研修テキスト．クリエイツかもがわ，p. 117，2012 より〕

呼気時に気管狭窄する気管軟化症は，不安や興奮時に見られやすく，呼気時に喘鳴（ゼーゼー，ヒューヒュー）が聞かれる．症状が気管支喘息に似ている．リラックスさせ，気管が開くようにマスクで陽圧換気する．薬で鎮静するとよい場合もある．

神経筋疾患の呼吸障害は，呼吸筋の筋力低下による拘束性換気障害である．呼吸と排痰の介助のためのリハビリテーションはきわめて重要である．換気不全が生じた場合には，早めにマスクなどによる非侵襲的陽圧換気療法の導入を行う（▶図3）．

c 呼吸中枢機能障害

脳障害により呼吸中枢の機能が低下し，無呼吸による低換気をきたす．中枢性無呼吸は睡眠中に生じやすい．ポリソムノグラフィで診断する．非侵襲的人工換気療法で呼吸補助を行う．

3 摂食・嚥下障害

重心児・医療的ケア児には，摂食・嚥下障害のために誤嚥をきたすことがしばしばみられる．食事や唾液のむせや呼吸音（ゼロゼロ）が症状である．咳反射が弱いと肺炎につながる．呼吸器症状を認めず，発熱のみで検査にて診断されることがある．

検査　胸部X線とCTで肺炎の診断をする．誤嚥を疑う場合は，ビデオX線透視造影嚥下検査（VF）を行う．栄養不良とならないように，血液検査にて栄養評価を行う．

管理　摂食時の姿勢や椅子の調整が重要である．また，食事形態の工夫も大切である．トロミ剤などが有効である．これらの対応で難しい場合には経管栄養（経鼻胃管や胃瘻造設）を検討する．

4 胃食道逆流症（GERD）

食道と胃の移行部（噴門）に括約筋があるため，通常は食物が逆流しにくくなっている．胃食道逆流症は，食物が噴門より食道側に逆流する状態である．頻回の嘔吐や食道炎，肺炎，消化管出血，喉頭披裂部の炎症・浮腫による気道狭窄などをきたす．

検査　上部消化管X線透視造影検査，食道内pH測定により診断する．

管理　摂食時の姿勢や椅子の調整や薬物治療（上部消化管運動機能賦活薬，粘膜保護薬，胃酸分泌抑制薬）を行う．肺炎反復例や栄養不良例には，逆流防止術（噴門形成術）が行われる．

5 腎・尿路系の問題

神経因性膀胱（➡91ページ）を合併している場合は，残尿（排尿しても尿が膀胱内に残る）や膀胱尿管逆流（膀胱から尿管・腎に尿が逆流する），尿路感染症，尿路結石をきたしやすい．予防のために間欠的導尿が必要なことがある．

6 その他の健康問題

てんかん（➡96ページ）の合併率は高い．発作症状に対応した抗てんかん薬を選択する．薬剤抵抗性が多いので，多剤併用療法になりやすい．その場合に薬による慢性の副作用として，活気低下や嚥下不良，呼吸障害，筋緊張の変化，不機嫌などが生じる．

口腔ケアが難しく，齲歯や歯肉増生がよくみられるため，定期的な歯科受診を行う．肺炎予防のためにも口腔ケアが大切である．同じ姿勢をとりやすいので圧力のかかる部位の褥瘡予防が大切である．骨密度が低く，筋緊張が強いため骨折しやすい．不機嫌の原因が骨折であることがあり，腫れて初めて気づかれることがある．

C 理学・作業療法との関連事項

■ライフステージに応じた十分な支援を

障害者総合支援法を契機に，子どもたちのリハビリテーション・サービスの充実化が進められている．また，障害者差別解消法では，障害者が社会生活を送るなかでバリア（障壁）を取り除くなどの合理的配慮の提供が強調されている．小児リハビリテーションに携わる理学・作業療法士も法制度や政策を注視し，隙間のない包括的な支援体制の実現に向けて何が必要なのかを考えてほしい．

■声にならないサインを聞く力

重度心身障害児のなかには，生命に直結するようなリスクをかかえ，言葉を発せられないだけでなく，快・不快の表情さえ出せない子どももいる．そうした場合，体温や呼吸・心拍などのバイタルサイン，視線や皮膚の状態などわずかなサインも見落としてはならない．

たとえば，呼吸機能の脆弱な重度心身障害児は誤嚥してもむせがないこともあり見落とされやすいが，嚥下反射や呼吸音などを観察することで安全に経口摂取できているかわかることが多い．また，股関節脱臼や病的骨折による疼痛が，わずかな姿勢のゆがみや筋緊張として表現される場合もある．

他のコメディカルスタッフと比べ，個別にかかわる時間が保障されている理学・作業療法士は，単に治療だけを担うのではなく，その子の健康状態を把握するという重大な責任をもつ．そのために，まずは「声にならないサインを聞く力」を身につけてほしい．

■QOL向上のために

重症心身障害児は，運動制限に伴う「安静の苦痛」や異常姿勢の持続に伴う異常な感覚入力により，不快な感覚経験が蓄積されている．また，睡眠や摂食，排泄は根源的な欲求であり，正しくコントロールできなければ大きな苦しみを生じさせてしまう．少しでも不快な刺激をなくし，より多くの快刺激を経験させることは，子どもたちのQOLの向上へとつながる．

快となる刺激は千差万別である．シャボン玉やミラーボールのような美しい光刺激に魅了される子どももいるかもしれないし，羽毛のような優しい触覚刺激が好きな子どももいる．その子どもが好きな感覚刺激を発見することは，“遊び”などの自発的な活動へと発展する可能性をもつ．

以前，施設に入所する重度心身障害児に対し，その子どもが好きな感覚刺激や遊び方のヒントをシートにまとめ，目立つように車椅子に装着したことがある．シートの活用によって介護職員や実習生のかかわり方が少しずつ変化していった．やがて，その子は穏やかな表情となり，目で介護職員を追うなど周囲への関心も高まっていった．子どもたちにとって“遊び”は身体活動の原動力であり，楽しく遊べた場合，さらなる挑戦へのエネルギーとなる．

■家族への支援

自宅療養の場合，家族が介護を担っていることが多く，家族の身体的，精神的，社会的，経済的な負担は察するに余りある．母親が自身より大きなわが子を車に乗せ，リハビリテーションセンターに通ってこられる姿を何度も見てきた．冠婚葬祭など急な用事によって帰郷したいが，子どもを預けられる施設がないという話も多く耳にした．自宅で療養しながら活用できる医療・福祉サービスはいまだ不十分であり，小児領域の訪問リハビリテーションではさらに乏しいのが現状である．

自宅療養の長期化は介護者である両親の高齢化と直結する．介護者である家族も理学・作業療法士のクライエントであるという認識が必要である．介護者の負担感軽減のために，心理的サポートは言うまでもないが，介護方法の伝達や住環境の整備，福祉用具の活用を積極的に行う必要がある．社会資源への橋渡しも理学・作業療法士の重要な役割であり，情報提供のために法制度などの基本的な知識も蓄えておきたい．

- □ 重症心身障害児の定義を述べなさい．
- □ 医療的ケア児の定義を述べなさい．
- □ 医療的ケア児の呼吸障害の症状とその対策を述べなさい．
- □ 医療的ケア児の摂食・嚥下障害の症状とその対策を述べなさい．

第19章 眼科的疾患

学習目標
・視機能の発達および眼位の異常について理解する.

A 視機能の異常

1 屈折異常

眼に入ってきた光は角膜と水晶体で屈折し，網膜の中心（黄斑）で焦点を結び，その情報が視神経を通って脳に伝わることにより，物体が認識される．網膜にピントが合い，眼鏡なしで鮮明な像が見える眼を正視という（▶図1）.

一方，網膜にピントが合わず，不鮮明な像が見える状態を屈折異常といい，屈折異常には，近視，遠視，乱視がある（▶図2）．網膜にピントが合うかどうかは，角膜・水晶体の屈折力や，眼軸長（眼球の長さ）などで決まる．

3歳でほぼ成人の眼軸長に達する．特に生後1年は眼軸が急激に延長する時期である．一方，これを代償するように角膜と水晶体の屈折力は減少し，全体として屈折値は急激には変化せず，生下時には軽度の遠視で，その後緩やかに遠視が減少する．

a 近視（myopia）（▶図2）

強度近視では，成人になると緑内障・黄斑変性・網膜剥離などにより，視力が極端に低下する危険が高まる．したがって学童期であっても強い近視がある場合には，定期的な眼底検査を受けることが勧められる．

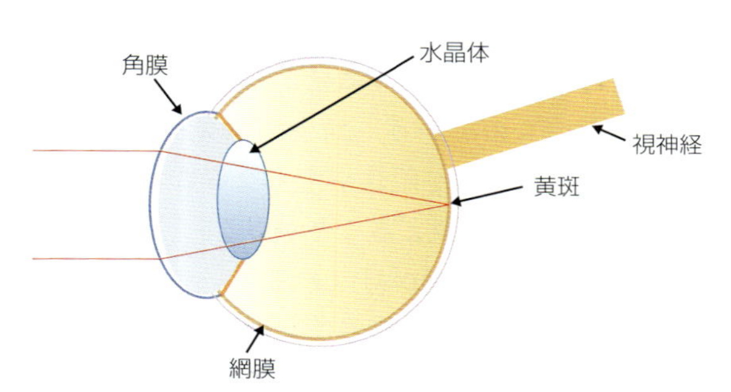

▶図1　目の構造と光を屈折させる機能（正視の場合）
外から入ってきた光は角膜と水晶体で屈折し，網膜の中心（黄斑）に焦点を結び，その情報は視神経から脳に伝えられる．

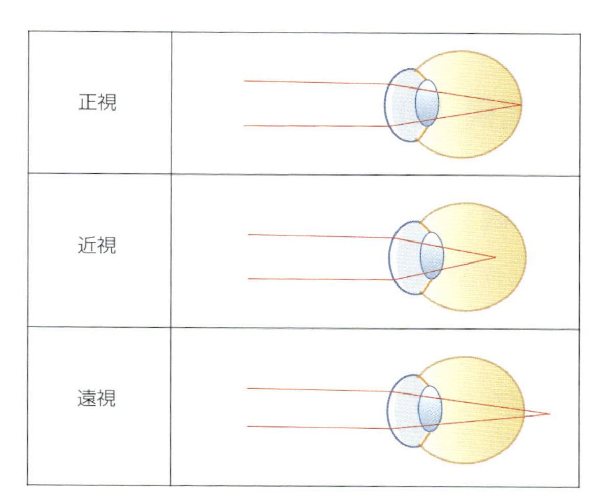

▶図2　水晶体が無調節時にピントが合う位置
正視：網膜上にピントが合う．
近視：網膜より前方でピントが合う．
遠視：網膜より後方でピントが合う．

b 遠視（hyperopia）（▶図2）

幼少期は，軽度遠視であれば調節可能で視力は問題なく発達することが多い．中等度以上の遠視の場合は，物体が常にぼやけて見えているため視力の発達が損なわれ，弱視になる可能性がある．

c 乱視（astigmatism）

屈折力が屈折点によって異なるため，焦点が1点に結ばない状態である．

d 眼鏡の適応

近視は，軽度であれば近くのものが見えるので，弱視となるリスクは少なく，眼鏡を強制しなくてもよい．学童期以降は，日常生活に不自由が生じれば眼鏡が必要になる．逆に，遠視や乱視は常にぼやけた像が見えるため，弱視になる可能性がある．弱視治療が必要な屈折異常があれば，幼少期から眼鏡を常用する．

2 色覚異常

赤緑色覚異常（1型色覚・2型色覚）が多い．色覚異常の遺伝子はX染色体に存在しており，多くは男児に発症する．

3 斜視（strabismus）

a 原因

眼の位置（眼位）の異常を斜視という．その原因は，以下のようなものがあげられる．ただし，原因がはっきりしないものもある．

・遺伝性
・解剖学的異常
・筋・神経麻痺によるもの：先天上斜筋麻痺，外転神経麻痺，動眼神経麻痺など
・屈折異常：遠視による調節性内斜視

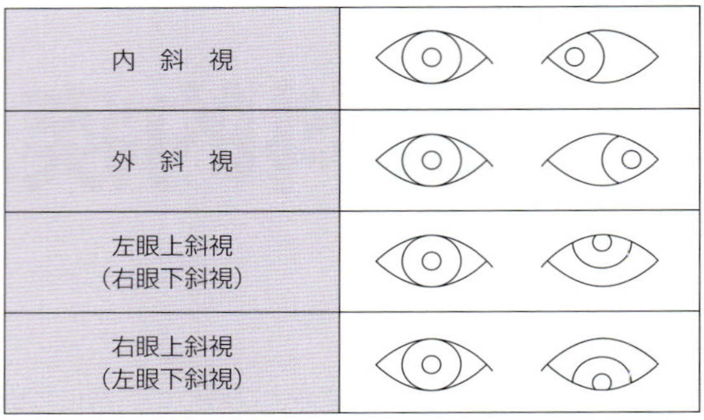

内斜視	
外斜視	
左眼上斜視（右眼下斜視）	
右眼上斜視（左眼下斜視）	

▶図3　斜視

b 種類

(1) 内斜視（esotropia）（▶図3）

- 乳児内斜視：生後6か月未満に発症する内斜視．原因は遺伝，解剖学的原因，筋肉の異常など諸説ある．早期手術により眼位が改善したとしても両眼視機能（立体視など）が不良であることが多い．
- 後天内斜視：生後6か月以降に発症した内斜視．原因は遠視（調節性内斜視）により徐々に発症するもの，急激に発症するもの，脳の異常による神経麻痺（外転神経麻痺）などがある．近年，スマートフォンやゲーム機などの小さな画面を長時間，近距離で見ることを繰り返すことにより発症することが疑われる後天内斜視が若年齢層を中心に増加している．
- 調節性内斜視：遠視が原因でおこる．1〜3歳までの発症が多い．遠視に対して完全矯正眼鏡を処方する．
- 偽内斜視：斜視のように見えるが，実際には斜視でないものをいう．幼少期は鼻根部が扁平で，内側の強膜が隠れやすくなることにより，内斜視のように見えることがある．

(2) 外斜視（exotropia）（▶図3）

- 間欠性外斜視：外斜視の多くは間欠性で，日常臨床の場で最も遭遇する機会の多い斜視である．成長とともに斜視角の増加や，斜視になる時間が長くなる傾向がある．
- 恒常性外斜視：常に外斜視になっている状態で

ある．小児の場合，斜視になっている眼が決まっている場合には，そちらの視力発達が損なわれる可能性がある．そのため，交代固視ができるようになるまで健眼遮閉を行ったり，斜視手術を検討したりする．

(3) 上下斜視（▶図3）

- 先天上斜筋麻痺：上斜筋は解剖学的異常を伴いやすいことが知られている．眼位の異常から，頭の傾け（眼性斜頸）を呈することがある．

(4) 麻痺性斜視

眼球を動かす筋肉（外眼筋）は6本あり，それぞれを支配している脳神経（動眼神経・外転神経・滑車神経）が障害されることにより，眼球運動制限を伴う斜視（非共同性斜視）をきたす．

- 動眼神経麻痺：外斜視や上下斜視を呈する．
- 外転神経麻痺：内斜視を呈する．
- 滑車神経麻痺：上下斜視と斜頸を呈する．

小児の一般的な斜視は眼球運動制限を伴わない斜視（共同性斜視）である．

(5) 特殊な斜視

- Duane（デュアン）症候群，重症筋無力症，甲状腺眼症，眼窩吹き抜け骨折など

C 治療目標

小児は視機能の発達途上であるので，以下のような点に注意する．

- 弱視予防
- 眼位矯正
- 両眼視機能獲得

4 弱視（amblyopia）

- 屈折異常弱視，不同視弱視
- 斜視弱視
- 形態覚遮断弱視：先天白内障，先天眼瞼下垂

上記の原因により，最終的に良好な視力が得られないものを弱視という．早期発見が大切で，特に自覚症状がない屈折異常弱視・不同視弱視は，3歳児健診での発見が重要なポイントである．

治療は，眼鏡常用や計画的健眼遮閉を行う．また先天白内障など，早期手術が必要なものもある．

B 眼科的疾患

1 感染症

(1) 細菌性角結膜炎

新生児期には，一般細菌・淋菌・クラミジアなどの結膜炎をおこす．この時期の特徴として，母体からの垂直感染が問題になるが，近年はクラミジア結膜炎が多くなっている．クラミジア結膜炎は，上咽頭感染や肺炎を合併することがあり，小児科受診も必要である．

そのほかの細菌性結膜炎の原因として，睫毛内反（さかまつげ）や鼻涙管閉塞症がある．

(2) 流行性角結膜炎

流行性角結膜炎はアデノウイルスによるもので，伝染力が強い．通常はステロイド点眼による消炎と，抗菌薬の点眼により混合感染を予防する．学校伝染病に指定されている．

2 アレルギー性疾患

(1) アレルギー性結膜炎

アレルギー反応を引き起こす物質（アレルゲン）により，眼のかゆみ，充血などをきたす．治療には抗アレルギー点眼薬を使用し，症状が強い場合はステロイド点眼や抗アレルギー薬の内服を併用する場合がある．

(2) 春季カタル

アレルギー性結膜炎の重症型で，10歳前後に患者のピークがあり，男児に多い．アトピー性皮膚炎，鼻炎，喘息など，ほかのアレルギー疾患を合併することが多い．症状は眼のかゆみ，眼脂，充血があり，角膜が障害されると異物感，まぶし

さ（羞明），眼痛を伴う．

治療は抗アレルギー点眼薬，ステロイド点眼薬，免疫抑制点眼薬を併用する．ステロイド点眼薬には眼圧上昇の作用があるため，ステロイド緑内障に注意しながら使用する必要がある．

3 白内障（cataract）

白内障は，水晶体が混濁し視力に影響を与える．先天白内障は，出生時から水晶体混濁を認めるものをいう．成長とともに進行するものもあり，その場合は発達白内障ともいわれる．原因として，遺伝，染色体異常，子宮内感染（先天風疹症候群など）のほか，さまざまな全身疾患や症候群に伴っておこることがあるが，30～50% は白内障以外に異常を認めない特発性である．

乳幼児期に高度な白内障がある場合は，重篤な弱視（形態覚遮断弱視）となるため，発見次第早急に手術をする必要がある．手術は水晶体を摘出する．白内障手術後も厳重な弱視管理を要する．軽度の白内障の場合には，早急に手術をする必要はないが，進行しないかどうか定期的に検査を行う必要がある．

4 緑内障（glaucoma）

小児の緑内障は発達緑内障とよばれ，眼球前方の前房内を循環する房水が流出する隅角の発育異常により，房水流出が妨げられ，眼圧が上昇して視神経が障害され，視野障害をきたす．乳幼児期に発症する早発型，学童期以降の遅発型，他の先天異常を伴う型がある．

流涙，羞明，眼瞼痙攣，角膜混濁（黒目が白く濁る），角膜径拡大（黒目がかなり大きく見える）といった症状を認める．治療は，病態に応じて，薬物治療，手術が検討される．

先天異常を伴う緑内障には，Sturge-Weber（スタージ・ウェーバー）症候群，Peters（ペータース）異常，先天無虹彩などがある．また，続発緑内障として，ステロイド緑内障や，若年性関節リウマチなどによるぶどう膜炎に続発する例，未熟児網膜症に合併する例などがある．

ステロイドによる眼圧上昇は成人より高率にみられ，漫然とステロイドを使用しているとステロイド緑内障をきたす．そのため，ステロイド点眼を長期に使用する場合や，小児科などでステロイドの大量投与や長期内服を行う場合は，定期的に眼圧測定を行う必要がある．

5 眼瞼異常

(1) 睫毛（しょうもう）内反（さかまつげ）

まつ毛（睫毛）が眼球側に内反して眼球に接触している状態である．多くは顔面の成長とともに自然治癒するが，幼児期になっても改善せず，角膜に傷ができると，充血，異物感，流涙，羞明などをきたし，長期間続くと大きな角膜の傷（角膜びらん）や角膜混濁により視力に影響する場合がある．そのような場合は手術を行う．

(2) 眼瞼下垂

原因は，先天性が最も多い．そのほか，重症筋無力症，進行性外眼筋麻痺，動眼神経麻痺，交感神経麻痺〔Horner（ホルネル）症候群〕などがある．先天性で下垂の程度が強く，視性刺激遮断弱視が疑われる場合以外は早期手術を行わない．外傷や動眼神経麻痺による後天性の眼瞼下垂の場合には，自然軽快・治癒がありうるので，少なくとも発症から 6 か月は経過をみるべきである．

(3) 麦粒腫

眼瞼の細菌感染により，まぶたが炎症を起こし赤く腫れ，痛みやかゆみを生じる．抗菌薬の点眼薬や眼軟膏で治療し，抗菌薬の内服を併用する場合もある．それでも炎症が悪化する場合は，切開して排膿する場合もある．

6 未熟児網膜症（ROP）

第 3 章（➡51 ページ）を参照のこと．

C 理学・作業療法との関連事項

■自覚されない目のトラブル

学校の健康診断を思い出してほしい．色覚検査も受けた人もいるかもしれないが，目の検査のほんどが視力検査であったと思う．斜視や眼球運動のトラブルは見逃されてしまうことが多い．特に先天性の障害では生まれつき見え方に問題があるため，子どもに自覚がなく，訴えることもまれで周囲の大人も気づかないことがある．外部専門家として特別支援学校や通常の学級に学校コンサルテーション（➡38 ページ）に行った際，見逃されてきた目のトラブルに幾度となく遭遇してきた．以下にいくつかの事例を紹介する．

(1) ノートをとらないA君

小学4年生の男児．先生の話は聞いているがノートはとらない．プリントやテストは記入している．調べると間欠性の外斜視であり，輻輳（いわゆる寄り目）も困難であった．黒板の文字に焦点を絞り両眼視することに困難さがあると思われた．そのため，教師へはプリントを活用すること，本児と相談し，黒板が見やすい座席の位置を決めることを助言した．加えて，保護者には専門の医療機関を受診することを促した．

(2) 赤がきらいなB君

小学2年生の男児．カラーの教科書やプリントを極端に嫌がり，赤い部分が見えると「赤は嫌いだ！」といって本を伏せる．最初は自閉スペクトラム症による“こだわり”を想定したが，その徴候は認められなかった．調べたところ，視覚過敏の一種であるIrlen（アーレン）症候群が疑われた．後日，専門の医療機関を受診し，色付きのサングラス（本児は緑色）が作製された．以後，授業での取り組みがスムーズになった．

(3) 最初の一口を食べないCさん

知的能力障害があるため特別支援学校に通っている小学1年生の女児．母親より「大好きなパンでも最初の一口は食べない．二口目から手で持って食べる」と相談があった．調べると物体失認（目で見たものが何かわからない．匂いや味など視覚以外の感覚情報を用いると物が認識される）であることが想定された．加えて，「階段の昇降で1段目を嫌がる．段差がないのに床の色が変わると立ち止まる」との情報から視空間知覚（自分と周囲の環境との位置関係を把握する機能）の障害も想定された．保護者および教師へは物を見えやすくする工夫（余計な物は机の上に置かないこと，食材と色の異なる皿を使用し配膳するなど）や視覚以外の感覚（言語や触覚）を用いてガイドすることを助言した．

(4) 人と話す姿勢が特異なDさん

高校1年生の女子．忘れ物が多く，ノートへの書き取りも遅く，授業についていけなくなった．面談すると少し頭を傾け，右上を見ている．眼球運動や斜視，視力を検査したが問題はなかった．本人から「子どものころに医師から視野が狭いと言われたことがある」との話があり，視野を調べたところ両眼の右上側1/4の視野が欠損している同名半盲であることがわかった．視野が欠損していることでノートへの書き取りの遅さや忘れ物に影響を与えていると推察された．また，面接した際の頭の傾きは欠損した視野を補うための代償的頭位であると考えられた．すでに医師から告知されていたこともあり，本人に詳しい症状を伝えると「何で自分ができないのか理由がわかってホッとしました」と話してくれた．また，その情報も教師間で共有することも了解され，教師が理解し座席の位置などを配慮したことで，授業が受けやすくなった．また自己理解がすすんだことで，忘れ物が減り，ノートへの書き取りに対する意欲が向上した．右側を見上げる話し方は相手に不快感を与えてしまう恐れもあったが，本人が意識し修正できるようにもなった．

子どもたちの“できる”“できない”には視機能が原因となっていることも少なくない．理学・

作業療法士はできる限り早期に気づき，専門機関への橋渡しなど適切に対応してほしい．

- □ 屈折異常弱視の原因と治療について説明しなさい．
- □ 調節性内斜視の原因と治療について説明しなさい．

第20章

耳鼻科的疾患

学習目標
・聴覚障害および小児耳鼻科領域の代表的な急性疾患について知る．

A 多い訴え

小児に多い訴えには以下のものがある．

(1) 耳痛（otalgia）

乳児では訴えがはっきりせず，不機嫌なだけのこともある．耳に触れられるのをいやがることなどから気づかれることもある．

(2) 耳漏（otorrhea）

みみだれ．外耳道より出る，多くは膿性の分泌物である．柔らかい耳垢とは区別する．

(3) めまい

小児では起立性調節障害に伴う立ちくらみの訴えが多い．平衡障害（vertigo）は体の回転感，めまい（dizziness）は浮動感を伴う．

(4) 難聴〔hearing loss（後述➡236ページ）〕

B 聴覚検査

1 音刺激への行動観察

(1) 聴性行動反応聴力検査（behavioral observation audiometry；BOA）

被検児は防音室内にて保護者の膝に座らせる．部屋の隅から出るスピーカーの音に対する被検児の反応を，検者が観察窓の外から調べる．主として，乳児を対象にした検査である．

(2) 条件詮索反応聴力検査（conditioned orientation reflex audiometry；COR）（▶図1）

音刺激と光刺激を同時に繰り返し呈示して定位反応を学習させ，次に音刺激のみによる行動誘発（詮索反応）を観察することで聴力測定を行う．ただし課題の理解のために，1～3歳程度の知的発達を要する．

(3) 遊戯聴力検査

音刺激と同時にボタンを押すと，のぞき窓に興味を引く像が出るなどの仕掛けを利用した検査である．

(4) 純音聴力検査（pure tone audiometry；PTA）

成人での通常の聴力検査と同じ原理で，複数の周波数での純音聴力をもとにして総合的聴力を求

▶図1　条件詮索反応聴力検査（COR）
テストの前に何度か練習して，音が出たときに同時に映像が映ることをあらかじめ了解させる．
〔田中美郷：小児耳鼻咽喉科学．新小児医学大系，38，p.101，中山書店，1983より〕

める．集中力と検査方法の理解が不可欠であるため，就学期ごろからの施行が妥当である．

2 他覚的聴力検査

(1) 聴性脳幹反応（auditory brainstem response；ABR）

音刺激から 20 ms 以内の脳幹反応を調べる．睡眠の影響を受けない．乳幼児に適する．

(2) 自動聴性脳幹反応（automated ABR；AABR）

新生児に 35 dB クリック音で刺激し，誘発波形と正常波形のマッチングを行って，音への反応の有無を判定する．

(3) 耳音響放射検査（otoacoustic emissions；OAEs）

刺激音に対して，内耳の外有毛細胞から発せられる小さな音を測定する．聴覚が正常な場合には測定される．

(4) インピーダンスオージオメトリー

中耳の伝音機構の検査．

C 聴覚障害

1 病歴聴取とスクリーニング

先天性の難聴（hearing loss），聾（ろう）（deaf）の発生頻度は 1/1,000 である．新生児聴覚スクリーニング検査の全国的な普及により，早期から難聴の診断がついて聴覚活用の介入が始まりやすくなっている．

先天性難聴の原因は遺伝性が半数を占め，続いて妊娠中の感染症（サイトメガロウイルス，風疹など），そのほか先天的形態異常の一部や核黄疸，未熟児，新生児仮死などがある．後天性難聴ではムンプス，化膿性髄膜炎などの病歴の有無に注意する．

難聴があるかどうかは，音刺激に反応して体動を停止したり，音源に振り向いたりすることで判定する．生後 4 か月前後の乳児は比較的反応がわかりやすい．一般的に乳児の音に対する反応をみる場合には，視覚による反応を慎重に除外する工夫がいる．また自閉傾向のある児では反応が乏しいことがあり，注意を要する．

2 分類

(1) 難聴の程度

一般的な会話は 30〜70 dB，周波数 200 Hz〜6 kHz である．難聴のレベルは，以下の基準により判定される．

①軽度：26〜40 dB 未満
②中等度：40〜70 dB 未満
③高度：70〜90 dB 未満
④重度：90 dB 以上

(2) 伝音難聴

外耳，中耳の伝音系機構の障害によるものである．原因は，先天的形態異常，滲出性中耳炎，鼓膜外傷，耳垢塞栓が考えられる．

(3) 感音難聴

内耳，蝸牛神経，脳幹部，皮質聴覚野などの神経障害によるものである．原因としては，遺伝性，胎内感染，新生児低酸素性脳症，ウイルス感染，髄膜炎，薬物（ストレプトマイシン，カナマイシン），腫瘍（神経線維腫症）があげられる．

D 耳鼻科的疾患

1 外耳疾患

外耳道炎，耳かきによる外傷性出血などがある．

2 中耳疾患

(1) 急性化膿性中耳炎

小児に多い．上気道感染を機に発症することが多い．症状は，耳痛，不機嫌，発熱，耳漏である．治療には，抗菌薬，鼓膜切開が用いられる．

(2) 滲出性中耳炎

耳痛や発熱などの急性炎症症状がなく，耳管機能不全により，中耳腔内陰圧上昇がみられ，粘膜充血，浮腫，血管透過性亢進により，中耳腔に液体貯留をきたす．一部にアレルギーの関与が指摘されている．

伝音難聴，耳閉塞感，落ち着きがないなどの症状を示す．保存治療に反応がよくない難治例には，鼓膜切開，鼓膜チューブ留置，アデノイド除去などの処置を施す．

3 内耳疾患

感音難聴をきたす可能性がある．内耳の半規管の刺激でめまいを生じ，乗り物酔いなどが著しい．

4 鼻・副鼻腔・咽頭疾患

(1) 急性副鼻腔炎

鼻腔から炎症が広がる．乳幼児期には鼻炎症状が目立ちはじめ，上顎洞の発育が完成する小学生以降に発症が多くなる．

頭痛，鼻根部痛，頬部の圧痛，微熱などの症状を呈する．

(2) 慢性副鼻腔炎

頭痛，頭重感，片頭痛の訴え．発熱はない．集中力を失いやすい．

CT 検査または X 線写真で診断をつける．小児では対症療法が主となる．

(3) 鼻出血

鼻中隔下端の Kiesselbach（キーゼルバッハ）部位は動脈の吻合が多く出血しやすい．鼻腔前方からの出血は鼻孔へ，後方からの出血は咽頭へと流れ出る．止血は圧迫あるいはボスミン® タンポンを使用するのが基本である．

E 理学・作業療法との関連事項

■子どもたちを苦しめる聴覚過敏

『我，自閉症に生まれて』（学研プラス，1994）の著者であるテンプルグランディン氏は自身の聴覚過敏について，学校のチャイムの音は歯医者のドリルの音のように聞こえ，痛みとして感じたという．嫌な音刺激は今でも彼女を苦しめていて，公共トイレのハンドドライヤーや空港の保安ゲートの警報など，大きな音や予測できない突然の音に耐えられないという．聴覚刺激は回避が難しいという特性がある．したがって，どんな音刺激が不快なのか，観察・評価することが重要となる．

近年，感覚処理の特性を評価するためのツールが開発されおり，SP 感覚プロファイルはその代表的な評価尺度である．乳幼児から高齢者まで使用でき，保護者が記入するものだけでなく，本人が記入し自己評価するものまで開発されている．子どもの感覚処理の特性や重症度を把握することで，物的な環境を調整すること，周囲のサポートが得られやすくなること，回避行動を教えることが可能となる．理学・作業療法士にとって有用な評価尺度である．

■子どものめまいや倦怠感に潜む病

家族は子どもの寝起きの悪さや倦怠感を“怠け癖”あるいはゲームや SNS による夜更かしが原因だと考えてしまうことがある．しかし，病気による徴候かもしれない．例えば，めまいや頭痛，倦怠感として現れる起立性調整障害は中学生の約 1 割に認められる思春期を好発年齢とする疾患である．起立性調整障害は不登校の原因ともなりうる重要な疾病であるが，学校や家庭において周知されていないのが現状である．過敏性腸症候群や片頭痛，心因性頻尿など不登校と関連する疾患は多く存在する．これらも理学・作業療法士が理解を深めておきたい疾患である．

■手話を学ぼう

わが国では 2000 年に新生児聴覚スクリーニングが導入され，早期発見が可能となってきた．さらに補聴器の進歩，人工内耳の普及によって聴覚と視覚を活用した多様なコミュニケーション手段の時代に変わってきている．その潮流の中で，今なお手話は重要なコミュニケーション手段である．

2016 年には障害者差別解消法が施行され，合理的配慮が求められている．合理的配慮とは社会の中にある障壁（バリア）を取り除くための配慮である．聾によって社会参加が阻害されることがあってはならない．公共の場で働くことの多い理学・作業療法士は手話を学んでほしい．あいさつ程度の簡単な手話であっても，同じコミュニケーション手段でかかわることによって彼らの不安も和らぐだろう．

- □ 小児の耳鼻科疾患名をあげて，どんな症状が見られるか列記しなさい．
- □ 先天性難聴について，発生頻度や原因など特徴を説明しなさい．
- □ 小児の聴力検査法をあげて，特徴を説明しなさい．

第21章 児童虐待・事故

学習目標
- 児童虐待の分類を説明できる．
- 要保護児童を説明できる．
- 虐待を疑ったときの対応を説明できる．
- 乳児突然死症候群を理解する．

A 児童虐待

子どもにかかわる者は，児童虐待（child abuse）の可能性を常に意識しておかなければならない．虐待相談対応件数は年々増加傾向にあり，2020年度には20万件を超えた．加害者の多くは実母と実父であるが，学校や施設職員の場合もある．

1 虐待の分類

身体的虐待，ネグレクト，心理的虐待，性的虐待の4つに分類される．2020年の厚生労働省の調査報告では，身体的虐待24.4%，ネグレクト15.3%，心理的虐待59.2%，性的虐待1.1%であった．

a 身体的虐待

身体的虐待とは，身体に外傷が生じる，または生じるおそれのある暴行を加えることである．乳児の揺さぶられ症候群（体を激しくゆするため頭部が前後に激しく動き脳障害をきたす）では外傷は見られないが，頭部画像検査で頭蓋内出血を認める．年長児の外傷は，表面から見えないような部位（背中や腹部，大腿部）に多い．

b ネグレクト

ネグレクトとは，一般の子育てをしないことである．食事を与えない，身なりの清潔や入浴をさせない，学校に行かせない，病気のときに病院に連れて行かない，などである．家庭や車にひとりで長時間放置することも含まれる．

c 心理的虐待

心理的虐待とは，ことばによる脅かしや脅迫の暴言，差別など心理的外傷を与える行為である．否定的な発言や無視も含まれる．

d 性的虐待

性的虐待とは，性器や肛門への接触，子どもへの性行為，子どもの性器を露出する，などである．

e 特殊な虐待（代理によるMünchausen症候群）

代理によるMünchausen（ミュンヒハウゼン）症候群では，加害者の多くは母親である．子どもの病気をねつ造（虚偽の症状を報告）して，複数の医療機関に繰り返し連れてゆく．

薬物や毒物などを飲ませてしまう場合もあり，死亡例もある．加害者には，自分が注目され，悲劇の親として尊重され，畏敬の念をもって周囲か

▶表 1　虐待が疑われる子どもの症状や状態

子どもの症状・状態
• 外傷（痕），熱傷（痕），骨折，誤飲，その他の事故（溺水など）
• 手形や歯形，道具の形（線状）をした打撲，つねった跡
• 乳児の打撲，骨折
• 輪郭がくっきりしている，あるいはパターン化している小円形の外傷痕・熱傷痕（タバコ，アイロンなど）
• 多数の虫歯，口腔内熱傷
• 外傷・熱傷が同時期に複数存在，あるいは反復して出現
• 保護者が十分説明できない外傷，熱傷，骨折，事故
• 性器あるいは肛門の裂傷，出血，感染，瘙痒感
• 不潔な皮膚状況
• 体重増加不良，低身長
• 子どもが家に 1 人で放置されている
• 乳児健診，予防接種を受けていない
• 保育園・幼稚園，学校に行かせない．親の都合や，親の生活の乱れで登園しない．
子どもの行動特性
• 学校や保育園で著しい過食・異食
• 過剰で無差別な対人接近（誰にでもなれなれしく身体接触してくる）
• 加減のない荒っぽい・乱暴な言動（対象が一定しない，誰にでも）
• 単独での非行の反復（学童）
• 動植物への残虐な行為
• 家出・徘徊の反復（学童）

ら見られたいという心理があることが，指摘されている．

2 虐待の気づき

何となくおかしいと感じることが大切である．**表 1** に虐待を疑う子どもの症状や状態を，**表 2** にその保護者の特徴を示す．保護者と密に接する職種は，保護者寄りになりがちであり，虐待に気づかない傾向があるので注意を要する．病気や障害のある子ども，特に発達障害では多動・衝動性，こだわり，パニックなどの育てにくさのある場合があり，リスクがある．

▶表 2　虐待している保護者の特徴

- 子どもの軽微な症状で，しばしば外来や救急外来を受診している
- 症状が前から出ているのに，病院受診が遅れがちである
- 育児についての誤った知識（確信）をもっているようにみえる
- 子どもを怒鳴りつけ，あたりまえと感じているようにみえる
- スタッフに対して攻撃的で，通常の信頼関係を築きにくい
- 状況の説明に一貫性がなく矛盾している

3 虐待を受けた子の行動特性（反応性愛着障害）

詳細は，第 17 章（➡220 ページ）を参照のこと．

4 虐待を疑った時の対応

2004 年の児童虐待防止法の改正で，“虐待疑い”事例も通告義務が課せられることとなった．また通告先は，児童相談所以外にも市町村児童福祉所轄課も加わった．2007 年から，各市町村に要保護児童対策地域協議会の設置が義務化され，各関係機関との連携を図っている．

虐待の疑いが強い場合や子どもが危険な場合は，児童相談所に通告し，虐待の疑いが少しでもある場合にも，要保護児童対策地域協議会に連絡する．

a 要保護児童

不適切な養育環境にあるすべての子どもが対象になる．要保護児童の最たるものが被虐待児であるが，非行児童や貧困家庭，親の養育能力の欠如，DV（domestic violence：配偶者やパートナーからの暴力）家庭の子ども，など対象範囲は広い．親には愛情があるが，貧困や能力不足が原因でしっかり育児ができていない場合も該当する．

b 要保護児童対策地域協議会（▶図 1）

要保護児童対策地域協議会は，児童相談所と市

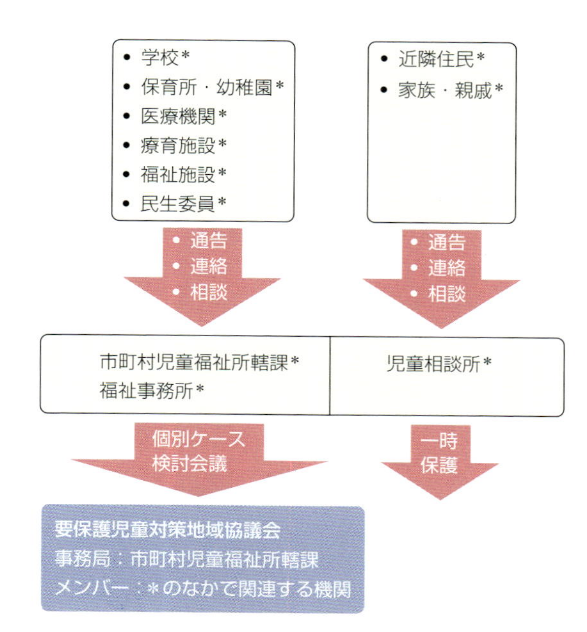

▶図1 虐待通告，相談から要保護児童対策地域協議会までの流れ

町村児童福祉所轄課，警察，医師会，学校，幼稚園・保育所・認定こども園，弁護士会などの関係機関で構成される．事務局は市町村児童福祉所轄課である．守秘義務が課されており，情報提供者の匿名性は法的に守られている．また，通告例が虐待でなかった場合にも法的に問われることはない．

B 事故

小児期での事故の発生は，小児の成長・発達と深い関係をもつ．乳児期の事故の種類として，水平方向への移動を開始したり立位方向へ姿勢が動きだす時期と，独歩ができだしてからの時期とに，それぞれの特徴がある（▶表3）．事故がおこる大きな原因は，保護者側の認識が小児の発達段階に遅れてしまうことにある．

一方で難しいのは，子ども自身がたっぷりと遊べる道具と空間を積極的に用意する必要があることである．「あれをするな」「これをするな」と禁止一辺倒になると，子どもの発達の意欲は萎えてしまう．療育訓練室などでは，さまざまな年齢・発達程度の小児がやってくるので，訓練対象児の現在の発達の一歩先を踏まえた安全対策を常に心がける必要がある．

1〜14歳の死亡原因の第一位が不慮の事故である．そのうち，溺水・溺死と交通事故が多い．常に児童虐待を念頭に置く．

a 頭部外傷

詳細は，第5章（➡95ページ）を参照のこと．

b 熱中症

熱中症は，高温環境や激しい運動による熱産生に身体が適応できなくなった状態である．乳幼児は，体重に比べ体表面積が大きいため熱中症になりやすい．高度の熱中症は，多臓器不全をきたし死に至ることがある．

c 熱傷

熱傷の範囲が広く高度であれば，循環血液量減少のため重要になる

d 低体温

深部体温が35℃以下の場合をいう．重症の場合は，意識障害や低血圧，徐脈，呼吸抑制をきたす．

e 乳児突然死症候群（SIDS）

原因不明の乳児突然死（sudden infant death syndrome：SIDS）は，乳児死亡原因の3位である．うつぶせ寝や両親の喫煙，ミルク栄養，早産低出生体重児がリスクである．呼吸中枢未熟性が病態に関連している可能性がある．遺伝子検査で先天代謝異常症やQT延長症候群などが，死亡後に確認されることがある．

f 誤飲・誤嚥

異物（ボタンやコイン）を口から入れることで

▶表3　子どもの発達と事故

	運動機能の発達	転落	切傷・打撲	熱傷	誤飲・窒息	交通事故	玩具	溺水事故
誕生		親が子どもを落とす		熱いミルク 熱い風呂	まくら，柔らかいふとんによる窒息	自動車同乗中の事故		入浴時の事故
3か月	体動・足をバタバタさせる	ベッド・ソファからの転落						
4か月								
5か月	見た物に手を出す 口の中に物を入れる		床にある鋭い物（床の上）	魔法びん，食卓，アイロン	なんでも口に入れる（たばこ，びん，小物）		小さなおもちゃの誤飲 鋭い角のあるおもちゃ	
6か月	寝返りを打つ					母親との自転車2人乗り		
7か月	座る	歩行器による転落						
8か月	這う	階段からの転落		ストーブ，ヒーター		道でのヨチヨチ歩き		
9か月	物をつかむ	バギーや椅子からの転落			ひも，よだれかけ			浴槽への転落事故
10か月	家具につかまり立ちをする	浴槽への転落	鋭い角の家具・建具 カミソリのいたずら					
11か月					ナッツ類			
12か月	1人歩きをする	階段の上り降りでの転落						
13か月	スイッチ，ノブ，ダイヤルをいじる		鋭いテーブルの角，ドアのガラスドアに手をはさむ		クスリ，化粧品の誤飲	歩行中の事故		
1歳半	走る，登る	窓，バルコニーからの転落	引き出しの角など（家の中）		ビニール袋			
2歳	階段を上り降りする			マッチ，ライター 湯沸かし器，花火			すべり台，ブランコ，花火	プール，川，海の事故
3歳	高い所へ上れる		屋外での石など			三輪車の事故		
3〜4歳						自転車の事故		

〔田中哲郎：あまりにも多い子どもの事故と問題点．公衆衛生情報 22（2）：12，1992 より〕

生体に障害が発生する場合を誤飲という．異物が咽頭以下の気道に吸引される状態を誤嚥という．いずれも救急対応が必要である．

g 溺水

風呂が最も多い．

C 理学・作業療法との関連事項

■虐待が脳を傷つける

うつ，不安障害，心的外傷後ストレス障害（PTSD）など，虐待が精神的トラブルを引き起こすことは広く知られている．しかし，継続的な虐待が脳を傷つけるということをご存じだろうか．被虐待児の脳機能障害についてまとめられた『いやされない傷』（診断と治療社，2012）の著者で知られる友田らの一連の研究によって，虐待で脳に器質的な変化が生じていることが確認されている．暴言を受けた被虐待児（者）は，言語を理解するための中枢である左上側頭回に変異をきたす．言葉による虐待は，子どもたちの言語発達を脳機能レベルで歪ませてしまう可能性もある．厳しい体罰は注意機能や衝動のコントロールを司っている前頭前野を萎縮させてしまう．体罰は，落ち着きがなく切れやすい子にしてしまう可能性もある．親のドメスティック・バイオレンス（DV）を目撃した子どもの視覚野が縮小していることも確認されている．さらに，複数の種類の虐待を受けると記憶の中枢である海馬や扁桃体に障害を引き起こすことも示唆されている．虐待は，子どもたちの思い出やエピソードを奪い，曖昧にしてしまう可能性がある．

児童虐待にはもう 1 つ懸念すべき側面がある．それは世代を超えて親から子へと連鎖してしまう世代間連鎖である．もちろん，親となったすべての被虐待児が虐待するわけではない．虐待を受けたという経験は虐待を引き起こす 1 つの要因にすぎない．貧困，核家族などの世帯状況，ソーシャルサポートの脆弱さなど，虐待に関連する要因は多く，複雑に絡み合っている．

近年になり，児童虐待（child abuse）と同じ意味合いで“不適切な養育”（チャイルド・マルトリートメント：child maltreatment）という用語が使われている．子どもの発達を阻害する行為全般を含めた“不適切な養育”という意味であり，一人では生き抜けない子どもの権利を擁護することを目的として生まれた用語である．理学・作業療法士は虐待に気づくこと，虐待から子どもたちを守ることを心がけてほしい．

■危険な行為を教える難しさ

不慮の事故は 1 歳未満の乳児では「窒息」が最も多く，1～14 歳では「交通事故」が第 1 位となる．事故が発生する場所も 0～4 歳では家庭内が多いが，5～14 歳では家庭内は 50% 未満となり，海や川などの自然水域による溺死や交通事故の割合が増えてくる．子ども社会活動の拡大によって，発生する事故の種類や場所も変化する．

子どもは危険を予測することが難しいが，特に発達障害のある子どもには配慮が必要となる．例えば，注意欠如・多動症では，衝動性によって道路に飛び出してしまうかもしれないし，注意散漫となって近づいている車両に気づかないかもしれない．興味のあることだけに関心が向きやすい自閉スペクトラム症では周囲への関心の薄さによって，危険な物や場所が認識されていないことがある．

発達障害のある子どもたちにどう危険を教えるか，そのヒントは子どもの認知特性を理解することにある．一般的に発達障害の子どもたちに言葉だけで理解させることは難しい．時に大人は指示が伝わらない場合，言語指示を増やして言葉のシャワーを浴びせてしまい，その結果として子どもはさらに混乱してしまうだろう．模倣が得意な子どもなら，実際にやってみてモデルを示すことが効果的かもしれない．視覚優位な子どもでは絵本や絵カードで危険を伝えることが可能かもしれない．絵本，漫画，絵カードなど有用なグッズも販売されている．

知識として危険な行動や場所を教えることは，危険を予測するための第一歩となる．もちろん子どもが成長し，危険の予測性が獲得されるまでは周囲の大人が守らなければならない．例えば飛び出してしまう子どもには，手をつなぎ歩くことを習慣化する．子どもに近づいている危険に対し，気づくよう注意を促す．危険から守ること，危険を教えることに理学・作業療法士も寄与してほしい．

- □ 児童虐待の分類を述べなさい．
- □ 虐待を疑ったときの対応を述べなさい．

資料

セルフアセスメント

問題1 **10か月の健常児が通過していない項目はどれか.**

1. 四つ這い移動
2. 手を伸ばしてつかむ
3. 独歩
4. バンザイなどの模倣
5. 座位

解答 3

解説 「歩きはじめ」に季節や体格が多少影響することがあるが，10か月ではまだ独歩は少ない.

(参照➡11～15ページ)

問題2 **乳児期前半にのみ出現する反射・反応はどれか.**

1. パラシュート反応
2. 視性立ち直り反応
3. 跳び直り反応
4. 足の把握反射
5. 手の把握反射

解答 5

解説 手の把握反射は新生児期からみられるが，随意性の把握が盛んになる生後3か月ころに目立たなくなる.

(参照➡10～12ページ)

問題3 **乳幼児の栄養・摂食について正しい組み合わせはどれか.**

ア．乳児の体の水分含有量は，体重当たりの割合が成人よりも少ない.

イ．乳児の体重1kgあたりの必要エネルギー量は，成人よりも多い.

ウ．摂食は，口腔・咽頭・食道の各相だけでなく，食物の認識から始まるといえる.

エ．乳児期の嚥下では，喉頭の形態の特徴から呼吸抑制に時間がかかる.

オ．離乳初期（5～6か月）の舌の動きの特徴は上下方向である.

1. ア，イ　2. ア，オ　3. イ，ウ
4. ウ，エ　5. エ，オ

解答 3

解説 ア：乳児は成人より水分含有量は多い.
エ：乳児の咽頭の位置は成人と比較して相対的に高位であるため，呼吸抑制は非常に短時間で行える.
オ：生後5～6か月のころは舌の動きは前後方向で，丸呑みが特徴.

(参照➡16～21ページ)

問題4 重症児の体調変化について，正しいのはどれか．

1. 頭から足に向けて順に状態を評価する．
2. 普段の状態と比較して，異常なところを確認する．
3. 発熱を疑った場合はまず解熱薬を投与する．
4. ゆっくり規則的に呼吸することが多い．
5. 痙攣時は歯の間に物をはさみ込む．

 2

 1：外観，呼吸，皮膚の色から緊急性を速やかに判断する．

2：重症児は個別性が高く，普段の状態と比較して，異常なところを確認することが重要．

3：発熱を疑った場合はまずうつ熱を念頭に，熱の放散を助ける．

4：重症児は呼吸が速く不規則なことが多い．

5：痙攣時は歯の間に物をはさみ込むと，口の中を傷つけるためかえって危険である．

（参照➡34～36ページ）

 **新生児の呼吸器疾患について，正しい組み合わせはどれか．**

ア．35週未満の早産児では呼吸窮迫症候群（RDS）のリスクが高い．

イ．胎便吸引症候群（MAS）は早産児に多い．

ウ．新生児遷延性肺高血圧症（PPHN）は新生児仮死に続発しやすい．

エ．早産児無呼吸発作は胸郭の低形成に起因する．

オ．呼吸窮迫症候群（RDS）の治療はステロイド吸入である．

1. ア，イ　2. ア，ウ　3. イ，ウ
4. ウ，オ　5. ア，オ

 2

解説 早産児は肺胞形成が未熟で，十分な量の肺サーファクタント（surfactant；表面活性物質）がない．そのため生直後に開いた肺胞が再びつぶれやすく，RDSのリスクがある．

（参照➡49～50ページ）

問題 6 遺伝子・染色体・ゲノムについて正しいものを２つ選べ

1. 染色体の本数は男女同数である.
2. 染色体検査（G 分染法）によりゲノムの塩基配列がわかる.
3. ヒトが持つ遺伝子の総数は約 30 億個である.
4. 核酸塩基はアデニン，チミン，グアニンの 3 種類から成っている.
5. すべての遺伝子と染色体を総称してゲノムと呼ぶ.

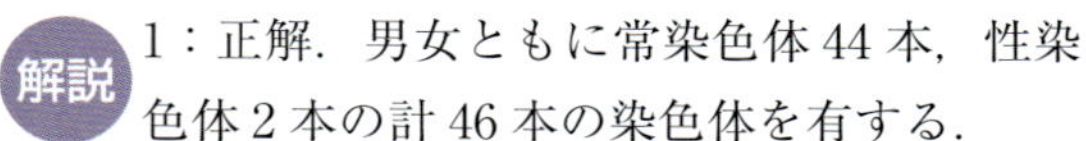

解答 1，5

解説 1：正解．男女ともに常染色体 44 本，性染色体 2 本の計 46 本の染色体を有する.

2：染色体検査（G 分染法）は顕微鏡を用いて染色体の数的，量的異常を知ることができるが，塩基配列の同定にはシークエンス解析など他の解析手法を行う必要がある.

3：ヒトが持つ遺伝子の総数は約 2 万 2～4 千と考えられている.

4：さらにシトシンがあり 4 種類からなっている.

5：正解

（参照➡59～66 ページ）

問題 7 発達検査・神経生理・画像検査について正しいのはどれか．２つ選べ.

1. 遠城寺式乳幼児分析的発達検査は，子どもの発達を 4 つの領域に分析して評価する.
2. 脳波検査は，てんかん診断や意識障害評価に有用である.
3. 誘発電位は，患者が覚醒状態でないと検査できない.
4. 聴性脳幹反応は，新生児の難聴の診断に有用である.
5. 頭部 MRI は短時間で検査できる.

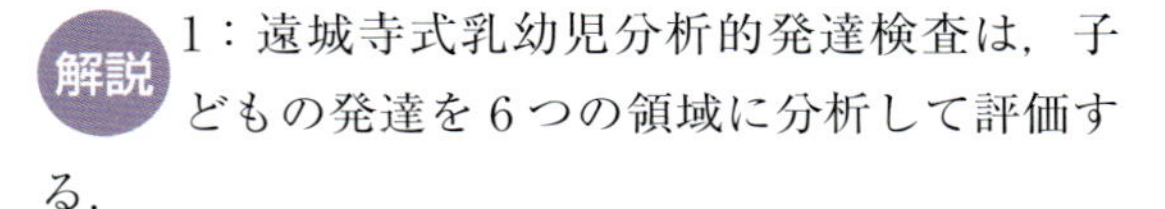

解答 2，4

解説 1：遠城寺式乳幼児分析的発達検査は，子どもの発達を 6 つの領域に分析して評価する.

3：睡眠でも検査できるので新生児から乳幼児にも検査できる.

5：MRI は検査に時間がかかるため，乳幼児の場合には鎮静が必要である.

（参照➡78～80 ページ）

問題 8 小児の筋疾患について，正しいのはどれか．

1. 先天性ミオパチーでは，筋緊張は正常である．
2. 福山型先天性筋ジストロフィーは，乳児期早期には関節の拘縮はない．
3. Duchenne 型筋ジストロフィーの登はん性起立は，骨盤帯の筋力低下が原因で生じる．
4. Duchenne 型筋ジストロフィーでは，知的障害は合併しない．
5. 筋強直（緊張）性ジストロフィーでは，筋以外の臓器症状はない．

解答 3

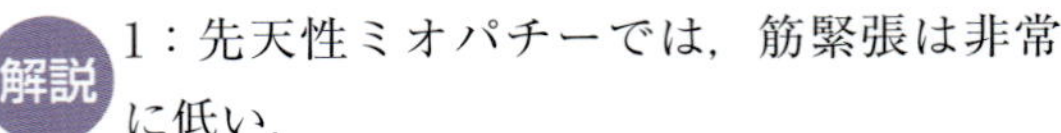

解説 1：先天性ミオパチーでは，筋緊張は非常に低い．

2：福山型先天性筋ジストロフィーでは，乳児早期から四肢関節の拘縮がある．

4：Duchenne（デュシェンヌ）型筋ジストロフィーは，全例の約 1/3 で IQ が 70 以下とされている．

5：筋強直（緊張）性ジストロフィーでは，知的障害，脱毛，副腎・下垂体機能不全，白内障，網膜色素変性症など多臓器の症状を呈する．

（参照➡109～112 ページ）

問題 9 神経因性膀胱を高率にきたす疾患はどれか．

1. 脊髄髄膜瘤
2. 滑脳症
3. 小脳低形成
4. 小頭症
5. 結節性硬化症

解答 1

解説 排尿中枢は脊髄にあるため，脊髄疾患では神経因性膀胱が多い．

（参照➡87, 91～92 ページ）

問題 10 Chiari 奇形Ⅱ型の症状として認めるものはどれか．正しいものをすべて選べ．

1. 顔貌異常
2. 無呼吸
3. 多指症
4. 対麻痺
5. 排尿障害

解答 2，4，5

解説 水頭症と脳幹症状（呼吸不全，嚥下障害），脊髄髄膜瘤による脊髄症状（対麻痺と神経因性膀胱）が主症状である．

（参照➡87～88, 90 ページ）

問題 11 次の神経皮膚症候群の皮膚所見をア～オから選べ．

1. 結節性硬化症
2. 神経線維腫症 1 型
3. Sturge-Weber 症候群

ア．カフェオレ斑

イ．白斑

ウ．血管線維腫

エ．血管腫

オ．皮下腫瘤

解答 1―イ・ウ，2―ア・オ，3―エ

解説 結節性硬化症：イ．白斑（体幹や四肢に葉状白斑），ウ．血管線維腫（顔面）．

神経線維腫症 1 型：ア．カフェオレ斑（全身），オ．皮下腫瘤（神経線維腫）．

Sturge-Weber（スタージ・ウェーバー）症候群：エ．血管腫（三叉神経領域）．

（参照➡92～93 ページ）

問題 12 小児の脳血管障害・頭部外傷に関して正しいのはどれか．

1. 早産児の頭蓋内出血は硬膜下血腫が多い．
2. 乳児の硬膜下血腫は虐待が多い．
3. 小児期発症のもやもや病は，頭蓋内出血が多い．
4. びまん性軸索損傷は CT で所見が出やすい．
5. 小児の脳梗塞の原因として，脳血管奇形が最も多い．

解答 2

解説 1：上衣下出血と脳室内出血が多い．

3：一過性脳虚血発作が多い．

4：CT は正常が多い．MRI で微小出血を認める．

5：わが国ではもやもや病が最多である．

（参照➡95～96 ページ）

問題 13 次の小児てんかん・発作性疾患のうち，知的障害をきたすものはどれか．2 つ選べ．

1. 小児欠神てんかん
2. 中心・側頭部に棘波をもつ小児てんかん
3. 点頭てんかん
4. Lennox-Gastaut 症候群
5. 熱性痙攣

解答 3，4

解説 多くのてんかんは，てんかんの発症により知的障害はきたさない．例外的に知的障害をきたすてんかんには，点頭てんかんと Lennox-Gastaut（レンノックス・ガストー）症候群，乳児重症ミオクロニーてんかん〔Dravet（ドラベ）症候群〕などがある．いずれもてんかんは治療抵抗性である．

（参照➡96～99 ページ）

問題 14 発達障害について，誤った解答の組み合わせはどれか．

ア．自閉スペクトラム症の特徴の一つは，行動，興味，または活動の限定された反復的な様式ある．
イ．ペアレントトレーニングは，子どもとのよりよいかかわり方や日常の困りごとへの対応方法を学ぶプログラムである．
ウ．発達性協調運動症は手先の器用さを特徴とする．
エ．注意欠如・多動症における不注意は成人期になると改善しやすい．
オ．知的障害を伴わない発達障害も特別支援教育の対象となる．

1．ア，イ　2．ア，オ　3．イ，ウ
4．ウ，エ　5．エ，オ

4

解説 ウ：発達性協調運動症は，不器用さや運動技能の拙劣さを特徴とする．
エ：注意欠如・多動症における不注意は成人期にも引き続きみられることが多く，職場や家庭生活での不適応につながりやすい．
（参照➡115～123 ページ）

問題 15 次の組み合わせのうち正しいものを１つ選べ．

1．脊椎側彎症　—　思春期女児
2．軟骨無形成症　—　細い長管骨
3．骨形成不全症　—　成長ホルモン治療
4．発育性股関節形成不全　—　大腿骨頭壊死
5．くる病　—　ビタミンＤ過剰

1

脊椎側彎症は，思春期年齢の女児に多い．軟骨無形成症では太く短い長管骨を認め，一方，骨形成不全症では細い長管骨を認める．骨形成不全症の治療薬は，骨密度の改善を目的にビスホスホネートの治療を行う．発育性股関節形成不全では大腿骨頭の関節内包内脱臼を認め，Perthes（ペルテス）病では大腿骨頭壊死を生じる．くる病はビタミンＤ欠乏によって生じる．
（参照➡125～128 ページ）

問題16 先天性心疾患の発生頻度は次のうちどれか．

1. 約 0.1%
2. 約 1%
3. 約 5%
4. 約 10%
5. 約 20%

解答 2

解説 出生 1,000 人に約 10 人（約 1%）とされ，わが国における頻度は 2016 年の調査では 1.44% であった．

（参照➡135 ページ）

問題17 小児の呼吸器について正しいのはどれか．

1. 呼吸障害の際には自覚症状を伴う．
2. 気道の閉塞時には口元酸素投与を行う．
3. 呼吸数は，小児の呼吸障害の鋭敏な指標である．
4. パルスオキシメータは動脈血酸素分圧を測定できる．
5. 呼吸不全では，酸素分圧と二酸化炭素の分圧が低下する．

解答 3

解説 1：乳児や重症心身障害児の場合にはわかりにくいことも多いため，多呼吸，鼻翼呼吸，陥没呼吸，呻吟，チアノーゼなどがないか注意深く観察する．

2：気道閉塞時は，痰などの分泌物の貯留が原因であれば吸引，舌根沈下では下顎挙上やエアウェイ挿入，改善なければ気管挿管を行う．

3：呼吸数は，小児の呼吸障害の鋭敏な指標であり呼吸回数の測定が重要である．

4：パルスオキシメータは動脈血中酸素飽和度と脈拍数を測定できる．

5：呼吸不全では酸素分圧は低下し，二酸化炭素分圧は上昇する．

（参照➡143～145 ページ）

問題18 次の病原体のうち，ワクチンが存在しない疾患はどれか．2 つ選べ．

1. 肺炎球菌
2. 水痘
3. インフルエンザウイルス
4. サイトメガロウイルス
5. B 群 β 溶血性連鎖球菌

解答 4，5

解説 1：乳児からの定期接種での不活化ワクチンがある．

2：1 歳以降で接種する生ワクチンがある．

3：毎シーズン接種する不活化ワクチン．

（参照➡152～153 ページ）

問題19 **次のうち，新生児期の細菌性髄膜炎の起炎菌として多いものを2つ選べ.**

1. 肺炎球菌
2. 髄膜炎菌
3. 大腸菌
4. 百日咳菌
5. B群β溶血性連鎖球菌

3，5

解説 新生児期の敗血症や細菌性髄膜炎の起炎菌として大腸菌およびB群β溶血性連鎖球菌が重要である.

(参照➡154〜155ページ)

問題20 **小児の消化器の発生/疾患について正しいのはどれか，2つ選べ.**

1. 消化管，肝臓，膵臓は外胚葉起源である.
2. 腸重積の始まりの症状は，頑固な便秘である.
3. 歯肉口内炎は単純ヘルペスにより生じ，1週間ほど歯肉の発赤と出血をみる.
4. 胃食道逆流症は，合併症として，誤嚥性肺炎，食道炎などを生じる.
5. 肥厚性幽門狭窄症は生後2〜3か月の男子に多い.

3，4

解説 1：内胚葉起源である.
2：腸重積の初発症状は，繰り返す腹痛であることが多い.
5：生後2〜3週の男子に多い.

(参照➡165, 167〜171ページ)

問題21 **次の組み合わせのうち正しいものを1つ選べ.**

1. ゴナドトロピン — ACTH
2. 先天性甲状腺機能低下症 — 抗甲状腺薬
3. 中枢性尿崩症 — 乏尿
4. 副甲状腺機能低下症 — 高カルシウム血症
5. 先天性副腎過形成 — 糖質コルチコイド補充

5

解説 ゴナドトロピンはLH, FSHを指す．先天性甲状腺機能低下低下症の場合は，レボチロキシンナトリウムの内服を行う．抗甲状腺薬は，Basedow（バセドウ）病の治療薬である．中枢性尿崩症の症状は，多尿である．副甲状腺機能低下症の場合は，低カルシウム血症をきたす．先天性副腎過形成の治療では，糖質コルチコイド，鉱質コルチコイドと必要に応じてNaClの内服を行う.

(参照➡177〜182ページ)

問題22 血液疾患について正しいのはどれか.

1. 鉄欠乏性貧血は大球性貧血となる.
2. 小児白血病で最も多いのは急性骨髄性白血病である.
3. 免疫性血小板減少症では骨髄巨核球は減少する.
4. ビタミンKが不足すると出血傾向となる.
5. 血友病Aは第Ⅸ因子の欠乏によっておこる.

解答 4

解説 1：鉄欠乏性貧血は小球性である.
2：小児白血病では急性リンパ性白血病が最も多い.
3：免疫性血小板減少症では骨髄巨核球は正常または増加している.
5：血友病Aは第Ⅷ因子の欠乏によりおこる.
(参照➡190～194ページ)

問題23 免疫・アレルギー・膠原病について正しいのはどれか.

1. DiGeorge症候群ではB細胞が形成されない.
2. 蕁麻疹はⅠ型アレルギー反応である.
3. 食物アレルギーは血液検査で確定診断可能である.
4. 川崎病は脳動脈瘤を形成しやすい.
5. IgA血管炎で予後不良となる症例は肝障害が原因である.

解答 2

解説 1：DiGeorge症候群では胸腺形成不全によりT細胞数が減少する.
3：食物アレルギーの確定診断には食物を摂取させて反応をみる負荷試験が必要である.
4：川崎病では心臓の冠動脈瘤を形成しやすい.
5：IgA血管炎で予後不良となるのは腎障害をきたした症例である.
(参照➡198～199, 202, 204ページ)

問題24 腎疾患について誤りはどれか.

1. 小児期のネフローゼ症候群は特発性が多く，2～6歳の男子に好発する.
2. 小児の慢性腎不全では厳格な運動制限は行わない.
3. IgA腎症では，糸球体にIgAの沈着をみる.
4. 溶血性尿毒症症候群は病原性大腸菌O157による出血性大腸炎を原因とすることが多い.
5. 先天性腎尿路異常は慢性腎不全の原因となることは多くない.

解答 5

解説 進行した慢性腎臓病の約6割が先天性腎尿路異常が原因とされている.
(参照➡209～212ページ)

問題 25　小児の腫瘍性疾患について正しいのはどれか．

1. 小児の悪性腫瘍で最も多いのは脳腫瘍である．
2. 神経芽腫は腎臓に好発する．
3. 肝芽腫の転移臓器で多いのは骨である．
4. 腎芽腫では血中 AFP が上昇する．
5. 両側性の網膜芽腫は遺伝性である．

解答　5

1：小児の悪性腫瘍で最も多いのは白血病である．

2：神経芽腫の好発部位は副腎であり，腎臓ではない．

3：肝芽腫の転移臓器で多いのは肺である．

4：腎芽腫に特異的な腫瘍マーカーはない（AFP は肝芽腫で上昇する）．

（参照➡214〜215 ページ）

問題 26　心身医学的疾患，睡眠関連病態，虐待に関連する次の文章で正しいのはどれか．すべて選べ．

1. 小児の閉塞性睡眠時無呼吸の原因にアデノイド増殖症がある．
2. 心身症は，身体疾患ではない．
3. チックの主な原因は心理的ストレスである．
4. 子どもを学校に行かせないことは虐待である．
5. 虐待が疑われても，確信がもてない場合は通告しなくてもよい．

解答　1，4

1：アデノイド増殖症と扁桃肥大が主な原因である．

2：心身症は，身体疾患であり，その発症と経過に心理社会的因子が密接に関連しているものをいう．

3：チックの主な原因は素因と考えられている．心理的ストレスは症状増悪の関連因子である．

4：ネグレクトである．

5：疑いをもったら通告する義務がある．

（参照➡120, 218〜219, 239〜240 ページ）

問題 27　医療的ケア児について正しいのはどれか．すべて選べ．

1. 上気道狭窄はポジショニングで改善する．
2. 下気道狭窄が高度の場合には，速やかに気管切開を行う．
3. 摂食・嚥下障害の評価にビデオ X 線透視造影嚥下検査（VF）は有用である．
4. 胃食道逆流症（GERD）は肺炎の原因になる．
5. 口腔ケアは肺炎予防には効果がない．

1，3，4

2：非侵襲的陽圧換気療法をまずはじめに考慮する．

5：口腔ケアは肺炎予防に有効である．

（参照➡225〜227 ページ）

問題28 **重症心身障害児について正しい答えの組み合わせはどれか.**

ア．呼吸障害があれば，ただちに気管切開を行う．

イ．発語がない場合にも，非言語的手段によるコミュニケーションは可能である．

ウ．てんかん発作が合併する場合には，治療抵抗性てんかんが多い．

エ．成人になれば，変形や拘縮は進行しない．

オ．摂食時の姿勢は，嚥下障害に影響しない．

1．ア，イ　2．ア，オ　3．イ，ウ
4．ウ，エ　5．エ，オ

解答 3

解説 ア：気管切開の適用は呼吸困難状態が長期に継続することが予測される場合に検討される．

エ：重度の運動麻痺や低緊張でも，成人期に変形・拘縮は進行する可能性がある．

オ：適切な嚥下を行ううえで，姿勢は重要な要素である．

（参照➡223～227ページ）

問題29 **弱視をきたしやすいのはどれか，2つ選べ．**

1．近視
2．遠視
3．アレルギー性結膜炎
4．睫毛内反
5．先天白内障

解答 2，5

解説 2：屈折異常弱視は遠視と乱視に多い．

5：先天白内障は，形態覚遮断弱視をきたす．

（参照➡230～231ページ）

問題30 **耳鼻科的疾患や聴力検査について正しい答えの組み合わせはどれか．**

ア．遺伝的要因が先天性難聴の原因の半数を占めている．

イ．キーゼルバッハ部位は鼻出血を生じやすい．

ウ．急性化膿性中耳炎は小児より成人に多く見られる．

エ．自動聴性脳幹反応は難聴のレベル確定に適している．

オ．乳幼児期の聴力検査法は純音聴力検査が適切である．

1．ア，イ　2．ア，オ　3．イ，ウ
4．ウ，エ　5．エ，オ

解答 1

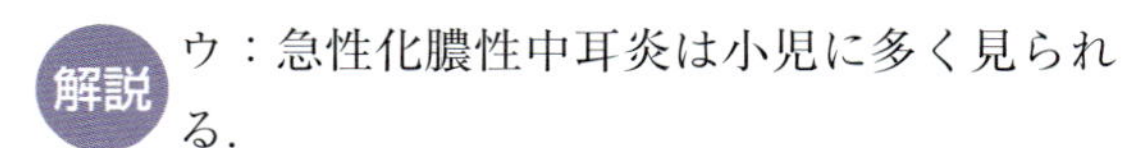

解説 ウ：急性化膿性中耳炎は小児に多く見られる．

エ：自動聴性脳幹反応は35 dBクリック音で刺激するため，難聴のレベル確定は不可能である．

オ：乳幼児期は発達に応じて聴性行動反応聴力検査や条件詮索反応聴力検査など，適切な聴力検査法を選択する．

（参照➡235～237ページ）

索引

①用語の配列は完全五十音方式による．
②——でつないだ用語はすぐ上の用語につなぐものである．また——に，(カンマ) をつけてつないだ用語は逆引きである．

和文

あ

い

う

え

お

か

き

く

け

こ

さ

し

す

せ

そ

た

ぬ

ね

の

は

ひ

I

J

K

L

M

T

U

V

W

X

Z